'한국근대문학과 중국' 자료총서 ⑭

비평Ⅴ(1940.6~1950)

최창륵·조영추 엮음

역락

『'한국근대문학과 중국' 자료총서』 편찬위원회

위원장: 김병민

위　　원: 이광일 최창록 최　일 장영미 박설매 김　강

편찬자 소개

김병민 연변대학교 조선언어문학학과 교수. 문학박사.

이광일 연변대학교 조선언어문학학과 교수. 문학박사.

최창록 남경대학교 한국어문학과 교수. 문학박사.

최　일 연변대학교 조선언어문학학과 교수. 문학박사.

장영미 연변대학교 조선어학과 교수. 문학박사.

박설매 연변대학교 조선언어문학학과 부교수. 문학박사.

김　강 연변대학교 조선언어문학학과 전임강사. 문학박사.

배　홍 연변대학교 조선언어문학학과 전임강사. 문학박사.

김은자 하얼빈이공대학교 조선어학과 전임강사. 문학박사.

조영추 연세대학교 국어국문학과 박사.

박미혜 성균관대학교 국어국문학과 박사과정 수료.

'한국근대문학과 중국' 자료총서

14

비평 V

1940.6~1950

최창록 · 조영추 엮음

역락

한국근대문학과 중국체험서사

─ 서문을 대신하여 ─

김병민

1. 중국체험의 의미

한·중 문화 교류는 수천 년의 유구한 역사를 가지고 있다. 특히 한국은 한자, 유·불·도, 각종 문물제도를 중국으로부터 수용함으로써 한(漢)문화권에 편입된 뒤 한(漢)문화를 중심으로 한 동아시아문화권의 형성과 발전에 중요한 역할을 하게 되었다. 따라서 한국문학의 발전 역시 중국문학 및 문화와 불가분의 관계에 놓이게 되었다.

한국문학의 발전에 있어서 역대 한국인들의 중국체험은 한국 한(漢)문학 전통의 확립에 결정적인 역할을 했다. 한국문인들의 중국체험은 다양한 양상을 보이고 있는바 최치원 등을 비롯한 문인들의 유학(留學)체험, 혜초, 의상 등을 비롯한 불교 문인들의 구도(求道)체험, 정도전, 허균, 김만중, 홍대용, 박지원 등을 비롯한 문인들의 사행(使行)체험 등을 들 수가 있다. 이들은 중국을 체험하는 과정에 중국의 문인들과 다양한 교류를 진행하게 되었고 한중 문학의 쌍방향적 영향관계를 밀접히 했다. 실제로 한국문학에서 굴지의 작가로 불리는 최치원, 이제현, 허균, 김만중, 박지원 등의 문학은 중국 문학 및 문화와 깊은 연관성을 보여주고 있다. 한국문인들은 중국체험을 통해 자신들의 창작을 전개해갔고 또한 창작을 통해 그들의 문화의식 즉 세계인식과 시대인식을 구축해 가기도 했다. 최치원의 한시가 『전당시』에, 이제현의 사가 『강촌총서』에 수록되었으며 김만중의 경우 중국체험과 중국문화 수용을 통해 세계적 영향을 지닌 『구운몽』을, 박지원의 경우는 사행체험을 통해 세계 기행문학의 백미로 불리는 『열하일기』를 창작했다. 최치원, 이제현, 김만중, 박지원의 문학이 세계적인 명작이 되기에 손색이 없다고 할 때, 한국문학 발전에 있어서 중국체험은 큰 의미를 가진다고 할 수 있다.

중국체험은 한국 문인들에게 시간과 공간에 대한 새로운 인식을 심어주었고 자아와 타자에 대한 새로운 인식을 불러일으키기도 했다. 예를 들어 18세기 후반기 '북학파'의 맹주들인 박지원, 박제가 등이 중국체험을 통해 전통적인 문화의식에서 탈피하여 자본시장의 형성과 과학문명에 대한 인식을 얻고 중세의 몰락과 근대의 여명을 확인한 것은 시대를 앞서나간 문화적 초월이라고 할 수 있다. 그것은 말 그대로 국가 간의 경계, 문화 간의 경계, 민족 간의 경계를 넘어설 수 있었던 탈경계 체험의 산물이라고 하겠다.

20세기를 전후하여 한국은 근대 식민지체계에 편입되기 시작하여 1910년 '한일합방'으로 일제의 식민지로 전락되고 말았다. 망국을 전후한 시기부터 중국은 한국독립투사들의 항일투쟁의 정치적 공간과 근대적 이민의 생활공간이 되기도 했다. 따라서 한국근대문학은 중국의 문학 및 문화와 더욱 밀접한 연관을 맺게 되었고 보다 더 새롭고 다양한 발전 양상을 보여주게 된다.

따라서 한국근대문학과 중국과의 관련양상에 대한 연구는 비단 한·중 근대문학교류사 연구뿐만 아니라 한국문학사 연구에 있어서도 지극히 중요한 가치가 있다고 할 수 있다. 현재까지 이에 대한 한국 학계의 연구는 대체적으로 한국근대문학의 공간적 이동이라는 시각에서 접근하여 중국에서 벌어졌던 한국문인들의 문학을 '이민문학' 혹은 재외 한국근대문학의 범주에 두고 고찰하였다. 반대로 중국 학계에서는 중국에 이주한 한국문인들의 문학을 '조선족문학' 혹은 그 전사(前史)로 범주화하고 연구를 해왔다. 이러한 연구는 한민족문학의 연구에서 극히 중요한 작업임이 분명하며 또한 현재까지 괄목할 만한 성과를 거두었다. 하지만 한국문학의 공간적 이동으로만 접근하게 되면 인적 교류, 이론과 사상의 유동 내지는 상상력의 탈경계 등 한·중 근대문학 교류의 보다 다양한 차원의 문제들을 간과하게 된다. 한 마디로 한·중 근대문학 교류는 문학의 공간적 이동의 시각보다는 탈경계 연구(Border—crossing studies)의 시각에서 접근하는 것이 더 효율적이라고 할 수 있다. 이른바 탈경계 연구는 민족, 국가, 언어, 문화, 이데올로기 및 윤리 등의 탈경계 그리고 그 과정에서 문화적 재건, 융합 및 가치창조를 밝히는 새로운 연구 시각이다.

근대 전환기 및 근대과정에서 이루어진 한국문학의 중국과의 교류는 고금의 인류문학사에서 보기 드문 문학적 현상이었으며 일종의 '증후성(Symptomatic)'을 가진 문학적 사건이라고 할 수 있는바 다음과 같은 특징을 띠고 있다. 우선, 교류의 지속시간이 길고 방대한 양의 텍스트를 형성하였다. 다음으로 그 교류는 일방적인 영향관계가 아닌 쌍방향적인 상호작용의 관계였다. 끝으로 그 교류는 '중심'과 '주변'의 관계가 아닌 '주변'과 '주변'의 관계였다. 그중 탈경계 서사(beyond boundaries narrative)로 특징지어지는 한국 근대문학의 중국체험서사는 한국문인들의 중국을 매개로 한 전통, 근대 그리고 미래와의 대화였다. 바로 이러한 의미에서 한국근대문학과 중국과의 문학·문화적 대화는 지극히 생산적인 것이었으며 근대 동아시아의 정신적 가치를 보여주는 소중한 유산이라고 할 것이다.

한국문학의 근대화 과정에서 일본을 통한 서양문학사조, 유파, 관념, 형식 등의 수용이 큰 역할을 하였음은 분명하나 식민지 출신의 한국문인들에게 있어 식민 종주국 일본이 생산적 가치를 가진 이상적인 공간이 될 수는 없었다. 오히려 비슷한 운명에 처한 중국이 생산적인 정치·문화공간이자 생존·생활공간이 될 수 있었다. 중국에 대하여 느낄 수 있었던 시대적 동질감과 유대감은 일본이 갖추지 못한 요소들이었다. 따라서 한국인들은 중국을 독립투쟁의 전장, 근대문명의 '박물관', 평등한 대화와 교류의 장소로 인식하였던 것이다. 한국근대문학과 중국과의 교류는 한국문학의 근대화 과정을 이해하는 데 있어 중요한 가치가 있을 뿐만 아니라 나아가 오늘날 한국과 주변의 관계를 이해하는 데 있어서 상당한 현실적 가치가 있다고 해야 할 것이다. 이에 『'한국근대문학과 중국' 자료총서』는 한국문인들이 중국과의 교류과정에서 생산한 중국서사와 한국문인들에 의한 중국문학 번역과 소개 등 텍스트를 그 대표성과 중요도에 따라 선별적으로 수록하였다.

2. 저항과 항일체험서사

항일서사는 한국의 독립투사들이 중국에서의 반일활동에 근거한 탈경계 서사로서 의열단(義烈團), 한국애국단(韓國愛國團), 독립군(獨立軍), 유격대(遊擊隊), 조선의용대/의용군(朝鮮義勇隊/義勇軍), 한국청년전지공작대(韓國靑年戰地工作隊), 한국광복군(韓國光復軍), 중국국민군(中國國民軍), 팔로군(八路軍), 항일연군(抗日聯軍) 등 항일부대의 활동과 밀접히 연관되어 있으며 소설, 시, 수필 등 장르를 포함하고 있다.

소설로는 중국에서 전개된 한국의 반일독립운동을 소재로 한 신채호, 최서해, 강경애, 심훈, 장지락 등의 작품이 있다. 우선 아나키즘계열의 항일투쟁을 반영한 소설로는 신채호의 「용과 용의 대격전」, 장지락의 「기묘한 무기」 등이 대표적이다. 신채호의 소설 「용과 용의 대격전」은 환상적인 구조 속에서 일제 침략자를 상징하는 미리와 한국 민중을 상징하는 드래곤 사이의 격전을 그리면서 민중의 승리를 확인하고 있다. 「꿈하늘」(1916)에서 신채호가 국민국가 상상을 보여주었다면 「용과 용의 대격전」에서는 무산민중 주체의 민족국가 상상을 보여주었다고 할 수 있다. 장지락의 소설 「기묘한 무기」는 1922년 김익상 등 한국의 반일지사들이 상하이 황포공원에서 일제 육군대장 다나카를 저격한 사건을 다룬 단편소설로 1930년 북경에서 창작된 작품이다. 이 소설에는 사회주의, 아나키즘, 인도주의 등 다양한 사상들이 혼재되어 있다. '만주'지역에서 전개되고 있던 독립투쟁을 소재로 한 소설로 최서해의 「해돋이」와 강경애의 「모자」, 「축구전」 등이 있다. 「해돋이」는 생활에 시달리다 독립운동에 투신한 주인공 만수의 형상을 통하여 '만주'지역 한국 이주민들의 일제와 그 주구들에 대한 분노와 항거를 보여주고 있다. 강경애의 「모자」는 간도지역에서 벌어진 항일유격투쟁을 배경으로 하면서 희생된 남편의 못 이룬 뜻을 어린 아들로 하여금 이어가게 하겠다는 한 어머니의 불굴의 의지를 보여주고 있고 「축구전」은 일제의 주구들이 조직한 축구경기에 참가하여 경기는 졌지만 민중들에게 반일정신이 살아있음을 보여준 진보적인 한국 이주민 중학생들을 그리고 있다.

반일투쟁 승리의 강력한 의지를 표출한 시작품으로는 신채호의 「매암의 노래」, 이육사의 「청포도」, 김창숙의 「넋이여 돌아오라」, 이두산의 「당신은 의용의 전사래요」, 문정진의 「4명의 열사를 추모하여」 등을 들 수 있다. 이두산의 시 「당신은 의용의 전사래요」는 중국에서 활약하고 있는 항일부대 '조선의용대'의 영용한 모습과 필승의 신념을 노래하면서 항전의 승리와 조국 귀환의 절절한 정감을 읊고 있다. 김창숙의 시 「넋이여 돌아오라」는 중국

하르빈에서 독립운동을 지도하다 일경에 체포되어 옥사한 독립투사 김동삼을 기린 시로 일제에 대한 불타는 적개심과 구국의 염원을 노래했다. "신계(神溪)는 목 메이고/ 한수(漢水)는 슬픈데/ 한 치의 묻을 땅이 없어/ 다비(茶毘)에 부치더니/ 아, 나라 찾을 그날/ 다가오리니/ 넋이여 돌아오라/ 주저치 말고"라고 하면서 전편에 걸쳐 혁명동지에 대한 뜨거운 애도 그리고 원수격멸의 의지를 그려내고 있다.

이밖에 항일투쟁의 제일선에서 싸운 군인들의 실기, 수필 등은 실제적인 체험을 기록했다는 의미에서 상당한 가치를 가진다. 예를 들면 '조선의용대' 대원들이 창작한 「전선에서의 조선의용대」, 「중국 전장에서의 조선의용대」, 「화평촌통신」 등은 항일전장에서 조선인 대원들의 대적 무장선전, 중국 항일부대와의 협동작전, 민중교육 등 상황을 그려내고 있는바 한국 근대 독립투쟁의 역사와 한중관계를 조명함에 있어서도 중요한 가치를 가진다고 할 수 있다. 중국에서 전개된 한국인들의 독립투쟁을 반영한 작품 『청산리 혈전실기』, 『조선혁명일사』 등과 신채호의 수필 「단아잡감록」, 「조선의 지사」, 이두산의 연작수필 「억(憶)」(「산중 40일」, 「중국 항전에 참가하다」 등 11편) 등 작품들은 중국에서 한국 독립지사들의 투쟁과 생활 그리고 그들의 정신적 궤적을 반영하고 있다는 의미에서 높은 문학적 가치를 가진다고 할 수 있다.

3. 정착과 이민서사

한국근대문학의 탈경계 서사에서 가장 많은 비중을 점하는 작품은 한국 이주민들이 중국에서의 생존체험을 소재로 한 이민서사로 그 주제적 경향에 있어서도 다양성을 보이고 있다.

우선, 한국 이주민과 중국인들과의 갈등은 이민서사에서 가장 많이 보이는 소재이다. 토지의 주인인 중국인들은 '지주'의 신분으로 등장하여 민족·계급이라는 이중적인 갈등구조를 이룬다. 최서해의 소설 「홍염」, 강경애의 소설 『소금』 등이 대표적이다. 「홍염」의 중국인 지주 '은 서방', 『소금』의 중국인 '팡둥'은 토지의 주인이라는 절대적 우위를 이용하여 한국 이주민들을 억압하고 있고 극한적인 생존환경에 처한 한국인 이주민들의 자연발생적인 항거가 계급적 인식으로 나아가게 된다. 이런 의미에서 중국으로의 이주는 한국작가들로 하여금 계급적 대립에 의한 억압의 보편성을 확인할 수 있게 하였고 나아가 현실 인식에 대한 깊이와 정확도를 획득할 수 있게 하였다.

다음으로, 중국에서 새로운 삶의 터전을 건설하려는 정착의식을 그린 작품들이 많이 있다. 안수길의 「벼」, 「북향보」 등과 현경준의 「선구시대」, 이기영의 『대지의 아들』, 『처녀지』 등 소설이 대표적이다. 안수길의 「북향보(北鄕譜)」는 주인공 정학도를 비롯한 이주민들이 어려운 여건 속에서 '북향농장'을 운영하는 과정을 통해 '만주'에 뿌리를 내려야 한다는 정착의식 혹은 지역의식(locality)을 상징적으로 보여주고 있다.

하지만 '만주'의 실질적인 지배자가 일제였기 때문에 '만주'를 향한 정착의식은 '상상적인 탈식민'으로 흐르게 되고 자칫하면 '만주'에서의 일제의 식민주의 담론에 포섭되게 된다. 마약중독자들을 '만주국' 건설에 필요한 인재로 '갱생'시키는 과정을 그린 현경준의 「유맹」, '내부 식민주의'적인 시각에서 원시적인 초원에 사는 몽고인들을 '개량'하는 주인공의 노력을 그린 한찬숙의 「초원」 등이 대표적이다. 이러한 정착의식은 일제에 대한 철저한 순응으로 타락하는 경우도 있어 박영준의 「밀림의 여인」과 같은 노골적인 친일문학작품을 낳기도 했다. 그럼에도 이러한 작품들은 '태평양전쟁' 이후 일제의 전시총동원체제 등 특수한 시대적 상황 속에서 한국문학의 현실대

응의 다양한 예시를 보여준다는 점에서는 상당한 가치가 있다.

　중국 도시에서의 한국 이주민들의 삶을 그린 작품으로는 주요섭의 「봉천역식당」, 김광주의 「북평서 온 영감」, 「남경로의 창공」 등 소설이 있다. 주요섭의 「봉천역식당」은 화자가 봉천역 식당에서 우연하게 만난 한 한국 여인의 10년간의 변화를 그리고 있다. 처음 만났을 때 이 여인은 행복이 넘쳐흐르던 처녀였으나 점차 남성의 노리개로 전락하여, 나중에는 우울한 모습으로 목석처럼 변해버리고 만 비참한 운명을 그리고 있다. 김광주의 「북평서 온 영감」은 살 길을 찾아 '만주'와 북경 등지를 전전하다가 상하이에 온 한국 이주민의 정신적 소외를 보여준 작품으로서 식민주의와 봉건주의의 이중적 억압 하에 놓인 한국 이주민의 삶을 그리고 있다.

　한국 시인들의 중국체험도 주목되는 바이다. 백석, 유치환, 이용악, 서정주 등은 중국체험을 통해 상상력의 확장, 이미지의 다양화 나아가 민족적, 시대적 인식의 전환을 이루게 되었다. 백석은 「조당(澡堂)에서」란 시에서 목욕탕의 벌거벗은 중국인들을 보면서 이방인인 '나'와 중국인들 사이의 역사와 문화, 언어와 몸짓, 그리고 표정 등의 차이를 느끼다가 인간은 결국 벌거벗은 우스운 몸에 지나지 않는다는 초월적 인식에 이르고 있다. 서정주는 취직을 위해 8~9개월 간 중국에 있었던 체험을 바탕으로 "저 만치의 쑥대밭 언덕에서는/ 역시나 때 절은 靑衣의 한 滿洲國 아줌마가/ 누구의 것인가 새 棺널 하나를 앞에 놓고/ <끅! 끅! 끄르륵……/ 끅! 끅! 끄르륵……>/ 꼭 그런 소리로 울고 있었다./ 우리 단군할아버님의 아내가 되신/ 그 잘 참으신 암곰님처럼/ 씬 쑥과 매운 마늘 많이 자신 소리 같았다."(「만주제국 국자가(局子街)의 1940년 가을」) 등 살아서 숨 쉬는 이국 이미지를 창조했다. 또 이용악은 중국 '만주'에서 목격한 망국노의 슬픈 모습을 "울 듯 울 듯 울지 않는 전라도 가시내야/ 두어 마디 너의 사투리로 때 아닌 봄을 불러줄게/ 손때 수집은 분홍

댕기 휘 휘 날리며/ 잠깐 너의 나라로 돌아가거라."(「전라도 가시내」)와 같은 주옥같은 시구에 담아내고 있다. 그런가 하면 유치환은 중국체험을 바탕으로 대체로 여성적인 한국 근대 시단에서 「생명의 서」, 「바위」와 같이 단연 돋보이는 역동적인 시를 써낼 수 있었다.

4. 타자와 중국서사

한국문인들의 중국체험은 중국과 중국인을 소재로 한 다양한 문학작품들의 출현을 가능토록 하였다. 이러한 작품은 중국에서의 전통문화체험을 통한 동양문화의 가치에 대한 재인식, 자본주의적 근대체험을 통한 서양적 가치에 대한 비판, 반식민지 반봉건 사회체험을 통한 현실사회의 부조리에 대한 비판, 항일투쟁체험을 통한 한·중 연대의식 등 다양한 주제를 표현하고 있다.

우선, 전통문화체험을 통한 동양적 가치의 재발견을 보여준 작품으로는 정래동의 수필집 『북경시대』, 한설야의 수필 「연경의 여름」 등과 주요섭의 소설 「진화」, 「죽마지우」 등을 들 수가 있다. 정래동과 한설야 등은 수필창작을 통하여 중국 전통문화의 거대한 힘에 대하여 예찬하였고 주요섭은 소설 「진화」에서 중국문화의 전통성을 인정하면서 동양의 정신적 가치를 발견하려고 했으며 소설 「죽마지우」에서는 북경을 자신의 정신적 고향으로 묘사하는 등 다원적인 문화정체성을 보이기도 했다.

다음으로, 반식민지 반봉건 사회체험을 통한 현실비판을 보여준 작품으로 심훈, 피천득, 박세형 등의 시편들과 최독견의 「벌금」, 주요섭의 「살인」, 「인력거꾼」, 강노향의 「상해야화」 등 소설 작품들을 들 수가 있다. 심훈은 시

「북경의 걸인」에서 걸인의 형상을 통해 하층민에 대한 동정을 보여준 동시에 동등한 운명에 놓인 자기 민족의 고통도 하소연하고 있다. 피천득의 시 「1930년 상해」는 옷을 전당 잡혀 먹을거리를 사야 하는 현실과 곧 팔려갈 어린 생명을 시적 대상으로, 하층민들의 비참한 생활에 대해 공소하였고 박세영의 시 「북해와 매산」은 군벌혼전으로 피폐해진 북경의 암울한 현실을 비판하였다.

이와 더불어, 최독견과 주요섭은 소설 창작을 통해 제국주의 침략과 문화 헤게모니로 하여 식민지화된 상하이 도시문명의 가치결손에 대하여 비판함과 동시에 하층민들의 소외를 적나라하게 폭로하고 있다. 이러한 소설들은 참신한 시각과 심각한 문제의식을 보여주고 있는바, 최독견은 소설 「벌금」에서 중국옷을 입고는 공원으로 들어갈 수가 없는 현실과 서양 여인이 개에게 먹이던 빵조각을 고맙다고 받는 중국인 여성을 통해 굴욕적으로 살아가야 했던 하층민에게 연민의 정을 보이고 있으며 중국의 반식민지 사회현실을 신랄하게 비판하고 있다. 또한 강노향은 소설 「상해야화」에서는 조계지 프랑스인 집에서 노예살이를 하는 중국인과 프랑스 여인의 부정당한 관계 등을 통해 서양의 가치결손과 식민지 조계지에서의 남성의 소외 내지는 타락을 보여주기도 했다. 한편, 주요섭은 소설 「살인」에서 도시 최하층 기생인 우뽀의 형상을 통해 버림받고 소외당한 하층민들의 운명을 보여주면서 그들의 각성을 촉구하기도 했다. 작가의 다른 한 소설인 「인력거꾼」 역시 자본주의 문명이 최하층 인간에게 들씌운 불행에 대하여 묘사하고 있다.

이처럼 상기 다양한 소설작품들은 근대 도시인 상하이를 배경으로 그 속에서 살아가는 하층민들의 불행한 운명, 특히는 생존권을 박탈당하고 소외되어가는 인물들을 통해 식민주의의 죄행을 공소하고 있다. 물론 이러한 문제의식은 한국문인들의 중국에서의 근대적 도시체험에서 얻어진 것이라 해야 할 것이다.

또한, 유자명, 이두석, 이관용, 문일평, 이광수, 최남선, 주요섭, 김광주, 정래동, 강경애 등 쟁쟁한 한국문인들의 수백 편의 기행문들에서는 중국체험과 시대인식이 다양하게 보이고 있다. 즉 이러한 기행문은 중국전통문화와 서양문명에 대한 새로운 인식, 시국에 대한 인식과 비판, 망국 국민으로서의 애환, 민족에 대한 뜨거운 사랑, 민족독립에 대한 열망 등으로 일관되어 있다. 특히 이러한 기행문들은 근대 중국사회를 인식하는 역외시각(域外視角)으로서 귀중한 문헌적 가치가 돋보이는 바이다.

5. 가치 수용으로서의 번역과 비평

한국근대문학과 중국의 관련 양상은 중국근대문학에 대한 번역과 비평에서도 잘 드러나고 있다. 한국에서의 중국근대문학작품에 대한 번역은 주로 양건식, 정래동, 유수인, 이육사, 김광주 등 중국 유학경력이 있는 문인들에 의해 전개되었다. 소설로는 루쉰의 「아Q정전」, 「광인일기」, 「고향」, 궈모뤄(郭沫若)의 「목양애화(牧羊哀話)」, 딩링(丁玲)의 「떠나간 후」, 위다푸(郁達夫)의 「피와 눈물」, 린위탕(林語堂)의 「북경호일」, 샤오쥔의 「사랑하는 까닭에」 등이 있으며, 시작품으로는 후스(胡適)의 「등산」, 「11월 24일 밤」, 궈모뤄(郭沫若)의 「봄 맞은 여신의 노래」, 「죽음의 유혹」, 쉬즈모(徐志摩)의 「가거라」, 「우연」, 주즈칭(朱自淸)의 「잠자라, 작은 사람아」, 저우쭤런(周作人)의 「소하」 등이 있으며, 연극으로는 궈모뤄(郭沫若)의 「탁문군 삼경」, 톈한(田漢)의 「상상의 비극」, 어우양위첸(歐陽予倩)의 「반금련」 등이 있다. 그 외에도 루쉰 등의 산문이 번역 소개되었다.

이외, 중국근대문학과 관련된 비평으로는 양건식의 「호적 씨를 중심으로 한 중국의 문학혁명」(1920, 번역문), 김태준의 「문학혁명 후의 중국문예관」(1930), 정래동의 「중국 양대 문학단체 개관」(1931, 번역문), 「노신과 그의 작품」(1931), 「중국문단의 신작가 파금의 창작태도」(1933), 김광주의 「중국 좌익문예운동의 과거와 현재」(1931), 이육사의 「노신 추도문」(1936) 등이 있다.

이러한 중국근대문학 작품의 번역과 비평을 통해 한국 근대 문인들의 중국문학에 대한 인식과 수용 자세, 한국 근대에 있어서의 중국의 사회사상과 미학사상이 미친 영향, 나아가서 한국 근대 문학번역사와 문체의 변천과정도 이해할 수가 있다. 주지하다시피, 한국 근대 문인들은 대부분 일본을 통해 서구문학을 수용하였고 또한 서구문학에 대한 번역과 소개도 적지 않게 진행한 바이다. 그럼에도 프로문학 등 특수한 영역을 제외하고는 한국 근대 문단에서 일본문학이 별로 번역·소개되지 않았음은 주목이 필요한 대목이다. 이에는 식민지시기라는 특수한 시대적 상황 속에서 형성된 이질감과 거부감이 작용했을 것이다. 이러한 점을 염두에 둘 때 한국에서의 중국 근대문학의 전파와 수용은 근대 한국 문인들이 중국 근대작가들과 함께 20세기의 동아시아적 가치를 창출하고 공유하고자 한 시대의식과 무관하지 않을 것이다. 바로 이런 의미에서 중국근대문학에 대한 번역·소개와 비평은 한국근대문학과 중국근대문학, 나아가 중국과의 관련을 해명하는 데 불가결한 중요한 영역이기도 하다.

6. 편찬 동기와 총서의 구성

일찍 2014년 연변대학 통문화센터에서는 중국어로 된 『'중국현대문학과 한국' 자료총서』(1~10권)를 간행한바 있다. 베이징에서 열린 이 총서의 출판 기념 좌담회에서 중국의 근대문학 연구자들은 필자에게 『'한국근대문학과 중국' 자료총서』를 편찬할 것을 제안한 바가 있다. 이에 상기 자료집 편찬의 중요성과 절박성을 깊이 인식하게 된 나머지 편찬위원회를 묶어 총서의 편찬사업을 시작했다. 한국근대문학과 중국 관련 자료는 이미 적지 않은 자료집에서 수록되기도 한 바이다. 예하면 연변대학 문학연구소에서 편찬한 『중국조선족문학대계』, 북경민족출판사에서 편찬한 『중국조선족 문학유산 정리편찬』 등에 수록된 적지 않은 작품들은 편찬자 나름의 시각에 따라 중국 조선족문학의 출발점으로 인식되어 중국 조선족문학 권역에 귀속시켰지만, 한국근대문학사에 있어서도 중요한 작가와 작품들이다. 물론 상기 자료집들은 한국근대문학과 중국 관련 연구를 위해 정리된 자료 총서가 아니며 한국근대문학과 중국과의 관련 양상을 살피기에는 전체적이지 못함도 짚고 넘어가야 할 것이다.

한국근대문학과 중국 관련 연구는 1990년대부터 학계의 주목을 받기 시작하여 적지 않은 연구 성과를 내고 있다. 그럼에도 아직까지 중요한 자료들에 대한 발굴과 정리가 진일보 요청되고 있으며 일부 연구들은 충분한 자료적 검토가 확실하지 못한 점도 없지 않다. 이러한 상황은 한국근대문학과 중국 관련양상의 전반적 검토와 연구의 심화에 장애로 작용하고 있으며, 이에 본 자료집은 그에 대한 극복을 목적으로 하고 있다.

『'한국근대문학과 중국' 자료총서』는 편찬 의도를 구현하기 위해 작품 선정에서 첫째로, 한국근대작가들의 중국체험을 바탕으로 중국의 시간과 공간에서 벌어진 인물과 사건들이어야 하며, 둘째로, 중국인들의 생활 혹은 중국에서의 한국인들의 생활을 소재로 해야 하며, 셋째로, 중국체험을 기반으로 하는 동서양 관련 문화인식을 다룬 작품도 가능하다는 원칙을 지키고자 했다. 한편, 편찬과정에서 적지 않은 애로에도 봉착하였는바, 일부 작품들은 당시의 중국 경내에서 꾸려진 신문, 잡지들에 발표되었으나 신문과 잡지의 보존상태가 완전치 못하여 그 전모를 알 수가 없으며, 아울러 신문, 잡지의 경우 여러 곳의 도서관과 서류관에 분산되어 있었다. 또한 일부 작품들은 유고로서 분실된 것도 있었기 때문에 편집자들은 이러한 난제를 풀기 위해 국내외 도서관들을 찾아다녀야 했고 따라서 관련 인사들을 찾아 방문하기도 해야 했다. 비록 편찬자들이 많은 노력과 심혈을 기울였지만 아직 미비한 점이 적지 않다.

본 총서는 총 16권으로서 창작편 11권(소설 4권, 시 3권, 기행문 2권, 정론·실기·수필·희곡 2권)과 비평집 5권이다. 편집과정에서 편찬자는 발표 당시의 원본 형태를 그대로 보여주기에 노력을 경주하였으며, 섣불리 개정이나 첨삭을 시도하지 않았다.

본 총서는 편찬과정에서 국내외 많은 한·중 문학관계를 연구하는 전문가들의 열정적인 관심과 도움을 받았으며 특히 국내외 도서관, 서류관의 지지와 성원을 받은 바 있다. 총서의 편집에 도움을 주신 모든 이들에게 진심으로 되는 감사를 드리는 바이다. 앞으로 본 총서가 한·중 문학관계 연구자들과 독자들에게 도움이 되기를 진심으로 바라며, 미진한 점에 대해 전문가들과 독자들의 기탄없는 비평을 기대하는 바이다.

2020년 2월 1일

차례

일러두기

1. 본 총서는 1919년 중국의 '5·4운동' 전후시기부터 시작하여 1948년 남북한 단독정부 수립에 이르기까지 중국인 및 중국에서의 체험을 소재로 창작한 문학작품 중 문헌적, 문학적 가치가 높은 작품들을 수록하였다.

2. 본 총서는 총 16권으로 구성되었는바 소설(1~4권), 시(5~7권), 기행문(8-9권), 평론(10-14권), 정론·실기·수필·희곡(15-16권)으로 나누었다.

3. 초간본을 저본으로 하여 원본의 표기를 최대한 보류하는 것을 원칙으로 하였으나 일부 초간본을 확인할 수 없는 작품의 경우 초간본에 가장 가까운 판본을 수록하였다.

4. 독자들의 읽기와 이해를 돕기 위하여 표기법은 아래와 같은 원칙을 적용하였다.

   • 근대 모음을 현대 모음으로 바꿨다.

   　예: ·→ㅏ

   • 근대 겹자음을 현대 겹자음으로 바꿨다.

   　예: ㅅㄱ→ㄲ, ㅺ→ㅃ

   • 띄어쓰기는 현행 한국어 표기법의 기준을 따랐다.

   • 소설의 경우 문장부호를 현행 한국어 표기법의 문장부호로 통일하였다. 대화는 " ", 간행물과 단행본의 명칭은 『 』, 기사와 작품의 명칭은 「 」, 음악작품의 제목은 < >, 연극작품은 ≪ ≫로 통일하였고, 명확하지 않으면 ※ ※를 사용하였다.

   • 기행문, 평론, 수필, 정론, 시가, 희곡의 경우 원본의 문장부호를 보류하였다.

   • 원본에서 판독이 불가한 문자는 □로 표시하고 판독 불가한 문자가 1행 이상일 경우에는 주해에 "이하 × 자 판독 불가"를 밝혔다.

   • 원본의 오탈자, 오식은 보류하고 해석이 필요한 경우에는 주해에 "편자 주"를 밝혔다.

   　예: 1) "淛江"은 "浙江"의 오식 ― 편자 주

5. 외래어는 원본의 표기를 보류하였다.

6. 인명, 지명 등 고유명사는 원본의 표기를 보류하였다.

7. 한자는 원본의 표기를 보류하였다.

8. 잘못된 인명, 작품명, 신문·잡지명 등과 한자들을 중국어 원문과 대조해 바로잡았다.

1940년 6~12월

支那文學의 特質 - 詩와 小說의 發展[01]

裵澔

一. 序

支那文學을 그 文體로 大別하면 韻文과 散文의 二種으로 分別할 수 있고, 前者를 細別하면 詩·楚辭·樂府·賦·戱曲 等이 있고, 散文에는 古文·騈文 (四六文)·文言小說·傳奇·白話小說 等을 列擧할 수 있다. 前者의 代表를 들면 唐詩일 것이고 後者의 그것은 明淸 時代의 白話小說이라고 하겠다. 前者를 貴族文學이라 하면 後者는 平民文學이라고 하겠다. 따라서 이것으로 미루어 支那文學의 槪觀을 삷펴도 大錯은 없으리라고 생각한다.

二. 文體의 拘束

支那의 文字는 象形의 文字로써 繪畵的 原理로부터 發展하여 終乃엔 六書까지 이르렀다. 애초에는 그 文字 數爻가 少數여서, 表現의 制限이 甚하였다. 그래서 古代의 散文이나 韻文이나 모다 難解한 古典文을 發生케 하였다. 그리고 內容 豊富한 古代文化를 이 拘束된 形式에 담기엔 너무도 困難해서

01　特輯 '東洋文學의 再反省', 『人文評論』 제2권 제6호, 1940.6.

그 表現이 印象的이고 不精細를 免치 못하고 後人은 그 解讀에 生活과 時間의 餘裕를 必要한 것은 勿論이다. 그 解讀에 從事하고 文化를 相繼한 者는 곧 貴族子弟이여서, 여게 古典文 全般의 貴族的 性質을 發見할 수 있다.

三. 文學과 儒敎

그러면 그 古代文化라는 것은 如何한 것인가? 廣大無邊한 平原地帶에서 天變 水災와 싸우고 寒熱의 差度가 甚한 氣候에 견데서, 이러한 不順한 環境에서 生活한 漢民族은 自然을 恐畏하며 天을 恭敬하나, 그것들에 親愛한 情을 갓지는 못하였고 理想보다는 現實을 尊重하고 精神보다 物質을, 藝術보다는 道義를 尊重하였다. 換言하면 그들은 保守的이고 實際的이고 功利的이였다. 이것은 道德 乃至 政治에서도 그리하였다. 漢民族의 精神生活의 主潮는 그 文化가 漸漸 體系化해서 儒敎思想이 되였고, 老莊의 道敎와 印度서 輸入한 佛敎가 亞流的 勢力을 가젓으나, 到底 儒敎의 그것에 追從치 못하였다. 따라서 支那文學을 支配한 思想은 主로 儒敎思想이고 이것에 華采를 빛여주고 範圍를 自由롭게 解放한 것은 道佛思想의 힘이 자못 컷다. 三皇五帝로부터 漸漸 體系化해진 儒敎思想은 中途에 多少 消長은 있었으나, 淸朝 末 아니 今日까지도 그 社會와 民族生活을 指導해 왔다.

儒敎의 體系者 孔子는 詩經을 編纂하였다. 이것이 儒敎의 本質을 多少 說明한다고 볼 수 있다는 것은 支那 最初의 文學作品을 蒐集한 意圖가 偉大한 배가 있기 때문이다. 이것이 多數한 人口를 包含하고 廣大한 領土를 歷代 維持해오면서 高度한 文化를 가젓다는 理由도 될 것이다.

그러나 儒敎思想은 主로 人間의 倫理 道德 乃至 政治學에서 基準이 되여 修身 齊家 治國 平天下의 理想을 恒常 標榜한 것이나 春秋 時代에 있어서는

가장 斬新한 思想이였다. 이 活氣 潑潑한 思想이 文學을 道德 乃至 政治에 利用한 것은 支那文學으로는 變이였으나 人間의 最高理想을 道義에 두는 儒敎의 功利主義에는 文學도 어찌할 수 없다. 換言하면 支那文學은 儒敎의 支配와 影響 밑에서 發展해 온 것이다.

儒敎에서 如何하게 文學을 影響해 왔는가를 詩經 編纂에서 볼 수 있다. 孔子는 詩 三百篇을 大別해서 風, 雅, 頌의 三種으로 했는대, 「風」은 諸國의 民謠이고 「雅」는 君臣에 關한 詠詩이며 「頌」은 祭禮의 樂歌이라고 定義되여 있다. 이 風雅頌이 모다 政治道德에 基準해 分類한 것은 容易하게 斟酌할 수 있다. 詩의 解釋 評論도 道德政治의 한 手段으로 利用하였다. 論語에 子曰 詩三百에 一言以蔽之하면 曰思無邪라던가, 子曰 關睢[02]는 樂而不淫하고 哀而不傷이라 하는 것은 文學鑑賞論으로는 훌륭하나 적어도 道德의 束迫이 있음은 事實이다. 그러나 儒敎의 本質이 上代의 純粹한 文學을 包含한 同時에, 支那文學의 內容에 儒敎的 血液이 흐르고 있음이 明白하다.

四. 詩와 自然

秦始皇의 天下 統一까지는 諸子 百家가 奔出했으나 儒敎가 亦是 가장 有力한 思潮였다가, 秦始皇 天下 統一과 함께 焚書 坑儒의 變과 煩雜 苛酷한 政治가 儒敎에 反動해서 그 距離가 멀어지며 單純 無爲의 政治를 憧憬하게 되였다. 特히 漢高祖는 天下 統一한 後 若干 前 時代의 反動도 있어서 老莊의 政治를 愛好하고 淮南王, 楊雄 等의 多數 讚美者가 생겨서 老莊思想이 勃

---

02 '關雎'의 오식이다.

興하기 始作했다. 그리하여 이 時代에 가장 流行하고 當時 詩人에 膾炙되던 古詩 十九首를 例擧할 수 있으니 그 題材는 戀歌, 空閨美女의 노래, 友情과 故鄕에 對한 哀歌 等이 主인대 그 中에도 戀歌가 第一 많다. 이 古詩는 讀後 明快하고 樂觀的인 氣分은 적고 늘 厭世的 感傷主義가 濃厚하다. 그것은 頻數한 外民族 侵入으로 因해서 血族의 流離가 많은 까닭이겠지만 其後 그 傾向이 老莊과 佛敎가 盛한 魏晉 時代를 거처서 그 悲觀的 雰圍氣를 버서나서 더욱 儒敎 禮義에서 人間의 本性과 感情을 解放하게 이르른다.

六朝 時代에 印度의 佛敎文化가 輸入되여 爛熟하고 아울러 老莊思想이 儒敎의 禮節을 無視해서 人生觀, 世界觀이 無爲自然의 自由境으로 入하게 된다. 王弼, 何晏 等의 學者가 老莊을 鼓吹한대 和해서 竹林七賢이 頹廢的 獨善主義를 實踐的으로 高調한다. 田園詩人 陶淵明과 山水詩人 謝靈運이 나온 것도 이 때문이고 文學槪念이 確立한 것도 이 時代였다. 鍾嶸의 詩品은 「詩는 性情 興趣를 主로 하고 生命을 삼을지라」고 喝破하고 魏文帝는 「文章은 經國之大業이오, 不朽之盛事이라」고 高唱해서 文學은 獨立한 藝術의 一部門으로 認識하게 되였다.

支那文學 特히 詩와 自然과는 不卽不離의 關係에 있고 老莊에서 出發해서 魏晉 六朝에서 無限한 發展을 이루었다. 陶淵明, 謝靈運이 自然에 沒入해서 無我之境에 이른 것은 이 時代의 性格을 가장 뚜렷하게 特色지웟고 唐代에 들어서 一步 나아가 自然과 人間性을 調和해서 詩의 大成을 보게 된 것이다.

無爲自然은 甚히 頹廢的이고 逃避的이었으나, 文學을 禮敎에서 解放해 無限한 自由世界를 세우고 耽美的으로 自然美를 發見한데 어찌 功이 偉大하지 않으랴? 唐代의 詩人은 모다 이 六朝 時代의 詩人을 思慕해 그 素地를 얻은 것이다. 陶淵明의 「飮酒」의 一節을 보면 自然에 沒入한 生活과 自由 平和한 詩人의 精神이 旣成觀念의 拘束을 버서나 淡采한 畵幅과 같이 나타난다.

結廬在人境, 而無車馬喧.

問君何能爾, 心遠地自偏.

采菊東籬下, 悠然見南山.

山氣日夕佳, 飛鳥相與還.

此中有眞意, 欲辨已忘言.

五. 李白과 杜甫

唐朝의 國威가 內外로 伸張하고 文化가 空前 絶後로 燦然해진 것은 오직 前 時代의 基礎를 가진 까닭이다. 思潮的으로는 佛教의 大成 時代이므로 間接 直接으로 이 影響이 文學에 많았다. 이 時代를 代表한 文學은 勿論 詩歌이고 唐 三百年 間에 盛唐의 李白, 杜甫로 爲始하여 千數百의 詩人을 排出하고 文化가 漸漸 무르녹어서 盛唐에 이르러서 李白, 杜甫의 詩聖이 나타낫다. 唐詩 全體로 보아 前代 六朝의 詩가 形式에 美麗 浮華만 했는데 이 短點을 革新 解放해서 自由로운 詩格과 氣力있는 精神을 담게 하였다. 精神上으로 보드라도 前代와 같이 逃避的 無爲自然의 그것이 아고 現實的이고 實 社會生活를 그대로 부닥처 가는 人間性을 充分히 發揮하였다. 이것이 支那 民族의 儒教 的인 一面이라고도 보겠다. 또 一面에 詩人이 一般的으로 運命에 諦觀을 가지고 酒詩人이 되는 것은 이 時代에 爛熟한 佛教의 影響이라고 하겠다.

李白, 杜甫 두 詩人은 各其 儒教的과 佛教的의 兩面을 가졌지만, 全體的으로 볼 때에 李白은 佛教의 人生觀이 濃厚하고 杜甫는 儒教的 人生觀을 가졌다. 性格的으로는 李는 飄逸하고 杜는 沈欝하고 李는 才氣가 있고 杜는 情熱 家였다. 李는 俠氣와 仙骨이 있고 杜는 忠厚의 氣가 있다. 詩作에서도 自然 反映되여 李의 詩는 靈感的 卽興으로 發生하고 杜의 그것은 沈思默考의 힘

으로 된 것이 많다. 이 兩人의 詩로 唐詩 全體를 象徵하여도 大過는 없겠다.

李白은 처음부터 科擧에도 應치 않고 富裕한 家庭에서 豪放한 脫俗 生活을 하며 自然을 찾아서 故鄕 陝西省으로부터 甘肅, 湖南, 湖北, 江蘇, 山東 等地로 巡廻하며 詩作에 精進했다. 十一年 後輩의 杜甫와도 齊魯(山東)에서 不遇한 生活을 하고 있는 것을 相交하였다. 李는 그 後 詩名을 올여서 玄宗의 呼聘을 받아서 宮中詩人이 되어 디듸어 顯官의 途를 올르려 하다가 中傷을 마자 失敗한 後 不平을 품고 酒中의 天地에서 諦觀的 放浪生活을 하며 平生에 七百 六十餘首의 詩를 남겨 놓았다.

支那의 詩는 內容으로 大別하면 豪放한 詩와 幽婉한 詩의 두 種類로 二分할 수 있다. 前者는 卽 放縱하고 浪漫하고 拘泥가 없고 社會 桎梏에 反逆하며 深히 自然愛를 보는 것이다. 後者는 諦觀的이고 悲哀가 있고 憤慨가 적고 親族愛와 反戰精神을 가진 詩이다. 李白, 杜甫는 勿論이고 全唐詩에도 前者에 屬하는 者가 많다.

詩의 形式으로 볼 때에 字數와 押韻의 拘束은 一定해 있다. 그러므로 一定한 形式에 담은 內容이 奇拔性과 雄大性과 自然美 等을 가지면 卽 放縱, 自然하면 優秀한 詩가 된 것이다. 이것이 支那 詩의 唯一한 特長이다.

李白의 優秀한 것은 叙景에 있고 主로 律詩, 絶句의 短詩를 많이 지었다. 가장 有名한 「送友人入蜀」을 紹介해 보자.

見說蚕叢路, 崎嶇不易行.(見說: 들었다, 蚕叢: 蜀의 異名)

山從人面起, 雲傍馬頭生.

芳樹籠秦棧, 春流繞蜀城.(秦棧: 秦時의 棧橋)

升沈應已定, 不必問君平.(升沈: 盛衰, 君平: 有名한 巫卜家)

이 中, 山從人面起, 雲傍馬頭生은 險한 高峰의 山徑을 馬를 타고 가는 사람의 光景을 自然과 함께 一幅 畵片에 캣취한 描寫이다. 末句는 世上의 浮沈한 運命이 決定한 것이니 齷齪할 必要가 없다고 하며 그의 人生觀을 엿보게 한다.

杜甫는 家系만은 좋은 便이었으나 家貧하였다. 그는 生來 感激性이 강하고 感情이 銳敏했다. 몸은 多病한대 貧困으로 萬苦를 다 맛보고 晩年에는 肺病에 呻吟하다가 끝을 맞었다. 生活에 쫓기어 安慰를 얻지 못하고 그는 恒常 不平 鬱勃, 罵詈 哭泣으로 生涯를 마치었다.

그는 京兆(長安──陝西省 西安)에서 出生하야 五十九歲에 卒하고 一生涯 不遇의 生活로 因해서 天下를 周遊케 되고 名勝을 探歷하였다. 二十歲부터 南方 吳越로 浙江, 江蘇 等地를 遊歷타가 二十四歲에 京兆로 돌아와 科擧에 應試했으나 失敗하고 그 後 四十四歲까지 山東, 洛陽 等에 遍歷하고 苦楚의 生活을 하면서도 그 詩作엔 眞摯한 努力으로 精進했다. 그 後 二年은 微官에 올랐으나 妻子의 扶養料도 不足해서 親戚을 찾아서 幾次나 妻子를 寄託했다. 그동안 그는 君國에 對한 忠厚心을 버리지 않고, 當時 安祿山의 亂을 冒하고도 皇帝에 扈從타가 디디어 賊軍에 捕擒까지 辱보았다. 이때에 된 「詠懷」, 「北征」은 그의 生涯의 傑作이 되었다. 그 後로는 末境까지 甘肅, 四川 等地를 徘徊타가 五十九歲 時에 旅路 舟中에서 客死하고 마렀다. 一平生 困窮으로 마치고 그 原因은 그의 높은 自尊心에도 있었으나, 그가 남긴 一千百餘首의 詩作은 모다 이 苦楚의 刺戟으로 된 것이다.

그의 詩는 李白의 短詩가 많음에 比하면, 長篇詩가 많음은 그의 詩想 創作에 있어서 努力 硏磨를 意味하는 것이다. 紙上 關係로 「述懷」의 一部分만 紹介해도 그의 生活과 情熱과 鬱憤을 엿볼 수 있다. 「述懷」는 安祿山의 子

慶緒가 潼關을 破侵할 때 杜는 賊中에 陷해서 妻子와는 隔居되여 苦生할 때의 作品이다.

去年潼關破, 妻子隔絶久.

今夏草木長, 脫身得西走.

麻鞋見天子, 衣袖露兩肘.

朝廷愍生還, 親故傷老醜.

涕淚受拾遺, 流離主恩厚.(拾遺: 官名)

柴門雖得去, 未忍卽開口.

寄書問三川, 不知家在否.(三川: 妻子가 있던 地名)

比聞同罹禍, 殺戮到鷄狗.

　　形式上 拘束 많은 貴族的인 唐詩가 杜甫의 平民的 生活詩를 通해서 大成을 보게 된 것이다.

六. 平民文學의 勃興

　　理智 本位의 宋代가 지나고 外民族이 征服한 元 時代가 됨에 儒敎의 拘束을 排하게 되었다. 元人은 自然 素朴한 民族이어서 嚴格한 儒敎의 支配에서 버서나 自然 發露의 人間의 性情과 本能을 抑制할 수 없음은 自然의 趨勢였다. 그렇다고 儒敎를 全然 버린 것은 아니고 統治에는 自來의 儒敎 制度를 利用하고 精神에선 拘束을 버서낫다. 이리하여 元代에는 小說, 戲曲의 發達을 보게 된 것이다. 在來 官吏 登用의 科擧制度에서 試驗 課目이 詩文이기 때문에 小說, 戲曲의 發展에 支障이 되였다. 元代에는 科擧制度를 각금 廢止

까지 하고 또는 元人 밑에 仕官하기를 꺼리는 漢人의 文士가 이 小說 方面으로 轉向한 原因도 있지만, 元人의 精神的 娛樂의 渴求와 儒敎 拘束의 解放 精神이 더욱 큰 原因이다.

그리하여 白話(口語體)로 된 小說, 戲曲의 民衆文學이 勃興하였다. 元代는 娛樂的 價値가 많은 戲曲이 더욱 盛했고, 이에 倂行해서 小說의 黎明期가 到達하였다. 戲曲의 重要한 構成은 歌劇(韻文)이어서 亦是 詩文에 能한 者가 能하였음으로 作者나 讀者가 다 戲曲家는 文學者로써 認定했으나 小說家만은 小說家流는 蓋出於 稗官이라는 旣成觀念을 蟬脫치 못해서, 戲曲은 作者가 明確하나 小說은 흔이 無名氏가 많다. 이것도 恒常 社會的 榮達을 꿈꾸고 作者가 間接으로 儒敎的 牽制를 받은 까닭이다. 그러나 小說의 作品은 作品대로 進展해서 明淸代에 大成을 보게 된 것이다.

七. 小說의 圓熟

李漁가 四大奇書로 指名한 「三國誌」, 「水滸傳」, 「西遊記」, 「金甁梅」가 出現한 것은 元末로부터 主로 明代이다. 魯迅의 小說史略은 分類하되 一. 講史에 三國誌, 水滸傳, 二. 神魔小說에 西遊記, 三. 人情小說에 金甁梅로 나누었다. 形式은 모다 長篇 章回小說이고 內容으로는 分類해서 以上과 같다. 小說이 文學으로써 如何히 發展했는가를 抽象的인따나 紙面대로 觀察해 보자.

詩文 文學이 貴族的인 데 比해서 以上 白話小說이 市民文學인 것은 發生的으로나 讀者層으로나 틀림이 없다.

以上의 諸 小說은 모다 臺本이 있어 流行하다가 그것이 成熟된 것이다. 三國誌는 歷史 三國志로부터 出發해 가지고 特히 여러 階段의 演化가 있었다. 그것은 原來 講談師가 講談할 때에 쓴 臺本으로부터 三國演義까지 發展

한 것이다. 講談的 要素가 가장 多分 包含한 것이고 支那人이면 누구나 조와하는 小說의 하나이다. 그 原因은 어데 있을가. 그것은 曹操의 奸雄, 劉玄德의 謙虛, 諸葛亮의 忠亮貞節, 關羽의 暴勇 等 換言하면, 英雄의 武勇, 智術이波瀾重疊하는 一種의 英雄主義가 中心으로 된 歷史小說인 까닭이다.

水滸傳은 流行하는 傳說을 小說化한 것이라 三國誌의 追從을 許치 않을만치 創作的 偉大性을 가젓다. 이것도 種類가 多樣해서 作者가 그다지 分明치 않다. 完成된 水滸傳만 해도 長短과 描寫 差異에 있어서 四種의 異本이있다. 이것으로 보아 元末 明初에 小說이 盛行한 것을 斟酌할 수 있다.

金聖歎이 天下 文章에 水滸에 右出할 者 없다 한 것과 같이 非凡한 것이다. 이 小說은 明白하게 裏面에 흐르는 作者의 思想觀念을 가지고 있다. 主人公 宋江 以下 梁山泊의 豪傑들로 하여금 一種의 武力革命團體가 되여 政治의 腐敗, 官吏의 暴虐에 對한 反抗的 意志를 가지고 奸吏의 誅戮, 惡人의懲罰 等, 社會的으로 義俠 行動을 하게 한다. 그 壯快한 文章과 變化있는 스토―리와 性格 描寫에 成功을 하여 讀者로 하여금 조곰도 弛緩과 厭症을 주지 안는 意味에서 世界 水準에도 遜色이 決코 없다.

西遊記는 大宇宙를 舞台로 變幻幽妙한 超人, 超自然物을 登場시켜 놓은 儒佛道 混合의 鬼神小說이다. 超自然한 題材로 作者의 幻想的 想像이 無盡藏해서 讀者의 獵奇 心理를 滿足해 준다.

以上 세 作品은 臺本에 基해서 專혀 想像으로만 되고 作家의 現實的 眞實性이 없는 것이 共通된 弱点이다.

金瓶梅는 四書 中에서 가장 느저서 明末 萬曆 間(西紀 一六〇一)에 出現했다. 以上의 三者와 달라서 自然主義的 描寫法과 精妙한 文章으로 人間의 權利欲, 物欲, 愛欲, 性欲 等에 關한 背德과 犯罪를 無數한 登場 男女를 通해完成한 点에 있어서 現代小說에 가장 가깝다고 하겠다. 토스토엡스키의 小

說 가라마―소푸 兄弟를 聯想케 하는 作品이다.

金瓶梅에 이르러서 벌서 支那小說은 英雄主義 武俠小說과 怪奇小說을 버서나, 個人의 發見, 人間性의 究明까지 到達했다. 이 小說은 明末의 文化 爛熟 糜爛期에 達한 萬曆 時代의 社會 腐爛性을 描破한 것이라 하겠으나, 時代 思想이 儒佛 道德이어서 作者의 모랄이 結局 勸善懲惡의 圈外를 버서나지 못한 것이 弱点이고 魯迅이 人情小說이라고 밖에 더 評價 못한 理由도 여게 있겠다.

以上은 모다 長篇小說로 外國 어느 作品보다도 짧지 않고, 登場 人物 數의 많은 것은 四百 以上의 것이 있다. 이 外에 短篇小說도 明淸 兩代를 亘해서 無數히 佳作이 있다. 長篇으로 淸代의 代表作을 時代 順으로 列擧하면, 諷刺小說의 儒林外史, 人情小說의 最大 傑作인 紅樓夢, 探偵小夢의 包公案, 外國의 侵入을 받은 後의 淸末에 이러난 譴責小說(諷刺小說)의 官場現形記와 二十年目睹之怪現狀, 老殘遊記 等이 있다. 最後의 諷刺小說들은 不信用한 政府와 腐敗한 官吏를 極度로 攻擊하는 一種의 政治小說인데 여기에 이르러선 文學과 社會는 密接히 關聯을 보이게 되였다. 그러나 優秀한 作品은 到底 期待할 수 없었다.

小說은 그 國家와 民族의 健康을 表現하는 體溫計라고 할 수 있다. 支那小說은 똑바로 支那 社會의 健康 體溫計의 役割을 해왔다. 또 이 小說은 勿論 民衆을 啓蒙하고 解放한 点도 있기야 있으나 娛樂性이 많아서, 現代文學의 그것에 比하면 問題視도 못될 만치 低級하다.

八. 結語

支那 小說이 임이 十四世紀에 三國誌, 水滸傳, 西遊記를 가지고 十七世紀

初頭에 金瓶梅와 같은 作品을 보고 十八世紀 中期에 最高峰의 紅樓夢을 出産한 文學이 淸朝와 함께 沒落하고 말었다. 이것은 儒敎文化의 宿命이라고 하겠다. 現代 新文學運動은 國家의 再建과 함께 舊文學을 完全히 脫棄 淸算하고 近代 歐羅巴의 科學精神과 文學을 移植하지 않으면 않될 運命이 온 것이다. 革命 後 今日까지 四半世紀 間, 國家의 地盤이 恒常 温全치 못하고 現代 新精神과 新文學도 아직은 支那 民衆의 血肉이 되지 못하나, 四大奇書의 雄大한 規模와 創作力을 가진 支那 民族이 將來 世界的 作品을 出産할 것은 오직 時間 問題일 것이다. 그러나 그것은 꿈일는지도 몰른다.

白樂天의 文章과 人物[01]

金億

　白樂天은 字요, 官名은 居易외다. 그리고 香山居士니 醉吟先生이니 하는 여러 가지 號가 있었습니다. 白氏의 祖先은 春秋時代 楚나라의 公族이든 것이 그 뒤 秦이 되어서는 저 有名한 白起라는 名稱[02]이 났습니다. 白起는 如干 아닌 勳功을 세웠으나 어찌어찌하여 非命의 賜藥을 當하였습니다. 秦의 始皇이 그의 功을 特別히 생각하여 그의 아들은 太原, 只今의 山西省 太原府에다 封해 주었습니다. 그 뒤부터 太原 사람이라고 볼으게 된 것이외다. 文으로써 萬古에 이름이 높은 一代 文豪의 祖上에 武로써 千秋에 이름을 남기는 一大 名將이 있었다는 것은 아무리 보아도 興味있는 對照라 하지 않을 수가 없습니다.

01　'盛唐時代의 三文豪', 『三千里』 제12권 제6호, 1940.6. 이 글은 三千里社 出版部 발행 예정의 『支那名詩選』(이병기 역의 이태백 편, 박종화 역의 두자미 편, 양주동 역의 시경 편, 김억 역의 백락천 편으로 구성되어 있으며 '全一冊'으로 기획되었다.)을 홍보하기 위해 기획된 글이다. 그러나 이 책은 1944년에 이르러서야 漢城圖書株式會社에서 1, 2집으로 나누어 출판된다.

02　'名將'의 오식이다.

樂天의 아버지 季康[03]은 玄宗―天寶 末쯤하여 明經으로 出身하여 뒤에는 베슬이 襄州別駕에 이르렀습니다. 官吏로서 相當이 經隨的 手腕이 있었건만 이러타할 大官도 되지 못하고 六十六歲에 世上을 떠났습니다. 어떠한 事件이 있었던지 알 길은 없거니와, 樂天의 아버지는 대단한 晚婚이었습니다. 어머니 陳氏가 새파란 열다섯 살에 시집을 왔을 때, 그의 아버지는 初老에 가까운 나이었습니다. 樂天이가 代宗 大歷 七年 正月 二十日 河南 鄭州 新鄭縣의 東郭집에서 둘째 아들로 이 世上의 빛을 처음 보게 되었을 때, 그의 아버지 季康은 四十四歲요, 그의 어머니 陳氏는 겨우 十八歲 밖에 아니 되었으니, 이 얼마나 그들의 夫婦의 나이가 엄청나게 差異가 있었습니까.

이리하여 우리 未來의 詩人의 나이가 二十三歲에 이르렀을 때에는 벌써 그의 아버지는 저승으로 갔을 때였습니다. 樂天의 幼時는 대체 祖父 白鍾[04]의 누이 되는 陳夫人의 敎育을 받았는데, 他日 그가 크게 됨에 如干한 커다란 힘이 있지 아니하였습니다. 이것으로써 사람의 一生에는 家庭敎育이 어떻게 重要하다는 것을 짐작할 수가 있습니다. 그것은 如何間, 우리 樂天이는 杜甫의 死後 二年, 中唐의 二大 詩傑의 하나인 韓愈의 生後 四年에 이 世上에 생겼습니다.

居易가 나서 六七朔 되었을 때외다. 乳母가 屛風에 쓴 「無子」 두 字를 가리칠 때에 비록 입으로 말할 수는 없었으나 맘속으로는 이미 點識했노라고 詩人 自己가 告白한 것으로 보아 우리는 이 詩人이 어떻게 어렸을 때부터 英敏하였고 또는 文字와 因緣이 깊었던 것을 생각할 수 있습니다. 나이가 十五六歲 때외다. 비로소 츰으로 서울 가서 소매 속에다 글을 지어 넣고 著作郎

---

03 '季庚'의 잘못이다. 아래도 마찬가지다.

04 '白鍠'의 잘못이다.

顧況이라는 老先生을 찾았습니다. 이 老先生은 剛慢輕浮하여 대단히 後進을 나추어 보던 인데, 白居易과는 이름을 듣고 얼굴을 들어 보더니, 다字곳字로 「서울 쌀값이 비싸니까, 오래 있기 어려울껄」하면서 冷笑를 그대로 퍼부었습니다. 그러나 그러던 것이 「賦得古原艸逆[05]別」이란 詩의 「野火燒不盡, 春風吹又生」의 句를 보고서는 깜짝 놀래어 「이만한 才能이 있으면 조금도 있기 어렵지 않겠네」고 하면서 갑작이 態度를 고쳐 크게 待遇하였다는 이야기는 有名하거니와, 十七歲 때에 지은 「王昭君」이라는 絕句 같은 것은 어린 사람의 筆致 갖지 않을 뿐 아니라, 優遊不迫하면서 忠厚의 情을 自然스럽게 그려놓은 點에서 佳作의 하나 되는 評을 받았습니다. 이리하여 그는 아직 弱冠이 되지 못하였건만 充分히 그의 詩才를 發揮하였습니다.

憲宗 元和 元年 그가 三十五歲일 때에 才識兼茂明於體用科에 應하여 第四等으로 合格이 되어 十二月에 盩厔縣尉가 되었습니다. 그때 陳鴻, 王質夫 같이 仙遊寺라는 시골 절간에 가서 잔을 들고서 玄宗 時代의 옛 이야기를 하던 끝에 質夫가 하도 勸하는 탓에 「長恨歌」를 지었습니다. 그리고 陳鴻이는 「長恨歌傳」을 썼습니다. 長恨歌는 말할 것도 없이 玄宗과 楊貴妃와의 戀愛關係를 巧妙하게 그려내인 有名한 敘事詩외다.

이듬해 集賢校理로 翰林學士가 되었고 三年에는 左拾遺가 되었습니다. 左拾遺란 陳官이외다. 本是 이 詩人은 忠直한 사람이었으니, 이것으로써 바르소 只今 그 곳은 어떠타 할만하외다. 또 그뿐 아니라, 好文의 賢士를 만나 類다른 拔擢를 받았으니, 어찌 知遇의 聖恩에 感激치 않았을 것입니까. 이리하여 그는 조금이라도 聖恩을 奉答코자 끈치 아니하야 直諫을 하였습니다. 그리고 四年에는 「詩樂府」 五十篇과 「賀雨」의 詩 한 首를 지었는데, 詩樂府

---

05 '逆'은 '送'자의 오식이다.

는 人情을 通하여 政治를 諷刺한 것으로 當時 唐나라 情勢가 눈앞에 보이는 듯 하외다. 더구나 樂天의 卓越한 技巧는 五十篇이나 되는 많은 詩篇이라도 모두 다 한갈같이 讀者의 興味를 끌게 하였습니다. 叙事가 巧妙하게 된 것으로는 「上陽白髮人」과 「新豊折臂翁」과 「縛戎人」과 「賣炭翁」이 있고, 男女의 戀愛 關係를 이야기하면서 訓戒를 한 것에는 「太行路」과 「母別子」와 「井底引銀瓶」이 있고, 諷刺의 자미스러운 詩에는 黑潭龍 같은 것이 잇거니와 이 詩人과 가치 諷刺詩를 많이 지은 詩人은 그 例가 업습니다. 이것으로써 우리는 이 詩人의 平生의 뜻을 알 수가 있습니다.

그 이듬해 友人 元積이 監察御史로 있다가 江陵府 士曹塚[06]로 귀양가는 것을 救하려다가 얻지 못하고 五月에 京兆府 戶曹參軍이 되었습니다. 이때에 「秦中吟」 十首를 지었습니다. 그 이듬해 六年 四月에 어머니 喪事를 當하여 官을 그만두고 渭村으로 退居하였는데 生計는 대단히 넉넉지 못하였습니다. 「效陶潛體」 十六首를 지은 것이 이때외다. 그리고 九年 가을에 「遊悟眞寺」라는 題下에 五古 百三十韵의 長篇을 지었습니다. 그해 겨울에 太子左贊善大夫가 되어 서울로 갔습니다.

十年 七月에는 國家에 커다른 事件이 發生하였습니다. 이것은 이 詩人 一個人에게도 一生의 큰 事件이었습니다. 宰相 武元衡이가 誰[07]西 吳元濟가 보낸 刺客 入關 途中에 暗殺當한 것이외다. 吳元濟는 武元衡만 없어 버리면 다른 宰相은 淮西 討伐을 中止하려니 생각하기 때문이외다. 樂天이는 크게 憤慨하여 犯人을 하루 바삐 잡아서 國恥를 씻지 않아서는 안된다고 上疏를 하였습니다. 그때 唐의 藩鎭은 如干만 跋扈치 아니하여 中央政府에서 威

---

06 '士曹掾'의 잘못이다.

07 '淮'의 오식이다.

脅을 當하는 판이니, 藩鎭에 對하여 命令인들 손쉽게 내릴 수가 없었습니다. 樂天은 어떻게든지 이 弊害를 없에 버리려고 上疏를 한 것인데, 그것이 그때 宰相의 感情에 들 좋왔습니다. 이리하여 諫官의 職에서 떠나 東宮에 있으면서 諫官보다도 먼저 政治에 對하여 이러니저러니 하는 것은 越權의 甚한 것이라고 理由를 삼고서 宰相은 上奏하여 樂天은 江表刺史로 貶하려고 하였습니다. 바로 이때 中舍[08] 舍人 王涯가 다시 上疏를 하여 居易로 하여금 郡을 다스리게 하여서는 안 된다고 하기 때문에 樂天은 그보다 되 한 층 더 떨어져서 江州司馬로 貶해졌습니다. 이때 이 詩人의 나이가 四十四歲였습니다. 正直한 생각을 가지고 諫官을 여러 해 하면서 直諫도 하였고 또는 詩로써 諷刺도 하여 여러 사람에게 원망을 사끼때문에 結局을 뜻하지 아니한 難을 當한 것이외다.

이 後부터 四年동안은 江州, 只今의 江西省 九江附에서 生活을 하였습니다. 江州는 左便에는 匡廬山이 있고, 右便에는 潯陽江이 잇어 대단히 景致 좋은 곳이외다. 베슬이 閑職이라, 그는 十二年에 草堂을 廬山의 香爐峯 이라기에 하나 짓고 귀양사리 온 것을 잊어버린 듯이 堂上에 거문고 하나, 그 다음에 儒, 道, 佛 三敎에 關한 書籍을 몇 卷 가초아 놓고서 스스로 질겨하였습니다. 그는 佛典에 能했슴으로 高僧들과 가치 村間으로 다니면서 이야기도 하며 詩도 짓고 하였습니다. 郡守는 樂天을 尊敬하여 아무리 自由로운 生活을 하더라도 조금도 責하지 않았다 합니다.

저 有名한 琵琶行이 된 것도 이때외다. 이렇게 自由로이 마음대로 즐기는 詩人도 娼女의 零落한 身勢를 琵琶에 마초아 들을 때에는 그 自身의 귀양사리가 다시 없이 서렀든지, 琵琶行에다 自己의 슬픈 생각을 숨겼습니다.

---

08 '中書'의 잘못이다.

더구나 그때 親友 元稹이가 通州에 있었음으로 가끔 詩篇을 보내고 받고 하면서 數百里를 빈번이 往來하였습니다. 元稹에게 作文의 要義 같은 것을 論하여 보낸 것이 있는데, 그의 本領이 分明이 나타났습니다. 十三年도 져무려 할 때 忠州刺史로 任命이 되었습니다. 이듬해 봄 三月에 忠州를 가려고 潯陽江에 떠서 올라갈 제 바로 그 때가 元稹이도 通州司馬로 號州長史[09]가 되어 赴任하던 때외다. 두 사람은 서로 夷陵이나 밤를 세우고 사흘이나 놀았습니다. 그리고 그의 同生 行簡도 가치 參與하여 함께 즐겨하였는데 그 때 지은 것이 三「遊[10]洞記」이다.

十四年에 憲宗이 崩御하시고 玄宗[11]이 卽位하셨습니다. 그 해 겨울에 主客郎中이 되었다가 長慶 元年에 朝散太[12]夫로 任命되어 緋衣를 입었습니다. 그리고 親友인 元稹이도 尙書郎이 되어 가치 서울 있게 되었으니, 이 두 사람의 기쁨은 넉넉이 짐작할 것이다.

十月에는 上柱國이 되었습니다. 그러나 때는 대단히 어려웠습니다. 저 牛李(牛僧孺와 李德裕) 黨派 싸움에 唐나라의 運數는 나날이 기우러졌습니다. 그런데다 穆宗이라는 임금님은 놀기만 좋아하고 政事를 돌아브지 않아서 모든 것이 대단히 어지려웠습니다. 우리 詩人이 어찌 가만히 있을 것입니까. 그는 압만하여도 참아 볼 수가 없어서 上疏를 하여 크게 時弊를 痛論하였습니다. 그러나 아무 效果가 없는 것을 보고서 그는 自進하여 外方으로 杭州刺史를 願했습니다.

---

09 '虢州長史'의 잘못이다.

10 홑낫표의 위치가 잘못되었다. 응당 '三'자 앞에 와야 한다.

11 정보가 잘못되었다. 응당 '穆宗'여야 한다.

12 '太'는 '大'의 오식이다.

그는 杭州로 가서 住民의 飮料水를 위하여 새로히 임물도 파고 政治的으로 成績을 많이 남겼습니다. 그리면서도 一方으로는 詩酒 風流의 雅趣를 또한 잊지 아니하였습니다. 이때 元稹이가 越州刺史가 되어 赴任하였슴으로 가까운 것을 機會로 그들은 만나서 즐겨하였습니다. 四年 있다가 樂天은 太子의 左庶子로 서울로 돌아와, 履道里에다 집을 하나 사고 生活을 하였는데 履道 新居의 二十韵의 노래는 이 때의 作이외다. 그러다가 蘇州刺史가 되었으나 病으로 因하여 그만두엇습니다.

穆宗은 四年만에 崩御하시고 敬宗이 卽位하셨습니다. 敬宗도 또한 荒淫放縱하다가 在位 겨우 二年만에 宦官 劉克明의 弑를 받고 뒤니어 文宗이 새로히 卽位하셨습니다. 太和 元年에 樂天은 文宗의 불으심을 받아 秘書監이 되었습니다. 二年에는 刑部侍郎을 拜하고 晉陽縣男을 封하여 食邑이 三百戶였습니다. 太和 以後에는 牛李의 黨爭이 苛烈하여 어떻게 손을 대일 수가 없었습니다. 이리하여 文宗은 河北의 賊을 없이 할 수가 있어도 朝廷의 黨爭은 어찌할 수가 없다 하시면서 길이 탄식하셨습니다. 樂天은 牛僧孺한 親한 關係로 自然이 李德裕와는 자미가 나게 되었는데, 이 詩人의 性質로서 黨爭 속에 들고 싶지 아니하였을 것이다. 이리하여 病이라 핑게를 하고서 外方으로 河南尹을 갔습니다. 이 때 樂天의 나이가 六十歲였습니다.

九年에는 政治上으로 所謂「甘露의 變」이라는 큰 事件이 생겨서 貴臣 高官들이 모도 다 害를 받았습니다. 그러나 우리 詩人은 外方에서 禍를 免하였으니 多幸이외다. 그 뒤 朝廷에서 여러 번 불러서 베슬을 하라고 하였으나 老病으로 因하여 나아갔다가는 그만두고 하였습니다. 開成 五年 文宗이 崩御하시고 武宗이 卽位하서서는 크게 이 詩人을 待遇하려고 하셨으나, 黨派의 關係로 樂天을 그렇게 좋이 생각지 아니한 李德裕가 인제는 늙어서 別로 쓸 곳이 없다고 帝에게 거즛 奏하고서 樂天의 從祖弟라는 白敏中을 薦하여

登用하였습니다. 그는 베슬을 모다 버리고 香山의 僧 如滿과 같이 香火를 울리면서 스스로 號를 香山居士라 하였습니다. 뿐만 아니라 香山에다 집을 잡고 지냈습니다. 晚年의 詩人 白樂天이는 文字 그대로 攸攸自適하면서 가즌 興을 다하며 지내었으나, 그가 陶淵明의 五柳先生傳를 本받아 醉吟先生傳을 지은 것이 그것이외다.

그러다가 會昌 六年 八月에 病으로 돌아갔으니, 나이 그 七十五歲이외다. 尚書右僕射를 우에서 주섰고 十一月에 龍門에 장사 지냈습니다. 이것이 끗끗내 民衆詩人으로서 그 生涯를 마친 우리 樂天의 一生이다.

新樂府序論에 樂天은 辭句가 아무리 精鍊되었더래도 그것을 읽어서 알 수가 없으면 所用이 없는 것이요, 言辭가 아무리 典雅하더라도 이것을 읽어서 깨달을 수가 없으면 無用의 長物밖에 될 것이 없다는 意味의 말을 한 것으로 보아 그가 누구던지 읽어서 알 수 있는 詩를 지어 놓을 것을 우리는 조금도 異常이 생각할 것이 아닙니다. 그 때의 詩人들의 대개는 詩의 鑑賞을 專門學者에게나 그렇지 아니하면 有識層에 가 求했습니다. 이리하여 一般 民衆라[13]는 詩的 交涉이 없었습니다. 이 點의 잘못을 樂天은 보았던가, 아니라 하면 本來부터의 그의 詩質이 그러했던가, 如何間 이 詩人은 讀者를 어디까지던지 一般 民衆에게 求하였습니다.

이 詩人의 詩作은 대개 三千 八百 餘首가 된다니, 그 數 보아서는 아마 唐나라 詩人 中에도 누구에게던지 지지 않을 것이다. 이 많은 詩作 中에도 가장 普遍的으로 一般의 입어서 불니어지는 것이 무엇이냐 하면 그것은 저 有名한 長恨歌와 琵琶行의 二大 叙事詩외다. 이와 가치 그야말로 民衆化하여 一般의 愛誦을 받는 詩作은 적을 것이외다.

---

13 '과'자의 오식이다.

이러한 大作을 나는 所謂 譯詩에 對한 나의 主張 대로 意譯을 하여서 옮겨놓노라 하였습니다. 이것들이 얼마만치 要意를 傳했는지 譯者인 나로서는 그것을 알 길이 없거니와 만일 어찌어찌하여 조금이라도 原作者의 뜻을 傳하였다 하면 나에게는 다시없는 光榮인 同時에, 또는 어찌어찌하여 原作의 뜻을 함부로 잡아놓았다 하면 나는 그 뜻을 끗까지 지지 아니할 수가 없습니다. 그리 잘못된 것이 있다하면 조금도 사양 말으시고 낫낫이 指摘하여서 비슷한 것이라도 만들어 주시기를 바랍니다.

　그리고 그 밖에 短詩들은 내가 읽어서 興나는 것을 고런데 지내지 아니하였을 뿐이오, 別로 다른 뜻이 있는 것이 아니다.

　한 마디 告白치 안아서는 아니 될 것이 있으나, 그것은 이 白樂天의 畧傳을 나는 綱具氏의 唐詩鑑賞에서 맘대로 골랐다는 것이외다. 事實 나는 樂天의 詩는 읽었을망정 個人으로 이 詩人의 生涯 같은 것은 모르기 때문이외다.

庚辰 四月 五日 清明

李太白의 生涯와 文章[01]

李秉岐

文章으로는 李白을 依例히 일컫었다. 우리가 돌잡이 할 때에도 「文章은 李太白」이라 하고 그와 같은 文章이 되기를 빌었다. 과연 그 이름은 모르는 이가 없으리라. 그를 우리 祖上의 한 사람으로도 알고 있는 이도 없지 않으리라. 그러나 그는 中國사람이오, 盛唐의 最大 詩人이었다.

李白은 字는 太白이오, 號는 靑蓮. 唐高祖의 七世祖이든 興聖皇帝는 본시 隴西人으로 그의 九世祖가 되고 그 뒤 先代에서 罪를 짓고 西域으로 옮겼다가 李白의 아버지가 西域서 도망하여 蜀의 昌明縣 靑蓮鄕에 와 살다가 李白을 낳았다. 때는 唐의 武則天 長安 元年(七○一).

그 어머니가 꿈에 長庚星(太白星)을 보고 낳았다 하여 그 이름을 그렇게 지었으며 昌明縣 南 匡山에서 工夫를 하여 十歲에 詩書를 通하였고 커서는 岷山에 숨어 州擧에도 稱道가 있었으나 應하지 않고 益州長史 蘇頲이가 李白을 보고 「자네는 天才 英特하니 좀더 工夫하면 司馬相如에게 比하겠다.」하였으나 縱橫術를 좋아하며 擊劍이나 하고 任俠하여 財物을 가벼히 施惠를

01　‘盛唐時代의 三文豪’,『三千里』제12권 제6호, 1940.6.

重히 하였으며 그 아버지가 任城尉가 되매 山東으로 따라와 孔巢父, 韓準, 裵政, 張叔明, 陶沔 등으로 더부러 徂徠山에 숨어 詩酒도 일삼고 竹溪六逸이라 하였다.

그러나 나이 四十이 넘어 南으로 會稽에 가서 吳筠과 親한 바 筠이 被召하여 가매 李白도 長安을 가서 賀知章을 보았다. 知章이 그의 지은 글을 보고 謫仙人이라 하고 玄宗에게 말하여 玄宗이 金鑾殿에서 불러 보고 當世事를 議論도 하며 頌 一篇도 지어 들이매 玄宗이 賜食을 하며 親히 調羹도 하고 勅令으로도 翰林을 시켰다.

어느 봄 興慶池 東편 沈香亭에는 各色 모란꽃이 滿發하였다. 玄宗은 楊貴妃와 함께 그 亭子에 앉아 梨園의 一等 樂手와 名唱 李龜年과를 시켜 演奏케 할 때 그 樂章을 李白에게 지이려고 불러 들였다. 李白은 마침 酒徒와 함께 酒肆에 醉하여 누었다가 들어와 붓을 잡어 淸平調詞 등 十餘章을 頃刻에 일우었다. 玄宗은 더욱 사랑하고 자조 宴飲을 베푸렀다. 한번은 醉하매 高力士를 시켜 신을 벗기게 하였다. 力士는 그걸 含嫌하고 淸平調詞의 어느 句를 따서 貴妃에게 먹어댓다. 그 뒤 玄宗은 李白을 더 쓰려 하였으나 貴妃가 妨害하였다. 李白도 容納이 못 될 줄을 알고 더욱 鶩放하였고 賀知[02], 李適之, 汝陽王 璡, 崔宗之, 蘇晉, 張旭, 焦遂 등으로 酒中八仙이 되었고 還山하기를 懇求하매 玄宗이 黃金을 돌아 보냈다.

李白은 더욱 道家나 좋아하고 四方 山川으로도 돌아다니며 놀다 崔宗之와 함께 배를 타고 釆石江서 金陵으로 갈 때에는 宮錦袍를 입고 앉아 旁若無人하기도 하였다.

五十六歲 되자 安祿山이가 叛하매 廬山으로도 避亂을 가서 永王 璘에게 逼

迫되어 그 僚佐가 되었다가 璘이 謀亂함을 보고 도망하여 彭澤으로 돌아왔다. 그러나 璘이 敗한 뒤, 死刑을 당할 터인데 郭子儀가 自己 베슬을 내놓고 贖罪하겠다 하여(郭子儀가 일즉 犯法하였을 때 李白이가 救免한 일이 있다.) 夜郎이란 곳으로 귀양이 되었다가 드디어 放還되었다. 그 뒤부터는 더욱 山水나 찾고 詩酒도 나날을 보내다가 六十二歲 되던 해 宣城에서 醉하여 죽으매 唐肅宗 寶應 元年(七六二) 一生 좋아하던 謝家 靑山 東麓에 葬하였다. 그리고 五十餘 年을 지나 宣歙觀察使 范傳正이가 그 무덤을 찾아 祭하고 그 後裔를 찾으니 다만 孫女 돌뿐인데 常民의 妻가 되었다. 다시 士族에게 改嫁를 시켜주겠다 하여도 그는 마다하고 先祖의 뜻이 靑山에 있으니 東麓은 本意가 아니라 하고 울며 원하므로 改葬을 하고 두 碑石을 세웠다.

盛唐은 中國文學의 最高峯, 最絶頂이었든 時代인 바, 李白은 杜甫와 아울러 가장 그 代表이었다. 杜甫보다는 나이 十歲 위가 되며 그 사이도 莫逆하였다. 다시없는 知己이었고. 그러나 그 個性과 作品은 전연 다르다. 李白은 豪放하고 樂天的이고 杜甫는 沈鬱하고 人道的이다. 杜甫는 辛苦吟咏하였고 李白은 一氣呵成하였으며 寫實的이라 하면 李白은 浪漫的이겠다.

李白은 淹博한 識見과 多方面의 造詣가 있으며 그 作風은 悲壯, 飄逸, 穎放, 沈痛, 香艷, 閑適 등의 많은 境地를 가지고 넘치는 興趣와 靈感으로 때도 붓을 들면 사람을 놀리는 佳妙한 詩篇을[03]

이번 三千里社의 부탁을 받아 李白 詩를 八十三篇을 골라 번역해 보았다. 워낙 남의 文學作品은 내 말도 옮기기란 쉽지 않은데 漢詩처럼, 그 中에도 李白 詩처럼 어려운 것을 促迫한 時日을 두고 하자니 흐뭇하게는 될 수 없다. 워낙 그 聲響, 色彩 같은 건 到底히 옮길 수 없으매 겨우 그 意思나 잃지

---

03 원문 자체가 완전치 않다.

않으려 한 것이다. 意思도 어느 건 漠然하여 꼬집어 말하기 어려우나 그래도 하노라 하였으며 이 걸 보시는 분도 짐작하실 줄도 생각한다.

杜子美의 一生[01]

朴鍾和

　杜子美는 杜甫의 字니 本是 襄陽 사람으로 後에 河南 鞏縣에 왼기여 살다. 曾祖 依藝는 鞏令으로 죽고 祖父 杜審言은 亦是 이름 높은 詩人으로 膳部員外郞이였다. 父 閑은 奉天令이였으매 甫는 天寶 初에 進士에 應試하여 落榜하고 天寶 末에 三大禮賦를 唐玄宗에게 獻上하니 玄宗이 불러 보고 文章을 試驗한 後에 奇才라 하여 京兆府 兵曹參軍을 주다. 밋 安祿山이 亂을 일으켜 京師를 陷落하니 肅宗이 靈武에서 兵士를 徵하는지라 甫ㅡ 밤에 京師에서 逃亡하여 河西로 달여 彭原에 肅宗을 보이니 右拾遺 벼슬을 拜하다.

　房琯과 布衣로 있을 때 일즉이 甫와 좋아하더니 때에 琯의 벼슬이 宰相이라 스사로 軍士를 거느려 賊兵 치기를 請하니 肅宗이 이를 許諾하였으나 十月에 琯의 兵이 不幸이 陳濤斜에게 敗하고 董庭蘭의 일로 首相을 罷免하니 杜甫 上疏하여 房琯을 庇護하다가 肅宗의 怒함을 입어 甫를 華州의 司功參軍으로 左遷하니 때에 關輔ㅡ 크게 凶年든지라 甫ㅡ 成州 同谷縣에 寓居하

'盛唐時代의 三文豪', 『三千里』 제12권 제6호, 1940.6.

'한국근대문학과 중국' 자료총서 ⑭

여 스스로 負薪探程⁰²하여 兒女의 餓殍한 者— 두어 사람이나 있었다.

팔자 崎嶇한 杜甫는 다시 儉南에 流落하고 成都 西郭에 오막사리 草屋을 일우었다가 다시 불려 京兆功曹參軍에 補하였다. 그러나 가지 못하고 上元 二年 겨울에 黃問侍郞 嚴武가 成都에 節度使가 되니 嚴武는 杜甫와 世交가 두터운 사람이라 나라에 아뢰어 節度參謀, 檢校尙書工部員外郞을 시키고 緋魚袋를 下賜하게 하니 極히 待遇가 隆崇한 것이었다.

그러나 杜甫의 性미 躁急하고 放恣하여 嚴武의 恩義를 믿고 醉하여 武의 牀의 올라 武를 똑빠로 쳐다보며 『嚴挺之란 눔이 이런 아들을 다 두엇구나.』 하니 嚴挺之란 武의 아버니의 일홈이라 滿座 駭然하되 武는 역시 性急한 사람이나 허물치 안이하더라.

甫— 成都 浣花里에 대를 심고 沈江에 草廬를 지어 縱酒嘯咏하여 田夫野老와 追逐蕩狎하여 조금도 拘碍함이 없고 上官 嚴武— 일으나 脫巾으로 傲然이 만나서 甫는 실로 詩人이요, 벼슬아치 아닐러라.

永泰 元年에 嚴武— 죽으니 主人을 일은 杜甫는 간 곳이 없고 새로운 節度使 高英叉⁰³는 武人이라 麤暴하니 杜甫는 東蜀으로 가서 高適을 依支했다가 適이 또한 죽고 蜀中이 大亂하매 甫— 집안 食口를 끌고 荊楚로 避하려 하여 扁舟로 峽을 네려가 배를 끌러 매기도 前에 江陵이 또 다시 어즈러우니 湘流를 泝沿하여 衡山에 올으고 因하여 耒陽에 客이 되어 岳廟에 놀다가 暴水로 因하여 길이 매키여 旬日을 어더 먹지 못하였다. 耒陽縣令이 이것을 알고 배를 보내 迎接해 들아와 白酒와 牛肉으로 欵待하니 杜甫— 주린 남어지에 흠뻑 마시고 먹다가 大醉하여 죽으니 이것이 永泰 二年 나이 五十九러라.

---

02 '稈'은 '稻'의 잘못이다.

03 '郭英乂'의 잘못이다.

後代의 詩人 元稹이 杜甫를 評하여 말하되 위으론 風雅를 肉薄하고 아레론 沈佺期, 宋之問을 兼하고 말은 蘇武, 李陵을 빼았고 氣는 曹植, 劉楨을 삼키고 顔延年, 謝靈運의 孤高를 가리우고 徐陵, 庾信의 流麗까지 섞기여 모두다 옛 사람의 體勢를 얻었으며 지금 사람의 獨專을 兼하였나니 만일 仲尼로 하여금 그 要旨를 鍛鍊한다면 오이려 그 만은 것을 도모할는지 몰을 것이라. 詩人 已來에 子美 같은 이 없다하다.

延禧專門 文科學生의 「文化鑑賞」記(발췌)[01]

宋夢奎 외

一. 哲學과 宗敎

學生用 哲學史(토쩌— 著)

古代哲學史(빈데르 반트— 著)

忠義의 哲學(로이스 著)

칼·빨트의 神學

理想論講義(로이스 著)

思索と 體驗(西田 著)

哲學的人間學(막스·쉐레르)

니체의 悲劇論

信仰論(제임스 著)

以上 諸 著書 中에서 읽으신 著書의 讀後感을 적어 주십시오.

二. 文學

「學生と 學園」(河合永次郎 著)

『三千里』 제12권 제6호, 1940.6. 임어당의 『생활의 발견』과 관련된 내용만 발췌하였다.

「孤獨한 魂」(헤루만 헷세 著)

「死」(부루제 著)

「獨逸戰沒學生の 手紙」

「生活の 發見」(林語堂 著)

「キコリ夫人傳」

「大地」(팔꽉女史 著)

「無明」,「사랑」(李光洙 著)

「土と 兵隊」

「藝術の 本質」(金子博士 著)

「冬の 宿」(阿部知二 著)

「林巨正傳」(洪命熹 作)

「달밤」,「가마귀」(李泰俊 作)

「風と 共に 去りぬ」(ミツチェル女史)

「轉葉の 詩集」,「蒼氓」(石川達三 作)

「川邊風景」(朴泰遠 著)

「生活の 探求」(島木健作 著)

「紋章」,「寢園」(横光利一 著)

「雪國」(川端康成 著)

以上 諸 著書 中에서 읽으신 作品의 讀後感을 적어 주십시오.

三. 音樂

藤原義江, 鄭勳謨, 크로이 싸아, 桂貞植, 엘만, 티―보―, 朴景嬉, 모기레푸스키, 칼소―, 쇼팡, 베토벤, 슈벝트, 李愛內, 任祥姬.

以上 諸氏의 作曲과 音樂 中에서 들으신 것의 感想을 적어 주십시오.

四. 映畵

「格子なき牢室」, 「少年の 町」, 「未完成交響樂」, 「부륵劇場」, 「望郷」, 「라
모나」, 「路傍の 石」, 「雪國」, 「綴方教室」, 「太陽の 子」, 「五人の 斥候兵」, 「鶯
限りなき前進」, 「아리랑」, 「城隍堂」, 「土卜兵隊」, 「나그네」, 「授業料」.

以上 諸作 中에서 보신 映畵의 鑑賞을 적어 주십시오.

文科 宋夢奎

一. 文學

(중략 - 엮은이)

『生活の發見』

유모아 속에 銳利한 觀察과 正確한 批判이 豊富하다. 가끔 웃다가도 刺戟
되어 움칠 않을 수 없다.

(중략 - 엮은이)

文科 金三不

一. 文學

(중략 - 엮은이)

『生活의 發見』(林語堂 著)

쉽고도 어려운 자미스럽고도 眞實한 生活의 發見이다. 이 冊만치 너거러

운 마음으로서 讀書한 적은 난생 처음이다. 그리고 이 冊만치 人間의 淸高한 幸福을 눈앞에 啓示시킨 冊도 더물게 보았다. 여게는 豊富한 生活 內容이 있다. 林語堂이 生活 속에서 찾인 가장 稀貴한 發見의 하나로서 나는 그의 「유-모어」論을 들고 싶다.

유-모어가 生活을 얼마나 潤나게 하는가는 물을 것도 없거니와 유-모어가 사람을 單純化시키는 것도 事實이다.

그리고 유-모어가 이 冊의 主流인 閑暇한 生活과 一脉相通한 것은 勿論이요, 다른 무엇보다 中國人이 유-모어를 가장 잘 안다는 것으로 그들의 品 높은 海容性을 엿볼 수 있다. 끝으로 大戰이 일어난 요즘 유-모어만이 世界를 救할 수 있다는 林語堂의 말을 謹聽하라.

大戰이 끝나자 講和條約은 있을 테니 루大統領이 林語堂의 賢策을 쫓아 會義를 열 때 各國에서 유-모리스트 大使를 召集하여 유-모어 大會를 벌여 논 席上에서 서로 條約을 맺는 것이 上策일 듯하다. 그리하면 無理한 條約은 단연코 없을 테며 다음해의 노벨 平和賞은 當然히 林語堂이 受賞하리라 믿는다.

(중략 - 엮은이)

文科 李順福

一. 文學

『生活의 發見』을 읽고(林語堂 著, 坂本勝 譯)

銳利한 觀察과 冷靜한 批判力을 所有한 一個 支那人으로 아니 廣潤한 國際人으로서 奇型的(語弊가 있을지 모르겠으나) 思考方法으로서 그들의 人生觀을 樹立하여 온 支那民族을 卒直이 批判하며 同時에 歸納的 方式에 依한 論理

性과 分析 等을 爲主로 하는 西洋人의 思想을 膽大히 꾸짖으며 我田引水의 格으로서가 아니라 事實上 淸冽한 支那 民族의 人間性(特히 白樂天, 蘇東坡, 屠赤水, 袁中郎, 李卓吾, 張潮, 李笠翁, 袁枚, 金聖嘆)을 禮讚한 것에 매우 興味를 끌다.

「宇宙는 大書物이요, 人生은 큰 배움터」라고 하는 著者의 말과 같이 人生을 工夫한 者로 賀川豊彦氏를 歷倒하는 에루디슌과 Milie A.A.나 兼好法師(吉田兼好)를 울일 만한 隨筆體로 유모아를 반죽하여 人生問題, 政治(特히 獨裁主義를 生物學的 理由로서 批判한 것이 더욱 興味를 자아내다), 藝術, 宗敎, 社會 等 各 方法에 對하여 具體的인 思想을 卒直이 發表한 것이 매우 滋味있었다.

萬若 素人的 撮影師라도(勿論 名監督도 不必要) 讀書者의 一句, 一頁을 읽은 瞬間의 無窮無盡한 얼굴의 變化를 映畫化한다면 近況 常設舘의 七十錢 均一의 入場料를 歷歷히 받을 것이다.

(하략 - 엮은이)

戰爭과 妻女情 - 李太白·白樂天이 읊은[01]

三千里社 編輯局

一

漢詩 中 夫婦 愛情을 읊은 것이 많은데 그 中에서 戰爭에 關聯한 몇 首를 골라서 여기 紹介하기로 한다.

長安一片月,
萬戶擣衣聲.
秋風吹不盡,
總是玉關情.
何日平胡虜,
良人罷遠征.

長安에 달이 밝고
다드미 소리 집집에 들린다.
가을바람 불어서 끊이지 않으니

이것이 모두 玉關의 情
싸움이 끊일 날은 어느 때며
郞君이 돌아올 날은 어느 날일고.

李太白 詩集 中에서 가장 優秀한 것이다.

대개 그 意味는 이러하리라고 짐작하는데 原詩 3句, 4句의 吹不盡이라든가, 總是라든가 이러한 데는 참으로 美妙하게 되었다고 생각한다. 이때의 싸움은 玄宗皇帝의 重臣이 帝王이 外征을 좋와함을 알고 功을 세워볼려고 함부로 大軍을 動員시켰던 까닭에 民意에 없는 싸움을 많이 한 듯하다. 詩에도 그런 意가 보인다. 하지만 이미 일으킨 三軍이므로, 詩人은 나종 二句를 加하여 民心을 慰勞하고 또는 激勵했다. 이 二句로써 前線의 男便을 思慕하는 婦女들의 忠貞心을 얻게 했다고 한다. 玉關은 玉門關——지금 甘肅省 燉煌이라는 데서도 더 들어가는 곳으로 西域과 通하는 關門이라 한다. 여기에 軍士를 진치고 서쪽 樓蘭의 胡와 싸왔다.

二

다음은 戰線에서 守備하는 男便에게 두르마기를 지여 보내는 詩를 紹介하겠다.

沙場征戌客,
寒苦若爲眠.
戰袍經手作,
知落阿誰邊.

蓄意多添線,

含情更着綿.

今生己過也,

重結後生緣.

荒野에 守備하는 郎君

추위에 잠 못 들리라 생각하여

내 손수 두루마기를 지였습니다.

입으실 어룬을 생각하오매

뜸새마다 꼼꼼히 안 할 수 없습니다.

솜도 많이 두었습니다.

다시 뵈옵지 못하오리까.

부디 다시 뵈옵기 願이옵니다.

實感으로 된 詩다. 律詩이므로 對句가 四組로 돼야 할 것인데 그것도 되지 않았다. 全혀 素人의 詩作이다. 詩로서 불 것도 없지만, 끝에 二句는 참으로 痛切하다 않을 수 없다.

三

僖宗皇帝 때는 宮女에게 이것을 짓게 하여 塞外에 出征 兵士에게 宮中에서 袍千領을 준 일이 있다. 그때 한 사람이 詩 一首에 金襴 一領을 더해서 보낸 즉 이 豪華한 慰問品이 문제가 되어 皇帝는 이 宮女를 두루마기 받은 兵士의 안해로서 定해 주었음으로 兵士들은 크게 感動하여 싸움을 잘했다는

逸話가 傳해 오는데 詩는 別반 신통한 것이 없음으로 여기에 하나만 紹介하려 한다.

芙蓉露冷月微微,
小院風清鴻雁飛.
聞道玉門千萬里,
秋深何處寄寒衣.

作者의 朱泰玉이란 婦人은 어떤 사람인지 모르지만 대략 뜻을 묻는다면 아래와 같을 것이다.

蓮잎에 이슬이 차고
달빛이 微微한데
小院에 바람이 맑고
하늘에 기러기 날른다
들으니 玉門은 千萬里라 하고
가을은 깊어가거늘
어드메 寒衣를
부쳐야 할 것인가.

이것은 實感이 없다. 玉門은 玉關이란 意味인데 作者는 唐나라 人이 아니다. 詩의 風體로 보면 明朝사람이 아닌가 한다.

四

初唐의 名家 張九齡 作에 男便을 征戰에 보낸 후의 안해를 代身해서 지은 詩라고 짐작되는 것이 있다.

自君之出矣,
不復理殘機.
思君如滿月,
夜夜滅淸輝.

싸움이라는 글字는 아무데도 보이지 않으나 거저 어디 떠난 男便을 생각하는 것으로는 誇張이 甚하므로 이것을 出征한 男便을 생각하는 詩라 해도 좋으리라 믿는다.

당신이 떠난 후
아직 짜든 베틀도 걷지 않았습니다
당신을 생각하는 마음으로 十五夜 달같이
밤마다 밤마다 여위어 갑니다

대략 이러한 뜻이리라고 생각한다.

五

薛濤는 唐의 名妓로 일찌기 第一流의 詩人으로 손가락을 꼽았다. 본래 才色兼備할 뿐 아니라 盛世 長壽한 福人이다. 蜀地에서 任官한 大官 名家들의 사랑을 많이 받았다. 當時 名流와의 唱和에도 相當했었다. 薛濤詩 一卷이 전해 오는데 거기에 「贈遠」이라 題를 한 二首가 있다. 누구에게 주었는지 그 사람을 알 바 없으나 軍中에 있든 사람인 것만은 詩句로서 엿불 수 있다. 그러고 雜兵은 아닌 모양이었다.

芙蓉新落蜀山秋,
錦字開誠[02]到是愁.
閨閣不知戎馬事,
月高還上望夫樓.

지금은 芙蓉도 지고
蜀山의 가을이 깊어 갑니다.
글발을 읽고 슬픔을 찾아냈습니다.
女子에겐 싸움이 알려저 있지 않습니다.
달이 높게 望夫樓에 떠오릅니다.

　芙蓉은 蓮을 말함인데 옛날엔 字音에 依하여 夫容——즉 郞君의 모습으로 通해 온 例가 있고 또 여기에도 그렇지 않은가 생각하고 芙蓉이라 그대로 한다. 原詩는 實感도 있고 文字도 곱게 正備되었다. 참으로 女詩人 中 第一이라 하겠다. 實感과 文字와——所謂 文과 質과의 分量이 過不足 없이 되어 있어서 스스로 雅致가 생기고 氣品이 높게 생각된다. 起句도 좋으나 轉句의 閨閣不知戎馬事도 퍽 훌륭하다고 생각한다.

02　'誠'은 '緘'의 잘못이다.

나의 男便 郭沫若(부분 결락)[01]

佐藤富子

郭沫若은 中國 新文學運動에 있어서 異彩였는데 일즉 舊 國民
政府로부터 쫓겨서 日本에 亡命했다. 事變 發動이 생기자 대
려가게 되어서 日本을 脱出, 現今은 미웁게도 重慶政府의 政
治宣傳部에서 活動하고 있는 中이다. 그가 青年層에서 받는
信賴는 絶對的이라고 報道는 傳한다. 이 一文은 郭夫人 佐藤
富子가 남편의 文學生活 苦鬪의 歷史를 追憶한 것이다. 現在
思想에 있어서 郭은 日本에 對하고 있다고 한다. 어느 날이든
그 夫人에 對한 愛情은 日本愛가 되어 그의 思想의 轉回를 捉
할 것이라 믿는다.

一. 九州帝大 醫科 卒業 前後

異國人을 남편으로 삼은 나는 이 長途의 人生 航路에 있어서 그이와의 生

01 『三千里』 제12권 제6호, 1940.6.

活은 想像할 수 없을 만큼 無限의 悲哀와 歡喜에 있었다.

그는 지금 떠나 버리고 말았다. 勿論 내게 印象을 깊게 한 한때의 苦痛이긴 하나 當然 悲哀, 喜悅 이런 온갖 것이 엿가람, 먼 記憶 밖에 내어 던지게 된다.

하지만 내 가슴 한구석에 오히려, 和睦했던 追憶이 남아 있다. 그래서 光明은 다음 瞬間에 苦痛으로 變했다. 勿論 나는 언제 追憶이 떠올을지. 하나 나는 恒常 冷靜했다.

나는 누구나가 빨리 戰爭이 끝나기를 希望하리라고 생각한다. 나는 날마다 밤마다 그리되기를 바래서 기도한다. 그리군 늘 내 過去를 回想한다. 나와 郭沫若과 結婚한 때는 그가 九州帝大 醫學部에 一 留學生이든 때다. 『支那人을 남편을 삼는다』는 非難을 周圍 사람들에게 받았다. 하지만 서로 사랑하는 사에, 뗄래야 뗄 수 없는 사이가 되었다. 여러 가지도 사람들의 뒷손까락질을 받았으나 나는 그것을 거저 웃음으로 받을 뿐이었다.

그때의 生活은 餘裕 없는 貧困한 生活이었으나 우리는 익숙히 잘 견디었다. 되려 그이는 將來를 熱情을 가지고 말했다. 우리는 깨달을 수 있었다. 即 오늘의 貧困은 明日에의 偉大한 歡欣과 幸福이라는 것을 알았다.

그는 오라지 않아 卒業할 어느 날 突然히 내게 말하기를 醫學을 마치고는 다시 京都帝大 文科에서 文學을 배우겠다고 말했다. 나는 그때 이 말을 듣고 猛烈히 反對했다.

나는 그이가 文學으로 轉向했다는 心境을 理解할 수가 없었다. 나는 그에게 말했다. 文學을 배워서 무슨 職業을 얻겠느냐고, 배우는 데 있어선 正當한 確實한 技術을 갖는 便이 좋지 않겠느냐고 말한 즉 廓[02]은 매우 失望했다.

---

02 '郭'의 오식이다. 아래도 마찬가지다.

그래서 얼굴색이 몹시 나뻐졌다.

『내 聽覺은 敏첩하지 못하다. 그러므로 聽診器를 使用하기가 퍽 困難하다.』

나는 이 말을 들었을 때 가슴이 뻐근했다.

나는 그의 文學에 뜻을 둔 强烈한 마음을 反對하고 그에게 文學을 習得하는 것을 斷念시키려고 했다. 하나 그이는 내 앞에서 醫學을 배우는 것보다 文學을 배우는 데 더 熱心이었다. 어떤 밤 나는 無意識的으로 郭의 방을 디려다 본즉 郭은 가슴을 헤쳐놓고 聽診器로서 聽診하느라고 애를 썼다. 그랬는데 그는 굳게 잘 들지 못했다. 나는 그때 그의 表情이 몹시 괴로움으로 꽉 찾던 것을 보았다. 그래도 나는 오히려 文學에 對한 熱情을 버리기를 勸했다. 郭은 커다란 苦憫을 느꼈다.

郭은 내 마음을 安心시키기 爲해서 苦憫 中에 九州帝大 醫科의 課程을 卒業했다. 나는 그때 長男을 갖이고 있었다. 나는 그이의 卒業을 祝賀하기 爲해서 작은 잔채를 열었다.

오래 있다가 郭은 重慶 英國人 經營 醫院에 招聘을 받았다. 郭은 日本을 떠나겠다. 나는 이때 가장 큰 感傷을 받았다. 아버지와 어머니와 아이는 함께 生活할 수 없는 때처럼 感傷的인 때는 없었다. 내 安住의 地는 大體 어디런가.

二. 創造社 時代의 貧困

重慶病院에서 旅費로서 三百圓이 왔다. 나는 日本이란 땅에 離別을 告하게 되었다. 一路 上海도 향했다. 하나 郭의 心境이 變化한 데 놀랐다. 오랬동안 마음속에 神藏했던 文學에 對한 野心을 잊을 수 없었던 것이다. 中國人이 文學에 對한 레벨이 低級함을 안 郭은 友人과 함께 熱烈한 文學運動에 몸을

던지고 말았다.

『醫術도 必要하지만 더욱 必要한 것은 中國文化를 높일 일이
다. 이거야말도 中國 近代文學 建設이라는 내게 賦與된 큰 義
務다.』

燒石에 물이라 할지 그의 文學에 對한 熱意는 吐露했다. 나는 郭의 마음
을 明瞭하게 할 수 있었다.

英租界 靜安寺路의 一角에 우리는 한 채의 집을 작만했다. 風景은 매우
좋고 또 무척 조용했다. 郭의 누님이 三百圓 붙처 주었다. 이도부터 郭은 文
學生活이라는 것을 시작했다. 그때는 大正 十二年 前後였다.

그런데 文學生活은 決코 良好하지 않았다. 그리고 그에게 指導하는 사람
도 없었다. 또 先輩도 없었다. 그의 作品과 批評을 읽는 사람도 없었다. 그러
므로 그의 作品을 推薦하는 사람도 없었다. 郭은 그러기 때문에 文學的 孤獨
觀에 억매였다. 作品 한 篇도 팔 수 없는 郭은 그래도 努力하고 辛苦하며 썼
다. 쓰긴 하지만 팔리지 않았다. 郭은 完全히 精神上으로도 괴도워했다.

生活은 옛날 學生 時代처럼 곤란했다. 하지만 自己의 力量에 對해서 無比
의 快樂을 갖이고 生活했다.

後에 이르러 郭은 創造社의 設立을 要望하고 全 中國 靑年의 活動을 부르
지졌다. 이때에 靑年運動으로도써 文學의 主體로 하려고 했다. 每 一株 五元으
도서 合計 一千五百元의 資本을 뭉을 수 있었다. 이것이 다 全 中國 各處 靑
年이 郭을 支持하는 强力한 原因의 한 表現이었다. 現在 中國靑年 對 郭의
感情은 非常한 것이었다.

創造社는 郭의 金力으도써 機關紙가 發行되고 郭은 非常한 熱情으로서

深刻한 文을 써서 青年들에게 깊은 印象을 주었다. 中國의 青年 男女들은 그이의 글에 對해서 現代의 聖經과 같은 讚美를 했다. 郭은 青春의 熱情과 純情과 理想을 마음의 食糧으로 했다.

우리들의 生活은 여전히 貧困했다. 郭은 돈 일이나 家庭 일은 完全히 잊어버렸다. 이러함으로 나는 自然 自己보다 집을 지키고 아이를 길으게 힘을 다하기로 決心했다. 이때부터 나는 마음으로서 覺悟를 깊이 했다. 그이는 집에 들어오지 않음으로 나는 혼자서 아이를 教育했다.

이와 같은 生活이 우리들 우에 一年 넘어 持續되었다. 나는 잘 알 수 있었다. 그것은 上海에서의 生活이 내게는 안 되었다는 것을 알았다. 잊어버리고 떠난 日本人의 나는 全혀 上海 生活을 끊어버리고 郭과도 헤여저서 아이와 함께 九州 福岡에 이르렀다.

하나 二箇月 後에 郭은 돌아왔다. 그리하여 덧없는 一年을 지냈다. 郭은 이 一年 間 한 개의 人間으로서 매우 아이를 사랑했다.

三. 廣東에 잇는 共産軍과 提携의 前後

나는 그가 아이를 사랑하는 慈愛의 마음을 깊이 感謝했다. 하나 이 生活도 길게 계속되지 못했다. 郭의 熱情은 우리들을 安居시킬 수가 到底히 없었다. 郭은 다시 上海로 갔다. 매우 底下한 原稿 生活의 生涯가 시작되었다.

이때 내 心境은 벌써 여러 가지 變化를 일으켰다. 이 種類의 變化는 即, 中國에 있어서의 貧困 生活에 익숙해질 것이다. 全 中國人은 웨 괴로운 生活을 하는 건가? 참 苦痛은 形容키 어려웠다. 내 마음은 진정 難儀에 遭遇했다. 그것은 日本人이기 때문이었다.

이 非常한 貧窮의 同胞에 對해서 外國人과 比較하는 때 中國人은 貧窮의

階級에 對해선 아무렇지도 않게 생각하는 것이다. 貧窮은 더욱더 加해질 뿐이었다. 나는 그 쓸쓸함을 거저 보아낼 수가 없었다. 만약 機會가 있으면 나는 郭에게 그것을 아는가, 모르는가 알아보고져 했고 또 說明해 주려고 했다. 나는 그에게 이런 일에 對해서 힘과 마음을 쓰라고 希望했다. 이때부터 郭의 思想은 크게 變化했다.

다시 한 椿事가 突發했다. 即 郭은 私立大學을 開設하려고 活動했다. 靑年 사이에 있어선 누구나 郭의 이름을 알 수 있었다. 그래서 學藝大學을 成立했다. 學生이 몰렸으나 學費問題로 一年이 못되어 閉鎖의 宣言을 받았다.

그는 부르짖었다.

中國 文化運動은 웨 困難한 것인가.

이 한 事情으로 해서 郭은 明瞭히 困苦 難關을 알 수 있었다.

하지만 郭은 단연 어떤 事情 아래서라도 自己의 큰 希望을 버리진 않았다. 나는 벌써 郭의 生活에 어떤 變化가 있다치더레도 論할 수가 없었다.

그만큼 郭은 熱情이었다. 그 우에 나는 세 아이의 어머니었다. 나는 어떤 쓸쓸함에나, 괴로움에도 아이들을 위해서 웃고 참어야 했다. 나는 어머니로서 새 힘의 躍動을 느껴왔다.

無論 누구나 내 生活을 諷刺한다. 貧困한 生活을——하지만 나는 어머니로서 高貴한 사실을 自覺하고 있다. 나는 어머니의 自覺 外에 아무것도 없었다. 中國人을 아버지로 日本人을 어머니르 한 아이들의 일을 생각하면 내 마음은 恐怖로 꽉 차 있(二〇二頁에 계속)[03]

---

03 잡지의 202쪽에 이어진 내용이 보이지 않는다.

周作人 訪問記 - 靑葉의 北京, 그의 邸宅을 차저[01]

黃河學人

周作人氏 略歷 - 立敎大學 出身

周作人, 字는 豈明, 江南 紹興縣 産. 作家 魯迅의 弟子로서 나다. 本年 五十五歲, 젊어서 日本에 留學, 法政 豫科를 거처, 立敎大學 文科를 卒業, 歸國 後는, 中國文化史에, 自然主義文學 運動의 一頁를 빛내는 「文學硏究會」를 主宰한 後, 北京, 燕京 兩 大學에 敎鞭을 잡다. 一九二四年 以後 北京大學의 日本文科 主任, 「夜讀抄」 그 밖에 數種의 著書가 있다. 昭和 九年 八月 日本을 찾은 것이 事變 後 知日派로서 兇漢에게 狙擊을 當했으나, 昨年 二月 新設의 北京大學 文學院長으로 就任하다.

「많을손 四億萬民, 넓은손 四百萬方里의 山河」. 새 支那의 建設歌에 汪精衛氏는 이렇게 노래 불렀다. 이제 硝煙이 끊지 않는 四百餘州 天地를 돌보고 汪氏의 가슴을 찌르는 悲痛한 感激은 그것대로, 中國 文化人層의 感激이다. 世紀의 颱風은 汪氏가 「울어라, 노래부르라」고 부른 悠久 四千年의 支那 歷

---

01 『三千里』 제12권 제6호, 1940.6.

史에 新段階를 그었다.

지금이야말로 그릇된 民族 指導精神에 禍를 받은 大陸 文化人이 更生할 가을이 아닌가. 昨年 一月 北京 街頭에서 狙擊 當한 周作人氏는 北支 文化層의 指導的 地位를 가진 사람, 이제 柳絮가 나는 北支로 旅狀을 익그든 나는 狙擊事件 以來 門을 닫이고 出居 瞑想하는 周作人氏와 相談했다. 北京 西城에 周氏를 찾어 中國文化再建에 關한 것을 듣고저 하는 意欲이 움직였다.

森林의 都市 北京은 퍽이나 정돈되여 있었다. 北京의 特殊 地域으로서, 二年有半의 政治 成果가 이처럼까지 정돈시켰든 것일까.

周氏의 西城 新街口 ⁰²道灣 寓居에는, 紫色과 흰빛의 丁香(라이락)이 한창 그 香氣를 풍기였다.

文化가 싹트는 季節

「蘆溝橋 事件이 發生했을 때, 나는 이 事變은 곧 解決되리라고 樂觀했다. 그랬는데, 그것이 二年 지나고, 三年 지난 現在까지 아직 結末이 나지 않았다. 日支 兩 國民에겐 最大의 不幸이다. 戰火는 果然 몇 年이나 계속할런지.⁰³

書齊 兼 應接室 間 쏘파와 卓子에 장지바른 窓으로 外光이 밝다. 壁엔「그것은 나를 살리는 特色 特別한 色을 즐긴다」라고 쓴 色紙가 붙어있다. 大正 八

---

02 '八道灣'으로서 '八'자가 누락되었다.

03 홑낫표 ' 」'가 누락되었다.

年 頃 氏가 目[04]向(宮崎縣)의 「새마을」 視察한 以來, 交友關係를 맺어온 武者小路實篤氏가 보내준 것이다. 支那 服色의 周氏, 팔장을 끼고 말을 계속한다.

「여러 機關이 여러 人物들이, 東西文化 樹立을 부르짖고 日支 文化 提携의 急務를 떠든다. 勿論 나두 이런 文化의 樹立이라든지 提携의 必要를 인정한다. 하지만, 文化라는 것이 必要하다고 해서 하로 밤 새로 되는 것이 아니다. 五年이든 十年이든, 時期가 올 때까지 오―래 기다리지 않으면 안된다. 文化에도 風土가 있고, 季節이 있다. 싹이 튼다면 싹 틀만한 條件이 絶對 必要하다. 그걸 모르군 진정한 東西文化의 樹立이니 日支 文化의 提携니 할 수 없다. 無理는 안 된다. 나는 이러케 믿는다.

民衆은 어대로 가나

氏의 日語는 띠엄 띠엄했으나 口辯은 熱나했다.

「蔣介石은 그 施政의 하나로서 新生運動을 했다. 日本에선 相當히 높게 評價한 모양이였으나, 나는 그 運動은 決코 成功했다고 보지 않는다. 되려 蔣으로부터 民衆을 떠나게 하는 데 有利할 程度였다. 支那 民衆은 그 民族性이 個人의 生活까지 ――히 政府의 統制나 干涉을 좋아하지 않는다. 支那 民衆은 마음으로부터 生活을 즐긴다. 極히 少數의 文化人은 이데오로기―에 살지만, 그 外의 大多數의 民衆과 農民은 다만, 生活을 즐기는 것만의 生活이다. 政治는 그들을 安居樂業시키지 않아선 안 된다. 生活의 窮極은 動亂에로 引導할지 모른다. 動亂이 일면 支那의 現在로선, 아마 民衆은 共産黨으로

---

04 '日'자의 오식이다.

달리리라.」

新政府에게 希望하는 것

이때 周氏는 白晳의 얼굴에 우슴을 띠우면서,

「⋯⋯⋯하나 나는 共産黨에게 好意를 表하는 것두 아니요, 팟쇼에 心醉히는 것두 아니라. 이 두개의 思想은 히틀러―와 스타린의 握手에서 풀릴걸⋯⋯⋯」

약간 비웃는 表情을 보이던 氏는 다시 말을 이어,

「新政府에게 希望하는 게 내겐 여러 가지 잇다. 다만 하로 바삐 敎育機關의 復活을 바랄 뿐이다. 事變 後 離散한 學生 中에는 아직 日和見主義가 많음으로 敎育機關의 復興이라 하드라도 하로 바삐 事變 處理하는 것이 問題로, 現下 離散한 學生과 젊은 인테리層에 第一 必要한 것은 一定한 目標를 세워서 조용히 공부하고 思索시킬 것이다. 이때까지의 新民會의 新民主義 運動, 三民主義에 對한 新民主義는 너무나 學生 인테리層의 공부할 時間을 빼았았다. 마치 神經衰弱 患者 곁에 광과리나 북을 치는 形狀이였다. 蔣介石두 以前엔 月曜日에 孫文의 遺訓을 받드러 學生精神運動을 했으나, 이것 亦是 神經衰弱을 더하게 했을 뿐이다. 現在 新民會는 指導方針이 變했으나, 이 點을 생각하여 圓滿한 運用을 바란다.」

겨누는 두 銃口

會見 一時間, 最後에 氏는 「最近의 日本文學 小說은 내겐 理解 안 된다. 明治, 大正까지의 것이라면 알지만⋯⋯⋯」

氏의 넓은 書齊엔 立堆의 漢書, 洋書 外에 漱石, 鷗外, 御風, 直也 等 全集, 單行本이 加하여 一茶 俳句 硏究書까지 四五架의 書棚에 가득 차있었다. 氏와 인사한 후 세개의 中門을 지나 밖앝 門에 나선즉 氏의 身邊을 배도는 刺客을 警戒하는 두 사람의 邸內 支那 巡捕가 모—첼을 午後의 해빛에 빛내고 있었다. 支那에 있는 周作人, 그 사람의 文化的 地位의 높이를 保護하는 두 개의 銃口다.

現代 支那의 女流作家[01]

　現代支那文學全集[02]은 이미 郭沫若의 『創造十年』, 矜[03]盾의 『무지개』, 蕭
軍의 『사랑함으로』, 郁達夫의 『沈淪』, 巴金의 『新生』 等을 刊行하고 이번에
는 『現代支那女流作家集』을 配本하엿다.

　女流作家集이라는 데에 特別한 興味를 가진 것은 아니나 朝鮮의 知識人
들이 좀 더 現代 支那 文學에 對하여 關心을 가저도 조흘 것이라 생각함으로
『現代支那女流作家集』을 읽은 것을 機會로 이에 對한 二三의 所感을 적어
보고저 합니다.

　먼저 이 책의 目次를 보자.

　一. 最初의 晩餐會(冰心)

　二. 숨흠의 記錄(盧隱)

　三. 松子(丁玲)

01　『朝鮮日報』 1940.7.5, 3면.

02　『現代支那文學全集』(전 12권), 東成社, 1940.

03　'茅'의 오식이다.

四. 千代子(凌叔華)

五. 가버린 뒤(丁玲)

六. 家族 以外의 사람(蕭紅)

七. 旅行(馮沅君)

八. 慈母(馮沅君)

九. 山中雜記(冰心)

十. 두 家庭(冰心)

이 중에서 丁玲과 冰心은 가장 有名하고 또 가장 注目할 作家다. 그리고 同時에 이 두 作家에서 支那 新女性의 典型的인 두 『타입』을 發見할 수도 잇는 것이다.

丁玲은 그 熱情的인 點에서 그리고 그 情熱을 苦難이 甚할사록 더 북도다 나온 點에서 支那 新女性이 到達할 수 잇는 한 개의 地點에 到達하엿는지도 모른다. 胡也頻과의 變愛 그리고 結婚──胡也頻의 被殺──丁玲 自身의 投獄(한 때에는 被殺이 喧傳되엇섯다) 等等 이것이 今年 三十三歲된 丁玲의 半生이다. 이러한 속에서 丁玲은 『自殺日記』, 『一個女性』, 『母親』, 『水』, 『在黑暗中』 等을 썻다. 이 중에서 『母親』은 丁珍의 代表作일 뿐더러 現代 支那 文學의 一大 收獲이라 한다. 『現代支那女流作家集』에 들어 잇는 『松子』, 『가버린 뒤』도 두 篇 다 熱情家 丁珍의 面目을 充分히 發揮하고 잇다. 더구나 『가버린 뒤』(原名은 『他走後』)는 胡也頻과의 激烈한 戀愛의 一斷面을 보여주는 作品으로 胡也頻의 『一幕悲劇的寫實』과 아울러 읽을 때 興味津津한 것이 잇다. 이와 가튼 激烈한 變愛와가치 저의 몸이 피투성이가 되면서도 다시 한발을 아프로 내드디는 探究力 그런 것에 丁玲의 特色이 잇다.

丁玲과 正反對의 地點에 서잇는 女流作家가 冰心이다. 冰心은 五四 時代 新文學運動의 二大團體의 하나이엇든 文學硏究會의 重要한 作家엇섯다. 더

구나 『超人』은 一世를 風靡한 傑作이엇섯다. 그러나 冰心은 그의 作品이 아모리 社會의 絶讚을 밧더도 社會의 潮流에 휩쓸여 서슴지 안코 突進함에는 너무나 聰明하엿고 또 軟弱하엿다. 燕京大學 卒業―米國 留學―燕京大學 敎授―吳文藻와의 結婚―和平 一路의 冰心의 半生을 보라. 吳文藻는 社會學 研究家나 被殺당할 種類의 社會學에는 손도 대지 안흠으로 冰心도 投獄될 念慮는 조곰도 업다. 『最初의 晚餐會』 속에 나오는 楨과 瑛은 그들 自身의 가장 조흔 標本인지도 모른다. 『山中雜記』는 米國 留學 中 『샤룩』의 療養所에서 故國의 어린이에게 보낸 通信을 모흔 것으로 『閑話』를 즐기는 어느 批評家가 冰心의 小說속에는 『優美한 散文詩』가 잇스며 『兒童을 描寫한 作品이 도리어 퍽 조타』는 評言[04]을 그대로 首肯케 하는 作品들이다. 조금도 거칠미 업고 자서하고 귀엽고 더러는 재롱도 부리고――우리는 冰心이 優秀한 褓母될 素質이 充分히 잇슴을 이 作品으로써 證明할 수 잇슬 것이다. 『두 家庭』으로 우리는 또 冰心이 가장 賢淑한 家庭婦人이 될 素質이 잇슴을 證明할 수 잇슬 것이다.

丁玲과 冰心――自由奔放型과 賢母良妻型――두 『타입』의 支那 新女性은 各各 저의 길을 걸어 왓고 또 것고 잇다.

『千代子』의 作者 凌叔華는 文筆을 잡기 始作한지가 꽤 오래되어서 벌써 十五六年 前에 『改造』에 『酒後』라는 小說이 飜譯된 것을 읽은 記憶이 잇다. 그러나 이때까지 아즉 冰心의 『超人』과 겨눌만한 雄篇은 쓰지 못한 듯하다. 일찌기 魯迅은 『新月』派의 健將이요, 『閑話』로 有名한 陳西瀅(源)과 論爭하엿슬 때에 文學的 才能은 花柳病과 닮어서 性交로 感染시킬 수 업는 것이라 하여 陳西瀅과 그리고 그의 婦人되는 凌叔華를 辱한 일이 잇섯지만 陳西

---

04 陳西瀅, 「新文學運動以來的十部著作(下)」, 『西瀅閑話』, 新月書店, 1928.6.

澄 自身이 文學的 才能이 不足한 탓이엿든지 凌叔華는 結婚 後에도 아무 進步도 보이지 못하고 더구나 最近에는 아주 文筆과 因緣을 끈허버린 듯하다. 『千代子』도 그리 대단한 作品이 못된다.

이 外에 盧隱, 馮沅君, 蕭紅에 對하야는 그들의 作品을 아즉 별로 읽어보지 안엇스므로 아무 所感도 말할 수 업다.

끄트로 支那 女流作家로는 이 外에도 謝泳瑩, 白薇 等의 注目할 作家가 잇스나 무슨 理由로서인지 『現代支那女流作家集』에는 그 일홈조차 紹介되지 안엇슴을 附言하여 둔다.

(現代支那女流作家集, 定價 一圓 五十錢, 東成社 刊)

新支那文學의 印象 - 林語堂의『北京의 날』其他[01]

韓雪野

①[02]

우리가 中西伊之助의『赭土에 싹트는 것』을 읽은 지는 아마 거지반 二十
年인가 그만침 될 것이나 그러니까 말하자면 그때는 아직 作品의 良否라든
지 描寫의 巧拙이라든지 하는 것에 對한 充分한 批判 能力이 업든 때다.

그러나 그리면서도 나는 이 作品을 읽으면서 기수업시 噴飯할만치 輕蔑
을 느껏고 또 다 읽고 나서는 그야말로 입이 써서 침을 배틀 지경이엇다. 한
말로 그치자면 이때 내 눈에 비친 이 作品은 더할수 업는 劣作이오, 또 그보
다도 거짓말투성이엇다.

그러나 決코 그 作品에 나오는 人間이 非現實的이라든가 또는 無爲無能
하고 懶怠한 人間들이엿다든가 하는 데 나의 不滿이 잇섯든 것은 아니다. 아
마 거짓말 人間이 그려젓다는 데 맨 큰 理由가 잇슬 것이다.

勿論 그 거짓말은 그가 쓰랴는 對象에 對한 認識 不足——라니 보다 그 對
象의 生活을 生活하는 苦感과 理解와 批判의 精神이 不足한 데 基因하는 것

---

01 『每日申報』1940.7.9~7.11, 4면.

02 매회 연재분 표기로서 3회에 걸쳐 연재되었다.

이리라.

기실 作者 中西氏는 어느 편인가 하면 이 허잘 것 업는 作中의 人物들에게 非常히 寬大한 同情을 보이고 또 그들의 明日을 크게 期待하는 先覺者的 信念을 보이고 잇으나 그럼에도 不拘하고 그것이 거짓말 即 非現實的인 誇張과 紛飾으로 捏造되여 잇다는 點에서 終乃 이 作品에 對해서 好意를 가지지 못하고 말앗다.

우리는 가끔 中西氏보다 拙劣한 手法을 가진 作者의 作品에서도 眞實을 느끼는 일이 잇고 또 그러기 때문에 그 作品에 敬意를 表하고 놉게 評價하는 일이 잇다.

그러나 그것이 거짓말로 꾸며진 以上 아무런 大文字라도 唾棄해버리고 십흔 것은 아마 나 한사람의 버릇이 아닐 것이다.

그런데 中西氏의 그 後의 作이요, 滿洲를 取材한 作品을 읽을 때는 그다지 甚한 輕蔑을 늣끼지 안헛다.

그러나 그것은 決코 이 作品이 前作보다 낫기 때문은 아니다.

말하자면 나 自身이 이 作品에 그려진 滿洲 事情을 『赭土』에 그려진 그 世界처럼 깁히 認識하고 함께 살지 못하기 때문이다.

이와 近似한 例로서 最近의 팔퍽의 『大地』를 끌어와도 조타.

이 作은 支那 以外의 諸 外國에서 한결가티 絶讚을 바닷다. 우리도 물론 熟讀햇다. 들석한 世評에 附和햇든 탓도 잇겟지만 엇째든 자미잇게 읽엇든 것은 事實이다.

그러나 이 作品은 支那에서는 거의 읽혀지지 안엇다. 그것은 決코 이 作이 支那를 侮辱햇다든가, 支那의 暗黑面을 그렷다든가 또는 어떤 사스펜스를 노렷다든가 하는 그런 意味에서가 아니라 前述한 『赭土에 싹트는 것』마천가지로 支那人으로 보면 大部分 眞實性을 缺한 即 거짓말로서 꾸며진 것이기 때문이다.

그러나 支那人이 아닌 사람에게는 그것이 거짓말인지를 잘 알지 못한다. 안다 하더라도 支那人처럼 靈魂으로서 느낄 지경은 아니다.

여기에 이 作이 外國에서 읽혀지면서 가장 만히 읽혀저야 할 본고장에서 읽혀지지 안는 理由가 잇는 것이다.

萬一 朝鮮을 取材한 『赭土에 싹트는 것』이라는 作品도 外國語로 씨여젓다든가, 飜譯된다고 할 것 가트면 매우 조흔 作品으로 읽을 外國人이 적지 안을 것이다. 朝鮮을 모를수록 더 자미잇슬는지 모르니 이러케 되고 보면 『자미』라는 놈은 대단히 意味 모호한 놈이라 아니할 수 업는 것이다.

나는 最近 北京에서 林語堂의 『北京의 날』(『北京好日』이라는 題目으로 飜譯된 것도 잇다)을 읽으면서 以上과 가튼 옛날의 感想을 다시 한 번 되푸리하엿다.

하나 미리 말하야 두거니와 林語堂의 作品은 決코 前述한 二作과 가티 거짓말로 된 것이 아니다. 아니 차라리 支那 當代의 一流 哲學者요, 犀利한 文化 批判者인 林語堂의 이 作은 支那 어느 作家의 作品에도 지지 안을만치 支那의 雰圍氣도 또 支那人의 肉身도 精神도 잘 나타내고 잇다.

그러나 이 作은 近代 支那 文學이 싸아논 最上峰에 一簣를 더 올린 一步 前進의 作品은 아니다.

차라리 近代 支那 文學을 하나의 塔으로 비겨서 말한다면 이 作品은 꼭지에 올려안질 것이라는 것보다 그 中間 쯤에 노코 보아야 할 것이라는 것이 아마 正評일 것이다. 即 支那 文學의 頂點으로 보기에는 重大한 缺點이 잇는 作品이다.

(續)

예『北京의 날』은 支那語로 씨여진 것을 外國語로 飜譯한 것이 아니라 最初부터 作者가 英語로 써서 米國서 出版한 것이다.

勿論 이 作品이 나오기 前에 벌서 外國에는 支那를 取材한 幾多의 作品이 엇섯고 또 輓近『大地』의 旋風이 米國의 讀書界를 휩쓸다시피한 바루 뒤짝이라 그 때문에 支那를 그린 作品의 人氣가 沸騰해젓든 關係도 잇고 해서 이 作品은 出版 三週에 二十一萬部를 賣盡하야 發賣 部數로도 不遠에 팔벅의 『大地』를 凌駕한 것이다. 事實 또『大地』와 同日에 論할 作品도 아니다. 그보다 여런 가지 意味에서 훨신 越等한 作品인 것은 가릴 수 업는 事實이다.

나는 勿論 이 作品이 米國에서 大人氣엿다든가 하는 問題와는 無關係하게 이 作品을 읽고 또 생각하엿다.

그러면서 나는 確實히 이 作品은 現在의 支那 文學을 말하는 데 잇서서 한 개 代表的인 이야기꺼리가 된다고 생각하엿다. 하나 이 代表的이란 말은 萎微不振한 今日의 支那 文學과 無關係하게 쓰여지는 말은 아니다. 即 今日의 支那 文學이 魯迅, 郭沫若 等 先輩가 열어논 길을 更張한 것이라면 勿論 『北京의 날』을 今日의 支那 文學의 代表的 이야기꺼리로 끌어오지는 안엇슬 것이다.

世上이 周知하는 바와 가티 지금 支那 文學은 非常히 混亂된 環境아래에 노여저서 더할 수 업는 沈滯狀態에 빠저잇다. 支那 文壇의 代表的인 作家들의 大部分은 沈默을 지키고 잇고 또 가령 沈默을 지키고 잇지 안타 하더라도 우리는 그 作品을 읽을만한 機會를 차저낼 수 업는 形便이다. 그러므로 일즉 그들이 우리에게 보여준 文學을 잘 아는 우리로서 오늘의 零星한 若干의 作品을 들어 支那 文學을 이야기해야 할 수 박게 업다는 것은 그들에게도 또 우리에게도 不幸한 일이다.

最近 北京에서 열린 젊은 支那 作家들의 座談會 記事를 읽엇는데 그들은 輓近의 大勢에 順應하야 日本文學의 飜譯과 紹介를 力說하고 잇스나 그리면서도 大體로 日本文學도 日常的인 生活 속에 極度로 疲弊해 잇다고 말하야 그것으로서 그다지 큰 他山의 石을 삼으랴 하지 안는 모양이오, 또 그것은 正鵠을 어든 觀察이기도 한 모양이나 그러타고 이들 新人은 아직 新支那를 代辯할 獨自的인 무슨 新生面을 우리에게 보여주는 것도 아니다.

또 그들은 內地文學의 沈滯를 말하면서도 젊은 作家의 멧 사람은 確實히 그 影響下에 잇는 幾篇의 作品을 내노앗다. 그러나 그것은 아무려나 中途 半端인 感을 주고 잇스니 말하자면 支那 文學은 內地의 그것보다 첨부터 거지반 歐米의 그것에 影響되엿기 때문이 아닌가 하고 나는 생각하엿다.

事實 支那의 近代文學은 內地文學보다 歐羅巴文學의 補血을 바든 것이 훨신 더 크다. 어떤 作品을 읽어보면 완연히 歐羅巴文學의 飜譯을 읽는 것 가튼 感이 不無하다. 그러나 勿論 그들의 偉大한 先輩들의 그 文學精神은 어듸까지든지 支那的이엿든 것도 事實이다.

지금 우리가 말하는 林語堂의 『北京의 날』도 技法이나 描寫에 잇서서 그 어느 作品보다도 西歐的임에 不拘하고 決코 支那的인 特性을 일치 안엇다.

그러나 이 作品은 眞正한 意味에서 支那 文學의 代表作으로 볼 수는 업다. 오늘과 가튼 混亂期거나 또는 正常的인 軌道에 오른 때에 잇서서나 莫論하고 이 作品으로서 곳 支那 文學을 말할 수 업는 것은 事實이다. 卽 아무리 沈滯해 잇다 하더라도 支那 文學이 이루어 논 成果와 또 아프로의 路線을 잘 알기 때문이다. 두 말 할 것 업시 『北京의 날』은 來日의 支那 文學을 暗示하는 作品은 아닌 것이다.

卽 이 作에는 大先輩 魯迅 等이 보여준 것 가튼 舊支那의 偉大한 建物이

무너지는 莊嚴한 崩落의 全景도, 또 健全한 새로운 築造의 勃々한 氣魄도 업고 다만 支那的인 重厚한 叙景이 至極히 너그럽고 아름다운 描寫에 依하야 나타나 잇슬 뿐이다.

(續)

③

이 作은 年代로 말하면 四十年 前 義和團 事件부터 起筆해 가지고 最近에 이른 것인데 그럼에도 不拘하고 그것으로 今日의 支那를 演繹할 수 잇는 意味的인 기픈 示唆를 품은 作品이나 그러나 나는 이 作品을 읽으면서 第一 첫재로 그리고 第一 深切히 느낀 것은 林氏가티 古今의 知識과 內外의 見聞이 該博한 作者로서도 支那의 全面性을 드러내지 못햇다는 것과 또는 支那人의 性格에 對한 槪括性이 不足햇다는 그 點이다.

即 나는 이 作을 읽으면서 얼른 쉽게 말하자면 이 作者는 支那人을 그리되 그 절반만을 크로스업햇다고 생각하엿다. 그리고 그 代身 남은 半面은 아주 大膽히 四捨五入해 버리고 말앗다. 아니 그보다도 그 남은 半面은 林氏로서는 全然 손을 댈 엄두를 내지 못햇든 것인지도 모르는 것이니 그러기 때문에 作者 林氏는 약은 知識人의 꾀로 수다스럽게 딴전을 울리면서 이 따마큼씩 重要한 場面을 跳躍해 버리고 마른 感이 잇다.

簡單히 한 말로 말하자면 이 作品은 한 幅의 油畵를 보는 것 갓다. 勿論 그리면서도 東洋的인 枯淡한 風韻을 일치는 안엇다. 即 林氏의 文學은 西歐 文學의 浪漫性과 寫實性을 가진 우에다가 支那 文學 傳來의 明朗性을 決코 일치 안엇다.

그리하야 이 作中에는 近代 支那의 家庭과 家庭과 家庭의 關係와 젊은 男女의 交際와 戀愛와 結婚 等々의 갓가즌 風景이 實로 油畵的인 極彩色과 東洋畵的인 風流性에 뒤석겨 뚜렷이 또는 은연히 浮彫되여 잇다.

世界 어느 나라의 家庭보다도 더 嚴格하면서도 또 한편 至極히 自由主義的인 道敎의 家庭 風俗圖가 그 아래에서 唯々諾々히 상전을 모시고 상전을 欽慕하고 그리고 그 사랑을 잡고도 依然히 좋은 종대로 잇는 不可思議한 侍婢들의 性格이 讀者의 津々한 趣味와 獵奇를 도두기에 足하다.

그러나 結局 決算해 노코보면 그 個人 個人의 性格을 槪括하고 잇는 이른바 人間性의 절반 박게 그려지지 안은 不足感을 禁할 수 업는 作品이다.

그것은 勿論 單純히 上流階級만을 그렷다든가 하는 그런 意味에서 하는 말은 아니다.

林氏는 한 개의 人間이나 事象을 全面性에서가 아니고 一面性的으로 그린 嫌이 잇는데 이것은 그 한사람만의 缺點이 아니라 實로 今日 支那 文學의 通弊가 아닌가 나는 생각한다.

여기서 우리는 다시금 魯迅이 열어 논 支那文學의 大海를 생각하지 안을 수 업스니 이것은 한갓 부질업슨 追憶만은 아니다. 아무리 沈滯한 오늘의 支那 文學이라 하더라도 그 어데인가 魯迅이 보여준 支那 文學의 路線으로 通하는 연줄이 잇는 것이다.

魯迅이 질겨 取扱한 人物型은 거지반 下層의 그것이엿지만 그리면서도 그는 언제든지 廣大한 人間性의 全野를 開拓하는 붓의 戰士엿스니 그러기 때문에 그는 언제든지 장차 무너질 運命을 가진 낡은 生活의 破壞者엿고 그리고 同時에 장차 올 健全한 生活의 建設者엿든 것이다.

卽 그는 그러한 近代 支那의 性格과 熱慾을 가장 深切히 全面的으로 捕捉한 最初의 作家엿다.

그러면 그 後輩인 林語堂과 그 外의 여러 作家가 이 偉大한 先輩가 열어 논 길을 이어 더욱 發展시컷어야 할 것이나 不幸히 오늘에 잇어서는 그것을 發見할 수 업는 것이다.

勿論 今日은 客觀的으로 그러케쯤 制約되여 잇다고 보면 더 할 말은 업겟으나 그러나 支那는 우리가 생각하는 것보다 좀더 널리 활개를 펴고 좀더 大膽히 呼吸할 수 잇지 안흘가 생각되여 견딜 수 업다.

한편 快晴 前의 霧雲으로서 오늘의 現狀을 바라볼 수도 잇기는 하나 또 한편 그래도 新支那 作家의 熱意가 不足하지 안은가 하는 것을 亦是 文學 枯渴의 나라의 이 나그네는 느끼지 안흘수 업섯다. 그들이나 우리나 깁히 생각하고 크게 奮發할 浮沈의 危機에 선 것만은 매일반이엇다.

正히 今日의 支那 文學은 그가 일즉 스스로 열어 논 大道를 차자 돌아가야 할 重大한 모맨트에 서잇다고 나는 생각한다.

(끗)

──七·八

燕京 藝壇 訪問記[01]

韓雪野

(一)[02]

支那文化의 淵源이 世界 最古에 屬하는 것은 天下周知의 事實이다. 그러나 挽近 淸末로부터 民國에 들어와서까지 內亂 洋寇가 連綿하야 文化 方面에까지 沈滯와 混亂을 齎來한 것로 또한 事實이다.

이 歷史的 悲運과 不幸이 他日 支那文化의 膏血이 되어 마치 穢土에 燦爛한 百花와 가티 燦然한 文化의 開花期를 이룰지는 다음에 오는 問題이니 豫斷을 不許하는 바어니와 現今에 잇서서 委微不振한 것은 가릴 수 업는 바이다.

그러나 그럼에도 不拘하고 支那에 한번 발을 드려노은 者는 누구나 이 나라의 文化에 좀더 깁히 親하여 보고십다. 勿論 短時日 동안에 廣汎한 文化 全般에 親하기는 至難한 일이오, 또 보는 사람의 趣味와 敎養 等에 依하야 그 部門이 各異할 것이다.

나는 첫재 支那 文壇에 對해서 關心을 가젓고 또 文學 더욱 創作은 思想的으로 다른 藝術에 先行하는 것이라고 생각하느니만치 創作과 作家들에게

---

01 『每日申報』 1940.7.17~20, 7.22~7.23, 4면.

02 매회 연재분 표기로서 6회에 걸쳐 연재되었다.

接할 機會를 가지려 하엿스나 내가 滯留한 北支에는 現今에 잇서서 이러타 할 作家도 업고 또 出版業도 甚히 不振한 狀態에 잇서서 擧論할 資料를 엇지 못하엿다.

그래서 하는 수 업시 나에게는 生疎한 일이나 畵壇의 老匠들을 尋訪하기로 하엿다.

支那에서 藝壇이라고 부르는 것은 主로 支那 傳來의 東洋畵를 가르키는 말이나, 이 이른바 畵家들은 그림뿐 아니라 거이 다 書에 堪能하고 또 詩의 造詣가 깁다. 即 畵家인 同時에 名筆이오, 詩人인 것이다. 萬一 그림만 알고 書나 詩에 能치 못하다면 그들은 畵工으로 부를지언정 藝術家로서 치지 안는 것이다.

내가 訪問한 멧 사람의 畵家는 거이 다 老大家로 말하자면 오늘의 新支那에 屬한다는 것보다 차라리 昨日의 舊支那에 屬하는 사람들이다. 그러니만치 그들의 作品은 新支那의 性格을 말하는 데에는 不足함이 크나 그 反面 支那 傳來의 固有한 面을 보여주는 데 잇서서는 서뿌른 今日의 新興 藝術에 比할 배 아니다.

더욱 이들 七八十의 老藝術家가 말을 잇(忘)고 발을 일흔 듯이 默々히 蟄居하야 孜々히 製作에 專心하고 잇는 그 態度와 心境에는 우리들 文化人된 後輩로서 可히 배울 바가 만은 듯하다.

내가 北京에서 만나본 사람은 거의 다 現今 支那 斯界의 最高 權威者로 齊璜, 溥儒, 蘇謙中[03], 張伯英, 胡佩衡의 五氏다.

하나 이들을 차자 만난다는 것은 至極히 어려운 일이다. 世事를 不關하고 깁히 幽居한 사람들이라 權門으로서도 또 金力으로서도 그들의 胸襟을 여

---

03 '蕭謙中'의 잘못이다.

른 歡迎을 밧기는 어려운 일이어든 하물며 異國의 白面書生이랴.

하나 나는 내가 異國人이라는 것과 또 변々치 안으나 作家라는 이름을 이 들을 찻는 데 잇서서 唯一한 口實로 생각하엿다.

그러나 言語가 不足하고 더욱 人情 風俗이 다른 外國人으로 닷자고짜 로 남의 門을 두드리기는 甚히 어려운 일이엇는데 여기 僥倖한 일은 朝鮮의 畵家요, 社交에 能한 月潭兄을 만나게 된 것이오, 다음으로는 支那에 장근 二十餘年을 居留한 家兄이 잇는 그것이엇다.

月潭兄은 本是 社交에 能할뿐 아니라 支那人의 굿게 닷친 門을 두드려 보기 大凡 數十으로 세일 것이 아니라 제 아무리 一切 接客을 避하는 幽居라도 그의 발이 두 번이나 대즉 세 번만 가면 못 만나는 사람이 업다는 八面玲瓏한 社交人이다. 支那人의 집을 訪問하야 그 大門에 달린 쇠고리를 치면『看門』即 門직이가 나온다. 그 사람에게 名啣을 傳하면 이윽고 다녀 나와서 말이 으레『沒在家』라든가 或은『有病不見客』이라든가 하는 것이 常套다. 그러나 여게서 감지덕지로 떼를 쓴다든가 燥急한 눈치를 보여서는 안된다.

(二)

그보다 맘을 늘게 먹고『看門』에게『아, 그럿느냐』하고 暫時 그의 房에 들어가기를 請한 後 그의 案內로 그의 居所에 가서 천々히 來意를 말하노라면 으레 客茶가 나오는 법이다. 그것을 한잔 마시고 나올 때에 페를 끼첫노라고 얼마간 용돈을 쥐어주고 나오면 그 담번은 이 看門이 最善을 다해서 斡旋하는 것이다. 두 번재에 안되면 세 번, 네 번……그러면 낭중은 만나게 된다는 것이 月潭兄의 方法論이다.

그래서 나는 그와 함께 가장 어렵다는 이들 大家를 順次로 訪問하엿고 또 그리하야 거이 다 豫定대로 만날 수 잇섯든 것이다.

第一 첨으로 尋訪한 것이 白石山翁 齊璜이다. 그는 八十二歲의 高齡일뿐 아니라 怪人으로 南北 間 이름이 떨친 사람이라 만나보기가 여간 어렵지 안타.

그는 제 손으로 大門에 『停止賣畵』 或은 『白石老人心病復作停止見客』이라고 써부치고 또 한 번은 『白石死去』라는 쪽지를 내부친 怪物이라 그의 畵室에 들어서보니 아닌 게 아니라 그 따위 文句가 대뜸 눈에 띄운다. 『送禮物者不報答』, 『減畵價者不必再來』, 『要介紹者莫要酬謝』라는 告示가 한편 卓子 우에 노여 잇다.

하나 一見 그의 눈은 金石이라도 꿰뚜를 것 가티 閃光이 炯々하다. 佛蘭西의 某 大畵家가 그를 가르처 支那 藝壇의 唯一한 創造者라고 한 것 가티 그는 詩, 書, 畵, 刻印 各 方面에 잇서서 그의 獨創性을 發揮하고 잇다.

本是 極貧한 家庭의 胎生으로 젊어서 木工을 業하엿고 二十八歲에 비로소 書册을 對할만치 不運과 逆境 속에 살앗서도 오늘의 그는 畵뿐 아니라 詩, 書에도 當代의 權威요, 刻印에도 第一人者의 이름을 가지고 잇스니 말하자면 그는 天才인 同時에 또 努力의 人이다.

그의 號가 老萍, 木人 外에 『三百石印富翁』이라는 것만 보아도 그의 怪癖을 알 수 잇스나 또한 그러한 精神이 그의 藝術로 하여곰 繩墨을 固守케 하지 안코 獨自의 蹊徑을 열게 하고 또 作品 精神이 磅礡, 簡勁, 雄厚, 豪放한 것도 그러한 性格에 由因하는 것일 것이다.

그가 冬日에 日傘를 들엇고 夏日에 白裘를 입엇다는 이야기도 有名한 逸話거니와 實로 이러한 不羈 猖介의 精神이 그의 오늘을 잇게 한 것이라고 생각된다.

그는 本是 湖南省 湘潭의 窮僻한 山村 사람으로 집이 寒氣하야 가진 苦難

과 싸와왓다. 十三歲부터 木工을 배와 가지고 犁鋤와 木掀과 여러 가지 器物을 만들엇고 玉石을 彫刻하고 或은 兵亂으로 鄕里 柴荊山 中에 野狐와 穴鼠를 벗하야 지나고 黑蟻와 蒼蠅으로 더부러 共食하야 그야말로 瘦骨이 柴立할 지경이면서도 한번도 그 苦難을 둘코 나오는 創造의 精神이 꺽기여 본 일은 업스니 그르므로 그는 苦樂을 不拘하고 八十年의 一生을 오로지 이 藝道에 精進해온 사람이다.

氏의 畵室 鏡框 中에는 二枚의 男女 老人의 寫眞이 들어 잇는데 얼는 보기에는 氏의 父母나 祖父母로 보이나 事實 男子는 그에게 詩文을 가르진 恩師 王湘綺氏요, 女子는 그의 祖母 香[04]氏像이다. 그는 언제든지 그 恩師와 祖母를 말할 때에는 顏色을 正히 하고 聲淚 함께 흐르는 듯하다. 그는 自己의 오늘이 잇슴을 오로지 이 恩師와 祖母의 德이라고 말한다.

하기는 그도 그럴 것이 二十八歲에 첨으로 글을 배우고 詩를 배우기 시작한 이 老學徒를 薰陶하야 今日의 大詩人을 만든 것도 그 恩師의 힘이다. 그러기 때문에 그는 나이 늙도록 詩를 지어서는 우선 恩師에게 보내여 修正과 高評을 求하였다. 그가 한번은 詩作을 鄕里에 잇는 恩師에게 부첫는데 오래도록 返信이 업서 궁금해 하엿는데 結局 알고 보니 先生이 作故한 때문이엿다고 한다.

그 다음 그의 祖母 馬氏는 赤貧한 그의 家庭을 붓들어 온 사람이다. 그의 祖母는 어린 白石을 업고 마치 男子와 가티 삿갓을 쓰고 기음을 매고 秋收를 도왓다. 그러나 風樹不寧하야 이 貞松도 마침내는 늙어 八十九歲의 高齡으로 赤貧茹苦 中에 一生을 마치엇다.

그러자니까 白石翁의 積苦도 可히 推測할 수 잇다. 그의 一詩를 보면

---

04 '馬'자의 잘못이다.

『過湖渡海幾時休, 行盡煙波身萬里. 那有桃源遂遠遊, 能同患難
只孤舟.』

라는 것이 잇서 實로 山疊々, 水重々한 가운데를 혈々한 외로운 그림자가
七顚八起하며 지나가는 것을 想像케 한다. 그는 나이 四十에 비로소 鄕里를
멀리 떠나 遠遊하기 시작하엿스나 가는 곳마다 그의 五尺의 적은 몸이나마
바다주는 이 업서 數年 間에 大凡 鄕里를 五出五歸하엿다니 그의 고달픈 流
浪을 可히 짐작하고 남음이 잇다. 그의 漁翁詩라는 것도 彷彿히 自己 自身
을 그린 感이 잇다.

『江滔々, 山巍々, 故鄕雖好不客[05]歸, 風斜々, 雨霏々, 此翁又欲
之何處, 流水桃源今己非.』

그의 압헤는 實로 깁흔 江과 險한 山과 찬바람과 구진비가 無數히 만헛든
것이다. 그러나 그는 이러한 環境에도 屈함이 업시 百折不撓의 구도 精神으
로 싸와 나왓다.
그러므로 그는 平靜한 때는 緬羊과 갓치 溫順하지만 한번 怒氣를 發하면
猛虎와 갓다. 그 情은 閑雲과 갓고 그 心은 烈火와 갓다고 評家들은 말하고
잇다. 그 빗나는 眼光과 山戰水戰의 氣魄이 一見 보는 사람의 맘을 때리는
바가 잇다.

---

05 ‘客’은 ‘容’의 잘못이다.

白石老人은 一見 佛蘭西의 神父를 想像케 하는 사람이엇다. 그는 그 炯
々한 눈을 나에게 돌려 遠來의 勞를 뭇고 朝鮮의 事情을 멧 마디 뭇는데 나
의 氣分 탓인지는 몰라도 異國人을 對한다는 好奇와 親切이 잇는 듯하엿다.

그는 이윽고 붓을 들어 遠來의 손인 나에게 늙어 鄕里를 그리는 그윽한
그 心懷의 一端을 베푸는 一文을 써서 보인다.

『鄕思九千里, 春秋八十餘, 與君同是思鄕人也.』

이 글을 보며 그도 나도 빙긋이 웃엇다. 아마 이 웃음 밋헤서 鄕里를 그리
는 맘이 아프게 눌리는 것을 늣긴 것은 나뿐이 아니엿슬 것이다.

鄕愁에 늙는 그는 異國의 손인 나를 그윽히 同情하는 情이 움지겻든지 슬
몃이 일어나 벽장 잇는 데로 갓다. 畵紙를 가저다 記念으로 畵 一幅이나 그
려 주자는 것임을 나는 直覺하엿다.

여게 그의 怪癖 하나를 또 紹介하거니와 그는 夫人이 잇슴에도 不拘하고
벽장은 勿論 油鹽醋醬과 茶葉米麵과 茶蔬劈柴와 筆墨紙硯를 사는 때마다
自己의 주머니에서 必要한만치 꺼내서 使童에게 시키고 사다가는 自己로
保管해 두고 門窓箱櫃의 잠을쇠와 열쇠도 自己가 가지고 잇다.

그는 벽장을 열고 古紙 한 장을 꺼내 가지고 와서 現今은 이런 조흔 古紙
가 生産되지 안는다는 것을 말하고 그 得意의 蟹蝦 一幅을 그려 나에게 주엇
다. 그 粗筆 重墨의 簡勁한 筆致는 正히 神龍이 縹逸하는 듯하다.

이윽고 默々히 그것을 바라보고 잇스려니까 그는 오늘 氣分이 不進함을
말하고 다른 날 自詩를 써주기를 約束하엿다.

『참말 先生의 그림은 이미 본 바도 만코 듯기도 만히 하엿습니다만 유감

이나 아직 先生의 詩들 못 읽엇습니다.』

내가 그러케 말한즉 그는 謙遜히 自己의 말을 避하고

『나의 恩師 王湘綺先生은 中國의 大詩人입니다. 내가 詩를 알게 된 것도 先生의 德이외다.』

『듯자니까 先生의 著書가 만흐시다는데?⋯⋯⋯』하고 물으니까 그는 지금 가진 것이 업노라 하고 다만 그 書名만 가르치는데『白石畫集』四册 外에 借山吟館詩草 一册과 白石詩草 八卷 等이라 한다.

借山吟館이라는 것은 그의 집 內院 北屋 即 그의 居室 이름인데 그 門前에는『不讀萬卷書, 幸勿入我室.』이라 하야 여기서도 그 怪癖을 發揮하고 잇다.

또 그보다『白石賣畫及篆刻規例』라는 것을 보면 더욱 그의 怪物性을 엿볼 수 잇다.

그 첫머리에『余年八十有二矣, 休息未能, 心病大作, 扣門人少, 得其靜養, 庶保天年, 是爲大幸矣. 白求及短滅潤金, 賒缺, 退換, 交換, 諸君從此諒之.』라고 하고 그 아래에『紙厚不畫. 指名繪圖久矣, 拒絶. 橫幅不畫.』라 쓰고 그리고 畫價를 一一히 記入하여 노왓다. 長幅 一尺 四方에 幾何, 册頁 八寸 以內 幾何, 扇面 寬二尺 幾何라 一一히 쓰고 또『小者不畫. 如有先己寫字者, 畫筆之黑水透污字跡, 不賠償.』이라고 써잇다.

그 다음 刻印에 對한 것도 詳記되어 잇다. 그의 怪癖과 賣畫 規例를 비웃는 사람도 업지는 안흐나 그가 살아 온 世俗은 그로 하여곰 사람에게 放心하지 못하엿스니 그의 一詩를 보면 이런 것이 잇다.

『凄風吹袂異人間, 久住渾忙[06]心膽寒. 馬面牛頭都見慣, 寄萍堂

---

06 '忙'은 '忘'의 잘못이다.

外鬼門開.』

　　이것을 보면 그의 處世觀을 足히 엿볼 수 잇고 또 우리가 잇는 동안에 潤
金(謝禮金) 四百 八十圓을 가저 온 사람이 잇는데 그는 이것을 公然히 내노코
우리에게 보엿다. 그것은 우리에게 도리혀 親近한 情을 가지게 하엿고 또 구
태여 소용업는 潔癖을 지킬 必要도 업다고 생각하엿다. 우리가 안저 잇는 동
안에 어느 美術學校 女學生 二人이 그 夫人의 紹介로 來訪하엿다. 夫人의 紹
介니만치 별로 그의 意思도 뭇지 안코 房에 들어왓스나 마침 그때는 나에게
줄 그림을 그리는 때라 暫時 구경만 하다가 나가서 한동안 기다려가지고 다
시 들어왓다. 그의 또 한 가지 怪癖은 女弟子의 求그[07]畵에 應치 안음이 업슬
뿐 안니라 또한 精作을 준다 하는데 나는 일즉 소문을 들어 아는 터이라 어
찌하나 하고 그 동정을 살피엿드니 그는 夫人의 紹介임에도 不拘하고 오늘
은 畵意가 업다고 拒絶해 보내는데 모르거니와 아까 나에게 그런 말을 한 까
닭이 아닐는지.
　　우리는 그와 함께 쇠살창이 달린 으리으리한 그의 房 압헤서 그와 한가지
로 記念 撮影을 하고 그의 好意를 謝한 다음 그 집을 물러 나왓다.

㈣

　　그 다음으로 訪問한 것은 蕭遜氏다. 蕭氏의 字는 謙中이오, 號는 龍樵다.
安徽省 懷寧 사람으로 現年이 五十八이오, 中國 國立藝術專科學校 敎授다.

---

07 ‘그’자가 잘못 기입되었다.

그는 일즉 國務院 統計局 僉事를 지난 일도 잇스나 現今은 官界와 一切 關係를 끈코 오로지 詩作과 그림으로 餘生을 보내고 잇다.

그날 나는 細雨를 무릅쓰고 月潭兄과 더부러 그의 門을 두드렷다. 마침 집을 修理하는 中이어서 蕭氏는 들에 나와 工事를 보고 잇섯든 關係로 意外로 수월히 만날 수 잇섯다. 그의 邸宅은 將相의 그것에 比해서도 遜色이 업슬만치 크고 너르다. 赤貧한 家庭에 태여나서 더욱 萬里(支那 里數) 가까운 他鄉에 와서 一管의 筆로서 이만침 자리를 잡고 안즌 것을 보면 그가 얼마나한 努力의 人이라는 것도 또 어느만한 天下를 가진 사람이란 것도 足히 알 수 잇슬 것이다. 그러케 裕足한 生活을 하건만 그나 그의 夫人이나 또 그의 居室은 그다지 깨끗한 便은 아니엇다. 그러나 조곰도 그런데는 介意지 안는 態度가 차차간 손에게 도리혀 맘 便한 생각을 가지게 하엿다.

그는 小軀요, 寡默한 사람이다. 그 顏色은 甚히 聰穎해 보이는데 워낙 다부지게 생겨서 터노코 이야기하기가 어려운 데다가 더욱 言語가 不自由해서 자칫하면 말이 막히곤 하엿다.

『先生의 藝術論을 좀 듯고 십습니다. 作品도 보여주섯스면 합니다.』

『무어 변변한 게 잇서야지요.』

『천만에요. 先生 말슴은 익히 들엇습니다. 朝鮮 사람은 적잔히 貴國에 와 잇슴니다만 이 나라의 文化 紹介에 힘쓴 사람은 별로 업는 듯합니다. 그러니 紙上을 通해서라도 彼此 文化를 交□한다는 것은 매우 意味 깁흔 일이라고 생각함니다.』

이 동안 말이 不足하면 月潭兄은 갑갑한 듯이 筆談으로써 意思를 補足하곤 하엿다.

그리자 그의 端正한 얼골에 微笑가 뜨고 微笑로서 彼此 間 막혓든 것이 열리듯 그는 繹然히 일어나 自己의 作品을 내노앗다.

사람은 조고마나 氣韻이 雄渾하고 筆致가 極大하다. 그의 長은 山水다.

大體로 支那의 山水는 內地나 朝鮮과는 달른 듯하다. 畵面의 配置와 構成이 稠密하고 過大하며 遠近과 濃淡이 確實치 못한 嫌이 잇스나 그 氣의 雄渾하고 幽邃함은 到底히 朝鮮의 그림으로 미칠 배 못되는 듯하다.

이윽고 그는 筆墨을 가추고 한 그루 老松을 그리고 마지막으로 거게 巨石을 配하엿다. 소나무는 支那에서는 매우 보기 드물다. 그러나 그 節介를 사랑하는 點에서 흔히 소나무에 題材를 取하는 모양이다.

그리고 보니 그가 이윽고 내 말을 듯다가 默思 良久에 題材로 소나무를 取한 데에 무슨 意味가 잇는 듯하야 내 또한 그 그림을 向하야 오래 默々히 바라보고만 잇섯드니 그는 다음으로 종이를 내노코 다음과 가튼 一詩를 썻다.

『我本天涯寄泊人, 炎凉世局不關情, 此城彼地無休息, 筆下江上熟[08]與爭.』

의 詩를 읽고 보니 그가 그려준 소나무와 對照해서 더욱 그 孤高한 心境을 알 수 잇서 月潭兄은 소리를 내어 詩를 을프고 나는 如前히 잠자코 거듭 詩를 되푸리하엿고 되푸리할수록 이 詩는 구수한 맛이 잇서 破顏一笑하며 다시 한 首 더 써주기를 請햇드니 그도 빙긋이 웃으면서 暫間 眉間을 모으고 詩想을 부르드니 또 다음과 가튼 一詩를 썻다.

『塊壘塡胸總未消, 何年歸去故山樵. 丹靑也許金錢易, 差勝權門事折腰.』

---

08 '熟'은 '孰'의 잘못으로 보인다.

다음으로 차즌 것이 溥儒氏다.

南張北溥라 해서 南方의 張大千과 알울러 北京의 溥儒氏는 現代 支那 藝壇의 雙璧인데 氏를 맨 낭중으로 차즌 까닭은 그의 名聲이 너무 큰 것과 氏가 現 滿洲國 皇帝의 從兄 卽 舊 淸室의 王孫이여서 만나기가 甚히 어려윗든 데 잇다.

그의 字는 心畬요, 號는 西山逸士다. 淸末 恭忠親王의 次孫으로 時年 四十二인데 天質이 聰潁하야 十四歲에 벌서 十三經을 다 읽엇고 國變 後 十七歲에 그의 先祖 恭忠親王이 重修한 萬壽 戒臺寺에 隱居하야 親母를 모시고 讀書에 專心하며 太傅 陳弢庵先生과 더부러 賦詩 酬答하엿다. 그의 著書는 非常히 만은데 特히 著名한 것은 『琅環[09]紀餘[10]上方山志』,『白帶山志』,『戒台寺志』,『寒玉堂詩文集』,『凝碧餘音詞』等이오, 또 氏는 書와 畵에 堪能하야 名實 共히 詩, 書, 畵 三絶이다.

氏는 一見 龍鳳의 質로 王公의 風이 잇다. 眉目이 秀麗하고 才氣 潑渶하면서도 寬厚 淸爽한 氣品이 잇서 可히 萬人의 長이 되염직하다.

氏는 朝鮮에 對한 關心이 特히 깁고 朝鮮에 對한 理解가 또한 적지 안은 듯하다. 그 汗牛充棟의 書庫에서 朝鮮에 關한 書籍과 朝鮮의 使臣이 支那의 當路者들과 詩賦를 應酬한 記錄 가튼 것을 척々 펼처 노코 一面如舊히 高談峻論을 하는데 恒常 言語가 不足해서 月潭兄과 나는 못내 그것을 恨할 뿐이엇다.

---

09 '環'은 '繯'의 잘못이다.

10 『琅繯紀餘』,『上方山志』로서 겹낫표가 빠져 있다.

그의 말을 들으면 孔孟의 學과 仁義禮智의 道는 支那보다 조선에 더 만이 남아 잇다는 것이며 심지어 紙墨도 조선 것이 支那 것보다 낫다는 것이다. 그리고 한 축의 苔紙를 가저왓는데 그 뒤에는 『乾隆三十年 朝鮮國使金明恭進』이라는 朱印이 찍혀잇다.

『이런 종이는 이 나라에서는 나지 못합니다. 참 훌륭한 종입니다. 아까워서 쓰지 못하고 잇슴니다. 조선 가거던 이런 종이가 여직 잇는지 좀 알아봐 주십시요. 그리고 조선의 牛舌墨이란 것은 먹 中에서 第一 上品입니다. 아마 지금은 업슬 것이오.』

初面의 나를 보고 이런 付托까지 하는 그의 소탈한 性品이 나를 못내 感激게 하엿다. 나는 조선으로 돌아오는 날 첫째로 苔紙를 求해보고 牛舌墨이란 것을 차자 보리라 하엿다.

『나가면 꼭 어더 보내겟슴니다.』

내가 이러케 말햇드니만 그는 내 뜻을 반가히 밧는 意味인지 다시

『朝鮮에는 詩人이 만앗든 모양인데 古詩集이 잇을 터지요. 잇으면 알려 주십시요. 돈은 얼마가 들든지 죄다 구해 볼 생각입니다.』

하는데 事實 支那의 漢籍이라는 것은 거이 다 보앗으니까 이제 朝鮮 가티 著書가 깁히 파무처 널리 알려지지 못한 곳의 것을 가저다가 읽어보랴는 것은 讀書子인 그에게 잇섬직한 일이라 할 것이다.

『네. 아마 만치는 못할 것입니다만 잇기는 잇을 줄 압니다. 사 보내드리겟슴니다.』

『朝鮮에는 옛날부터 才人이 만엇든 모양입니다. 참 이젓슴니다만 淸朝의 四大 名筆의 한 분인 成親王의 어머니 金氏는 朝鮮 夫人입니다. 당신은 글을 쓰는 사람이라니 말이오만 이담에 혹씨 이곳 이야기를 쓰는 期會가 잇거든 그것은 꼭 써주십시요. 成親王은 바루 乾隆皇帝의 아들이시고 成親王의 外

三寸은 彫刻에 能해서 乾隆皇帝의 寵愛을 바닷슴니다.』

『그것이 史記에 잇슴니까.』

『잇구말구요. 내가 一々히 다 상고해 보앗슴니다. 成親王의 外三寸 되는 이의 이름도 史記에 잇슴니다. 朝鮮서 高官을 지난 어른임니다. 요담에 한 번 와주십시요. 거게 關한 文籍을 차자 두엇다가 보여드리지요.』

『네. 고맙슴니다.』

『나는 일즉 朝鮮의 書籍를 二三卷 읽은 것이 잇는데 그 中에도 東醫寶鑑을 대단히 조흔 著作이라고 생각함니다. 그 著者 許浚은 참 놀라운 사람이여요. 이것도 唐版으로 읽엇는데 朝鮮紙에 박은 朝鮮版을 구할 수 업는가요.』

하고 許浚을 極口 稱揚하는데 事實 四象醫學의 發明者 李東武의 著書들 보아도 醫學에 잇서서는 支那의 張景仲이가 약간 端緖만 잡아논 것을 許浚이가 大成해 노앗다고 하느니만치 훌륭한 사람이든 것만은 가릴 수 업는 事實일 것이다.

그러나 寡聞한 나는 그 朝鮮版이라는 것이 잇다는 말을 일즉 들은 일조차 업다.

『글세올시다. 잇기는 잇섯겟지만 絶版이 되엿슬 것 갓슴니다.』

하고 나는 흐리마리해 버리는 수 박게 업섯다.

『나는 書畵라는 것을 人間의 한 小道라고 생각함니다. 나는 本是 先母가 學文으로 立身하라고 訓戒하서서 寒暑를 무릅쓰고 또 여러 번 나라의 徵聘이 잇는 것도 물리치고 오로지 讀書에 힘써슴니다. 그러는 동안에 小暇를 어더가지고 書畵도 해보앗습니다. 書는 晋唐을 배우고 畵는 北宋을 배우긴 햇습니다. 人間의 大道는 仁義禮讓에 잇는 줄 압니다. 그러나 仁과 義는 이미 땅에 떠러진지 오랍니다. 그래 나는 書나 畵도 人間의 精神을 彫琢하고 仁과 義를 가저오는 廉潔한 修練으로서 숭상할 뿐이오, 그러기 때문에 書畵를 조아하면서도 거게 耽溺하는 일은 업습니다.

그리고 이른바 書畵家란 사람들과 相統하는 일도 거이 업습니다. 그런 사람 中에는 人間的으로 조치 못한 사람이 만흐니까요. 도대체 나는 벗이라곤 별로 사괴지 안습니다. 원체 交遊를 조아하지 안코 다만 海內의 靑年 碩學들과 往還할 뿐입니다. 그리게 나와 相從하는 사람은 모다 六七十 넘은 老人들 뿐입니다.』

하고 다음으로 다시 종이를 박궈 가지고 得意의 山水 一幅을 치기 시작하엿다. 그야말로 一氣呵成이나 그 筆致의 崢嶸함과 그 氣魄이 非凡함은 數月을 要한 凡作이 足히 밋칠 배 아니엿다.

나는 可謂 名不虛傳이라고 생각하며

『先生, 제 書齋에 부칠 堂號를 하나 지어 주십시오. 부처두고 記念하겟습니다.』

『小說을 쓰신다지오. 小說뿐 아니라 무릇 모든 글에는 經綸이 잇써야 할 줄 압니다. 李太白은 萬古의 詩聖이라고 하는 것은 그의 詩에는 아무도 追從키 어려운 高邁한 經論이 잇기 때문임니다. 單純히 文章으로 보면 蘇東坡만 한 文章家가 업는 것이 아닙니다. 그러나 그의 抱負를 따루는 사람이 업섯든 것입니다.[11]

하고 그는 이윽히 생각하다가 붓을 내려 『抱經堂』이라는 석 字를 쓰고 내

---

11 겹낫표 '』'가 누락되었다.

이름(上疑)과 自己의 이름을 썻다.

『압흐로 겨를을 보아서 천々히 한 장 그려 보내지오.』

『네. 황송합니다.』

『압흐로 미복하고 조선 가서 金剛山에서 詩나 맘껏 지어보랴오. 그리고 조선의 古書들도 涉獵해 보겟소. 큰 圖書館에는 더러 잇슬 터이지요.』

『네. 그럼요. 아직 조선에 가보신 일은 업습니까.』

『아니 十餘年 前에 東京까지 가는 길에 들러보앗습니다만 그때 걸음은 거추장스러운 것뿐이엇고 부자유해서 내 보구 십흔 것은 통 보지 못햇습니다. 또 그만한 時間 여유도 업섯구요.』

『한번 꼭 오십시요. 鶴首고대하겟습니다. 만흔 詩作과 名畵를 남겨주십시오.』

『이번에 간다면 꼭 여러분 가튼 民間의 藝術家들을 차자가겟습니다.[12]

『先生은 宮殿 藝術家로 民藝에 對해서도 興味를 가지십니까.』

『아닙니다. 眞正한 藝術家는 어진 인군과 가티 첫대 백성을 생각해야 할 줄 압니다. 乾隆皇帝는 말하자면 萬乘의 귀하신 몸이엇지만 到處에 御筆을 남기여 만백성으로 하여곰 보게 하엿습니다. 또 그는 이 萬壽山 昆明湖를 파실 때에도 單純히 皇太后의 回甲을 記念해서가 아니라 玉泉山의 물을 끄러다가 백성들이 農耕에 利用하도록 해야 할 것을 함께 생각하섯습니다. 그래서 지금 보시는 바와 가티 이 萬壽山 附近에는 沃土 良田이 만은 것입니다. 그 前에는 이 附近은 沼澤地에서 惡臭로 코를 들 수 업섯답니다.』

『참 훌륭한 어른입니다. 康熙 乾隆은 近代의 堯舜이시드군요. 이르는 곳마다 오늘까지도 그이들의 尊號를 안 듯는 곳이 업습니다그려.』

12　겹낫표 '』'가 누락되었다.

『이번 오섯든 記念으로 乾隆皇帝의 事蹟의 하나로 萬壽山 來歷을 알아가지고 가시는 것도 조흘 것이오. 그 조흔 資料가 여게 잇습니다.』

하고 그는 그득 싸인 書册 中에서 『欽定日下舊聞抄』라는 册子 八九卷을 뽀바 왓다. 卷八十一이라고 씨여 잇는 것을 보니 아마 그 全帙은 數百卷 되는 모양이다.

『네. 고맙습니다. 日間 보고 곳 傳해 올리겟습니다.』

『아니 천々히 보서도 무방합니다.』

그리하야 우리들(月潭, 家兄, 나) 想像 外의 만은 선물을 바닷다. 그리고도 그는 歸鮮하기 前 한번 다시 오라고 하엿다.

이날은 마침 細雨가 오다마다하는 음산한 날이엇스나 그는 질겨 우리와 가티 記念 撮影을 하엿다.

그는 現代 支那 藝壇의 最高峰일뿐 아니라 이번 내가 만나 본 사람 중에서 第一 印象 깁헛든 것도 事實이다.

(完)

周作人論[01]

李魯夫

　最近에 支那서 發行되는 文藝雜誌로는 北京의 「中國文藝」와 南京의 「國藝」가 가장 重要한 것으로 그 앞으로의 發展이 매우 注目되는 중이다. 그런대 北京의 「中國文藝」에는 知堂 周作人의 小品文이 거의 每號에 실려지고 있다. 支那 文壇의 有名한 作家들이 거의 모조리 자최를 감추워 버린 오늘날 北京의 周作人의 存在는 어떠한 意味에서나 看過못할 重要한 事實임에 틀림없다. 내가 周作人論을 쓰고저 하는 理由도 實로 여기에 있는 것이다.

　數年 前에 周作人은 그의 五十 整壽의 年頭에 五十 自壽의 感懷詩를 一首 發表한 일이 있었다.

　　　前世出家今在家, 不將袍子換袈裟.
　　　街頭終日聽談鬼, 窓下通年學畫蛇.
　　　老去無端玩骨董, 閑來隨分種胡麻.

01　『人文評論』 제2권 제8호, 1940.8.

旁人若問其中意, 且到寒齋吃苦茶.[02]

이 感懷詩는 그때에 매우 論難되었었다. 어느 批評家는 周作人이가——
五四 時代부터 支那 新文學運動에 巨大한 貢獻을 한 周作人이가——新詩
를 안 짓고 舊式 文人의 뒤를 따라 七言 律詩를 지은 데 對하여 그리고 陶
淵明式의 隱士로 自任하여 오로지 消極的, 逃避的 態度를 表明한 데 對하
여「過去의 幽靈」이라는 렛텔을 붙이어 痛罵하였다.[03] 그리고 또 딴 批評家
들은——例를 들면 林語堂은 周作人詩讀法[04]의 一文을 써서 周作人의 詩는
「冷中有熱」이고「寄沉痛於幽閒」이라 하고 曹聚仁은 周作人의 談話를 引用
하여「浮躁凌厲」로부터「思想消沉」으로, 孔融에서 陶淵明으로 大發展을 한
것이라 하여 周作人을 擁護하였다.[05]

여기서는 이 두 패의 批評家들의 是非를 論斷하고 싶지는 않으나 往年의
周作人을 아는 사람이면 누구나 이 感懷詩를 읽고 感慨無量한 것이 있었을
것이라는 것은 認定하지 않을 수 없는 것 같다.

누구나 다 알듯이 支那 新文學運動은 一九一六年에 提唱된 胡適 等의 文
學革命을 基點으로 하여 急速히 發展한 것으로 이 運動을 指導해 나온 胡
適, 陳獨秀, 蔡元培, 劉半儂, 錢玄同, 魯迅 等의 巨星 속에 우리는 周作人이라
는 한 개의 巨星도 세이지 않을 수 없는 것이다. 그의 論文「平民文學」(1918),
「人的文學」(1918), 「新文學的要求」(1920) 等은 舊式 文言文學을 否定하고 個

---

02 周作人(苦茶庵),「打油詩二首」,『人間世』창간호, 1934.4.5, 4쪽.

03 胡風,「過去的幽靈」,『申報·自由談』, 1934.4.16.

04 林語堂,「周作人詩讀法」,『申報·自由談』, 1934.4.26.

05 曹聚仁,「周作人先生的自壽詩 - 從孔融到陶淵明之路」,『申報·自由談』, 1934.4.24.

人主義의 白話文學을 主張한 것으로 當時의 文學運動에 實로 廣大한 影響을 주었던 것이다. 批評界에 있어서 그의 「自己的園地」(1922) 一輯은 支那 新文藝 批評의 礎石을 確立한 것이며 同時에 또 當時 文壇을 橫行하던 反動勢力 「學衡派」의 封建思想을 掃滅시킨 것이며 그리고 「沉淪」, 「情詩」 等의 評論 亦是 支那 新文學運動史上 가장 重要한 文獻의 하나라고 말하지 않을 수 없는 것이다. 아니 이뿐이랴? 「域外小說集」, 「點滴」, 「現代小說譯叢」, 「現代日本小說集」, 「瑪加爾的夢」, 「陀螺」 等의 數많은 飜譯은 支那 新文學을 養育하는 데 直接 間接으로 가장 生新하고 거룩한 榮養劑가 되었든 것이다. 누가 周作人의 이 偉大한 貢獻을 잊을 수 있으랴.

그러나 一九二四年 以後 그의 努力과 發展은 딴 方面으로 옮기여졌다. 小品文을 쓰기 始作한 것이 곧 이것이다. 以後부터는 周作人의 이름은 小品文과 떼야 뗄 수 없는 것으로 되어 前日의 偉大한 業績은 小品文의 盛名때문에 도리어 잊어버려지기 始作하였다.[06]

周作人의 小品文과 魯迅의 雜感文——이것은 兩人의 以後의 趨向을 決定하는 데 重大한 役割을 한 것이며 後에 魯迅이가 周作人, 林語堂 等 隱士然하는 陶淵明의 後裔들에게 宣戰 布告를 보낸 것도 決코 偶然한 일이 아니었든 것이다. 小品文의 길은 「歸去來, 歸去來」를 외이는 田園으로의 길이기 쳅경 쉬운 것이기 때문이다. 이 길은 胡適의 國故整理의 길보다는 더 風趣가 있을는지도 모르나 或은 또 더 消極的인 길인지도 모른다.

周作人의 小品文은 그의 文學論과 至極히 密接한 關係를 가지고 있다. 그

---

06 위 단락의 "그의 論文 「平民文學」(1918)"에서 여기까지 모두 阿英, 「現代小品作家論(上) - 小品文上下古今談之一: 周作人」, 『社會月報』 제1권 제4기, 1934.9, 49쪽에서 초역한 것이다.

의 文學論을 體系를 세워 가장 端的으로 表明해 놓은 「中國新文學的源流」
를 보자. 이속에서 그는 上代文學으로 부터 現代의 新文學에 일으기까지
그 文學思潮를 「言志」와 「載道」 이 두 갈내로 區別하여 「言志」의 다음에는
「載道」, 「載道」의 다음에는 도루 「言志」, 「言志」의 다음에는 다시 또 「載道」
로——이처럼 서로 交代하여 循環해 온 것이라 하였다. 「言志」의 文學은 藝
術至上主義의 傾向을 띠인 文學이요, 「載道」의 文學은 人生을 爲한 文學, 社
會를 爲한 文學, 道德을 爲한 文學 等——目的을 文學 自體에 두지 않은 文學
을 가르쳐 말하는 것이다.

그러면 이 體系 아래서는 支那의 新文學은 어떻게 規定되는가? 周作人은
支那의 新文學을 淸代의 「載道」의 文學에 對한 反動으로 일어난 「言志」의
文學이라 하고 따라서 文學革命運動의 功勞도 胡適이나 陳獨秀예 돌여보낼
것이 아니라 오로지 文學 發展의 自然法則에 依했을 뿐으로 循環할 것이 循
環한 데에 不過하다는 것이다. 이러한 理論은 아주 前代 未聞의 獨創的 理論
은 아니나 이처럼 大膽하게 體系를 세워 具體的으로 提唱된 일이 한 번도 없
으므로 周作人의 「中國新文學的源流」는 매우 世人의 注目을 끌어 여러 가
지로 論議되었었다.

勿論 여기서는 「中國新文學的源流」에 對한 全體的인 批判은 避하거니
와 그의 新文學에 對한 論述만에도 우리는 多大한 疑問을 가지지 않을 수 없
다. 一言으로 新文學이라 하지만 적어도 初期에 있어 新文學을 떠메고 나슨
者는 自然主義의 文學硏究會와 浪漫主義의 創造社로, 浪漫主義의 創造社는
藝術至上主義의 傾向이 매우 濃厚하여 「言志」의 文學이라고 말할 수 있겠
으나 自然主義의 文學硏究會는 그 目標가 漠然하나마 「人的文學」(周作人 自
身의 提唱)이었으므로 「言志」의 文學이기보다는 「載道」의 文學에 가깝다. 決
코 周作人처럼 新文學을 「言志」의 文學이라 規定하며 淸代의 「載道」의 文

學의 反動이라고 말할 수 없을 것 같다. 아니 文學思潮를 「言志」와 「載道」의 兩派로 나누는 그 일 自體가 元來 어리석은 짓인지도 모른다.

그러나 周作人 自身의 文學을 볼 때에 이 「言志」와 「載道」의 文學理論은 極히 重大한 役割을 하고 있다. 「浮躁凌厲」로부터 「思想消沉」으로, 孔融에서 陶淵明으로 大發展을 하였다는 그 自身의 文學은 簡單히 말하면 「載道」의 文學에서 「言志」의 文學으로 發展하였다는 것을 말하는 것이다. 周作人이가 「載道」의 文學보다도 「言志」의 文學을 더 높이 評價한 것은 그의 文學에 對한 定義로도 明白한 일이어서 그의 小品文은 實로 「言志」의 文學의 極致에 이른 것이다. 여기서도 우리는 그의 小品文에 對한 愛着이 決코 一時的의 것이 아니며 必然코 죽을 때까지도 變함이 없으리라는 것은 엿볼 수 있다. 「老去無端玩骨董, 閑來隨分種胡麻」의 心境도 決코 五十 整壽의 一時的인 感懷가 아니었었다는 것을 말할 수 있다.

우리는 周作人의 過去의 新文學을 爲한 偉大한 功績을 記憶하며 小品文을 떠메고 田園으로 向하랴하는——아니 임의 向한 그의 앞날을 注目하자.

(끝)

中國 四作家의 素描[01]

△ 茅盾

茅盾의 本名은 沈雁冰이고 浙江省 桐鄕 出生이다. 幼年에 家勢가 매우 貧困해서 中學도 完全히 맛치지 못하고 中途 退學을 하였다.

이 때에 그의 眼前에는 生活이라는 두 글자가 크로―즈·엎 되였다. 그는 이것을 어떻게 하였을가?

그는 이 問題를 解決코저 親舊에 付託한지 얼마만에 그는 職業을 求한 셈이 되였다. 그는 商務印書館에 校訂의 일을 보게 된 것인데 生活은 淸貧 그대로이였다.

그러나 그의 天資가 聰明한 데 또 讀書家여서 얼마 되지 안어 校訂으로부터 「小說月報」의 編輯에 升進하였다. 그동안 그는 英文을 獨習해서 小說月報 編輯 外에도 許多한 西洋文學의 名著를 翻譯하여 功績을 남겼다.

그의 平生 自信作인 三部曲은 「幻滅」, 「動搖」와 및 「追求」이다. 이 小說이 한번 出版되자 中國 全 文壇을 振動시켰고 一般人들도 모다 劃期的 作品으로 認定하게 되여서 그의 文壇的 地位는 確固한 地盤을 얻게 되였다.

---

01 『人文評論』 제2권 제8호, 1940.8.

그가 日本에 갔을 때 그 數個月 間에 薔薇色의 戀愛 生活을 보내였다. 그가 쓴 長篇小說 「虹」과 短篇 「野薔薇」는 모다 戀愛를 題材로 한 小說이다.

民國 二十一年(一九三二) 겨울에 그는 또다시 長篇小說 「子夜」를 썼고, 內容은 上海 金融社會의 一切을 描寫한 것인데 이 小說은 이미 獨逸에까지 紹介되였다고 한다.

魯迅公이 죽은 後 能히 文壇 第一席에 낮을 者라면 疑心없이 沈雁冰일 것이다. 「有志者—면 事意02成」이라는 말을 茅盾이 實際로 證明한 것이다.

△ 巴金

巴金의 本名은 李芾甘이라 함은 누구나 다 아는 배이다.

그는 아나키의 信仰을 가저서 따라서 그의 作品도 아나키의 色彩가 充滿한 것은 自然한 일일 것이다. 그의 文章은 感情에 豊富하고 그의 作品 「家」, 「春」은 紅樓夢과 같은 意味를 가젔다고 批評하는 사람이 있다. 이것도 바로 그의 成功을 말하는 것이다. 中國作家 中에 能히 大家族의 暗黑을 暴露할 수 있는 作品을 쓸만한 者는 巴金을 내놓고는 없을 것이다. 所聞에 依하면 「家」 中에는 自己의 縮影이 들었다고 하고 「新生」, 「沙丁」과 「滅亡」 等 作品도 모다 一種 風格을 가진 作品이다. 巴金 自身은 일찌기 사람보고 한 말에 「戀愛小說에 慣熟한 讀者는 나의 作品을 읽고 口味가 新鮮해질는지 모른다.」라고 한 말이 있다.

刻苦讀書——그도 茅盾과 같다——는 巴金의 長点이고 에쓰페란트와 日

---

02 '意'는 '竟'자의 오식이다.

本語는 모두 自修한 것이다. 이 点으로 보아도 벌서 그의 天賦가 사람보다 越等함을 알 것이다.

그의 文章 寫法은 甚히 滋味있는 것이 조고만한 事件이라도 能히 四五萬字의 獨白을 자아내는 手腕을 가졌기 때문이다.

그의 첫 印象은 角度感을 주는 瘦身이다. 그가 가장 싫여하는 것은 寫眞 박히는 것인대 따라서 그의 承諾을 얻어서 寫眞 한 장 찍자면 여간 어려운 일이 아니다. 한번은 文藝集會에서 어떤 사람이 가만히 寫眞을 찍으려다가 發見되어서 그는 곧 新聞紙로 얼골을 가리워서 드디어 찍지 못하게 하였다는 일이 있다.

그는 極度의 近視眼이다.

巴枯寧(바구닝)과 克魯泡特金(크로포트킹)이 그의 가장 欽佩하는 사람이어서 그는 이 두 사람의 頭尾를 떼여서 自己 筆名을 지은 것이다. 이 것은 他人으로서는 알기 어려운 일일 것이다.

△ 王獨淸

五四運動 後 가장 重要한 文藝團體로 創造社가 있었는대 여기 두 詩人이 있다. 하나는 郭沫若이고 하나는 곳 王獨淸이다.

王獨淸은 確實히 浪漫主義의 色彩를 띠운 詩人이라고 하겠다.

그는 다른 文人과 달라서 無口沈鬱하고 風采가 없어 보인다. 그의 몸은 적고 똥똥하며 그 동근 面貌는 恒常 붉고 潤氣가 있다. 코ㅅ등에는 오래 前부터 高度의 近視眼鏡을 걸고 있다. 말할 때는 매우 沈重하고 기운이 있으며 또 각금 유모어한 談話를 한다.

그는 일찌기 佛蘭西 伊太利에 遊歷하였다. 光榮있는 歷史의 城 羅馬에서 徘徊할 때 留戀縷縷해서 不少한 日字를 머믈었다. 그의 詩集 「聖母像前」, 「死前」, 「威尼市」(베니쓰)는 모다 詩人이 佛伊의 舊景에 對한 懷抱와 古城을 弔喪하는 抒情詩이다.

創造社가 푸로文學으로 轉換함에 이르러 王氏의 作風도 또 轉變하였다. 그는 다시는 古代 英雄의 讚美도 하지 않고 古羅馬에 對한 懷抱도 버리고 그의 作品은 浪漫으로부터 積極으로 變하였다. 轉變 後의 詩集에는 「鍛鍊」, "11Dec"(十二月 十一日)가 있고 이 때의 詩는 多少 未來派의 色彩가 보이며 또 一面에 勞働者의 吶喊을 表現하고 있다.

그는 또 戱曲을 좋아해서 쓰고 「貂蟬」(呂布의 妻 名), 「楊貴妃[03]」 等의 著名作이 있다.

△ 張天翼

中國에서 多作家로 沈從文을 除하고는 張天翼을 헤아리게 된다.

그의 이 畸形的 社會에 對한 眼光은 透澈하고 따라서 그의 作品 取材도 甚히 廣泛하다. 그의 作品은 모다 매우 유모어한 것이 많아서 多數의 讀者를 가지고 있다. 그의 유모어는 林語堂과도 달르고 舒慶春과도 달러서 獨特한 作風을 가진 作家이다.

그의 作品속에는 藝術的 價値를 가지고 또 否認치 못할 社會的 意義를 가지고 있다.

그는 戀愛를 論할 줄 몰라서(차라리 좋아하지 않아서) 戀愛小說을 쓰는 일이

---

03 중국어 원제는 '楊貴妃之死'이다.

드물다. 그의 寫眞은 殆半 洋服을 입은 것이다. 實際上 그는 長衫을 좋아하는 분이다. 드른 바에 依하면 從前에 有名한 女俳優 王瑩이가 그를 追求한 일이 있었는대 한번은 宴席上에서 그들이 맞난 後 이 女俳優는 담박 失望하였다 한다. 그 原因은 張天翼의 實物이 決코 寫眞과 같이 美男이 아닌 까닭이라 한다. 그의 環境은 幼時로부터 大端히 나쁜 便은 아니다. 그가 從前에 「國聞週報」에 寄稿한 長篇小說 「在城市裏」(市內)는 每月 二百餘圓의 稿料가 있었다.

「空虛로부터 充實로」, 「反攻」, 「蜜蜂」, 「一年」, 「移行」, 「鬼土日記」, 「小彼得」(적은 페—터), 「小林과 大林」……이 것이 모다 그의 作品이다.

이 多作家는 現在도 亦是 寫意的 創作生活을 하고 있다고 한다.

(P生 譯)

支那人과 支那文化 - 林語堂 著『支那의 知性』에서[01]

1[02]

우리는 歷史的으로 또는 文化的 經濟的으로 대단히 密接한 關係에 잇는 支那와 밋 支那人이란 것에 對해서 從來 너무나 關心이 적엇섯다. 關心이 적엇슬 뿐 아니라 흔히는 『청인』이니, 『되놈』이니, 『쨩꼬로』니 하야 輕蔑의 感情으로만 對하여 왓고 그를 正當히 理解하며 또 硏究하려 하지 안엇섯다. 그러다가 支那事變이 勃發한 以來 급작스레 支那와 밋 支那人 乃至 支那文化란 것에 對하야 一般으로 關心이 노파지고 이를 硏究하려는 風이 盛해진 것은 必然之勢라 하겟다.

그리하야 支那 文學의 飜譯, 支那 旅行의 盛行, 支那에 關한 出版物의 激增 等을 齎來하고 잇스나 그러나 아직 朝鮮文으로서는 이 方面의 所述이 너무나 零星한 것은 亦是 朝鮮 知識階級의 怠惰라느니 보다도 오이려 直接的으로 切迫한 必要를 덜 느끼는 것과 또 餘裕가 그에 미치지 못하는 等의 理由겟지만 何如튼 아프로는 東亞新秩序 建設과 相伴하야 支那에 對한 硏究가 만히 잇서

---

01 『每日申報』1940.8.9~8.10, 8.12~8.14, 4면.

02 매회 연재분 표기로서 5회에 걸쳐 연재되었다.

저야 할 것은 새삼스러히 나 個人만의 느낌에 머므르지 안흘 것이다.

이러한 때에 마침 林語堂의 『리틀·크리티크』(小評論)가 『支那의 知性』(喜人虎太郞 譯)이라 題하야 和譯되어 興味잇는 『支那人의 支那觀』을 가장 率直하게 그리고 『유모러스』하게 提示하고 잇다.

나는 그 中에서 『支那의 民衆』, 『支那人의 리알리즘과 유―모어』, 『支那文化의 精神』 等 세 가지 論文에서 支那의 노픈 知識人이 支那 自身을 如何히 보고 批判하고 잇는가? 하는 것을(내 自身의 感想을 揷入하면서) 簡單히 紹介하려고 한다. 이것은 반드시 支那 밋 支那人을 理解하는 데 적지 아닌 도움이 될 것을 밋는다.

『나폴레옹』은 일찌기 支那를 가르처 『잠자는 怪龍』이라 하엿고 그 박게도 支那를 두고 『잠자는 獅子』니 하는 評을 하는 사람들이 잇다. 이것으로써 미루어 보면 支那란 到底히 理解할 수 업는 神秘하고도 怪奇(?)한 民族이오, 同時에 잠만 깨기만 하면 무서운 巨大한 民族이란 말인 듯하다. 四千年이란 오랜 동안 人爲的 自然的 暴威에도 시들지 안코 悠然하게 執拗하게 土地에 기피 뿌리를 박고 무서운 勢力으로 繁殖하면서 巨大한 文化를 싸엇다 허물엇다 하며 이럭저럭 살어오는 支那 民族! 果然 理解키 困難한 大民族임에 틀님업다.

林語堂은 말한다.

내가 萬一 世界 旅行家여서 上海에 들럿다 친다면 나는 躊躇함이 업시 支那人을 偉大한 民族이라 말할 것이다. 偉大하다는 것은 誤解된다는 말이다. 우리가 어떤 사람을 偉大하다 하는 境遇 그것은 그 사람을 理解할 能力이 업슴을 意味한다. 여기 한 사람의 支那人이 잇다. 아마 洗濯夫나 人力車군일 것이다. 그 얼골은 別로 活氣도 업고 대개의 白人이 차던지기에 躊躇치 안흘 程度의 人間이지만은 그러나 그래도 그는 光榮에 빗나는 『로―마』人이나 盛

名이 노픈『기리샤』人이나가 모다 따르지 못하는 偉業 即 다시 말하면 四千年 동안이나 別로 亡하지도 안코 이럭저럭 살어 온 民衆을 代表하는 人間인 것이다. 그는 그의 만흔 明白한 缺陷에도 不拘하고 긴 歷史와 오랜 文化와 實踐的인 生活哲學과 美術 及 文藝의 傳統을 가지고 人類의 歷史에 眞實로 드물게 보는 事業을 遂行한 民衆과 民族을 代表한다. 그들은 모든 社會學者가 수々꺽기로 삼는 社會的 衰滅의 問題를 이럭저럭 解決하엿다. 그들은 生物學上으로는 何南의 猶太人까지를 包含하고 모든 種族의 征服者를 吸收하엿스니 이것은 歐羅巴人이 일찌기 하지 못한 일이다. 그들은 如何한 民族도 比肩할 수 업는 긴 年代에 걸친 歷史의 連續과 넓은 地域에 걸친 文化의 同質性을 保持하여 왓다. 實踐的 試練에 依하야『우리들』은 살어감에 適合한 民族인 것, 그리고 그 오랜 文化는 만흔 缺陷에도 不拘하고 기처남을 價値를 가진 文化인 것을 承認하지 안흐면 안된다.(傍點은 李)

이와 가치 支那 民族은 어떠한 者라도 오랜 歲月을 두고 征服할 수 업고 그 固有의 文化는 世界史上 特異한 存在임을 主張하고 잇슴을 빗보아서는 안 된다. 이것은 반드시 支那人 自身의 自負라느니보다도 다른 만흔 社會學者들도 이와 同論이어서 支那 民族이『나폴레옹』의 이른 바 잠자는 怪龍이요, 잠자는 獅子라는 愚鈍하면서도 巨大한 不可解한 民族임을 다시금 생각케 하는 것이다.

(게속)

2

이와 가치 이 世上에 살어남기에 適合한 支那人의 性質은 어떠한가. 林語

堂에 依하면 첫재 節制, (二) 素撲, (三) 自然을 사랑하 는것, (四) 忍耐, (五) 無關心, (六) 老獪, (七) 多産, (八) 勤勉, (九) 家庭生活을 사랑하는 것, (十) 快活, (十一) 好色 等이다. 오로지 이 性質은 消極的 性質이어서 대개 오랜 文化를 가진 오랜 民族의 特徵이다. 모르건댄 이들은 한 마디로 老熟이란 말로써 一括할 수 잇겟지만은 그것은 靑春의 氣魄과 『로—맨스』보다도 오히려 靜穩한 消極的인 힘을 示唆한다.

即 支那人은 이것으로 보면 능글스럽고 부지런하고 참을성이 잇스며 家庭과 山水를 사랑하야 박그로 내뺏는 進取의 氣象이 적고 수수하면서도 快話하고 그리고 節制는 하면서도 好色하는 말하자면 어느 便인가 하면 健實하고 흉칙스런 시굴되기일 것이다. 그래서 그들은 積極的이 못되고 行動이 느리여 모든 일에 無關心하야 『워부지도—』요, 『메유화—즈』다. 그럼으로 그들은 無關心하고 家庭生活을 사랑하기 때문에 國家의 存亡보다는 家庭生活에 더 關心이 잇고 老獪하야 外交와 商術에 能한 것이다. 支那人이 老獪함은 世人의 周知하는 바다. 그들이 참을성 만흔 끈직끈직한 性質도 有名한 것이다. 그런데 그 中 가장 顯著한 세 가지 特徵 即 忍耐와 無關心과 老獪한 性質은 어찌하여 생겻슬까? 林語堂은 이것을 文化的 及 社會的 環境의 미친 影響이어서 따라서 반드시 支那人의 心理的 構造의 一部는 아니라고 말한다.

이것을 敷衍하여 說明하면 忍耐性은 主로 家族制度로부터 發達하고 無關心은 主로 法律的 保護의 缺乏에 基因하고 그리고 老獪는 道敎的 人生觀에 基因한다고 말한다.

다시 더 敷衍하여 말하면 支那는 古來로 大家族 制度이기 때문에 自然 群居生活을 하려면 彼此間 참어야 하는대서부터 배운 것이다. 支那人의 忍耐性은 그의 美德의 하나로도 칠 수 잇지만 그것이 어느 程度라는 것은 『西洋의 民衆이 到底히 참을 수 업는 暴政과, 無秩序와, 秕政을 참어오는 點』으로 미루어 짐작할 수 잇다는 것이다. 다시 그는 『四川省의 어떤 地方에서는 民衆은 一九五五年의 租稅까지 先取되면서도 別로 굿센 抗議를 하는 것도 아니고 집안에서 몰래 不平의 소리를 중엉거리는 程度로서 基督敎의 忍耐란 것도 支那人의 忍耐에 比하면 短氣와도 가튼 것이라.』고 스스로 비웃고 잇다.

何如튼 支那人의 忍耐는 儒敎 倫理의 基本 德目으로까지 치고 잇서서 옛날 張公―[03]이 唐나라 高宗皇帝가 그 秘訣을 下問하엿슬 때 『忍耐』니, 『堅忍』이니 하는 意味의 말을 百가지로 써 보인 以來 支那人은 이것을 家族制度의 悲劇的인 註釋인 것은 모르고 後世까지 그를 羨望하야 『百忍』이라는 말까지 流行케 되엇다. 이 『百忍』이니, 『百忍堂』이니 하는 말은 朝鮮에까지 퍼저서 只今껏 書畵의 有力한 資料요, 다투어서 문설주 위에 부치어 德目으로 삼기를 조아한다.

다음 支那人의 無關心은 어찌하여 생겻는가 하면 이것은 國家의 憲法이 그 威信을 發揮하지 못하고 個人의 權利에 對한 法律的 保護가 업기 때문에 『메유화―즈』로 無關心한 態度를 가짐이 가장 □策임을 自然 붓닷게 된 것이라고 林語堂은 말한다.

그러무로 法治國의 近代 國家에 잇서서 個人의 自由와 權利가 만히 保障되어 잇는 民衆은 구태여 無關心의 투구를 쓸 必要가 업지만은 支那와 가치 軍閥이 割據하야 民衆은 그 사이에서 恒常 自由 權利를 蹂躙되고 잇기 때문에 그것이 高尙한 道德은 못되나 마치 거북이가 그 龜甲을 發達케 한 것과 마찬가지로 自己 防禦의 한 方便이 되어 버린 것이다. 卽 强者는 그 힘이 잇슴으로써 公共精神이 만코 民衆의 大部分을 이룬 弱者는 自己 保存의 必要上 無關心하게 되는 것이다.

---

03 '張公藝'의 잘못이다.

歷史上 이것은 魏朝 及 晋朝의 歷史에서 가장 顯著하게 證明되고 잇다. 即 當時 學者는 國事에 無關心하기 때문에 尊敬되엇스나 그 結果는 이윽고 國力의 衰退를 招來하고 蠻族의 北支那 征服을 보게 되엇다. 國事에 無關心하게 되고 술을 마시며 淸談에 耽溺하고 道者의 丹藥을, 仙夢을 그리며 그리고 不老不死의 探求한다는 것이 魏朝 及 晋朝 時代 學者들의 流行이엇다. 이 時代는 周漢 時代 以後에 잇서서 支那 民族의 가장 低調의 時代 即 民族的 退化의 時代엿다. 왜 無關心하게 되는가? 理由는 明白히 法律的 保護가 업는 것, 政治에 關心하는 것이 危險한 때문이다.——라고 林語堂은 말한다.

(계속)

3

셋재로 支那人이 老獪한 것은 무엇보다 그들이 『老國民』인 탓이며 林語堂의 解釋에 依하면 老獪란 말의 意味는 高遠한 理想主義를 不能케 하고 生活의 空虛를 嘲笑하며 그리고 모든 人間의 行爲를 消化器官이라는 單純한 水準 또는 其他의 單純한 生物的 要求로 還元해 버리는 性質을 말함이라 한다. 그래서 孟子는 偉大한 老獪漢이어서 人類의 主要한 慾望을 食物과 即 榮養과 再生産의 두 가지로 還元하엿다. 大總統 黎元洪도 또한 老獪漢의 代表者로 支那의 政治問題의 解決 方策으로서 『飯米가 잇슬 때는 모든 사람에게 먹여라』(有飯大衆吃)하는 支那 民衆에게 충심으로 歡迎된 方式을 썻던 것이다. 即 이것은 同時에 支那人이 『리알리스트』인 것을 말하는 것이며 支那人은 나면서부터 老人이며 또 老獪하고 同時에 現實主義者라는 것이다. 다시 말하면 支那人은 敎養에 依하야 儒敎의 徒가 됨보다는 그 以上으로 天性

에 依하야 道敎의 徒인 것이다. 道敎는 그 理論과 實際에 잇서서 若干 老獪한 超脫이며 대단히 頹廢的인 懷疑主義이며 모든 人事 關係의 無益함과 모든 人爲的 制度 即 法律, 政府 밋 宗敎의 缺陷에 對한 嘲笑이며 그리고 若干 理想主義에 對한 不信인데 이것은 老國民으로의 에네르기—의 不足에 依함이 아니고 오히려 信仰의 不足에 依하는 것이라 한다. 그래서 歐羅巴人이 支那에 基督敎를 宣傳함은 마치 支那人이 英國人에게『크리켓트』(英國의 國技)를 宣傳하는 것처럼 滑稽롭다는 것이 林語堂의 批評이다. 即 支那人은 空論의 神學에 忍耐할 수 업는 것과 마찬가지로 非實際的인 理想主義에도 沒關心이다. 支那人은 靑年에게 神의 아들처럼 되라고 가르키지 안코 정말 人間이 되리라고 가르킨다. 支那人은 本質的으로『휴—매니스트』이며 基督敎는 支那에 잇서선 成功할 수 업다는 것이다.

한 마듸로 말하면 우리들은 人間의 努力의 必要함을 認定하지만 同時에 또 그 無益한 것도 容認한다. 이 一般的인 心理는 자칫하면 消極的인 防衛 戰術을 發達시키기 쉽다.『大事는 小事로 化하고 小事는 無로 化할 수 잇다[04](大事化小事. 小事化無事). 이 一般 原理에 서서 支那人의 모든 爭論이 解決되는 것이며 모든 企畫이 立案되는 것이며 그리하야 모든 改革 綱領은 各人에게 平和와 飯米가 保證될 때까지 그리 미더지지 안는 것이다.——라고 그는 말한다.

그러므로 支那人——支那 民衆에게 眞實로 平和와 밥을 줄 수 잇다면 그 支配者가 어떠한 者이건 그것은 問題되지 안는 것이다.

支那人은 가장 刻薄한『리알리스트』인 同時에 地球上 最大의『유모리스트』라고 林語堂은 말한다.——支那가 破滅에 頻하면서 잇는 것은 若干의 說

04 ‘』’가 누락되었다.

明을 要할 것이다. 전혀 不平等條約에 依하는 것도 아니고 또 匪賊과 軍閥에 依하는 것도 아니며 그리고 또 官吏의 非文化主義에 依하는 것도 아니다. 支那가 破滅에 瀕하고 잇는 것은 그 匪賊과 共産黨과 官吏가 모다 偉大한 『유모리스트』인 까닭이며 또 이 匪賊과 共産黨과 官吏가 收奪하고 잇는 바 民衆도 또한 偉大한 『유모리스트』이기 때문이다. 支那가 破滅에 瀕하고 잇는 것은 匪賊과 共産主義와 官吏의 腐敗에 對한 우리들의 寬容한 『유모리스트』的 見解에 因하는 것이다. 寬容은 유모어로부터 생긴다. 地球上의 어떠한 것이든지 支那을 怒하게 하지는 못한다. 罪惡과 貪欲과 腐敗는 다만 우리들을 웃기게 함에 지나지 안코 또 高遠하고 아름다운 理想은 더군다나 우리들을 웃기게 할 뿐이다. 그것은 『바가봉드』(放浪者)와도 가튼 生活 態度여서 이러케도 말하는 것이다. 『제길할것! 우리가 사는 世上은 相當히 惡한 世上이지만 그러나 왜 그걸 그러케 거북하게 생각한단 말인가. 元氣를 내야지. 그래서 해가 비치는 사이에 빨리 乾草를 만들어야지.』 이것은 如何한 理想主義라도 胸中에 삼켜 버리는 式의 刻薄한 리알리즘과 유모어이며 또 우리나라와 가튼 極히 오랜 文化의 結果인 寬仁도 만한 同時에 속심 차릴 줄 아는 老齡으로부터 생긴 生活인 것이다. 支那가 破滅에 瀕하고 잇슴은 우리가 生活을 우슴거리化하여 보는 데 因하는 것이며 또 우리가 모든 事物을 弄談化하여 버리는 氣風에 因하는 것이며 그리고 어떤 일이든 支那의 救濟라는 큰 問題에 關한 경우까지도 우리가 事物을 眞摯하게 생각할 수 업는데 因하는 것이다.──라고 그는 喝破하고 잇다.

　以上 支那의 破滅에 瀕한 原因論에 對해서는 異論이 만흔 듯하나 何如튼 支那人의 유모어的 氣質이 重大한 原因이란 것은 獨特한 興味잇는 觀察이다. 모든 것을 우슴거리化하여 보기 때문에 그들은 戰爭에 잇서서까지 眞摯하지 못한 代身 죽엄을 우습게 여기어 意外로 勇敢해지는 逆効果를 내는 수

도 잇슬 것이다. 또 例를 國際的 條約가튼 데서 들더라도 그들은 모든 것을 弄談化해 버리는 식으로 國際 間의 言約도 『워부지도—』로 弄談으로 미러 버리는 傾向도 업지 안흔 것이다.

(계속)

4

林語堂에 依하면 支那人의 유모어는 다음과 가튼 『公式』으로써 說明할 수 잇다 한다. 即 形式을 대단히 尊重하고 同時에 實際 生活에 잇서서는 그 것(形式)을 甚히 輕蔑하는 것——그것이다. 支那人의 유모어는 支那人의 形式 主義의 所産이다. 人爲的인 形式을 甚히 固執하는 경우는 누구나 그 空疎함을 보고 이것을 유모어하게 解釋하지 안흘 수 업다. 한편 形式과 感情이 密接한 調和를 保持하고 잇는 文明에 잇서서는 比較的 사람들은 形式을 眞摯하게 解釋할 수 잇다.

그리하야 支那의 敎養도 林語堂에 依하면 다음과 가튼 세 가지로써 이루 어젓다고 한다. 첫재 거짓말을 하는 것. 即 辯舌로써 感情을 더퍼버릴 것을 眞摯하게 바라고 잇는 것. 둘재, 紳士인 척 거짓말을 하는 能力을 가진 것. 셋 재는 自己의 거짓말과 相對便의 거짓말을 유모어의 感覺으로 解釋하므로 써 心境의 平靜을 보이고 또 地上의 어떠한 것에든지 지나치게 熱中하지 안 는 것, 이 세 가지다. 이 세 가지 老獪한 素質을 가지지 못한 者는 支那에 잇 서서는 『敎養이 잇다』고 말할 수 업는 것이다. 이것은 林語堂의 辛辣한 諷刺 지만 또한 眞實을 暴露한 것임에는 틀림업다. 이 가튼 老獪한 포—즈는 우리 朝鮮의 인테리에게서도 흔히 發見되는 것이다. 敎養잇는 知識者然하는 사 람일수록 아는 체하고 相對者의 어떤 이야기라도 하나도 理解하지 못함이 업는 것처럼 보이고 絶對로 『그건 모릅니다』하는 말은 입속에 꼭 삼켜두는 것 等等 이러한 것은 대개 現代的인 社交性의 一面도 되지만 現代的 社交性이란 것이 얼마나 『거짓』을 발판으로 하고 잇는가를 理解한다면 支那人의 敎養이 『거짓』을 母胎로 한다는 것으로부터 支那人의 社交性도 理解할 수 잇슬 것이다.

헌데 어떤 나라의 文化이든 그것은 民族的 氣質의 所産임에 틀림업는데 或種의 文化的 理念은 民族 또는 國民의 思想을 變化케 하지만은 根本에 잇서서는 國民의 精神的 밋 感情的 構造는 如前히 그대로 남어잇는 것이다. 그러기 때문에 民族에 따라 各其 特異한 文化가 形成되는 것이요, 따라서 四千年이나 오랜 驚異의 支那文化도 支那人의 人間的 氣質의 硏究에서만 그 참다운 解明을 發見할 수 잇슬 것이다.

支那人의 民族的 氣質은 어떠한 것인가? 林語堂에 依하면 極히 人間的인 哲學을 가지고 만흔 長点과 同時에 만흔 短處를 가진 極히 人間的인 氣質이다. 그들은 常識을 사랑하는 点에서, 論理的 極端을 嫌惡하는 点에서, 生活에 對한 거이 女性的인 本能에 잇서서 그리고 『어찌어찌해서 打開해 가는』 偉大한 能力을 가지고 잇는 点에서, 英國人보다도 人間的이다. 支那는 어찌어찌해서 四千年 동안은 『打開』하여 왓스나 定見이 堅固한 希臘人과 論理的인 羅馬人은 벌서 옛날에 滅亡하여 버렷다. 이와 가치 生活에 對한 女性的 本能은 支那를 保合하여 왓고 定見이 업슴은 支那人의 缺点이라기보다는 美德이라 하겟다. 『定見은 小人의 美德이다.』(시세로)라는 말도 잇지 안흔가?

이러틋 支那人은 極히 人間的인 國民이며 支那文化는 極히 人間的인 文化다. 그것은 또 老人의 文化이며 寬容하고 유모러스하며 平和하고 또 滿足하며 圓熟한 智慧와 老年의 弱点을 가젓스나 그러나 그러한 경우에서까지 그 弱点을 사랑하는 文化다. 支那에 對한 西洋의 悔蔑의 殆半은 氣短한 젊은 改革者가 『老人』에 對해서 가지는 그것(悔蔑)이며 한편 西洋에 對한 支那의 苦悶은 生活이란 것의 大概를 보고와서 그것의 歸趣할 바를 알고 잇는 老人이 이 젊고 伶俐한 사람헌테 爐邊의 安樂椅子로부터 끌려나려 九月의 아침에 海水浴을 當하는 것과도 갓다.──고 그는 말한다.

以上 要約하여 말하면 支那人의 缺點과 長處는 한편에 잇서 政治的 腐敗, 會社的 訓練의 缺乏, 科學 及 技術이 뒤떠러진 것, 思想 及 生活이 어떤 部面에 잇서서의 極端한 幼稚, 俗世的 慾心이 만흔 것, 그리고 너무나 妥協하기 쉬운 性質 等. 또 한편으로는 歷史的 持續, 文化的 同質性, 美術(詩歌, 繪畵, 陶磁, 建築 及 書道)의 高度한 發達, 極端한 生活力과 忍耐, 유모어, 學者에 對한 尊敬의 念, 單純 굿센 自然愛와 家族愛, 그리고 生活의 目的에 對한 正當한 觀念 等々. 그리고 中間性으로는 保守的인 것, 平和를 사랑하는 것, 寬容하고 現實的인 것 等이다.

이러한 民族的 文化的 特質 가운데서 如何히 하면 이 民族的 性格의 本源과 本質을 理解케 할 支那文化의 眞精神을 發見할 수 잇슬 것인가? 그것은 支那의 『휴매니즘』을 解明하는 것이 이 精神을 가장 잘 說明하는 方法이라고 생각한다. 왜 그런고 하면 支那文化의 精神은 휴매니즘의 精神인 까닭이다.──라고 林語堂은 말한다.

(계속)

5

『휴매니즘』이란 말은 대단히 模糊하다. 그러나 支那의 『휴매니즘』이란 것은 比較的 새로운 術語로서 極히 明確한 意味를 가지고 잇다고 그는 말한다.

即 그것은 첫재, 人間生活의 참다운 目的에 對한 正當한 觀念을 意味하고 둘재는 이 目的에 完全히 執着하는 것을 意味하며 셋재는 이 目的을 達함에 人間的 合理性의 精神 即 『中庸』의 敎義 또는 常識의 宗敎라고도 稱할 것에 依據함을 意味한다는 것이다.

支那의 『휴매니스트』는 生活의 참다운 目的을 發見하고 그리고 그것을 意識하고 잇다. 支那人에 잇서서는 生活의 目的은 死後의 生命에는 存在치 안는다. 왜 그러냐하면 基督敎의 가르치는 바 『죽기 爲해서 산다』고 하는 思想은 不可解인 것이다. 또 佛敎의 涅槃에도 存在치 안는다. 왜 그러냐하면 그것은 너무나 形而上學的인 것이다.

또 事業 完成의 滿足에도 存在치 안는다. 왜 그러냐하면 그것은 無意味하다. 이 目的을 支那人이 대단히 明確한 態度로써 決定하고 잇는 것인데 素朴한 生活 特히 家庭生活의 享樂에 存在하며 또 調和된 社交인 親族 關係에 잇는 것이다.

支那의 童子가 最初에 배우는 詩에 이러한 것이 잇다.

> 晨朝微風은 輕雲을 띄우고,
> 江에 흐르는 花片에 이끌려 나는 거닐도다.
> 사람은 말한다, 저 興겨운 老人을 보라고,
> 사람은 나의 魂이 幸福에 찬 것을 모르도다.

이것은 支那人에 잇서서는——그는 말한다——질거운 詩的 情調를 그대로 表現한 것이 아니고 生活의 『最高善』으로 노래한 것이다. 그것은 野心的인 것도 아니고 또 形而上學的도 아니며 몹시 實現的인 生活에 對한 理想이다. 그것은 대단히 素朴한 理想이며 그리고 대단히 素朴한 理想인 까닭에 平凡한 支那人의 마음만이 그것을 理解함에 지나지 안치만 그러나 그것은 흔히 西洋人들이 항상 빗보는 點이다. 支那와 歐羅巴와의 相違는 歐羅巴人은 만흔 것을 손에 너코 또 만들어 내는 커다란 能力을 가젓스나 그것을 享樂할 能力은 그다지 업는데 反하야 支那人은 그가 가진 바 若干의 『것』을 享樂하는 能力과 決意가 크다──는 點에 잇다.

이것은 支那文化의 最初의 秘密이다. 그것은 『幸福이란 것은 滿足하는 데 잇다.』(知足常樂)고 하는 支那의 哲學이다──라고 그는 말한다.

다음 人間的 合理性이라는 精神은 支那의 휴매니즘에 잇서서 가장 重要한 가르침이다. 人間은 推理하는 生物이긴 하나 理性的인 生活은 아니란 것은 아마 『아리스토―톨』의 말인가십다. 支那人의 哲學은 이것을 採用하고 잇스나 그러나 單純히 推理할 뿐만 아니고 理性的인 生物이려고 努力하지 안흐면 안된다고 한다. 支那人에 잇서서는 理性的이란 것은 『理性』보다도 노픈 水準에 노힌다. 왜냐하면 理性은 恒常 抽象的이고 分析的이며 理想的이고 또 論理的 極端에 빠지기 쉽지만 合理性의 精神 卽 常識은 항상 現實的이며 現實과 密接하게 접촉하고 잇서서 眞實한 狀態를 참으로 理解하며 評價하기 때문이다. 西洋의 思想家는 道理만을 생각하지만은 支那의 思想家는 항상 『人情』과 『天理』라고 하는 두 가지 要素를 考慮한다. 支那人은 道理에 反하는 것은 敢히 避하지 안치만은 人情의 빗(光)에 비추어서 感服할 수 업는 것은 바더드리지 안는다. 이것은 東洋人에게 共通한 人間的인 美德이 아닐까?

따라서 人間的 合理性이라는 이 精神은 主로 直觀的이며 事實 모든 支那人이 常識的의 信徒인 것이다. 理性的인 者는 항상 그 常識, 中庸과 節制를

사랑하고 抽象 理論과 論理的 極端을 嫌惡한다.

그러나 支那人의 合理性의 精神이란 것은 『기리샤』人의 溫柔와 明智와도 共通하는 바가 업다──고 그는 말한다. 그것은 若干 俗世를 超越한 것이다. 常識의 宗敎다. 確實히 中庸의 道에 關한 『아리스토─틀』의 가르침과 孔子의 가르침과는 만흔 共通點이 잇다. 그러나 기러샤人은 論理的, 分析的으로 思考햇지만 支那人은 綜合的, 直觀的으로 思考한다.

그러나 支那人은 制度에 對하야 信念을 갓지 안는다. 支那人은 二千年 前에 하나의 政治哲學을 展開하야 完全히 流動的인 政治 機構를 가진 非能動的인 統治者로써 理想을 삼엇슬 만큼 聰明햇스나 支那人의 制度에 對한 信念은 이것을 實現하기에는 不足하엿다고 林語堂은 말한다.

(끗)

支那人과 民謠[01]

(一) 支那 民謠의 二大 特色[02]

支那人의 大部分은 所謂 漢民族이다. 그 漢民族 以外에 『苗族』, 『回族』, 『狼□』, 『□』, 『西□』, 『蒙古』, 『滿洲人』 等이 小數 잇서 特種의 民謠를 가지고 잇는데 가튼 漢民族이드라도 그 地域이 널은 때문에 여러 가지 民謠를 包容하고 잇다.

그러나 모다 그 民衆 大衆의 거즛업는 소리임엔 變함 업다. 생각컨데 一般 民衆은 文飾도 적고 儀禮도 굿지는 안허 어색한 技巧 업시 極히 自然 率直端的 眞情的으로 自由스럽게 感情이며 意向을 그 民謠上에 表現한다.

이 點은 인테리의 歌謠며 文學에 對하여 素朴하나 情味가 잇다.

잘 씹어보면 그 純眞하고 素朴한 거즛업는 歌詞와 그 民族 固有의 音律 語調를 基本으로 한 멜로디―를 가지고 그 民族의 赤裸裸한 情意가 無技巧하면서도 優秀한 技巧 以上으로 豊富하게 담어저 잇는 것이다.

民謠는 實노 民衆의 소리다. 거즛이나 假裝이 업는 國民의 지침이다. 그

---

01 『滿鮮日報』 1940.8.25, 8.27~8.29, 3면.

02 매회 연재분 표제로서 4회에 걸쳐 연재되었다.

속에서 그 民族의 氣品이며 趣味며 習俗이며 好尚이며 性生活이며 社會性 等을 잡을 수 잇스므로 이 民謠는 한 사람의 感情이며 한 사람의 主張을 담은 한 사람의 私有的 産物은 안이다. 그러므로 民謠에는 原則으로 作家가 업다. 假令 잇다 하드라도 그것이 民衆의 感情이며 風尚을 代表하고 大衆의 『노래한다』는 事實上의 承認에 依하여 後世에 이어 노래되는 것으로 그 作者는 그리 問題가 되지 안는다. 다시 말하면 그들의 社會生活에 잇서 如實히 精神生活의 一角을 形成하고 잇는 것이다. 以上 述한 바와 가치 民謠와 民族은 極히 密接한 關係가 잇서 크게 보면 그 民風 卽 剛健한 線이 굴근 民謠를 듯는 時는 그 民族의 質實을 생각하고 淫靡한 線이 가늘고 弱한 歌謠를 듯는 時는 그 柔弱함이 생각된다. 特히 漢民族은 大概 音樂을 조와하므로 그 民謠는 그들의 生活에 限하여 업는 潤澤함과 慰安을 齎來하는 一般 大衆의 音樂이며 또 文學에 씨이는 일이 적은 一般 大衆文學이라고도 할 것이다. 이와 가튼 本質과 使命을 가지는 以上 民謠가 스스로 通俗的이며 平民的인 것은 當然하다. 그러나 그 때문에 知識階級이 이 硏究를 無價値하게 取扱한다면 그것은 큰 謬見이다. 사람의 우에 서는 者, 社會 大衆의 指導者라고 스스로 任하는 者는 이 大衆과 함께 共存共生하고 잇는 民謠, 大衆의 性情 陶冶에 큰 힘을 가지는 民謠가 얼마나 重大하며 有意義한 社會的 役割을 하고 잇는가를 바르게 認識하고 이를 通하여 그 民風, 民習의 善導와 志氣 好尚의 □掖에 努力하지 안흐면 안된다. 只今 和□ 儒學者가 經典의 하나로서 非常히 珍重히 하고 잇는 『詩經』도 그 가장 尊重한 部分은 그 當時 만히 불리워진 民謠에 不過하다. 이를 漢唐 以來 輩出한 만흔 詩學 專門家가 여러 가지로 理由를 부처 틀린 註解를 加하고 非常히 無理하고 不自然한 者를 맨들어 버리고 만 것은 遺憾하기 짝어 업다.

옛날 支那에서는 天子가 民風을 알어 政治를 行하는 데 □□기 爲하여

官吏로 하여금 널리 民謠를 探集식히엇다 한다.

> 『天子는 五年에 한번식 巡廻하고(中略)……大師에 命하여 詩
> 를 述케 하고 民風을 본다.』

라고 잇다. 元來 이 大師의 官은 『周官』篇에도 明記되여 잇는 바와 가치 周代 三公의 하나로서 말하자면 大臣 格의 音樂을 取扱하는 高官이다.

(二) 政治的 反映

또 漢書의 藝文志에도 『古時에 詩를 蒐集하는 官이 잇섯다. 王者는 風俗을 보아 得失을 알고 스스로 考正하는 所以이다.』라고 잇스며 食貨志에도 記事가 明白히 실여잇다. 勿論 나는 이러한 文獻을 그대로 承認하는 것이 아니지만 民謠가 宮中에 奏樂되엇슬 것을 推測할 수 잇다.

그리고 大乘的으로 본다면 支那의 民謠는 먼저 詩經의 遺響遺音이다. 支那의 民族性 乃至 社會性을 아는 一 角度로서 이 民謠를 살펴보는 것도 그리 無意味한 徒勞는 아닌 것으로 안다.

支那의 民謠에는 他國 民謠와 極히 달은 風味가 잇다. 그 風味는 各 民族에 共通된 民謠의 普遍性과 함께 되여 融合되고 잇슴으로 그 風味며 特味가 單獨 遊離되고 잇는 것은 아니다. 그러나 이 普遍性이 잇기 때문에 이 特種의 風味를 隱蔽하는 것이 아니며 또 이 特種의 風味로 그 普遍性이 抹殺되는 것은 아니다.

民謠의 分類는 여러 가지로 생각될 것이다. 例하면 그 民族이라든지 그

土地라든지 或은 노래 茶摘歌라든지 하는 式으로 職業에 依하고 或은『찟는 노래』라든지『배짜는 노래』라든지 하는 式으로 노래할 제 動作은 가진다든지 안가진다든지 하는 것을 標準으로 나눌 수도 잇슬 것이다. 나는 예서 一般的으로 그 內容에서부터 分類하여 보련다.

그러면 그 內容은 무엇을 말하고 잇는가. 勿論 그들이 가지는 思想이며 感情을 率直하게 實現하고 잇스나 크게 본다면 그들의 가진 民族文化 中의 한 페이지며 적게 보드라도 그들의 社會生活의 一斷面을 露出하고 잇다.

只今 이것을 大別하면

一. 政治的인 意味를 가지는 民謠

二. 家庭生活을 노래한 民謠

三. 戀愛的 民謠

四. 年中行事를 노래한 民謠

五. 敎訓을 意味한 民謠

六. 宗敎的 又는 迷信的인 民謠

七. 叙事的 民謠

八. 叙景的 民謠

等等으로 될 것이다.

以上 特히 이 나라의 民謠의 特色이 되는 것은

一. 政治的인 것

二. 家庭的인 것

이 아닐까.

政治를 反映한 民謠 中 文獻에 잇는 것으로는 左의 둘을 들 수 잇다. 그 하나는 堯帝의 平明至治를 謳歌한 것으로 그 歌意는

『우리들이 살어갈 수 잇는 것은

모다 당신 德分

유독히 당신의 말을 직하고 십지는 안어도 모르는 사이에 당

신의 教訓에 딸으오.』

라는 意다. 달은 하나는 **擊壤歌**로서 傳하여지고 잇는『밤이 새이면 일하
고 날이 저물면 잔다. (목이 말르면) 우물을 파서 물을 먹고 (배가 고르면) 바틀 갈
아 먹는다. 天子의 힘은 아모래도 조타.[03]라고 하는 太平讚仰歌이다. 以上의
二首는 現在 불리워지지 안코 잇는 死歌이다. 周室의 衰亡 後는 易世 革命
頻繁에 딸어 萬民 塗炭의 苦痛에 빠저 當時의 主權者에 對하여 怨恨을 품은
者 만허 露骨的으로 말한다면 殺戮을 바드므로 만히 謎語에 가까운 民謠를
맨들어 내엿다. 例하면 千里草는 왜 지리 풀은가. 열흘(十日) 굿(卜)도 살 수도
업다. 이는 東晉의 靈帝의 死後 董卓이 不軌를 □히 하여 叛逆을 圖謀하고
新王 獻帝를 除하고 帝位에 代하려는 毒心을 看破한 大衆이 諷刺的으로 노
래 부른 것으로 하고 잇다.

『千里草』는『董』가 되고『十日의 卜』은『卓』字로 된다. 이 나뿐 董卓도
『살아 잇슬 수는 업다』고 한 것을 끄내 呂布에게 죽은 것은 史實에 明白하다.

(三) 生活感情의 謳歌

現在의 民謠에도 秦始皇을 비롯하야 同治帝, 宣統帝의 그것도 잇는데 이

---

03 ‘』’가 누락되었다

런 것은 빼고 여기서는 『袁世凱』의 政治를 民謠로 紹介한다.

袁世凱

袁世凱는 쟈난꾸레기
가는 곳마다 거리에는 중절도 업는데 어인일까
銀貨는 廢하고 紙幣로 하엿다.

라고 씨잇는 것과 가티 그가 中華民國 第一期의 大總領이 되여 機會만 조
흐면 帝位에 오를여 新制를 펴 民心을 기쁘게 할여고 長年의 滿洲 風俗의
辮髮을 禁하고 紙幣를 發行하야 幣制 改革에 進出하엿는데 이것이 民衆의
風尙과 反하게 되여 民謠에서 冷笑當한 것이다.

다음 前淸의 嘉慶年間 呪文으로 民衆을 疑惑케 하고 愚民을 모다 叛逆을
이르키게 하여 河南 滑縣에까지 모혀 온 白蓮 敎徒의 一黨이 無辜한 縣民을
虐殺한 일이 잇다.

只今도 이것을 노래하고 잇는데

白蓮敎——
거짓말도 분수가 잇지.
滑縣城에서 大砲를 놋는다.
白蓮敎——
거짓말도 분수가 잇지.
어머니 에비 잇는데 힌 수건 동이고…….

支那의 古俗, 喪中婦人은 흰 수건으로 머리를 싸고 喪章으로 한다. 當時 白蓮 敎徒는 흰 수건을 동이고 그 信徒의 喪象으로 하엿스므로 이를 거짓말 이라고 한 것이다.

今次의 日支事變도 國民政府의 蔣介石이 하는 것에는 만흔 無理며 暴擧 가 잇는 것이다. 民衆의 怨恨은 骨髓에 매치는 것이 잇는 것이며 民衆의 입 에 넘치고 잇는 것이다. 그러나 그가 民國 十五六年 旭日之勢로 支那 中央에 進出하엿슬 제는 그를 崇敬하는 民衆의 人氣는 놀라운 것이싯잇다. 그 하나 를 左에 들면

> 蔣介石은 가는 곳마다 人氣, 孫傳芳은 무서워하고 蔣介石은
> 見識이 잇다. 張宗昌은 숨을 데가 업다. 蔣介石은 賊을 친다.
> 張作林은 피가 죽죽…

이 노래를 보드라도 支那 民衆에 相當한 人□이 잇는 것이 推測될 것이 다. 다음 家庭生活을 노래한 民謠도 相當히 만타. 家庭의 最上樂은 조흔 配 偶者를 어더 巨萬의 財産을 만들고 만흔 子福者로 되는 것이다.

> 새각시 세실랑 房은
> 촛불이 호둘호둘
> 돈은 땅에 가득
> 아이들은 우글우글

라는 民謠 그데로이다. 그러나 漢民族을 日本보담도 大家族主義로 小年 小女 時代로부터의 許婚 早婚, 때로는 나키 전부터의 許婚도 잇고 賣買結婚

도 잇고 夫婦의 年齡의 差異며 富裕한 집에서는 多妻도 許容되여 妻妾同居에서 오는 反目 嫉視며 閑言 爭鬪라든지 또 비록 同棲치 안는다는하드라도 異母 兄弟가 만흔 複雜한 家庭이 만이 이들에도 一家의 家庭的 道德律이 잇서 數十人의 家族은 非常히 즐겁게 살고 잇는 훌륭한 家庭도 相當히 잇는데 너무도 無理와 不自然이 만아 繼母와 繼子의 關係라든지 妻妾의 痴妬라든지 며누리와 시어미의 反目이라든지 不快한 主婦生活이라든지 强制 結婚 等等 相當히 深刻한 苦憫을 가지고 잇는 民謠도 만타.

(完) 生活感情의 謳歌

夫婦의 나이의 差異도 색시 여여덜에 사는는둘 오즘 싸고 똥 싸고 안어주고 잠재우고 밤중에 눈이 떠선 아이아이 쩌쩌쩌 혀를 채이며 나는 당신 색씨라오, 당신 어머닌 줄 아지 마소. 이는 그 가장 極端한 一例이지만 輓近 이 不自然은 만히 是正 되엇스나 妻가 두셋, 年上인 婦人은 헤일 수 업시 만타. 繼子를 몹시 구는 노래로는 퍽 深刻한 表現으로 『六月土用과 繼母의 주먹날은 쌩 조여붓고 주먹이 온다. 나무떼기가 온다.』 이러한 것이 잇다. 支那人은 歐米 個人主義에 對하야 지나치게 만흔 大家族主義로 또 歐米의 夫婦中心主義에 對하여 極端한 父子一體主義로 親命에 依하여 結婚하는 以上 어버니의 마음에 들면 그도 훌륭한 며누리로 되어 이 며누리가 第一 自己 맘에 맛지 안흐면 돈을 만히 벌어 第二夫人을 찾는 것이다.

그리고 男女의 社會的 地位는 表面的으로는 極端한 男尊女卑인데 한번 家庭에 들어가는 때는 『女子는 안』이라 하여 家庭에서의 主婦 妻女의 强力은 强大하여 사나이는 妻女의 放從을 그대로 두는 便이다. 夫君을 尊敬하는 훌륭한 妻女의 例로는 수닭이 꼬끼오 때를 가르키고 암닭과 병아리 귀를 벌죽해 듯는다. 암탈은 병아리에게 귓속말 한다. 네 아버지는 노래를 잘도 해……하는 것은 琴瑟이 相和된 子女教育이 조흔 便이지만 쓸모 업는 예편네 낫밥 대까지 늦잠. 드러운 속옷은 구석마다 가득하고 사대가 물을 길러와도 자리에서 코만 골고, 사나이가 아침 죽 먹오도 아직도 자릿속에서 꿈. 라고 하는 式 妻를 만나면 견딜 수 업는 것이다. 其他 民謠를 通하여 그 地方 年中行事를 알고 그 土地의 氣候風土 傳說도 알 수 잇고 또는 그 土地에 卽한 迷信이며 信仰을 窺視하고 人間으로서의 眞味에 接할 수 잇다. 이 民族이 가지는 즐기움, 슬픔, 부드러움 또는 憤怨이며, 그리움이며 或은 希望과 幸福을 이 民謠 中에서 바르게 捕捉하여써 人生의 情感을 늦기는 것은 日支理解의 한 契機도 될 수 잇는 것이다.

말하자면 民謠는 民族의 社會的 生活의 一部面으로 單止 支化史上뿐만 아니라 여러 가지 角度에서 再檢討, 再認識되지 안허서는 안될 것으로 밋는다.

支那 詩文學의 性格[01]

金鎭元

「人文評論」六月號에 『東洋文學의 再反省』을 促進하기 爲하여 裴澔氏가 『支那文學의 特質』이라는 題로 詩와 小說의 發展을 取扱한 一論을 發表하였다. 그 內容의 大體는 文學과 儒敎의 關係를 말하여 支那 文學의 內容에 儒敎的 血魂이 흘러 있다는 것과 詩와 自然의 關係를 말하여 田園詩人으로 陶淵明, 山水詩人으로 謝靈運같은 作家를 例로 그네의 生活이 自然에 沒入한 無我之境에서 自由롭고 平和로운 精神으로 旣成觀念의 拘束을 벗어났다는 것이며 李白과 杜甫와의 두 詩聖을 들어 하나는 佛敎的 宇宙觀으로 또 하나는 儒敎的 人生觀으로 하나는 貴族文學을 維持하고 또 하나는 平民文學을 勃興케 했다는 것이었다. 다음에 小說文學으로는 支那文學史上 너무도 有名한 四大奇書 即 三國誌, 水滸傳, 西遊記, 金甁梅 等의 梗槪를 들어 이러한 雄大한 規模와 創作力을 가진 支那 民族은 將來 世界的 作品을 産出할 것이 오직 時間問題라고 했다.

氏의 論이 條理가 鼎然하고 內容이 簡明하여 悠久한 歷史와 廣漠한 範圍

01 『文章』제2권 제7호, 1940.9.

를 가진 支那 文學이지만 讀者로 하여금 그 槪念을 엿볼 수 있게 한 要論이
었다. 다만 紙面 關係로였든지 氏도 말한 바이지만 抽象的 槪觀에 不過하였
으므로 讀者로 하여금 冊子를 놓기에 섭섭한 느낌을 가지게 했다는 것이 讀
者 一般의 同感일 줄 안다. 그렇다고 해서 『支那 詩文學의 性格』이라는 管見
은 氏의 缺如를 補塡하려는 意圖는 꿈에도 아니라는 것을 氏에게는 勿論이
오, 一般 讀者에게 미리 諒解하기를 바란다. 다만 支那 文學의 一部門인 詩
文學의 性格이란 이러한 것이 아닌가 함을 그대로 적어볼 뿐이다.

　支那의 詩文學은 그 淵源이 最古 韻文인 詩經에 있다는 것은 누구나 否認
못할 事實이다. 그러므로 支那 詩文學의 淵源이 되는 詩經을 中心으로 생각
할가 한다. 그런데 詩經 序文에

　　情動於中而形於言, 言之不足故嗟歎之, 嗟歎之不足故永歌之,
　　永歌之不足, 不知手之舞之, 足之蹈之.

라는 한 句節이 있으며 漢書 藝文志에는

　　詩言志, 歌永言. 故哀樂之心感而歌詠之聲發. 誦其言謂之詩,
　　詠其聲謂之歌.

라는 한 句節이 있는데 이는 곧 詩의 大義를 말함이며 詩의 定義일 줄 안
다. 支那文學史上 가장 오래인 歷史를 가지고 또 그 發達史上 가장 重要한
地位를 차지한 詩經의 序文과 또는 歷史 文學者로 有名한 班固가 詩의 定義
를 위에서 말한 바와 같이 定義하였으니 이것이 곧 支那 詩文學의 性格이라
고 하여도 그다지 誤解가 아닐 줄 믿는다. 그러나 좀더 重言復言하려고 하는

것은 大體 무슨 事物이든지 그 가장 焦點——씨 맺힌 곳을 아지 못하고서는 그를 論議하거나 그를 評價할 수는 없을 것이며 그 두루두루의 宛轉을 지나지 않고는 그 가장 焦點이나 씨 맺힌 곳을 찾아내지 못할 것이다. 하물며 詩經은 支那 詩文學의 菁英이라 旨趣가 深奧하고 情操가 純美하여 表音文字로써 토막토막 끊어 놓은 他 詩文學의 미칠 바 못됨에랴. 먼저 詩經 三百篇 全體로 보자. 全篇이 모다 溫雅 純厚한 境界를 벗어난 것이 없다. 間或 疾痛한 言辭로써 부르짖음이 있고 迫切한 形容으로써 表現함이 없지 아니하나 그렇다고 딴 境界가 있는 것을 생각하면 이는 淺見이라. 그 焦點이나 씨 맺힌 곳을 찾지 못하는 膚論이니 溫雅 純厚함이 얼푼 보이지 않는 그 가운데에 그윽한 바탕과 은근한 運轉이며 아믈아믈하는 情緒를 넌즛이 發露하는 것이라. 疾痛한 言辭라고 해서 溫雅함이 缺如할 理 없고 迫切한 形容이라고 해서 純厚한 表情이 아닐 수 없는 것이다. 疾痛 가운데에서 溫雅한 맛을 맛볼 수 있고 迫切한 場面에서 純厚한 빛을 찾아낼 수 있는 것처럼 神奇하고 光彩나는 것은 없다. 그러면 支那 古詩文學에서 溫雅와 純厚를 이와 같이 主張하는 것은 무슨 까닭일까? 이는 다름이 아니리라. 詩는 情의 發露이니 情의 吟誦일수록 어데까지나 純眞하여야 할 것이며 純眞한 그 속에서도 酒黨의 비위를 돋우는 麥酒의 거품과 같이 乳兒가 침 삼키는 牛乳의 醍醐와 같이 或은 靑春이 움트려는 處女의 乳房과 같이 가장 貴한 部分만이 모와져야 할 것이다. 純眞이란 언제나 抹殺되는 法이 없다. 제절로 溫雅한 맛이 나는 것이며 純眞이란 언제나 芒角이 나는 法이 없다. 제절로 純厚한 빛이 보이며 純眞이란 언제나 얄미웁고, 나불나불하고 뻔뻔한 法이 없다. 쌀쌀하거나 야틈야틈하거나 알른알른하는 法이 없다. 보라.

桃之夭夭, 灼灼其華. 窈窕淑女, 君子好逑.

이 한 句節만이라도 그 얼마나 溫雅 純厚한 맛, 即 純眞한 態度를 우리에게 맛보여 주는가?『오——天使여, 나는 당신을 사랑합니다.』이러한 類와는 比較가 아닐 性格이다. 그러므로 純眞한 것이란 언제나 溫雅 純厚한 것과 서로서로 따라다니는 法이다. 누구든지 애연한 그리움이 느껴질 때에 넌즛이 自己의 가슴속을 더듬어보라. 더듬는 自己의 생각이 손(手)이라 하자. 솜(綿)을 만지는 듯한 觸覺을 맛볼 것이며 솟아오는 눈물이 어느듯 옷자락을 축여 주어 구름같이 이러나는 서름이 머리속으로 돌아들 때 이것이 무엇인가를 잠깐 징험해 보라. 한 때의 서름일망정 그 깊이를 헤아릴 수가 없을 것이다. 그러므로 아무리 쓸쓸하기 짝이 없는 가을의 구슬픈 느낌이라 할지라도 그 느낌의 純眞한 內容은 恒常 봄기운의 따수한 맛이 돈다. 그러므로 溫雅 純厚한 그것을 主張함은 오로지 情의 純眞 그대로를 流露하자는 것이다. 歷史 文學者라고는 할망정 班固의 所著인 漢書 藝文志에 詩義를 말하되 惻隱이라 함이 가장 適切하니 惻隱이라 함은 슬픈 데만 限하여 말하는 것이 아니라 깊이 느끼고 切實히 생각키는 것은 모다 이 惻隱이라고 하겠다.

詩經 三百篇 全部가 얼른 보기에는 덤덤하고 심거운 듯하나 그러나 純眞까지로 그 形質의 粗跡을 바리고 은근히 그윽히 微眇한 精神을 隱映하게 함으로 자연히 열분 맛과 보기 쉬운 빛갈이 얼른거리지는 안하니 심거우면서도 자릿자릿한 맛이 限이 없고 덤덤한 속에 끝없는 愴惻이 소리 없이 쌓여 있는 것을 넉넉히 엿볼 수가 있다. 詩經이 支那 詩文學의 菁英이며 骨髓이며 淵源이라는 것은 누구나 否認 못하는 것이지만 그 속 깊이 훌러 넘치는 一段 情曲의 潺湲을 音調로써 짐짓 移運하는 이 境界가 支那 詩의 極致요, 焦點이며 씨 맺힌 곳이요, 性格인 줄은 저마다 알 바 못된다. 有名한 屈原의 騷歌도 이것이며 蘇李의 五古도 이것이고 陶謝韋柳나 廬江府吏 孤兒行도 이것이다. 첫째로 情의 流露를 그대로 그려낸 그것에만 滿足하지 아니하고 그 아픈

듯이 지르를한 또는 찌르를할 뜻 말 뜻한 그 情의 결이 어떠한 것임을 짐작하여 보면 溫雅 純厚한 것이라거나 惻隱이라는 것이 어떠한 것임을 想像하여 볼 수가 있으며 綻露된 그것과 流露될 뜻한 그것과 比較하여 보면 저것은 벌써 해바라저서 不醇이 섞임이 없을 수 없고 發해 나오는 그동안 모르는 그 속에 揣摩見이 秋毫만치라도 들어있을 수 없는 것이라. 暴露된 후라도 純眞 아님이 아니나 醇至함에 있어서는 암만해도 이편에 양보할 밖에 없는 것을 짐작할 수 있으며 좀더 생각하여 보면 하나는 이 귀틈에 한정이 있어서 感動이 두루두루 통하지 못할 것이나 또 하나는 모—든 人情의 새암과 개천이 아울러 흐르는 까닭에 그 누가 같은 느낌을 이르키게 될 수 있는 것을 推測할 수가 있다. 辭氣로만 보와도 가장 깊은 情曲과 어울려 울리는 調子와는 막된 法이 없고 抹殺된 法이 없고 芒角된 法이 없는 것이다. 그러므로 우리 實生活을 그대로 映寫함이 詩보다 더 切實함이 없다. 그러므로 民間의 裏面 生活을 詩에서 엿보고 國政의 得失을 詩로써 볼 것이다. 詩經 序文에

治世之音安以樂, 其政和. 亂世之音怨以怒, 其政乖. 亡國之音
哀以思, 其民困. 故正得失, 動天地, 感鬼神, 莫近於詩. 先王以
是經夫婦, 成孝敬, 厚人倫, 美敎化, 移風俗.

라는 것을 보라. 正得失이라 함은 得失을 발은다는 것이 아니라 得失 그대를 보인다는 말이니 詩에서 보인다는 것이 人間의 가장 純眞한 部面인 까닭이다. 그러므로 이를 探取함이 그 當時 王政의 大事가 된 것이다. 怨怒, 哀思, 安樂이 모다 가장 純眞하고 가장 惻隱한 境界를 벗어난 것이 아님을 아라야 한다.

漢代 以後 儒者의 註釋이 限이 없어서 五車에 시러도 오히려 남음이 있

으나 반다시 모다 本義에 마즈라는 데가 없다. 억지로 故事를 傅會하는 것도 웃읍거니와 반다시 衰冕, 翟緯의 敎訓 戒飾과 博士 大夫의 道德 論說도 만드는 것이 적지 아니한 어리석음이다. 男女의 淫褻한 노래가락이 지저분하다 하라. 여기에도 溫雅 純厚한 詩 境界가 展開하지 아니함은 아니요, 이 境界 안에 흘르는 한 줄기도 가닥가닥 人情의 가장 깊은 곳과 씨 박힌 곳이 交錯 되었다는 것이라. 忠臣, 孝子의 芳馨 婉變한 情感이 이와 서로 交流할 때가 있고 한 걸음 나어 가서는 이 交流로부터 저 情感이 한층 더 深刻하여질 수 도 있는 것이다.

다음에 部分的으로 詩經 三百을 말하자면 言說의 波瀾이 複雜하게 될 것 이며 一唱 三歎의 微妙한 情緖를 瀆亂할가 하는 두려움이 있는지라 될 수 있 는 대로 細論을 避하려니와 讀者도 明了하다. 꼭 그러하다라고 할만한 것을 찾으려 하지 말고 우련하게 비치는 듯한 것이 있는가, 이를 試驗하여 보라. 支那 詩의 三昧가 여기에 있으리라. 첫째, 詩의 句調가 같은 調로써 重複하 게 된 까닭을 말하고자 한다.

邶風栢舟篇을 보든지, 衛風伯兮篇을 보든지, 鄭風野有蔓草篇을 본다면 同一한 句調로써 나려가는 것이 대개 恒例이다. 그후 五言 七言이 樂府의 長 短句를 除하고는 모다 이것을 祖述하여 同一한 調子로써 한 편을 마치게 되 었으므로 눈에 익어 혼이들 그저 넘기는 것이나 얼른 보기에 그 論議거리가 되지 못할 뜻한 여기서 詩 三百의 微妙한 旨趣를 찾아낼 수가 있다. 대개 詩 의 運用은 聲音이 가장 重要하고 聲音의 神理는 聲音 그 自體의 作用만에 있는 것이 아니라 交會하는 지음으로부터 이러나는 소리 밖앝 幽韻이 가장 幻眇한 것이다.

그리운 사람을 떠날 때 머리가 자조 그편으로 돌아가는 것 같이 소리에도 이러한 狀態가 있다. 한 말을 거푸하는 것이 잔소리라면 잔소리다. 그러나 사랑하는 男女가 一時 헤여질 때에 할 말은 끝이 났것만 그래도 문밖까지 따라가며 편지하라는 부탁을 몇 번이고 부탁한다. 누가 이것을 잔소리라 하랴. 거푸되는 그 말이 거푸될 때마다 안꼬 도는 情든 男女의 至情이 한곱 더 비여안는 것이다. 말이 거퍼진 것은 오히려 거죽이다. 거퍼되는 그 音調가 더욱이 戀戀한 男女의 情曲을 그리게 되는 것이리라.

　情이 깊으면 떼칠 수 없고 떼치게 못하면 자연 돌아드는 哀慕가 생긴다. 이것이 纏綿이며 이것이 依依며 이것이 嬋媛이며 이것이 顧懷며 이것이 輾轉이라는 것이니 되도라 드는 情曲이 실상은 한정의 重複에 지나는 것이 아니다. 이것을 聲韻이나 曲調에 옮길 때에는 自然的으로 同調 重複이 없을 수 없다. 假令 泛波[02]柏舟를 불르는 聲音이 다음 句에 이르랴 할 때에는 前 曲調는 벌써 幽沈하였다. 그런대 새로 부르는 調가 前 曲調의 殘影을 그대로 밟으면 그 뜻이야 어떠하였든지 말이야 무엇을 意味한 것이든지 一種의 深情이 있다. 여러 번일수록 더욱 더욱 深切한 哀怨이 있어 보인다. 詩는 情으로 된 소리라 이러한 調子를 取하게 된 것이 이른바 자연한 울림이다. 戀情詩나 哀情詩만이 情이랴. 偉人의 功德을 그린 것이라든지 事實을 叙述한 것이라도 모다 感慕와 懷想이 主體이니 詩 처놓고는 이 調子를 諧適타 아니 할 수가 없으리라. 間間 豪蕩하는 波瀾으로조차 적은 變化가 없지 아니하나 그것이 變化라 할진대 根本은 언제든지 어데 가든지 여기에 있어서 얄미웁고 야틈야틈하고 나불나불한 것이 아니라 그대로 어데인지 모르게 溫雅 純厚한 支那 詩文學의 性格을 나투어 있는 것이다.

(七月 十五日)

02　'波'는 '彼'의 오식이다.

重慶의 新聞 雜誌[01]

楊子江人

重慶에 本來 있는 大新聞社는 合計 네 社였었다. 「國民公報」, 「新蜀報」, 「商務日報」, 「濟川公報」 네 新聞이 잇었으며 戰後에 새로 생긴 것으로서는 「西南日報」가 있고, 戰局 때문에 다른 省에서 옮겨온 것으로는 南京의 「中央日報」와 「新民報」, 上海의 「時事新報」, 漢口의 「自由西報」, 「新華日報」, 「掃蕩報」, 「武漢晩報」 天津에서 漢口로 한번 옴겻다가 再次 重慶에 옴긴 「大公報」와 「中國晩報」가 있다.

新聞의 種類는 많으나 紙幅은 적어서 最小量으로 고친 「中央日報」는 每日 一頁半이고, 「新民報」와 「武漢晩報」는 各各 中版 一頁이며, 其他는 모두 大版 一頁이다. 支那의 製紙는 發達되지 못해서 新聞 當局者는 空前의 難境에 遭遇하여 있다.

「中央日報」와 「新華日報」와 「西南日報」는 드디여 四川省 土産인 改良 新聞紙로 印刷한다.

南北에 移轉한 「大公報」는 옛날로부터의 煌輝있는 歷史上의 稱號를 가

01　『三千里』 제12권 제8호, 1940.9.

지고 重慶 新聞紙의 第一位를 占하고 있다. 持論 公正한 抵評을 가지고 있으며, 簡單히 國內外의 必要한 뉴—스를 要約하며, 다시 文藝化, 建設性, 特別 寄稿까지도 揭載한다.(徐盈, 子岡 兩氏의 探報 記錄) 副刊「戰線」上에도 늘 第一流 作家의 文藝作品이 실리며, 많은 中等學校는 이런 種類의 文章을 採用하여 國文敎材를 삼는다.

「時事新報」는 財政 經濟에 留意하고, 社評은 大體 前後方 經濟의 調整과 新財政 紀律의 樹立 等에 置重한다. 專門家의 特別 寄稿도 매우 많으며, 貨幣, 賦稅, 工商業 建設 等의 課題에 對하여 極히 詳細를 다한 解釋과 討論을 하고 있다. 「星期學燈」은 아직 繼續되고 있는데, 中大 文學院 敎授 宗白華氏가 主筆이고, 撰稿者의 大半은 中大 敎授요, 專혀 學術上의 問題를 討論하고 있다.

「新民報」는 活潑한 小型의 形態로 社會의 구석구석까지 파고 들어간다. 社會上의 各種 小事件과 四川省의 風土 等의 特寫는 好評을 받고 있다.

「新華血[02]報」는 共産黨 機關紙며, 持論은 共産黨의 意見을 代表하고 있어서, 民間의 注意를 惹起하고 있다. 通俗文學의 叙述, 뉴—스 分類 明晰, 蘇聯에 關한 各種 建設의 報道의 詳細를 그 特色으로 한다.

「國民公報」는 四川省有의 地方 新聞이며, 四川 狀況의 報道에 關하여서는 가장 仔細히 報道한다. 사람을 派遣하여 全 四川을 旅行케 하며, 各縣의 風土, 人情, 經濟 情況, 文化 等을 系統的으로 記錄하고 있다. 四川人은 無論, 外省人까지도 四川에 잇서 四川의 仔細한 事情을 알려고 함에 있어서 便利한 新聞이다.

「自由西報」는 重慶의 唯一의 英字 新聞이며, 去年 三月 一日에 發行을 開

---

02 '血'는 '日'의 오식이다.

始했는데, 아직 新聞上에 「漢口」의 글짜를 실리고 있다. 每日 大版 一枚를 出版하고, 新聞 代金은 매우 빗싸다.

各 新聞은 各各 그 新聞의 特色을 가지고 있다고 하지만 아직 雷同的이오, 모두 國內 뉴ー스는 繼續해서 中央社로부터 交付되고 있다. 社論의 論調도 統制되여서 거의 別일 없다.

各 新聞은 여러 가지 副刊을 出刊하고 있다. 「大公報」와 「戰線」은 佳作이 많으나 出沒 無定이며, 各篇이 또 風鳳에 지날지뿐이다. 「中央公報03」의 「平明」도 文藝作品을 실리고 있으나 歷史의 故事의 重述이 가장 많고, 梁實秋 敎授가 主筆이 되여 있다. 梁이 처음 登場했을 때 「抗戰八股」를 歡迎하지 않을 旨를 表明했으므로 無類의 作家의 攻擊을 받았으나 梁이 입을 封했기 때문에 平靜했었다. 그러나 「平明」의 作品은 多少 읽을만하다.

「時事新報」의 「青光」의 小品은 매우 輕妙하며, 比較的 精彩가 있다. 「國民公報」에는 三個의 副刊이 번갈아 發表되고 있다. 「文羣」, 「電影」, 「國民副刊」인데, 前者는 有名한 作家의 文章이 실리우고, 後者는 青年 朋友의 投書欄이다.

「新蜀報」의 「文鋒」은 金滿成, 沈起予 等의 編輯하는데 社會의 小論이 많다.

「掃蕩報」의 「瞭望哨」와 「西南日報」의 「西南副刊」은 大體로 青年學生에게 開放되여 있는 點의 特色이다. 「新民報」의 「最後關頭」는 한 개의 風格을 가추었으며 張恨水가 主幹이 되여 있다.

ー下略ー

---

03 '中央日報'의 잘못이다.

最近 上海 映畵界 槪觀[01]

李相玉

八一三 上海事變이 일어나 上海 天地는 混難과 恐怖, 戰慄과 生死 等 여러 가지로 變遷되고 人心까지 重大한 動搖를 주게 되었다. 카댠뿌릿치를 건너 租界에는 外國 勢力下에 避亂 온 富裕階級은 참 所謂 할일이 없어서 優遊度日하는 무리가 날로 늘어 갔었다. 그네들은 或은 卓球場이나 또는 舞踏場이나 酒肆 靑樓로 消日하는 有閑階級이였다. 그들 가운대 어찌 映畵나 劇에 趣味를 붙이여 消日하는 사람이 없을소냐? 上海 新聞 廣告欄에는 舊劇場의 廣告나 舞場의 廣告가 平時보나 오히려 意氣있게 生氣滿々하고 있는 것은 참으로 寒心할 노릇이다. 그 中에 或은 時代를 認識하고 自覺하여 東亞의 前勢를 내다보는 有志之士가 없다고 할 수는 없으나 거이 눈에 띄이지 않는 것은 遺憾 千萬의 일이다.

그러면 近來 더구나 昨今에 上海의 映畵는 어떠한가.

確實한 統計를 보면 昨年 上半期에 二十一部나 公開 上演하였다고 한다. 其 出品은 어떠한 會社에서 나왔나 여기 出品과 公司名을 別記하면 如左하다.

---

01 『人文評論』 제2권 제10호, 1940.11.

一. 新華公司(五部)

「女少爺」, 監督 岳楓, 出演者 袁美雲, 王引, 倉隱秋 等.

「六十年後上海灘」, 監督 楊小仲, 出演者 韓蘭根, 劉繼群, 顧梅君, 湯傑 等.

「武則天」, 監督 方沛霖, 主演者 顧蘭君.

「化身人猿」, 楊小仲 監督, 出演者 談瑛, 王引, 陸露明 等.

「慾魔」(톨스토이 原作 「어둠의 힘」), 監督 岳楓, 出演者 談瑛, 陸露明, 梅熹, 李紅 等.

藝華公司(出品 四部)

「碧玉雄心」, 岳楓 監督, 出演者 袁美雲, 王引, 范雪朋(女) 等.

「楚覇王」, 監督 王次龍, 出演者 金素琴, 王元龍, 王乃東, 李英.

「影城記」, 監督 陳鏗然, 出演者 路明, 王乃東, 李英, 文逸民 等.

「神秘夫人」, 監督 文逸民, 出演者 路明, 徐琴芳, 王乃東 等.

國華公司(出品 五部)

「孟姜女」, 監督 吳村, 出演者 周璇, 徐風, 蔡瑾 等.

「紅粉飄零」, 監督 陳鏗然, 出演者 路明, 白雲, 龔稼農.

「歌聲淚痕」, 監督 吳村, 出演者 龔秋霞, 舒適, 龔稼農.

「夜明珠」, 監督 鄭小秋, 出演者 嚴月閑[02], 白雲, 舒適, 龔稼農.

「李三娘」, 監督 張石川, 出演者 周璇, 洪逗, 周起, 張彤.

華新公司(出品 三部)

---

02 '嚴月嫻'의 잘못이다.

「少奶奶的扇子」, 監督 李萍倩, 出演者 袁美雲, 陸露明, 梅熹, 劉瓊.

「王先生吃飯難」, 監督 湯傑, 出演者 湯傑, 桑淑貞, 倉隱秋.

「林冲雪夜殲仇記」, 監督 吳永剛, 出演者 金燄, 李紅, 孫敏, 倉隱秋[03].

華成公司(出品 二部)

「木蘭從軍」, 監督 卜萬蒼, 出演者 陳雲裳, 梅熹, 黃耐霜.

「雲裳仙子」, 監督 岳楓, 出演者 陳雲裳, 王引, 陸絡[04]明.

天成[05]公司(出品 一部)

「紅花瓶」, 監督 張石川, 出演者 王蘭, 舒適, 王漢倫, 白燕.

林華公司(出品 一部)

「桃色慘案」, 出演者 葉秋心, 徐素珍, 郝小雲, 蕭英 等.

以上과 같이 出品 數에 있어서는 相當한 量을 보이고 있다. 其 內容은 舊劇이 六部이고 其外에는 大槪 時代的인 것과, 言情劇, 民族的 問題의 것, 喜劇, 社會劇, 歌舞劇 等 性質를 가진 것이다.

其後 昨年 下半期와 今年에 들어서면서 映畫界는 다시 百花燎亂하게 舊

---

03 주연은 金燄, 李紅 외에 章志直, 洪警鈴인 바, 여기서는 정보가 잘 못된 것으로 보인다.

04 '絡'는 '露'의 잘못이다.

05 '天生'의 잘못이다.

劇 全盛時代를 演出하였다.

　大槪 中國에 있어 戰爭 後 映畵界는 舊劇片과 文藝片으로 分異할 수가 있다.

舊劇片으로 認定되는 것은

一. 乞焉[06]千金

二. 武松與潘金蓮

三. 木蘭從軍

四. 孟姜女

五. 楚霸王

六. 武則天

七. 隋宮春色

八. 琵琶記

九. 林沖雪夜殲仇記

十. 王寶釧

十一. 三笑

等이고 文藝片으로 認定되는 것은

一. 雷雨

二. 日出

三. 茶花女

四. 小奶奶的扇子

五. 慾魔

六. 金銀世界

06　'焉'는 '丐'의 오식이다.

等이다. 다시 昨年 下半期로부터 今年 上半期까지에 上演된 映畵을 紹介하면 亦時 國華映片公司, 華新, 新華 等이 많은 作品을 내었다.

一. 國華公司 出品

「李阿毛與東方朔」, 鄭小秋 導演, 出演者 周曼華, 尤光照, 周起, 陳競芳, 龔稼農, 呂玉坤.

「新地獄」, 張石川 導演[07], 出演者 周璇, 舒適, 白燕, 洪逗, 蔡瑾, 白雲, 周起, 鳳凰.

「董小宛」, 張石川, 鄭小秋 導演, 出演者 周璇, 舒適, 龔稼農, 徐風, 尤光照, 呂玉坤, 藍蘭(客串).

「楊乃武」, 張石川, 鄭小秋 導演, 出演者 袁紹梅, 徐風.

二. 新華映片公司 出品

「岳飛」, 張善珉[08] 監製, 吳永剛 導演, 出演者 劉瓊, 夏霞.

「麻瘋女」, 馬徐維邦 編導, 出演者 談瑛, 梅熹, 黃耐霜, 顧也魯.

三. 華新映片公司 出品

「潘巧雲」, 張善珉 監製, 王引 導演, 出演者 談瑛, 王引, 王乃東, 蔣君超, 周文珠.

「絶代佳人」, 張善珉 監製, 王次龍 導演, 出演者 胡蝶, 王引, 蔣君超, 白璐.

---

07 吳村의 작품으로서 여기서는 정보가 잘못 되었다.

08 '張善琨'의 잘못이다. 아래도 마찬가지다.

四. 華成映片公司 出品

「秦良玉」, 張善琨 監製, 卜萬舍[09] 導演, 出演者 陳雲裳, 梅熹, 韓蘭根.

「一夜皇后」, 卜萬倉 導演[10], 出演者 陳雲裳, 王獻齋, 夏霞, 韓蘭根.

「關雲長[11]」, 中國聯合映業公司와 合作, 張善琨 監製, 岳楓 導演, 出演者 王元龍, 王獻齋.

五. 藝華公司 出品

「刺秦王」, 嚴幼祥 導演, 出演者 王元龍, 陸露明.[12]

「閻惜姣」(水滸傳之一), 嚴幼祥 導演[13], 出演者 梅熹, 貂斑華.

六. 中國聯美公司 出品

「梁山伯祝英台」(水滸傳之一), 岳楓 導演, 出演者 張翠紅, 顧也魯, 韓蘭根.

七. 合衆公司映片

「香妃」, 朱石麟 編導, 出演者 王熙春, 李英, 張翼, 屠光啓, 陳琦.

---

09 '卜萬蒼'의 잘못이다.

10 陳翼靑 감독 작품으로서 여기서는 정보가 잘못되었다.

11 원제는 '關雲長忠義千秋'이다.

12 정보가 잘못되었다. 陸露明은 이 영화에 출연하지 않았다. '路明'의 잘못으로 보인다.

13 嚴幼祥 제작, 岳楓 감독의 작품으로서 여기서는 정보가 잘못되었다.

其外 聯藝影業公司 出品「一代尤物」, 主演者 北平 李麗.

「中國泰山歷險記」, 中國의 다—산, 彭飛, 黎灼々 等 出演(新華片).

「亡命之徒」(華新[14]片), 袁美雲, 王引, 王獻齋 等이 出演.

以上 三十餘片의 映畫의 大槪을 紹介하였으나 다시 이것을 舊劇片, 新劇片, 奇怪片 等으로 三分類하여 其中 主要한 것과 또는 잘 宣傳된 것의 內容을 一瞥하여 보면 其 씨나리오가 매우 滋味있는 것이 많은 것이다.

映畫會社로는 現今에 와서, 新華와 華新 二 會社가 第一 有力하여 作品도 더욱 많이 나올 것으로 認定되고 其外 會社들은 所謂 泡沫社會[15]로서 一年에 一 作品을 내놓고 고만두거나 다시 離合하거나 하여 그 存在가 不一定한 것이 많다.

脚本家는 至今 上海에서 第一 人氣있는 사람은 張善琨과 柳仲浩[16](主로 舊劇을 脚本함) 等이요, 監督 即 導演者는 張石川, 鄭小秋, 岳楓, 卜萬蒼, 嚴幼祥 等이다.

俳優는 어디를 勿論하고 容貌, 姿勢, 性格을 于先 第一로 치는 것이다. 其中에도 中國에서는 自古로 容貌 端正하면 第一 條件으로 歡迎받았다. 그전부터 有名한 女俳優 胡蝶은 그 容貌에 있는 것이다. 胡蝶은 上海가 動亂으로 된 以來 香港으로 移居하여 古典片「楊貴妃」에 出演하고 다시「菲島血案」이라는 探偵劇에 出演하였었다. 그 後 近日은 上海로 돌아와「絶代佳人」에 出演하여 언제나 好評을 받았다. 언제 보아도 二十歲代 靑春으로 보이나 그는

---

14 '新華'에서 제작한 영화로서 정보가 잘못되었다.

15 '柳中浩'의 잘못으로서, 이 두 사람은 각본 작가가 아니라 영화 제작자들이다.

16 '會社'의 잘못이다.

어느덧 三十六歲라고 한다.

顧蘭君(妹), 顧梅君(姉) 두 姉妹는 일찌기 銀幕上에 相當히 이름이 있었다. 그러나 至今에 와서는 顧梅君은 老役을 많이 맡어서 하는 고로 第二線에 있는 感이 있고 顧蘭君은 現時는 主로 舊劇 主演으로 많이 出演한다. 中國의 女傑 「武則天」에 主演하여 그 淫蕩無恔한 것은 잘 表現하고 다시 紅樓夢 劇 中의 「王熙鳳大鬧寧國府」라 하는 映畵에 主演하여 快活無雙한 王熙鳳을 맡어서 縱橫히 手腕을 演하였다. 年齡도 二四十歲 假量으로 漸漸 佳境에 들어갈 나히다.

袁美雲은 數年 前에 「再會吧上海」 鄭雲波(前 鄭慕[17]澤) 導演에 出演한 阮玲玉은 想像할만한 姿色을 가진 女子로 一時는 阮玲玉 以後 第一人이라 稱하였다. 그 姿態는 淸楚 可憐하야 溫室花의 感이 있다. 茶花女(椿姬)와 「女少爺」, 「少奶奶的扇子」 等에 主演하야 影迷(映畵)팬으로 하여금 그 顔色에 恍惚케 하였다. 前에는 男優 王引과 結婚하였다가 至今에는 王引을 一蹴하고 다시금 第二期的으로 活躍한다고 한다. 當年 二十五에 前途有望하다.

陸露明, 大槪는 袁美雲과 같이 主演하여 그 豊艶한 姿態는 銀幕上에 나타나서 上海 모던뽀이에게 絶讚을 받고 있다.

其外 前日부터 名盛이 떨치는 女優로 아직까지 繼續하야 出演하는 女明星(俳優)은 林楚楚, 徐琴芳, 黎灼灼(다ㅡ산에 女主人公), 談瑛(芳紀 三十에 아직도 花容月態는 變치 않고 二十代 靑春 女性과 같은 感이 있다), 嚴月嫻, 王人美(美人魚라 稱하는 女子로서 至今은 婦人이고 나히도 近 三十이다), 葉秋心(舊劇 方面에서 銀幕으로 轉入, 近日 다시 舞台르 올나왔다), 陳燕々, 梅琳, 張婉, 張雯 等 梨園에는 아직도 百花滿發에 感이 있다.

---

17 '慕'는 '基'의 오식이다.

以上 여러 先輩를 斷然 一蹴하고 一躍 銀幕上에 出現한 女子가 둘이 있다. 하나는 木蘭從軍에 主演하여 其 美貌와 鶯聲으로 振名하였고, 또 하나는 「香妃」에 主演하여 哀艶 斷腸으로 盛名한 王熙春이다. 이 두 사람은 다 古裝片(舊劇)에서 일음 난 사람이다.

陳雲裳은 中國에 다―빈이라고 까지 稱하여 그야말로 一躍 스타―가 되었다. 한편 王熙春은 처음에 南京서 劇場(舞台上)에서 歌手와 靑衣(女役)로 있었다. 其의 系統은 前淸 時代 內庭 供奉 名旦(名優)으로 있든 陳德霖의 高弟인 黃桂秋 門下에서 熱心 工夫하야 今日의 地位를 얻은 것이다. 一面 그의 家庭은 其母 王氏도 名女優(舞台上)였었다. 中國의 名劇作家 田漢은 「美麗한 小鳥」라고까지 稱讚하였다. 그러나 陳雲裳보다는 아무래도 떨어지는 便이다.

其他 新進群으로 將來 有望한 女俳優는 周璇, 李麗華, 曹娥, 審萱, 余琳, 周曼華 等 多士濟々이다. 그리고 中國에 「샤리멤풀」이라고 불으는 胡蓉蓉은 아직 十餘歲에 매우 可憐 可愛한 演技를 보여주고 있다. 近者는 「小俠女」를 主演하였다.

男俳優陣을 보면 前日 名盛이 있는 男優는 거진 重慶, 香港 等으로 逃亡하여 昔日의 感이 없고 王引, 王元龍, 王獻齋, 王乃東, 湯傑 等이고 其外는 大槪 舞台劇에서 移入한 사람들이다. 以外 人氣있는 사람은 舒適 等이 有名하고 湯傑은 所謂 王先生이라 稱하여 유모리스트이다.

出品을 區別할 제 먼저 文藝片, 現代片, 時代片, 滑稽片, 荒唐片, 歷史片 等으로 區別할 수 있다. 文藝片으로 世界 文學史上에 有名한 泰西文學을 飜譯하야 支那化한 것이다. 茶花女(椿姬), 慾魔(어둠의 힘), 金銀世界(人之初) 等과 中國 劇團에 有名한 曹禺에 三部作이라 稱하는 日出, 雷雨, 原野 等이다.

現代片은 上海의 生活과, 物質文明을 皷吹한 것, 男女 戀愛關係, 舞女 生活 等 같은 것으로 여기에 條件은 첫대 女俳優에 容貌가 第一 中心되는 것이다. 그 作品은 「女少爺」, 「神秘夫人」 等 有閑階級과 墮落 生活을 描寫한

作品이요, 「紅粉飄零」이라는 것은 舞女 生活을 그린 것이요, 「絶代佳人」, 「一夜皇后」 等은 舞女와 明星(俳優), 酒店 等을 描寫한 것으로 所謂 小市民的 階級의 娛樂的 主題라 할 것이다. 時代片은 中國의 四代奇書에서 나온 것으로 古代小說 映畵化다. 水滸傳에서 取材한 것과 紅樓夢에서 取材한 것, 또 金瓶梅 中에서 나오는 「潘金蓮」 等도 있고 또 西遊記에서 取材한 것은 荒唐에 가까운 것이다. 滑稽片은 湯傑의 王先生吃飯難과 王先生與二東房(방 主人), 彭飛의 「中國泰山歷險記」 等이다. 歷史片은 事實的 歷史와 傳說的으로 區分할 수 있다. 「木蘭從軍」은 傳說片이요, 「香妃」는 歷史片이라 할 수 있다. 此 歷史片은 그야말로 全 映畵가 거진 다 이 範圍 內에 둘 수 있다. 支那는 五千年 有史國이다. 其間 興亡 盛衰도 많고 花朝月夕에 詠歌 悲怨하는 씨나리오도 많다. 忠義 愛國의 標本이라 할만한 「岳飛」와 其 反對 「秦檜」 等도 無論 登場할 것이고 荊軻 匕首를 품고 秦皇을 殺害하러 가는 「刺秦王」도 出演하였고 三國時代 「關雲長」, 漢代 「東方朔」, 隋煬帝의 豪遊, 八年 風塵의 「楚霸王」, 「則天武后」, 「楊貴妃」, 最近은 「孔夫子」까지 總動員시키여 銀幕上에는 그야말로 古代 英雄 豪傑, 帝王 后妃, 才子 佳人 等이 새로운 脚光을 무릅쓰고 燦爛하게 民衆의 眼前에 나타났다.

다음에 出品에 對하야 어떠한 內容을 가졌나 檢討하여 보면 其 事實은 참으로 奇怪한 것과 또는 歷史的인 것 等이 大數를 占領하였다. 첫재 上海서 九十日 間이나 續映하였다는 木蘭從軍을 解說하여 보면 戰爭 映畵보다는 오히려 戀愛와 宣傳 映畵이다.

梗槪: 木蘭從軍

第一場, 木蘭이 狩獵하러 洞里로 돌아단이며 洞里 兒孩들과 唱歌하는 場

合, 其 歌詞에 第一節에

太陽一出, 滿天下
村裏的兒童笑哈哈
來罷來罷, 快來罷
一同打獵, 可看花

「太陽이 한 번 나오면 滿天下
洞里 아해들아, 흐흐 우서라
오너라 오너라 얼는 오너라
여럿이 산양하며 꽃구경 하자.」

이 歌詞가 近日 重慶 蔣逆 政府에서 漢奸 映畵라고 問題된 것이다. 卽 太陽이 日本을 가라친 것이라고 말성이 되었다.

第二場은 木蘭이 父親에 代身하여 男裝하고 出征하는 光景.

第三場, 出征途中 劉元度와 相逢.

第四場, 沙漠의 軍門 劉元度와 은근히 戀愛 生活.

第五場, 軍師室에서 舞女들과 歌舞하는 光景.

第六場, 戰爭 塲面.

第七塲, 軍長이 負傷하여 死한 後 木蘭이 軍長 代身하여 指揮者가 됨.

第八塾[18], 蕃將과 木蘭의 戰爭 塲面, 劉元度가 應援함.

第九場, 木蘭 凱旋, 尙書을 命하나 不援.

---

18 '塾'는 '場'의 오식이다.

第十場, 木蘭의 故鄕, 女裝으로 還元하여 劉元度와 結婚. 「해피엔드」.

此 映畫는 勿論 古樂府 木蘭篇에 依據한 것으로 程大昌의 演繁露에는 隋唐人이라 하고 何承天의 「姓苑」에는 木蘭任城人, 隋唐以前人이라 하였다. 이와 같이 傳說에 不過한 人이다. 此 映畫에는 唐時을 背景으로 하였다.

紅花瓶 故事

이 「紅花瓶」이라는 것은 廉熙朝 적에 한 孝女가 自己 父親을 救하고자 磁器 굽은 密所로 들어가 鮮血로서 染色하여 맨든 磁器瓶인대 그 表面이 피로 물드린 故로 빨갛다. 이것을 後人은 孝女 磁紅花瓶이라고 한다. 이 映畫는 여기서 因緣하여 始作되는 것이다. 때는 前淸 末年으로부터 現代에 걸처서──.

大將軍 章震南의 一家의 悲劇이야기다. 章震南의 前室 黃氏 所生 章萍倩은 才色 兼備한 獨女다. 그때 妻足下 黃光漢은 破産 後 自己 집 世傳之家寶 「紅花瓶」을 가지고 章震南 집으로 들어왔다. 震南이 이 병을 보자 곧 慾心이 났다. 그리하여 黃光漢과 章萍倩은 表妹之間에 戀愛가 發生하여 어느덧 一女를 産生하였다. 그 女子의 名은 萍影이였다.

그때 繼室 楊氏는 역시 自己 親庭 足下 國樑을 사위 삼으려고 하였었으나 木己成舟 後였다. 그후 黃光漢은 出征할 적에 記念으로 이 「紅花瓶」을 萍倩에게 주었다. 老將 章震南도 出征 後 歸家한즉 이 일이 發生하였다. 大怒하여 딸만 追出하고 紅花瓶과 萍影은 두었다. 그러나 戰亂으로 因하여 章震南은 盲目이 되었다. 한편 萍倩은 黃光漢에게 갔으나 光漢은 重傷을 입어 드디여 死亡하였다.

其後 二十年에 歲月은 흘렀다. 萍倩은 其間 黃哥라 假稱하고 當時 有名한

富者 富華銀行長의 婦人이 되었다. 其時 其 銀行의 女事務員 募集할 적에 萍影이도 入選되어 女職員이 되었다. 萍倩은 이 일을 대강 알았으나 말은 못하였다. 幾日 後 銀行長夫人 章萍倩의 生日이었다. 行員들은 夫人에게 饋物하였으나 萍影만은 貧困하여 適當한 선물이 없기 때문에 祖父 震南에게 問議한 바 드디어 「紅花瓶」을 주기로 하였다. 生日날 萍影은 「紅花瓶」을 가지고 가서 萍萍에게 주었다. 萍倩은 過去를 生覺하고 大驚 歡喜하여 自初至終을 이야기하고 其 老父 震南과 其女 萍影을 데리고 一生을 잘 지내었다.

以上 「紅花瓶」 映畵에 來歷인대 其中 主演者인 新人 王蘭은 母女의 役을 맡아서 大端한 喝采를 받았다. 元來 王蘭은 劇俳優로서 어려서부터 舞台에 올랐었다.

그리고 이 本事도 그야말로 近者에 내려오는 傳說에 지나지 못하는 것이다. 王蘭은 悲劇 女優로서 其後 별로 出演치 아니하였다.

다음 現代片의 內容을 紹介하여 보면, 「神秘夫人」이 있다.

內容: 「辯護士 王震中의 妻 林玉華는 舊情人 梁子靑의 旅舘에 가서 前日의 戀愛 關係를 淸算코자 面談하였다. 그러나 子靑은 承諾하지 아니하였다. 그때 마참 子靑에게 버림當한 女子 素秋는 이 光景을 보고 嫉妬와 忿怒 끝에 子靑을 죽이였다. 玉華는 그만 무서워서 逃亡갔다. 素秋는 나중 일을 두려워 그 자리에서 自殺하였다. 일은 버러젔다. 王震中은 이 事實을 알고 玉華를 追出하였다. 그러나 玉華에게 一女 創英[19]이가 있었다. 玉華는 할 수 없이 屢名을 쓰고 몸을 숨기기 爲하여 舞女 生活로 나중에는 賣唱婦가 될 지경까지 墮落하였다. 그리하여 數年 後 事實이 다시 綻露되어 玉華는 玉容이 憔悴하

---

19 '建英'의 잘못이다. 아래도 마찬가지다.

여 病客의 몸으로 겨우 法廷에 서게 되었다. 공교롭게 玉華의 前女인 創英은 其間 女辯護士가 되어 法廷에서 이 일을 擔當하게 되었다. 法廷에 선 母女는 서로 抱擁하고 울었다. 玉華는 그만 氣絶하였다. 劍英[20]은 「어머니」하고 불렀다. 玉華는 이 소리를 듣고 얼굴을 들어 微笑하면서 저 세상으로 갔다.」[21]

이 映畵의 主演者 陸露明[22]은 熱々히 最後幕의 悲劇의 씬을 無難히 하였다 하여 喝采받았다.

다음 「香妃」는 宮中悲劇이다.

때는 淸高宗 乾隆 時代이다. 當時 征西大將軍 兆惠는 救命을 가지고 日[23] 疆地方을 征服하러 갔다. 이 地方에는 巴達克 酋長과 阿克蘇 酋長이 있어 서로 葛藤하였다. 阿克蘇 酋長의 妃는 몸에 異香이 있다하여 世人이 香妃라고 불렀다. 當時 巴達克 酋長 布那敦은 淸와 內通하여 降服하고 阿克蘇 酋長 霍集[24]은 反對하여 結局 被殺當했다. 그러나 香妃는 이것을 모르고 北京 가면 만나리라 하여 香妃를 北京까지 人質로 대리고 왔다. 乾隆帝는 香妃를 引見하여 보고 大喜하여 後宮에 두기로 하였다. 이 戰爭도 結果에 있어서는 「香妃」를 淸庭으로 데리고 오는 것이 目的이었다. 其後 帝는 每日같이 香妃를 慰勞하였으나 香妃는 조곰도 마음 變치 않고 前夫만 生覺하였다. 乾隆帝는 萬端 生覺하고 北京 圓明苑 附近에 阿克蘇城과 近似한 城을 建築하여 주고

---

20 역시 '建英'의 잘못이다.

21 홑낫표가 잘못 기입되었다.

22 정보가 잘못되었다. 주인공 王建英의 배역은 '路明'이다.

23 '回'의 오식이다.

24 '霍集占'이며 '占'자가 누락되었다.

香妃를 慰安시키었다. 그때 한편 이 일을 안 皇太后와 皇壤[25]는 將來를 걱정하여 香妃를 없이 할려고 하였다. 그 후 乾隆帝는 어느 날 祈年殿에 祭祀할려고 儀動하였다. 이 틈에 宮中에서는 香妃를 殺害하였다. 乾隆帝는 깊이 後悔하고 厚葬하였다.

以上 簡單한 內容이나 其中에는 前朝 滿淸에 對한 反抗心이 숨어 있다고 하여 相當히 流行하였다. 이와 近似한 것은 「董小宛」에서 볼 수 있다. 이것은 順治帝 入關 後 「董小宛」을 懸[26]慕하여 帝皇의 자리를 子 廉[27]熙에게 讓位하고 僧侶가 되었다고 한다.

이와 같이 大槪이 古裝片이다. 어찌하여 至今 上海에서는 舊劇片이 많이 流行하나 그 對答은 「上海가 所謂 孤島化한 후 抗戰키 不能하여 結局 映畵에도 自由로 取材치 못하는 것, 또는 觀客層이 大槪 附近 避亂民이 殺到한 關係로 諒解키 難한 것 等을 引證例擧하고 있다. 그러면 今後 上海의 映畵는 어떻게 變化하나? 中國은 數千年來 文化가 燦然히 빛나서 絢爛하고 軟熟하게까지 되었다. 그런고로 古代文化와 古代에 많은 로맨스와 舊劇本的 存在는 많을 것이다. 더구나 上海는 區域이 狹少하다. 이 좁은 곳에서 映畵가 일어 날려면 自然的 로케솔 없이는 못할 것이다. 그러나 至今은 로케솔도 自由키 不能하다. 그런고로 自然 舞台劇이 映畵 씨나리오에 中心이 된다. 結局 舞台劇은 조곰 脚色하여 撮影한대 不過한 것이 될 것이다. 近者 上海 映畵人은 時代物이 많은대 對하여 흔이 말하기를 「古瓶塡新酒」라고 한다. 即 出演物의 題材는 舊劇이나 其 精神은 새로운 것이라고 辯明한다. 참으로 新酒가

---

25 '皇后'의 잘못이다.

26 '戀'의 오식이다.

27 '康'의 오식이다.

될는지도 或은 依然 舊酒가 그대로 있을는지는 疑問이다.

끝으로 中國人 自身에 映畫評이나 或은 感想을 紹介하여 보면 或은 兒童 英雄 台本을 製作하라, 或은 其他 諸般 注意 等이 相當히 있다. 至今 主要한 것을 적으면 아래와 같다.

一. 電影(活寫) 從業員은 藝術과 責任을 지라.

編劇者의 責任은 主題 正大한 것과 內容 充實한 것과 時代性의 適合한 것을 製作하라. 空然히 架空한 것, 平凡한 것, 荒唐無稽한 것, 社會的 意義 없는 것, 藝術的 價値 없는 것은 製作치 말라.

導演者(監督者)는 一 映畫 中에서 같은 演員이 突然히 性格이 달러진다든지 或은 音樂과 어찌 合作하면 좋을는지 混同하지 말고 相當히 緻密한 硏究 下에 排置치 아니하면 아니된다.

演員(俳優)은 自己 擔任한 人物의 個性, 動作, 語調, 態度, 風采를 잘 硏究하여 眞感이 나오도록 發露하라. 藝中에 나온 사람에 身分을 生覺치 않고 自己 個性만 發揮하면 그것은 錯誤가 아니냐?

佈景師(背景 製作人)는 時代와 環境, 場面의 空氣 等을 充分 考察한 후에 裝置하라.

攝影師(撮影 技師)는 採光, 配光을 充分 考察하고 喜怒哀樂之場面을 順調롭게 하라.

收音師(토기)는 音響의 高低, 强弱을 잘 調節하라. 劇中의 人의 動態에 따러 自在로 變換치 않으면 아니 된다.

其外 某 監督의 中國映畫評을 보면

一. 中國映畫는 戰場, 舞場, 情場이 없다. 舞場의 粗雜, 亂雜한 것은 周知의 事實이다. 情場은 어떠한고 하니 至今까지 두 마리 새가 雙宿雙飛하는 場面으로 겨우 象徵하였다.

二. 中國의 映畵에 人物은 背後에 動的 空氣가 없어서 卽畵面上에 依托하는 맛이 적다.

三. 中國映畵는 「劇」으로 觀衆의 눈물을 자어내지만 描寫로서 자어내지 못한다.

四. 外國 俳優(指 米國)의 表演은 「꼭 알맛게」 卽 「適合」하게 하는대 中國 俳優의 表演은 너무 지나치거나 또는 不足하거나 하여 늘 過不足이 생긴다.

五. 外國 映畵는 「眞」先於「美」면 中國 映畵는 「美」先於「眞」이다. 卽 外國 映畵는 事實에 卽한 後 美를 求하는대 中國 映畵는 爲先 「美麗」하게 맨든 후에 眞實을 求할려고 하는 것이다.

以上 보면 結局 上海 映畵도 發展이 以後로 期待된다. 그리고 씨나리오는 依然 舊劇萬能 時代가 아직도 계속 될 것이다.

六月 二十日(大尾)

支那 文學과 現代[01]

法大 李一山

支那 數千年의 思想史, 文化史 乃至 文藝史는 孔老 二家의 思想이 흐름에 二大分으로 되여저 잇는 것이다. 이 二家는 支那 思潮의 二大源流이다. 支那 文學의 代表的 巨人이다. 그리고 여러 가지의 分派 支流를 날이는 것이다.

孔子는 現實主義, 經驗主義의 立場에 잇서 人間學의 原理를 말하엿다. 그 哲學은 常識的 한 人生哲學이다. 그리고 그 全體를 通하여 中庸本位. 至善本位의 思想이 汪洋으로서 흐르고 잇다. 그런데 老子는 超常識主義, 暝想主義의 立場에 잇서 宇宙의 根本生命을 明白히 함과 同時에 人爲를 물니친 無爲 自然의 哲理를 創造하엿다. 그 全體를 通하야 虛靜 恬淡의 傾向의 著々히 나타나 잇다. 以上 二大 哲人의 文學은 含蓄이 만코 餘韻에 豊富하다. 그 表現은 가장 自然스럽고 老練 簡淨의 妙함을 만드럿다. 孔子의 言行錄이라고도 할 『論語』는 『프라트은』의 對話篇 以上의 技巧와 趣致가 잇다. 老子의 道德經 五十餘言도 亦 奇驚한 言語와 深刻한 名言과로 넘처 잇다. 그 文章만 하야도 배워짐이 적지 안타.

---

01 『每日申報』1940.11.17, 4면.

孔子의 系統에는 孟子, 曾子, 子思, 荀子 等이 잇다. 老子의 系統에는 莊子, 列子, 楊子 等이 잇다. 그리고서 따로 墨子의 一派가 孔老 二家의 思想 學說에 對하야 博愛(兼愛)를 高調하엿다. 其他 韓非子를 中心으로 하는 法家, 公孫龍을 中心으로 하는 名家 等等이 잇스나 그들은 어데에도 老墨 二家의 影響下에 잇다. 法家는 보담 만히 老子의 感化를 밧고 名家는 보담 만히 墨子의 感化를 밧고 잇다. 先秦 時代의 文學은 以上의 外에 屈原의 詩가튼 것이 잇다. 그래도 大體에 잇서 散文쪽에 볼만한 것 만타. 그리고 孔子 及 老子의 文章을 第一로 하고 그 外 四大文豪라고 稱하여 잇는 것은 孟子, 莊子, 荀子, 韓非子 等이다. 나는 이에 墨子를 加하여 大文豪라고 하고 십다. 다음으로 秦 時代에는 겨우 李斯의 文章을 헤일 뿐이다. 支那文學史로는 以上을 古代文學의 時代라고 하고 잇다.

古代로부터 中古 時代——漢魏 六朝의 文學으로 옴기면 古代에 보는 것 가튼 氣魄, 意氣가 업다. 秦의 焚書坑儒의 影響에 잇스나 하나는 時代의 影響에도 依한다. 그 收穫으로서는 爲先 司馬遷의 『史記』를 헤지 안으면 안된다. 賈誼, 晁錯, 班固, 陶淵明, 揚雄, 淮南子 等의 詩文도 이 時代의 詞壇에 光彩가 잇섯다. 그리고 近古 時代——唐, 宋, 元, 明 가튼 때의 文學을 본다면 그 收穫이 더 만타. 그것은 唐宋八家 가튼 文豪가 나온 때로서 韓愈, 柳宗元, 歐陽修, 曾鞏, 王安石, 蘇洵, 蘇軾, 蘇轍 等의 文章은 古代文學의 盛時를 생각케 하는 것이 잇섯다. 그에 李白, 林[02]甫를 中心으로 詩界의 逸才가 돌여 이러낫다. 元의 時代에는 처음으로 優秀한 戲曲, 小說 가튼 것이 勃興하야 『三國誌』, 『水滸傳』, 『西廂記』, 『琵琶記』 가흔 것이 나왓다. 明代에 드러서는 詩人 高青邱, 文士 宋濂 等이 異彩를 보이고 王陽明의 文章도 亦 文壇에 新生命을

---

02 '杜'자의 오식이다.

注入하엿다. 朱子의 雄偉한 文辭는 그 優超한 哲理와 갓치 一代를 움즉이게 되엿다. 그리고 이 期에 小說, 戲曲의 展開가 잇서 『西遊記』, 『金瓶梅』, 『牧丹亭還魂記』 갓흔 傑作을 낫어 노앗다.

最後로 近世文學의 時代를 一瞥하면 淸代의 詩人으로서 王士禎, 文章家로서 方苞, 侯方域 等이 잇스나 도로혀 小說, 戲曲類에 볼만한 것이 적지 안다. 『桃花扇』, 『長生殿』, 『紅樓夢』, 『兒女英雄傳』 等을 처음으로 蔣士銓의 『紅雪樓九種』, 笠翁의 『傳奇十種』 갓튼 것이 잇다. 또 文藝批評家로서 □한 金聖嘆의 名文이 잇다. 그는 支那 文學에 잇서의 六歳[03]子의 書로서 『莊子』, 『離騷』, 『史記』, 『水滸傳』, 『西廂記』 及 林[04]詩를 헤엿다. 以上 記述한 것은 支那 文學의 大要로 이것만은 그 仔細한 趣旨가 알 수 업겟스나 史的 推移의 뒤가 簡略하나 알 것이라고 생각한다.

支那 文學에는 大體로 道德的한 香氣가 놉다. 小說의 가운데에는 『金瓶梅』, 『遊仙窟』, 『肉蒲團』 가튼 自然主義的 作品이 잇스나 其他는 詩도 文章도 道德 思想에 反逆치 안는다. 도려 道德 思想을 固守하고 或은 그 埒外로 나감을 힘써 避할여한 傾向이 明確히 보혀잇다. 情的으로 人間을 解放할여 하는 戲曲에 잇서도 忠孝의 德을 讚美하야 善德에는 善報가 잇고 惡德에는 惡報가 잇다고 하는 因果律에 拘束되여 잇는 그것은 보는 데 따러 좃키도 하고 낫부기도 하다.

그리고 支那 文學이 民衆的이라고 하는 것은 아모리 그 形式이 高尙할지라도 對照로 하는 데가 貴族보담도 만히 民衆의 우에 잇는 點에 잇서서이다. 民衆 때문의 思索, 民衆의 擁護를 趣旨로 한 精神, 虐政에 反抗하야 民權을

---

03 '歲'는 '才'의 잘못이다.

04 '杜'의 오식이다.

正當히 擴大할여 한 다음 그러한 傾向이 文學上에 反映되여 잇다. 그리고 小說, 戲曲類로 되면 다만 內容뿐일 뿐더러 外形도 平易으로 되여 民衆的 色彩가 强하여 잇다.

要컨대 支那 文學은 政治的 社會的 道德的 民衆的이々다. 거기에 獨自의 面目과 風趣가 잇다. 그리고 表現上에는 簡潔, 雄健, 壯大, 華麗의 四特色을 갓추고 잇다. 그것은 歐羅巴의 文章에서 보는 精緻, 委曲, 暢達, 淸新의 趣向에 對하야 조곰도 遜色이 업다. 歐羅巴의 文章을 맛본 後에 支那의 文章에 對하면 一層 以上의 特質이 明確하여 온다. 그리고 그러한 文章을 通하여 慷慨 悲痛의 調子가 서보힌다. 不平, 不滿, 激越의 感이 툭한 線과 가치 詩文上에 흐르고 잇다. 이 點도 亦 支那 文學에서 보는 特殊한 情味이다. 以上은 主로서 散文에 대하야 말한 것인데 詩賦類에도 亦是 共通한 色彩가 强하다. 現代人이 支那 文學에 親炙하야 새로운 視線을 보혀 준다면 여러 가지의 新生命이 흐름을 거기에서 汲取할 수가 잇슬 것이다. 그것은 다만 文學上에 머믈니지 안코 社會觀, 人生觀의 우에도 여러 가지의 暗示를 보아낼 수가 잇슬 것이다.

支那 文學의 時代的 槪觀[01]

惠專 李東熙

支那 文學의 變遷을 槪觀할 때 上古, 中古, 近世의 四時代로 區分할 수 잇스니 上古는 唐虞 三代로(夏殷周)로부터 秦까지요, 中古는 漢(高祖)부터 隋까지요, 近古는 唐부터 明末까지요, 近世는 淸(建國)으로부터 現代까지를 말하는 것이다. 그런데 唐虞 時代 以前 三皇五帝 時代의 文學은 여기 말하지 안흐려고 하는 것은 이러하다는 文獻이 업기 때문이다. 網罟歌, 蜡辭, 黃帝 時代의 彈歌, 少昊 時代의 皇娥歌가 잇다고 하나 차저볼 수 업다. 그래서 支那 文學史의 첫페—지는 唐虞 時代부터 始作되엇다고 볼 수 박게 업다.

一. 唐虞文學(上古時代)

唐虞文學은 夏殷周를 中心으로 發達햇으며 特히 周에 와서 唐虞文學의 黃金 時代를 이루엇다. 實로 戰國 時代의 學者, 思想家는 모다 周文學의 影響을 만이 바덧으며 支那 文學의 根源을 이루엇다고 볼 수 잇다. 唐虞 三代

---

01 『每日申報』1940.12.1, 4면.

時代의 文學은 主로 詩歌 方面에 發達햇다고 볼 수 잇다. 周의 文化, 周의 風俗, 周의 人情을 노래한 詩經이 잇으며 다시 이것을 風. 雅, 頌 三種으로 分類되엇다. 風은 當時 十五國의 民謠요, 雅는 朝廷의 樂章이요, 頌은 祭祀에 쓰히는 詩다. 大體로 抒情詩에 屬하며 詩體는 三言 五言도 잇으나 大部分 四言으로 되엇다. 詩經은 支那 詩文學의 中心이라고 할 수 잇는 것이다. 다음 詩經 外에 伯夷 叔齊의 『探薇歌』, 箕子 『麥秀歌』가 잇다. 後者는 『麥秀漸漸禾黍油油』라고 四言으로 되어 잇다.

다음 文章은 詩에 比하면 처지는 感이 잇다. 作家는 貴族의 地位가 大部分이며 殷에 伊尹, 箕子, 微子 等이 잇고 周에는 周公, 召公, 榮伯 等이 잇다. 以上의 作家로서 오늘날까지 傳하는 것은 周公의 牧誓, 大誥가 잇고 微子의 誥, 箕子의 洪範, 召公의 君奭 等이 잇스니 모다 書經속에 集成되어 잇다.

다음 春秋 時代에 드러가 孔子, 老子의 二大 先驅者를 中心으로 發達되엇다. 孔子, 老子는 思想的으로 對立되엇스나 目的은 治國 平天下에 잇섯슴으로 各其 다른 人生觀, 世界觀을 主張하고 政治哲學, 社會哲學, 道德哲學을 베푸러 治國 平天下에 힘썻든 것이다. 當時 學者와 思想家를 思想的으로 大別해보면 孔子派에 孟子, 曾子, 楊子, 非子, 墨子, 荀子를 칠 수 잇고 老子派에 莊子, 列子를 들 수 잇다.

그런데 周文學에 反하야 春秋 時代에는 散文이 發達햇다고 볼 수 잇다. 孔子의 『春秋』語錄으로 詩 三百篇, 十翼 等이 잇고 孟子의 『孟子』, 楊子의 『快樂哲學』, 孫子의 『法家哲學』, 荀子의 『勸學篇』이 잇스며 老子의 『道德經』, 莊子의 『莊子』(逍遙篇, 齊物論, 養生主, 人間世, 德充符, 大宗師, 應帝王)가 잇스며 其外에 孔子의 弟子의 筆錄으로 『論語』가 잇고 孔門의 學者의 著作으로 『大學』, 『中庸』, 『孝經』이 잇스며 春秋三傳, 國語, 國策, 儀禮, 周禮, 爾雅, 晏子春秋가 잇스니 散文으로는 불만한 것이 만엇스나 詩歌에든 겨우 屈原의

『九歌』,『九章』等 二十五篇, 荀鄕[02]賦 十篇이 잇스니 漢代의 賦, 六朝時代의 騈語, 唐詩, 宋의 詞, 元의 曲의 先頭를 이루엇다.

二. 漢代文學(中古時代)

漢代를 前漢, 後漢으로 노나보면 兩漢 五百年 間에 詩賦와 歷史文學이 發達햇다고 볼 수 잇다. 後漢文學은 前漢文學보담 氣力이 업섯스니 前漢 時代에는 老子, 印度思想과 孔子 儒敎思想의 混沌된 時代엿슴으로 純文學을 볼 수 잇섯스나 後漢 時代에 드러가서는 文學을 道德으로 利用하고 말엇기 때문이다.

前漢 時代의 司馬遷의 『司記』, 司馬相如의 『詞賦』와 散文 詩人으로서는 枚乘, 李陵, 蘇武가 잇고 評論家의 楊雄의 『大[03]玄』이 잇다. 後漢에는 班固의 『漢書』와 詩人에 王逸이 잇슬 따름이다.

다음 六朝 時代는 吳, 東晉, 宋, 梁[04], 陳을 말하는 것이니 前漢으로부터 隋末 約 四百年 間인데 魏, 吳, 蜀의 三國이 對立되여 其中 魏가 勢力이 第一 잇섯스며 六朝文學上 貢獻이 크다고 볼 수 잇다. 一世의 姦雄이라고 하는 曹操로부터 鄴下七子 等의 詩人이 잇섯다. 蜀代에는 諸葛亮이 잇스며 吳代에는 華覈과 韋昭가 잇스니 六朝 時代는 詩文學이 主로 發達햇다고 할 수 잇다. 魏代 다음 晉代에 드러가서 老莊思想을 바든 阮籍 이는 所謂 竹林七賢을

---

02 '鄕'는 '卿'의 오식이다.

03 '太'자의 오식이다.

04 '宋, 齊, 梁'이어야 한다.

代表하고 田園詩人으로 陶淵明이 잇으니 詞賦와 文章도 꽤 發達햇다. 그리고 宋代와 齊代에 드러 가서 詩壇은 좀 쓸쓸한 感이 잇섯다. 詩人으로 陶淵明과 가치 치는 山水詩人 謝靈運 等 諸家가 잇섯고 主張 修辭와 形式에 힘썻다. 梁代는 實로 南朝文學이 絶頂에 達햇다고 보겟다. 그래서 諸種 文學論. 文學 本質과 聲韻 硏究에 特色을 보엿다. 五十年 間 武帝, 文帝, 元帝는 文學을 奬勵햇고 謝眺[05], 王融의 諸家가 잇섯다. 陳代에는 詩人으로서 徐陵, 庚信 等 諸家가 잇스니 庚信은 杜甫의 先輩라 할 수 잇고 隋代에는 煬帝가 文學 奬勵를 햇고 詩人으로 羅愛愛, 秦王鶯[06] 等이 잇다. 그리고 煬帝의 『飮馬長城窟行』(未讀)은 가장 有名하다. 다음 散文에는 魏代의 劉邵의 『人物志』가 잇고 晋代에 葛洪의 『抱朴子』가 잇고 梁代에 陳壽의 『三國志』가 잇스며 宋代에 范曄의 『後漢書』가 잇고 梁代에 沈約의 『宋書』, 『三國誌』가 잇스나 詩文學보다는 뒤처젓다고 볼 수 잇다.

三. 唐文學(近古時代)

唐初로부터 明末까지를 말하는 것이며 支那 文學의 『루내산쓰』期라고 볼 수 잇다.

太宗은 佛敎, 儒敎를 保護하엿고 思想界, 文學界에서는 新氣流가 흘럿다는 것을 엿볼 수 잇는 것이다. 이야말로 漢人種의 全盛期요, 文藝의 黃金期

---

05 '眺'는 '朓'의 오식이다.

06 오식으로 보이며 羅愛愛와 秦王鶯은 확인되지 않는 인물들이다.

라고 볼 수 잇다. 文章으로는 韓愈, 柳完元[07], 詩로서는 初唐四傑로부터 杜甫, 李白, 王維, 孟浩然, 岑參, 元穎[08], 白居易, 杜牧 等 天才詩人의 大集成이라고 볼 수 잇다. 詩를 唐文學의 中心으로 하고 初唐(高祖──百年 間), 盛唐(玄宗 元年──六十年 間), 中唐(代宗──六十年 間), 晚唐(宣宗 元年──唐亡까지 六〇年 間) 四期로 區分할 수 잇다. 其中 中唐, 盛唐 時代가 詩의 全盛期라고 할 수 잇다. 初唐詩人은 所謂 初唐四燦 等이요, 盛唐에는 李白, 杜甫, 王維, 孟浩然이요, 中唐에는 白居易, 韓愈, 柳完元이요, 晚唐에 杜牧 等 有名한 詩人의 一大 集成이라고 할 수 잇다. 唐文學은 두 말도 할 것 업시 詩歌가 中心이 되엿고 文章은 韓愈, 柳完元 等이 잇스며 이 小說에 『遊仙窟』 等이 잇다. 다음 宋代에 와서는 文章中心, 經史本位 時代라고 보겟다.

文章은 韓愈의 傳統을 바든 歐陽修가 잇고 詩人으로 李白 以上이라고 하는 王安石이 잇고 所謂 三蘇 中에 蘇東坡가 雄이엿다. 또 蘇東坡를 師로 하고 所謂 江西派의 開祖 黃庭堅이가 잇섯다.

宋室이 亡하고 金代에 드러가서는 別로 文學으로서 볼 것이 업고 元代에 드러가서 小說, 戲曲이 流行하엿다. 品語體로 始作되어 所謂 渾詞小說이 流行하며 『宣和遺事』와 『水滸傳』, 『演義三國誌』의 二大 歷史 長篇小說이 잇고 著者는 明白치 안으며 戲曲에 高則成의 『琵琶記』, 王實甫의 『西廂記』의 歷史的 傑作이 잇다.

明代에는 宋濂의 『○山雜音[09]』과 『西遊記』, 『金瓶梅』, 『續虞初志』 等이 잇스며 戲曲으로 湯顯祖의 『玉茗堂回夢』, 『牧丹亭還魂記』 等 著名한 傑作이라

---

07 '柳宗元'의 오식이다. 아래도 마찬가지다.

08 '元稹'의 잘못이다.

09 확인되지 않는 작품이다.

고 할 수 잇는 것잇다.

四. 淸代文學(近世時代)

淸代의 詩壇에서 神韻派와 性靈派서 對立되엿다. 淸初의 詩는 宋元代의 詩風에 化할 傾向이 잇음으로 王士禎이는 格調派에 對하야 神韻說을 主唱하고 『詩음一致』.『詩畵一致』의 主義를 實現하도록 힘섯다.

著作으로 『唐賢三昧集』이 잇다. 다음 王士禎의 姪婿에 趙執信의 『大[10]白酒樓歌』가 有名하다. 다음 乾隆 詩壇에는 袁枚가 잇으니 王士禎의 神韻說에 反對하야 性靈說를 主唱했다.

詩의 解放을 實現하기 때문이다. 才氣는 蘇東坡을 聯想하는 奇想妙思한 詩가 만코 가장 『菩陀寺』라는 詩가 有名하다.

袁枚 外에 趙翼, 蔣士銓의 二人을 들 수 잇다. 다음 現代 支那 詩壇이 槪觀하기는 퍽 어려운 것이다. 왜야하면 黃庭堅의 江西派를 딸는 舊派와 새로 이러난 新派가 對立된 때문이다. 그런대 나는 新派를 主로 말하기로 한다. 新派는 在來의 舊派의 詩에 對면 格調上, 思想上으로 훨신 自由로워젓다. 第一 먼저 梁啓超의 『愛國歌』를 들 수 잇고 歐米, 日本에 留學한 黃遵憲의 『日本雜事詩』, 『今別離』四章이 잇다.

다음 中華民國에 이르러 白話詩運動이 이러낫다. 內容 革新보다 形式의 革新이라 볼 수 잇스며 先唱者는 胡適, 陳獨秀, 蔡元培 等의 功을 이즐 수 업다. 以外에 周作人, 康白情 等 白話詩人이 잇고 作品으로서 胡適의 『嘗試集』

---

10 '太'의 오식이다.

(未讀)이 有名하다고 볼 수 잇다.

다음 小說은 在來의 奇怪, 不自然한 傾向은 업서 가지고 現實味를 加味햇다는 것이다.

淸初에 長篇小說 『紅樓夢』(作者 不明)에는 래알리즘이 豊富하다고 할 수 잇다. 이 外에 袁枚의 『子不語』, 魏子安의 『花月痕』 等이 잇다.

戱曲으로는 李漁의 『風箏誤』, 孔尙任의 『桃花扇』, 蔣士銓의 『四絃歌[11]』 等이 잇다.

다음 支那 現代小說, 戱曲도 詩와 倂行하야 新思想, 新形式으로 表現하기를 努力하는 中이다. 그래서 大部分 歐米的이고 東洋的 作品을 볼 수 업는 것이다. 詩와 가치 白話文運動이 이러낫스니 先驅者는 亦是 胡適이며 『建設文學革命論』에 現代語로 詩와 小說과 戱曲을 쓸 것을 力說햇다. 이 外에 郁達夫, 趙景深, 魯迅, 鄭振鐸 等이 잇고 作品으로 魯迅의 『阿Q正傳』, 郁達夫의 『沈淪』 外 數十名 作家의 佳作이 잇다.

다음 戱曲에 演劇 革新을 主唱하는 余上沅의 『國馴과 建設』이 잇고 田漢, 陳大悲 等이 잇다. 그런데 아주 近代 어떤 內地 出版 雜誌에서 現今 支那 文學에는 排日 文學派와 平和派가 分立되엇다는 것을 읽은 일이 잇다.

---

11 '四絃秋'의 잘못이다.

1941년

中支 文化의 諸 團體[01]

上海學人

中日文化協會(南京)

이것은 南京政府 自身은 舊組織의 再健이라고 하지만 全然 新組織이라는 便이 正當하다. 昨年 七月 二十八日 南京서 盛大히 發會式이 擧行되였다. 發起人은 汪精衛, 褚民誼, 林柏生, 傅式說[02], 趙正平 及 諸 靑來 等 堂堂한 巨頭이다. 協會長은 日本側은 阿部 前大使, 支那側은 汪精衛 主席인데 文字 그대로 日支 名士의 總動員이다. 그것만도 官僚的인 氣香이 높다. 其 目的은 日支提携, 善隣友好, 共同防共의 三大原則에 基하여 中日 兩國 文化의 疎通, 雙方 朝野人士의 融和와 東洋文明의 發揚으로부터 善隣友好의 目的에 達하는 것이라고 說明하고 있다.

中華電影公司(上海)

이 會社의 立案者는 軍 囑託 結城禮一郎氏이다. 同氏의 立案으로 根岸寬

---

01 『三千里』 제13권 제4호, 1941.4.

02 '傅式銳'의 잘못이다.

一氏 等의 힘으로 設立되었는데 中支 唯一의 日本人의 映畫製作所이다. 設立은 昭和 十四年 七月, 資本金은 壹百萬圓. 專務 取締役은 川喜多長政氏인데 同氏는 有名한 川北配給所의 所長이다. 最近 文化映畫製作所를 完成하여 盛히 製作에 着手하였다.

武漢靑年協會(漢口)

漢口 占領 直後에 陸軍 報導部의 指導下에 成立된 文化團體이다. 目下 主宰者는 岸富造氏, 吉田吉三郎氏 等인데 雜誌 「文藝」를 發行하는 한편 靑年 叢書도 出版하고 있다.

中國婦女協進會(浦東)

海軍의 保護下에 楊嘉香과 山岸多嘉子女史의 獨力 經營하고 있는 女性을 主로 하는 支那 民衆의 敎化團體이다. 浦東에서 授産所를 經營하는 外 英祖界 南京路에서 「嘉惠日語學校」라는 日語 敎習所를 열고 있다. 最近은 浦東 授産所의 製作品을 가지고 日本에 와서 빠자—를 開催하고 또 支那 女性 數名을 다리고 東京, 大阪 其他 各地에서 座談會, 講演會를 開催하는 等 盛히 活躍하고 있다.

大陸新報(新申報)

上海에 있어서 陸軍 報道部의 指導下에 成立되었다. 社長은 福家俊一氏가 就任하였다. 新申報는 그의 中語版이라고 해도 좋다. 興亞院 方面에서 補

助金이 支給되여 있다.

揚子江社(上海)

綜合雜誌「揚子江」을 發行하기 爲하여 成立된 出版社이다. 社長은 坂名深藏氏로 昭和 十三年 十二月 以來 雜誌를 發行하며 또「上海激戰十日間」, 「戰場詩集遺書」, 「東亞의 解放」等 單行本을 出版하였다. 當局의 補助金이 나온다.

蘇州文學會(蘇州)

昨年 여름 上海의 長江文學會와 前後하야 文化的 環境에 惠澤을 입지 못한 蘇州에서 黑木淸次氏 等의 熱心과 努力으로써 만드른 文學會이다.

———끗———

滿洲 新文學과 作家群像[01]

吳菁蕙

먼저, 滿洲文學의 歷史를 固[02]顧할 때 새로운 文學의 搖籃期는 지금으로
부터 十七八年 前이 될 것인데 當時 奉天을 中心으로 하고 各 漢字新聞에
새로운 作品이 많이 登場되었었다. 그 後로 二, 三年 되자 奉天에 文學研究
會, 啓明學會라는 文學團體가 생겨나 前者는 學生을 中心으로 하고 「奉天學
生」이란 定期 刊行物을 내엇고 後者는 學校 敎員과 各 機關의 下級 職員으
로서 되어 「啓明學報」라는 定期 刊行物을 發行하였는데 다시 그 뒤를 이어
春潮社니, 東北文學研究會니 하는 團體가 생겨나서 活動을 하게 되었으며
各地의 新聞도 또한 文藝欄을 設하고 新鮮한 詩며 小說을 揭載하게 되였다.

當時의 作品을 槪觀하면 諸種의 傾向이 있기는 했지만 大體로 「로맨티시
슴」이 主流였다고 볼 수 있다. 當時에 나타난 文學 書籍에 「夜船」이니, 「長
虹」이니, 「關外」, 「鮮血」, 「情歌」라 한 것이 있어 그 題目만으로라도 그 傾向
을 엿볼 수 있다. 그래서 靑年 男女의 戀愛라던지 日常生活 가운데에 이러나

---

01 『朝光』 제7권 제6호, 1941.6.

02 '回'자의 오식이다.

는 여러 가지 事實을 잡아 젊은 사람다운 感情으로 詩며 小說을 쓴 것인데 말하자면 이것이 滿洲 新文學의 第一期였다.

그 後 日本에서는 푸로文學이 勃興했든 것인데 이것이 支那의 文學에도 큰 影響을 끼쳤고 이어서 滿洲에도 미치게 되였다. 그래서 從來와는 사뭇 傾向을 달리한 作品이 나타나게 된 것이다. 그 代表的인 것에는 丁煥文이란 作家가 있으니 그는 當時의 滿洲 農村의 恐慌을 題材로 해서 많은 小說을 썼다. 또 이 外에도 事變 前의 軍閥戰爭을 題材로 한 作品이 나타나게 되고 都會 勞働者가 題材에 오르게 되였다. 이와 같이 滿洲의 詩人 作家들이 겨우 自己네 周圍를 注目하고 現實이란 것을 굳게 把握하랴는 方向에 나가게 된 것은 極히 注目할만한 일이다. 그 後의 滿人文學은 이것을 繼承해서 그 方向을 發展시킨 것이라고 理解할 수 있다.

그리자 滿洲事變이 생겼다. 滿洲 各般의 情勢에는 現著한 變革을 보게 되였다. 그 變革이 너무나 激烈했기 때문에 文學 같은 것은 한때 窒息하고 말 것처럼 보였섰다. 그러나 文學은 아주 죽지 않고 不死鳥처럼 새로운 姿態로 更生하게 되였다. 그 시절에 생겨난 한가지의 雜誌가 이 傳說 고대로 「鳳凰」이라고 命名된 것도 意味 深長하게 생각된다.

「鳳凰」은 奉天에서 出生한 新鮮味가 豊富한 文學 文化 雜誌었으나 不幸히 經營難으로 廢刊이 되고 그 뒤로 역시 奉天에서 協和會 關係의 젊은 사람들로 「新靑年」이란 것이 發行되었는데 이것은 지금도 繼續되고 있다.[03] 이 外에 文學關係 雜誌로 新京에 「明明」, 奉天에 「興滿文化月報」 等이 있다. 그리고 新京에 「文學新刊」이 있는데 이것은 支那側 作品의 再錄과 滿人作家

---

03 서두에서 여기까지 내용은 大內隆雄, 「滿系文學의展望」, 『滿洲短篇小說集』, 東京: 滿洲有斐閣, 1942.3과 일치하다.

의 新作을 揭載하고 있다. 다음으로 그러한 作家 中 代表的인 몇 사람과 그의 作品을 보기로 하자.

何醴徵[04]——現在 시골 小學校 教員으로 있는 作家인데 그 作品에는 農村의 素朴하고 着實한 어느 點으로 愚昧하다고 볼 수 있는 人物들이 자미있게 描寫되어 있다. 例를 들면 刻苦 勉勵해서 二三百兩 돈을 모아 장가를 드렸다. 그런데 얼마 안가서 자식을 낳는다. 그 자식이 病이 든다. 이러해서 말하자면 獨身 時代 以上으로 苦生을 맛보게 된다. 게다가 나이를 먹어 늙게 되면 일도 못하게 된다는 이야기다. 即 現在에도 農村에 나마있는 封建的인 것, 거기에 억매여 사람들이 얼마나 괴로움을 당하고 있는가 이러한 테—마를 그는 主로 描寫한다. 능난한 편은 못되나 滿洲 農村 生活의 實相이 極히 寫實的으로 生生하게 描寫되었을 뿐 아니라 重嚴한 滿洲人의 民族性이라 할까 이런 것이 適確히 表現되어 있어 매우 與味 깊다고 할 수 있다.

今明——그에게 「風夜」라고, 題目한 單行本이 있다. 吉林 사람으로 新京에도 있은 일이 있은 젊은 作家다. 何禮征을 農村 作家라고 한다면 今明은 都會의 作家라고 볼 밖에 없다. 그의 作品에는 主로 都會生活의 젊은 男女가 그려 있으며 또는 都會 勞働者, 浮浪者를 主題로 한 作品도 있는데 이 亦是 滿人文學의 一面을 代表하는 作家라고 할 수 있다.

文泉——今明과 같은 傾向의 作家다. 關東州 사람인데 「賭[05]徒」라고 題한 大作이 있다. 그도 또한 何禮征처럼 師範校 出身이니 젊은 作家에 小學校 先生이 많은 事實도 注目할만한 일이다. 그런만치 純眞한 데가 있어 眞實하게 文學의 길을 밟는 그들의 心志가 느껴진다.

---

04 '何禮征'의 잘못이다. 이하 다른 곳은 정정하였다.

05 '賭'의 오식이다.

그 다음 最近에 活動하고 있는 作家로서 古丁, 疑遲, 小松, 石軍[06], 爵青, 夷馳[07], 田兵 等 諸家가 있다. 이 中에 古丁은 「奮飛」, 疑遲는 「花月集」, 小松은 「蝙蝠」이라고 題한 作品集이 城島文庫에서 刊行되어 있다. 모두가 滿洲의 各 方面에서 題材를 取한 것인데 리알리즘의 軌道에 오른 作品이다. 例를 들면 古丁의 「原野」라는 中篇이 있는데, 이것은 日本의 大學을 卒業하고 滿洲로 도라온 平凡한 一 人間이 어떻게 해서 官吏가 되었으며 어떤 일을 했고 어떤 女子와 어떠한 戀愛를 했으며……하는 人間 一代의 歷史를 敍述한 것이다. 이러한 가운데 滿洲의 面目이 躍如하게 나타나 있다. 田兵의 「阿了式」이라는 作品은 滿洲에 와서 悲慘한 生活을 하고 있는 白系 露人의 一 家族을 어느 조그만한 飮食店을 舞臺로 하고 그린 것인데 이것은 和譯으로 某誌에도 揭載된 것이다.

小松의 作品 「洪流的蔭影」라고 하는 것은 某 會社의 飜譯係에 있는 한 靑年, 그리고 그의 친구들의 生活, 主人公과 한 女子와의 交涉, 그 會社 社長, 工場長 이러한 人物 틈에서 이러나는 事件, 그런 후에 그 靑年이 相對의 女子를 殺害하기에 이른 經緯를 그린 것인데 여기에는 都會에서 사는 滿洲人들의 生活이 뒤불그러저 있다.

石軍의 「黃昏的江潮」는 松花江 나루 뱃사공들의 生活이 그려 있다. 生活苦와 무서운 鬪爭을 계속하고 있는 뱃사공들의 모양이 모진 바람에 크게 물결지는 松花江의 흐름을 背景으로 하고 巧妙하게 描寫되어 있다. 夷馳의 「浪淘沙」에는 길 떠난 젊은 사나이의 感懷, 그의 少年 時代의 追憶이 興味깊게 그려 있다.

06　앞에 나오는 '文泉'의 다른 한 필명이다.

07　앞의 '疑遲'와 동일인이다.

陸林의 「鄉村的核⁰⁸子」를 보면 農村의 어린이들이 純眞하게 노래 부르며 뛰노는 모양이 그려 있으며 그 背後에는 農民들의 生活相이 여러 조각으로 두드러 나온다.

<hr />

08　'核'는 '孩'의 오식이다.

中國 現代詩의 一斷面[01]

李陸史

　이런 問題를 우리가 생각해 볼 때 무엇보다도 먼저 머리 우에 떠오르는 것은 中國의 現代文學이란 全面的 問題를 위선 念頭에 두고서 考察해 보지 않으면 안된다는 것은 「文學革命」에서 「革命文學」에란 中國 現代文學의 一大 轉換이였던 때문이다. 다시 말하면 民國 十四年의 「五州[02]事件」이 이러나기까지는 所謂 「文學建設」의 時機이였으므로 自然히 技巧 方面만을 重視하게 되었지만 이때부터는 文學이란 그 自體의 內容이 要求되지 않을 수 없었다. 그래서 이때까지는 로―만리슴의 단꿈을 그리며 象牙塔 속에 들어 앉어 閒日月을 노내던 文學人들도 이 時代的 激流에 휩쓸려서 十字街頭로 걸어 나오지 않을 수 없었다. 그러면 여기서 다시 新文學 建設의 時代로 올나가서 現代詩의 發展 過程을 더듬어 보는 것이 現代 中國詩壇을 理解하는 捷經일 듯하다.

　그러면 現代 中國詩는 그 發展 過程에 있어 어떠한 길을 밟어왔느냐 하면

　『春秋』 제2권 제5호, 1941.6.

02　'州'는 '卅'의 오식이다.

먼저 詩體를 破壞하는 데 重要한 意義가 있었다. 그것은 一切의 散文이 四六騈體를 無視한 것과 같이 現代詩는 이때까지의 中國詩가 가지고온 生命이며 傳統인 五言 七律의 形式을 完全히 抹殺하는 데 있었다. 따라서 詩體의 解放이란 中國의 新文學 建設의 初期에 있어서 主要한 問題의 한 개이였던 만큼 新文壇에서 그 生長도 小說이나 戱曲에 比하여 훨씬 더 빨랐다. 그러나 그 當時의 新詩 即 白話詩는 한 개 作品으로 볼 때는 어느 것이나 幼稚한 것이였으니 그 例를 白話詩의 首唱者인 胡適 博士의「嘗試集」에서 보거나 그 뒤에 나온 胡懷琛의「大江集」이나 劉大白, 劉復 等의 作品에 이르기까지 모다 어찌 어색한 것이 마치 淸朝官吏가 大禮服을 입고 呂宋煙을 피우듯 어울리지 않는 것이였다. 그러나 이 空前 無後한 胎動期를 지나서 오면 康白情, 愈平伯[03], 汪靜之, 郭沫若 等의 無韻詩라거나 謝婉瑩, 宗白華, 梁宗岱 等의 小詩 形式이 이 時代의 代表的 作品이였고 또 詩體解放 後의 가장 成功한 作品들인데도 不拘하고 비록 五言 七律의 詩體는 破壞했다고는 할망정 옛날부터 나려오던 詞에 對한 趣味를 完全히 脫脚하지 못한 嫌疑는 사람마다 指摘한 것이였다.

그러나 胡氏의「嘗試集」은 白話로 써진 最初의 詩集인만큼 現代 中國詩의 藍本인 것이고 이와 거의 同時에 詩壇에 登場한 것이 胡懷琛의「大江集」이였는데 이것은 白話로 서진 舊體詩라 問題가 되지 않으며 劉大白은「舊夢」이란 處女 詩集이 있고 그 뒤「風雲」, 「花間」, 「紅色」을 써서 四部作으로 되였으며 그 外에도「中國文學史」가 있고 그 後 復旦大學 文科 主任을 거처 國民政府 敎育 次長이 되고는 詩와는 因緣이 멀어졌으며 劉復은「楊[04]鞭

---

03 '愈平伯'의 잘못이다. 아래도 마찬가지다.

04 '揚'의 오식이다.

集」, 「瓦釜集」 等의 作品이 있으나 元來가 巴里大學의 文學博士인만큼 國立北京大學, 中法大學의 教授, 主任, 院長 等에 榮達하였고 본시 그 作品보다도 그는 音聲學의 專門家인만큼 그 方面의 貢獻이 더 큰 것이다.

그러면 지금부터 보다 더 現代詩를 進步시킨 無韻派를 찾어보면 代表的인 사람들로는 康白情, 愈平伯으로 康은 「艸兒」를 愈[05]는 「冬夜」를 내놓은 것이 이 派의 最初의 刊物이고 또 詩壇에서 相當히 重視되었다.

그리고 이들 中에도 汪靜之와 郭沫若은 抒情詩로서 有名했는데 이 두 詩人은 어느 點으로나 對遮的인 處地에서 볼 때 興味를 느낄 수 있는 것은 郭沫若의 「女神」이 全體의 運命을 爲하여 모든 情熱을 기우리는 데 比해서 汪靜之의 「蕙的風」은 大膽하게도 한 個人의 靑春에 情火를 噴出하는 것이였는데 이 두 詩人의 成功 不成功은 且置하고 何如間에 當面한 時代의 暴露者였다는 點에서 볼 때 어느 때나 共通된 「하ー트」의 所有者였다는 것은 否認하지 못하는 것이다.

旣往 無韻詩라는 말이 났으니 한 말 더하여 둘 것은 沈尹默(一八八二)의 存在인 것이다. 그는 浙江省 吳興縣 사람으로 나종 北大 教授로 [06]平大學 校長까지 지냈지만 그의 作品이 民國 六年에 「月夜」로 出版되었을 때 新體詩로서 相當히 評價될 條件이 具備된 것이었으며 實로 無韻詩의 最初의 出版物이였다. 그리고 지금이야 有名한 周作人도 그 時代는 詩를 써서 「小河」라는 當代의 名作을 發表하였고 詩集으로 「過去的生命」이 있는 것은 記憶해 둘 바이나 그는 亦是 유ー모러스한 小品文에 長處가 있는 것이며 日本文學研究家로서 生命이 더 긴 것이다.

---

05 '愈'의 잘못이다.

06 '北平大學'이어야 하며 '北'자가 누락되었다.

그 當時에 小詩를 쓰던 사람으로는 누구보다도 閨秀詩人 謝冰心을 찾어야 한다. 그는 一九〇三年에 福建省 閩候에 나서 燕京大學을 마치고 아메리카의 웰즈레―大學인가 단일 때 「晨報副刊」에 「寄小讀者」라는 兒童 通信文을 써서 有名해졌고 詩集 「春水」, 「繁星」이 있으며 때로는 小說도 쓴다고 하나 본 일이 없고 그의 告白에 들으면 自身 印度 詩聖 타―골의 影響을 받은 바 크다는 것이다. 詩人으로 다른 詩人의 影響을 받는 것이 옳고 그른 것은 그 自身이 아닌 以上에 말할 바 아니나 旣往 影響의 이야기가 났으니 말이지 바로 이 派에 屬하는 宗白華야말로 그 自身의 告白과 같이 그 詩集 「流雲」에도 꾀―테의 냄새가 적지 않게 發散하는 것이다. 그런 만큼 詩境의 淸新함을 높이 헤아리는 수 있으나 格調가 往往히 陳腐함은 이 詩人이 얻는 것도 적지 않은 대신 잃은 것도 컸었다. 그다음 「毀滅」과 「踪跡」을 世上에 보내서 알려진 朱自淸이 있다는 것은 잊어서 안될 것이다.……(이 詩人을 爲해서는 後日 具體的인 것을 써볼가 한다.)

이 時機에 누가 重要하니 어떠니 해도 中國의 現代詩를 詩로서 完璧에 가깝도록 쓴 사람은 徐志摩라고 한다. 이때에 新詩를 쓴 사람이 모다들 新人인데 比해서 先輩 作家로서의 徐志摩는(一八九九――一九三一) 浙江省 海寧縣에 낳고 일찍 英國 劍橋大學을 마치고 國立中央大學과 北京大學에서 敎授를 歷任했고 作品으로는 「志摩的詩翡」, 「冷翠的一夜」[07], 「猛虎集」, 「雲遊集」 外에 散文集으로 「落落[08]」, 「自剖」, 「巴里的鱗爪」가 있으며 幾部 戲曲과 飜譯이 있고 民國 二十年 가을 上海서 北京으로 오는 途中 濟南서 飛行機의 故障으로 떨어저 죽자 全國 文壇으로부터 非常히 哀惜해마지 않었다. 뿐만 아

---

07 「志摩的詩」, 「翡冷翠的一夜」로서 홀낫표의 위치들이 잘못되었다.

08 '落葉'의 잘못이다.

니라 그의 生前에 있어 남들이 指目하기를 志摩는 한손으로 中國 新詩壇을 奠定한 「詩哲」이라고 했고 現代詩의 棟樑이라고 한 것은 비록 過分한 評價 일른지는 모르나 그의 現代 中國詩壇에의 位置는 누구나 否認치 못할 것이 다. 따라서 그가 中國의 現代詩壇에 남긴 것도 그 內容 方面보다는 또한 形 式과 技巧 方面에 있는 것이니 用韻이나 排列에 있어 新規律을 創造한 獻만 이라도 中國詩壇 全體로 볼 때에는 實로 歷史的 貢獻이라고 아니할 수 없는 것이다. 그러나 思想 方面으로 보면 마침내 幽閉詩人을 免치 못했다는 것은 그의 生活環境과 社會的 地位가 그로 하여금 한 걸음도 實際社會의 眞實面 에 부다치게 못하고 個人主義의 孤城 속에 幽閉시키고 만 것이였다. 그러나 그의 作品을 보면 現實의 紐帶에 말리는 사람들을 爲하여 往往히 同情과 憐 憫을 볼 수 있다는 것은 單純히 이 詩人의 幻覺만이 아니고 中國社會의 그 時代的 性格과 文壇 全體의 動向을 짐작해 볼 때 이 詩人의 휴매니티를 재 여 볼 수 있는 것이다.

拜獻

산아 네 웅장함을 찬미해서 무엇하며
바다 네 광활함을 노래한들 무엇하랴.
풍파 네 끝없는 威力도 높이보진 않으리라.
길가에 버려지면 말할 곳도 없는 孤兒寡守
눈속에도 간신히 피려는 적은 들꽃들과
사막에선 돌아가길 생각해 타죽은 어린 제비
그를! 宇宙의 온갖 이름 못할 不幸을 어엽비해
나는 바치리 내 가슴속 뜨거운 피를 바치련다.

1941년 193

힘줄에 흐르는 피와 靈臺에 어린 光明을 바처
나의 詩──노래 가락도 嘹喨한 그 동안만이라도
하늘 밖에 구름은 그를 위해 질기운 비단을 짜리
길─다란 무지개 다리가 이러나고
그들로 끝끝내 逍遙할 수 있다면야
嘹喨한 노래 가락에 끝없는 괴롬을 살어지게 하리.

再別康橋

호젓이 호젓이 나는 돌아가리.
호젓이 호젓이 내가 온거나 같이
호젓이 호젓이 내 손을 들어서
西쪽 하늘가 구름과 흐치미라.
시내ㅅ가 느러진 금빛 실버들은
볕에 비껴서 新婦냥 부끄러워
물결 속으로 드리운 고흔 그림자
내 맘속을 삿삿치 흔들어 놓네.
복사 위에는 보드란 풋 나문 잎새
야들야들 물밑에서 손질 곧 하고
차라리 「康橋」 잔잔한 물결 속에
나는 한 오리 그만 물품[09]이 될가.

09　'물풀'의 오식이다.

느릅나무 그늘 아래 맑은 못이야
바투 하늘에서 나린 무지갤러라.
浮萍草 잎 사이 고히 새나려와
채색도 玲瓏한 꿈이 잠들었네.
꿈을 찾으랴 높은 돋대나 메고
물풀 푸른 곳 따라 올나서 가면
한 배 가득히 어진 별들을 실어
별들과 함께 아롱진 노래 부르리.
그래도 나는 노래 좇아 못 부르리.
서러운 이별의 젓대소리 나면은
여름은 버레도 나에게 고요할 뿐
내 가는 이 밤은 「康橋」도 말 없네.
서럽듸 서럽게 나는 가고 마리.
서럽듸 서럽게 내가 온 거나 같이
나의 옷소맨 바람에 날며 날리며
한 쪽 구름마저 짝 없이 가리라.

(年 十一月 六日 中國 海上)

　이 以上 더 志摩를 譯해본댔자 그것은 나의 精力의 虛費 外에 아무것도
아니란 것은 元來에 이 詩人의 妙味가 白話를 歐羅巴의 言語 使用法과 같이
不斷히 單語를 顚倒해 섰는 데 있고 白話로 읽을 때에 韻律과 格調를 우리
말로 移植하기는 여간 困難한 것이 아니다. 이만하고 두기로 하며 本意로는
좀더 많은 作品을 譯해서 한 사람의 詩를 完全히 理解토록 하고저 했으나 筆
者의 時間과 生活이 그다지 餘裕가 없는 것과 才能이 不足함을 深謝해 두며

이 外에도 朱湘, 卞之琳, 王獨清 等 有數한 詩人들의 中國 現代詩壇에 남겨준 功績과 作品에 對하여 大槪나마 紹介해 보려던 것이 뜻대로 되지 못했으나 다음 機會에 미루기로 하고 이 稿를 끝내지 않는 것이다.

(四月 二十五日 夜於 元山 臨海莊)

現代 中國文學과 西洋文學[01]

裵澔

一. 林語堂의 말

過去 三十年 間 中國은 文學과 思想에 있어서 西洋의 影響을 많이 받은 것은 分明한 事實이다. 西洋文學이 豊富한 點에 있어서 一般的으로 優秀함을 認定하게 된 것은 文字의 나라로 自處하는 中國으로서는 不快를 禁치 못한다.……

過去 二千年의 歷史를 通해서 未曾有의 一大 變革을 形式과 內容에 있어서 中國文學은 經驗한 것이다. 外國의 直接 影響에 依해서 口語가 文學 形式으로써 그 本來의 地位를 도리키고 이 言語 解放이 모다 西洋 精神에 저진 사람들로 提唱된 것이다.……

勿論 影響을 받는 便보다 주는 便이 幸福한 것이다. 그것은 이러한 變化와 함께 混沈이 쫓는 까닭이다. 進步도 좋지만은 거기에는 苦痛이 있고 그 뿐 아니라 進步에는 恒常 醜한 一面이

01 『春秋』 제2권 제6호, 1941.7.

있다. 今日의 젊은 中國人의 心裏에 繼續되고 있는 知的 擾亂으로 말미암아 그들은 思想의 重心點을 잃고 愉快한 常識을 잃어버렸다. 新舊 二面을 調和하는 課業은 一般 人間에게 너무도 過한 責任이다. 따라서 現代 支那 思想은 極히 그 思考가 淺薄하고 變德쟁이고 貧弱한 點이 그 特徵이다.[02]

이것은 林語堂이 西洋文學의 影響을 받은 現代 中國文學의 三十年 間을 如實하게 또 苛酷할만치 表現한 말이다.

事實上 三十年 間에 허둥지둥 最少限으로 明治維新 七十年 以來의 過程을 좇이려고 한 그 努力 奮鬪는 말할 수 없고 따라서 不自然한 樣相을 많이 남긴 것도 勿論이다. 그러므로 自然히 三十年 間의 文學의 性質은 모다 吶喊이고 彷徨이고 罵倒이고 疾狂이었다. 그러나 反面에는 그러할수록 文學的 熱情이 많이 燃燒하였다고 하겠다. 泥海와 같은 封建的 環境, 精神의 貧弱, 物質의 貧困, 弱者의 悲哀. 이런 데서 그 몸을 救出하려고 한 것이 그 文學精神이였고 또 西洋文學을 배우려고 한 것이다.

二. 文學革命

文學革命은 根本에 있어서 語文一體 運動인데 白話體를 標準으로 삼은 것이다. 第一에 胡適의 進軍나팔이 울리자 陳獨秀, 錢玄同, 劉半農, 周作人, 傅斯年 等이 呼應하여 進軍을 始作한 것이다. 이 사람들은 모다 西洋思想의

---

02 林語堂, "西洋文學之影響", 『吾國與吾民』, 世界新聞社, 1938년의 내용을 부분적으로 발췌 개괄한 것이다.

洗禮를 받은 者이었음은 勿論이다. 胡適의 「八不主義」가 곧 文學革命의 眼目인데 그 第一에 「반다시 內容있는 文章을 쓸 것」이라고 하였다. 周作人은 이 말을 이렇게 敷衍했다. [03]白話文의 難處는 內容이 될만한 感情과 思想이 必要한 것이다. 古文에서는 그런 것이 없어도 되나 白話文은 없으면 않된다. 白話文은 자루(袋)와 같아서 무엇을 넣던지 좋으나 아모 것도 넣지 않는다는 數는 없다. 또 무엇을 넣어도 原物의 形狀을 밖에서 그대로 알게 되는 것이다 云云.」[04] 그리하여 文學革命의 最高의 命題인 「國語의 文學, 文學의 國語」까지 成功하였다.

三. 林琴南의 飜譯

그러나 이 文學革命이라는 巨大한 時潮에 反對한 古支[05]派가 存在하엿음도 勿論이겠다. 그 中에도 支[06]學者 林紓[07](字 琴南)이라는 人物은 特異한 存在이었다. 그가 現代 中國文學의 萌芽에 가장 많은 盡力을 한 사람의 하나이었다는 意味에서. 그것은 그가 嚴復과 함께 淸末부터 二大 飜譯家이었던 까닭이다. 嚴復은 外國語에 精通, 英國 生物學者 학쓰레의 天演論(又名「進化와 倫理」)을 飜譯하여 眞意의 西洋 科學을 비로소 中國에 紹介한 人物이다. 民

---

03 ‘「’가 누락되었다

04 周作人, 「第五講 文學革命運動」, 『中國新文學的源流』, 北平人文書店, 1932, 110~111쪽.

05 ‘支’는 ‘文’의 오식이다.

06 ‘支’는 ‘文’의 오식이다.

07 ‘林紓’의 잘못이다.

族 啓蒙과 革命의 促進에 有力하였음은 勿論이다. 後 林琴南은 조곰도 西洋文을 解得치 못하면서 無量 前後 一百 七十一種의 小說과 戲曲, 散支[08]을 飜譯한 것이다. 林(一八五二——一九二四)은 福建 閩縣 出身으로 光緒 壬午의 擧大[09], 中學堂·大學堂의 國文 敎師를 歷任, 特히 古文에 能해서 스스로 小說도 많이 썼다. 英文學者, 佛文學者, 露文學者, 日本文學者 等에 各其 飜譯 口述케 하고 自己가 그 得意한 古文으로 받아썼다는 것이다. 그의 筆力이 빨러서 口述者가 催促을 받아 가며 飜譯했다는 것이다. 그만큼 古文에 能熟함을 보면 白話文 運動에 反對함도 首肯된다. 그러나 그의 反逆은 朝陽에 對한 草露와 같았지만 그의 現低[10]文學에 준 功績은 큰 것이 있었다. 周作人으로 하여금 「나는 從前에 飜譯小說에 있어서 林琴南 先生의 影響을 가장 많이 입었다.」[11]고 말하게 하고 初期부터의 作家로서는 그의 影響을 않받은 者가 없다. 스코트, 와싱톤, 듀—마, 섹스피아 等의 일홈을 中國人에 비로소 알려준 것은 實로 林琴南이었다.

이에 앞서서 淸末 日淸戰爭 前後부터 梁啓超의 政治小說이니 探偵小說이 古文으로 飜譯된 일이 있었지만 그것들의 內容은 文學의 意義가 적었다. 林琴南의 飜譯의 範圍를 紹介해 보면 英國 九十九種, 米國 二十種, 佛蘭西 三十三種, 露西亞의 七部 等이다. 그 紹介 作家 作品을 列擧해 보면 다음과 같다.

英國 섹스피아, 디—포, 휘—ㄹ딩, 수위프트, 램, 스티분손, 딕켄스, 스콧트, 학가—드, 콘난토일, 안토니호—프. 米國 와싱톤 아—빙, 스토우. 佛國 유—고,

---

08   '支'는 '文'의 오식이다.

09   '大'는 '人'의 오식이다.

10   '低'는 '代'의 오식이다.

11   周作人, 「『点滴』書」, 『点滴』, 北京大學出版部, 1918, 1쪽.

大듀―마, 小듀―마, 발작크. 希臘에 이쇼프, 諾威 입센, 瑞西 위쓰, 西班牙 셀판테스, 露國 톨스토이, 內地 德富健次郎 等.

作品 톨스토이의 幼年 少年時代, 椿姬, 돔베이와 子息, 데빗드·카파필드, 주리아 스시―사―, 헨리 四世, 헨리 六世, 아이방호―, 입센의 幽靈, 동기호데, 로빈송 쿠루소, 갸리바 旅行記, 新아라비아 夜話, 九十三年, 앙클·톱스·캬빈, 不如歸 等.

四. 魯迅과 周作人

다음에 말만한 飜譯은 魯迅 周作人 兄弟의 域外小說集이다. 이것도 古文으로 된 것이나, 林紓보다 文學 意識이 높다 하겠다. 그러나 讀者에 준 影響보다도 兩人이 後에 現代 中國文壇의 驍將이 된만치 그들의 外國文學의 選擇과 讀書의 部面을 參考로 窺知할 수 있겠다. 그 大部分은 동생 周作人이 飜譯한 것이고 魯迅은 合計 三十七 短篇 中 三篇을 飜譯했을 뿐이다. 여기서 周作人의 文章을 빌어서 當時 明治末 東京서 文學 修業하던 그들의 片貌를 보게 하자.

> 豫才(魯迅)는 안드레―프를 퍽 좋아했다. 내가 가장 좋아한 것은 短篇 「齒痛」 과 「絞殺만진 七人」과 「大時代의 小人物의 懺悔」뿐이었다. 當時 內地에서는 露西亞文學의 飜譯이 그다지 盛하지 않고 比較的 많이 된 것은 트루게네푸 쯤이다. 나도 熱心히 그의 作品을 모았으나 飜譯할 마음은 없었다. 每月 初면 各種 雜誌를 急速히 뒤저서 露西亞文學의 紹介나 飜譯이면 一篇이라도 사가지고 와서 保存했었다. 波蘭의 것이라면 더욱

반가웠다. 그러나 「쿼—바디스」와 「火劍」 以外에는 譯이 없어서 失望했다. 이 밖에 英獨 書目을 뒤져 苦心하여 적은 나라의 作品만 삿다.

大略 露, 波, 체크, 셀비아, 불가리아, 보스니아, 芬蘭, 洪牙利, 루—마니아, 新希臘 等이 主로 되고, 다음이 丁抹, 놀웨, 瑞典, 和蘭 等이고 西班牙, 伊太利는 그다지 注意하지 않았다. 當時 內地는 自然主義가 全盛해서 注意만에 것치고, 佛蘭西文學은 풀로벨, 못팟상, 솔나 等 諸 大家의 二三冊과 詩人 포—트렐, 베루레구의 一二冊을 삿다. 先擧한 小國의 作品은 英譯은 퍽 적었고 獨譯이 比較的 많었다.……(中略)

이들 作家 中 豫才(魯迅)가 좋아한 것은 안드레프이었다.…… 그 밖에 갈신이 있고 그의 「四日」은 域外小說集 中에 譯載되였고 「赤花」와 렐몬토프의 「現代의 英雄」과 체홉의 「決鬪」는 좋와했으나 譯하기까지는 이르지 못했다. 또 코로렝코를 퍽 좋아했으나 「마—칼의 꿈」 一篇을 譯했을 뿐이다. 콜키는 이미 有名해서 「母」와 各種 譯本이 나왔으나 豫才(魯迅)는 그다지 注意않했다. 그가 가장 影響을 받은 것은 實로 고—골이였고 「死魂」은 둘째쯤 좋와했지만 重要한 것은 短篇의 「狂人日記」, 「이방·이바노빗지와 이방·니기포롯지의 싸홈」, 「檢察官」 等을 第一 좋와했다. 波蘭 作家로 有名한 생키빗지의 「樂人 양고」 等 三篇을 나는(周作人) 域外小說集에 실렸고 그 傑作 「炭畵」도 뒤에 譯했다. 「勝利者」 「발딕크」[12]를 譯하지 못해 遺憾

---

12 '「勝利者 발딕크」'의 잘못이다.

이였다. 유모어한 筆法으로 陰慘한 것을 描寫한 것이 고—골과 생키빗지의 得意한 點이고 「阿큐正傳」의 成功도 이에 있다.(中略) 체코에는 넬다와 훌구리츠키를 豫才가 좋와했고 또 芬蘭에서는 乞人 詩人 페베린타의 小說集을 愛讀하였다. 洪牙利에는 革命戰에 죽은 詩人 페토—휘를 좋와해서 豫才는 雜誌 「阿[13]南」에 「摩羅詩力說」이라는 글을 써서 바이론 等의 사탄派를 表彰하고 페토—휘를 그 後繼者로서 讚美하였다.(後略)[14]

또 魯迅이가 一九二六年 여름에 어떠한 外國人에 한 말이 있는데 이렇게 말하였다.

「中露 兩國 間에는 期待치 않은 關係가 있고 그들의 文化와 經濟는 一種 共通한 關係가 있는 것 같다. 체홉은 나의 가장 좋와하는 作家이다. 그 外에 고—골, 투루게네프, 토스토엡스키, 콜키, 톨스토이, 안도레—트 等도 特히 좋와한다. 露西亞의 文學作品이 이미 中國語로 譯된 것은 世界의 어느 나라보다 많고 또 現代 中國에 對한 影響도 最大한 것이다. 中國 現代社會에 있어서 小說家들의 奮鬪는 퍽 以前의 露西亞 小說家들이 격근 奮鬪와 흡사하다.……」[15]

---

13 '河'의 오식이다.

14 周作人, 「關於魯迅之二」, 『瓜豆集』, 宇宙風社, 1937.3, 236~239쪽.

15 Robert Merrill Bartlett, 石孚 譯, 「新中國之思想界領袖」, 『當代』 제1권 제1기, 1928.6.15, 57쪽.

周作人의 말과 魯迅의 말의 사이에 多少 出入은 있지만 以上으로써 魯迅, 周作人 兩人을 通해 現代 中國文學이 얼마큼 스라부民族의 文學에 影響을 받었는가를 알 수 있겠다.

魯迅의 文學觀을 보면 文學은 餘裕있는 然後에 存在하는 것이고 自己가 文學을 한 것은 決코 文學 自體를 爲해 한 것은 아니라, 이것을 通해 民族을 蒙昧 無智한 因襲에서 救하려는 精神 外에 아모 것도 없었다고 한다. 그는 平生에 그다지 많은 作品을 남기지 않었지만은 이러한 精神으로 終姉한 것이 偉大하지 않는가 한다. 明治維新도 그러했고 朝鮮文學도 그러했지만 이쨋던지 西洋文學에 接觸하여 自己의 個性을 最高 水準까지 發展시키자는 無意識한 苦悶이 흘러왔다. 그 時間이 짧을 뿐이지 中國서도 매一般이었다. 魯迅의 一生이 自己 本位로 貫徹한 것을 보아도 그러하다.

五. 易卜生主義

다시 時代를 逆上해서 民國 七年 六月에 文學革命運動의 搖籃이던 「新靑年」은 易卜生(입센)特輯을 내었다. 여기 胡適이가 「易卜生主義」라는 節頭 論文을 飜譯 「人形의 집」과 함께 發表하였다. 이것은 疑心없이 文學革命의 內容的 一面이었다.

胡適이가 文學革命의 開祖요, 新文化主義의 先唱者임은 周知의 事實이나 簡單히 紹介하면 그는 米國 코롬비아大學을 卒業(哲學博士)하고 北京大學 敎授 等을 歷任하였는데 其間 新文化運動의 하나로 米國 哲學者 듀위―의 哲學을 紹介함에 盡力하였고 乃終엔 듀위―를 招聘까지 하여서 數個月 全國으로 講演하게 하였다. 그의 思想이 現代 中國 思想界에 가장 큰 影響을 가지고 있음도 여기 緣由한다. 따라서 胡適의 功績도 큰 것이었다. 그러한 胡

適은 文學 方面에서도 恒常 先驅者가 되었다. 新詩集 「嘗試集」을 내고 戱曲 「終身大事」를 씨고 外國 短篇集을 二冊 내었다. 입센主義는 그 中의 하나이었다. 입센主義도 이러한 活動의 하나이다. 그것은 노라에 對한 全的 是認이고 具體的으로 中國社會에 比較하여서 封建 桎梏를 打破하라는 絶叫이였다. 그 後 입센의 作品은 모조리 飜譯되고 新靑年과 新潮의 兩 雜誌는 男女 社交 問題니 貞操 問題니 米國의 婦人이니 하는 男女 問題에 끊침없이 登載되었다. 따라서 文學界뿐 아니라 一般 社會에도 影響이 많았다. 參政權을 云謂하는 女子도 出現하고 婦女雜誌도 盛行하였다. 노라의 問題는 오래 宿題 같이 남아 있었다. 노라는 집을 나와 어떻게 되였느냐고. 提唱한지 五年도 못 되여서 魯迅은 北京女子師範大學에서 「노라의 그 後」라는 題目으로 講演을 하고 이렇게 結論하였다.

> 「노라는 꿈을 깨여서 다시 容易하게는 夢境으로 도라갈 수 없어서 집을 나간 것이다. 그러나 나간 後는 墮落 아니면 다시 도라왔던지 했을 것이다. 그렇지 않으면 그는 覺醒한 精神 外에는 무엇을 가지고 나갔느냐? 그는 트랑크도 있어야 할 것이고 金錢도 있어야 할 것이다. 꿈은 좋은 것이다. 그렇지 않으면 金錢이 要緊한 것이다.」[16]

이것은 五卅事件을 契機로 魯迅의 結論과 함께 노라는 時流에 떠내려 가고 말았다.

16　魯迅 강연, 陸學仁·何肇葆 기록, 「娜拉走後怎樣? 魯迅先生講演」, 『婦女雜志(上海)』 제10권 제8기, 1924, 1218~1222쪽.

六. 新靑年과 文學硏究會

이때까지 紹介된 作家 作品을 簡單히 삷혀보면, 新靑年과 小說月報에 譯된 것으로 말할 수 있다. 新靑年에서는 周作人의 그이 獨舞臺와 같이 耀然히 빛난다. 그 다음쯤은 胡適, 魯迅 等이다. 作品은 大略 短篇이나 紹介된 作家를 列擧해보면, 트루게 네프, 쿠푸링, 톨스토이, 토스토엡스키, 안도레프, 쇼로코프, 코로렝고, 데레쇼푸, 알지바—세프, 체홉, 빙스키, 와일드, 뵤루손, 스토린드베투히, 셍키빗치, 안더—손, 못팟상, 타골, 武者小路實篤, 國木田獨步 等이다.

文學硏究會가 一九二〇年 末에 成立되자 小說月報 第十二卷 一號부터 機關誌로 하여 活動을 開始하였다. 會員은 全國 文學家를 거진 網羅했다. 一九二二年 五月에 內地 遊學生들(郭沫若·郁達夫·成仿吾·田漢·張資平 等)이 上海에 일으킨 創造社 系統 外에는. 創造社는 中國의 新文學은 創造만이 가장 有意義한 것이라고 絶叫하며 文學硏究會의 飜譯主義를 反駁했다. 그러나 創造社서도 單行本으로는 飜譯했다. 게—테의 「파우스트」, 「詩集」 베르테르의 煩惱[17] 等 獨逸의 浪漫 作品을 郭沫若이가 飜譯한 것은 그 例이다. 그래도 文學硏究會 側은 조곰도 變動없이 目標를 向해 確固한 거름을 나섰다. 그 會規 第二條에 「本會는 世界文學 紹介와 中國 舊文學 整理와 및 卽作으로써 宗旨로 함」이라고 하였다.

每號의 內容을 보면 飜譯과 外國文壇 消息이 全 페—지의 半 以上을 占領하고 卷頭에는 반다시 世界文豪의 寫眞을 二三式 끼웠다. 그리고 各今 特輯

17　응당 「詩集 「베르테르의 煩惱」」여야 하며, 홑낫표의 위치가 잘못 되었다. 또한 이 작품은 ‘詩集’이 아니라 ‘소설’이다.

을 내여서 타—골專號와 안더손專號는 二個月 繼續되고 그 外 俄國文學專號, 法國文學專號, 弱小民族文學專號 等이 特異하였다.

이 小說月報의 第十二卷 一年 間은 茅盾(沈雁氷)이가 編輯하였고 그 後는 文學史家로 有名한 鄭振鐸이가 上海事變까지 十一年 동안 繼續 編輯하였다. 茅盾이나 鄭振鐸이나 小說月報와 文學의 發展 成熟을 같이 해나온 作家이다. 茅盾은 魯迅 作故한 後 中國文壇에 君臨하게 되었다. 그가 거러나온 足跡을 보면 小說月報 編輯 時代부터 스라부系統, 猶太民族의 文學을 飜譯 紹介했다. 이것은 先輩인 魯迅, 周作人과 共通한 點이 있다. 그는 飜譯 小說集「雪人」序文에서 그의 文學觀의 片貌를 보이는 말을 하였다.

[18]三四年來 世界의 弱한 民族의 文學을 紹介하고 싶은 熱心에 움지겨서 歐洲의 小民族의 近代作家의 短篇小說을 飜譯했다. 當時의 熱은 只今도 새롭다. 倫敦, 紐育에서 出版하는 各種 雜誌의 新書評論欄이라는 欄은 모조리 閱讀하였다. 英文으로 新譯된 作品이 있기만 하면 곧 注文하였다. 小民族文學 紹介의 短篇 論文이라도 닥치면 抄해두고 또 文學史도 모았다.……이러한 熱心이 이 短篇集이 되였다.

여기 十二民族 十九 作家 二十二篇을 실렸다.

이 作家들은 自然的 面目이 同一할 수 없다.

已失한 豪華를 眷念하는 作品——露 푸—닝의 「상푸람시즈코에서 온 紳士」, 一目突進하여 革命의 狂吼를 질으는 作品——匈牙利 라츠고의 「還鄕」, 喜和氣分과 樂觀色彩에 充滿하고 人

---

18 ‘「’가 누락되었다

生의 無常을 微感하는 美麗한 小品——불가리아 이린페링의 「老牛」와 諾威 보이엘의 「챠리오森林은 天上에 있다」, 悲觀的 深刻的 諷刺——체크 체크의 「交易」과 露 살타이코프의 「失去한 良心」. 言辭에 妙婉한 諧諧 匈牙利 모르나르의 「石炭盜賊」과 瑞典 라게루레프의 「로빈外三寸」과 新猶太 라비노윗치의 「바이노스흘스에서 온 者」. 人間의 靈魂의 脆弱을 訴呼한 作品——新猶太 빈스키의 「라비아체바의 誘惑」.……雪人의 主人公은 우리에 이렇게 象徵해준다. 人生을 渴望하는 사람은 恒常 奮力하여 무엇이던지 조곰식 求하고 있으나 獲得하려는 希望은 퍽 적다.」……[19]

弱者와 被壓迫者에 對한 人道主義者라고 할가? 그는 이러한 飜譯 時代를 가지고 最近에는 注目할만한 巨篇을 連載的으로 世上에 던졌다.

七. 타골專號 等

小說月報에 타골專號가 나온 것은 特記할만하다. 타골이 中國 訪問의 前後에 그 專號가 二個月 동안 繼續하였지만 事實은 노—벨賞을 받을 그때부터 中國에서는 詩人 徐志摩·鄭振鐸의 손을 通해 紹介 飜譯되였고 그 後로도 人氣가 높아서 그의 作品은 全部 飜譯되였다. 따라서 그 影響은 적지 않다. 白話 短詩의 作家 謝氷心(今年에 重慶서 作故)은 타골을 信仰하다 싶이하고 其外

---

19 沈雁氷, 「自序」, 『雪人』, 開明書店, 1928, 5~6쪽.

에도 純粹 詩人에 影響이 컸다. 徐志摩 主幹의 新月이라는 詩雜誌는 타골의 新月集에서 딴 것이다. 이와 같이 西洋文學의 作品名이던지 其他 固有名詞를 그대로 襲用한 雜誌나 文學團體가 不少하다. 하프트만의 沈鍾을 따서 沈鍾社, 獨逸의 슈트룸 운트 더랑크(暴風怒濤)를 飜譯하여서 狂飇週刊이라 한 것 等은 그러하다. 作品名을 模倣 思慕하는 西洋의 것을 따온 數도 적지 않다.

以上 新青年과 小說月報를 通해 西洋文學의 飜譯된 것을 말하고저 했으나 小說月報의 內容도 完全히 檢討치 못하고 事情이 促迫되였다. 그러나 大略 新青年에서 周作人이 活躍한 것을 內容的으로 類似한 色彩에서 多數人이 廣範圍하게 多量으로 努力했다고 보면 事實에서 不遠하겠다.

八. 文學書 出版의 統計

出版 統計를 西瀅閑話에서 비러보면 一九二三年 末까지 五六年 間의 作品의 全數가 一五九種, 그 中에 飜譯이 八八種, 小說이 一三種, 詩歌 一六種, 戲曲 一種, 其他 九種이라 했다.

그 後 五年 後에 曾虛白의 調査에 依하면 十餘年의 結果 全數는 四百餘種, 그 中 飜譯이 二百餘種, 創作이 百餘種이라고 하였다. 漠然한 統計이나 飜譯도 增加하였지만 創作은 더욱이 많이 增加하였다.

一九三四年度의 文藝年鑑에 오른 그 前年의 文學書 出版 數爻를 보면, 一年 間에 全部 二三四種 中, 文學史 三七種, 散文 三七, 詩 三二種, 小說 六〇種, 飜譯小說 四八種, 戲曲 二〇이다.

一九三五年度 文藝年鑑[20]에는 全數 二○五種 中 飜譯 五八種, 創作小說 五一種, 詩 一二種 等 其他이다.

以上을 보면 初期에는 飜譯이 壓倒的으로 많고 最近일수록 創作이 飜譯 과 水準을 같이 해 왔다. 中國文學 自體의 成長과 外國文學 攝取가 量的으로 均等해 왔다고 하겠다.

九. 雜論

끝으로 林語堂의 我國土我國民에 引用한 一九三四 國版 支那出版年鑑에 依하여 飜譯된 各國 作家 數를 參考해 보자. 英國 四七, 佛蘭西 三八, 露西亞 三六, 獨逸, 日本 各 三○, 米國 一八, 伊太利 七, 諾威 六, 波蘭 五, 西班牙 四, 洪牙利 三, 希臘 三, 아푸리카 二, 猶太 二, 其他 瑞典, 白耳義, 핀란드, 체크, 墺太利, 라도비아, 부루가리아, 유고슬라비아, 시리아, 波斯, 印度, 暹羅 各 一 名씩이다.

作家의 數로서는 英佛이 多數하나 作品 精神의 影響에 있어서는 露西亞 文學이 斷然 優勢하였다고 하겠다. 체홉은 全集이 飜譯되고 톨스토이의 長 篇은 「戰爭과 平和」外 二十篇, 토스토엡스키의 「罪와 罰」外 六篇, 투루게네 프의 二十一篇 等等. 革命 以後의 文學은 百種 內外에 達한다.

英國作家가 많이 紹介된 것은 語學 關係이라고 生覺한다. 英語가 가장 普 及되여서 其他 外國文學을 英語로부터 重譯하는 것이 殆半이다. 英語의 普及 은 阿片戰爭 以來 中國의 모든 社會 事情에 따라서 그러한 것인데 中等學校

---

20 楊晉豪 編,『1935年中國文藝年鑒』, 上海: 北新書局, 1936.5.

以上에 第一 外國語가 英語로 되여 있다. 따라서 英語 解讀[21]力이 一般的으로 程度가 높다. 中國語 文法이 英語와 恰似한 點에서 有利하고 밋손學校도 많을 뿐더러 淸華大學 같은 곳은 켐부릿지의 出張所와 같이 敎授의 往來가 있고 이러한 學校가 不少하다. 또 한 가지 中國은 萬國出版協會(?)에 加入하지 않어서 外國의 出版權을 無視하여 外國 書籍을 著者 許可없이 重印할 수 있음으로 容易하게 廉價로 좋은 外國 書籍을 國內에서 求할 수 있는 까닭이다.

外國 留學生의 半數 以上은 內地 留學生이다. 그러므로 自然的 文化 一般에 있어서 內地의 影響을 받았다. 文學에 있어서도 飜譯된 것이 長短篇, 評論 合計 五百篇을 不下한다. 그 外에 外國文學을 國語에서 重譯하는 것이 注目할만한 數爻이나 알 道理가 없다.

蔽一言하면 西洋文學을 輸入한 現代 中國文學이 到達한 本質的 特徵은 스라부民族文學과 弱小民族文學을 吸取 自覺한 데 있다고 하겠다.

---

21 '讚'는 '讀'의 오식이다.

(支那 女流作家) 冰心·丁鈴의 作品[01]

北京 朴天順

　支那 社會──더 크게 말하면 東洋 社會 全體는 古代로부터 아무런 變化가 없이 社會狀態를 近代까지 이어왔다. 政治, 道德, 學問이 三位一體가 되여 오래 支那 社會를 지여왔다. 古代 政治가 古代의 姿勢 그대루였기 때문에 神聖化되고, 古代의 道德이였기 때문에 그들의 敎訓이기도 했다. 尙古主義的 孔子의 敎訓도 堯舜의 政治도 모다 그것이 낡은 支那 時代의 社會를 지여 있었기 때문에, 尊貴했었고, 變化가 없이 使用해 온 것이다.

　近代 支那 女性들이 이 社會 가운데 살면서 오─랜 傳統의 惡夢에서 눈을 뜨고, 眞實하게 自己 身邊 周圍를 살펴볼 때, 苦悶과 焦操가 끝없이 용소슴치는 것이였다. 「婦人無才即是德」이라는 敎訓에 억매여, 支那 女姓은 無智하게도 男子의 뜻대로 하게 맨들어졌든 것이다. 讀書를 안 시키고, 글을 안 가르치는 男女의 婦人 統御 秘法이 支那에 있어서 三千年 來로 傳해왔다. 退色하여 버리운 그들이 안들어온 棄婦의 詞를 支那文學史 中에서 찾어내기는 容易한 일이고, 婦女 三從의 思想은 어느 時代가 오든 간에 變化 없을 東

01　『三千里』 제13권 제12호, 1941.12.

洋 道德처럼 保存되어 왔다. 이 忍從의 苦悶을 뚫고, 近代 支那 女性이 晴晴한 社會에 나타나기까지는 容易한 일이 아니였을 것이고, 緩慢한 進步 뒤에 오늘날의 潑剌한 支那 女性이 誕生한 것이다.

새 색끼가 둥지를 날아날 때 나무 가지에서 가지로 날르면서 몇 번이고 떨어지는 것이다. 귀고리를 걸고, 纏足을 하고, 閨房에서만 사는 것이 그들의 美德이였는데, 팔뚝을 내놓고 斷髮 洋裝을 하고 街頭를 活步하기까지는 前後 五十年 가까운 時日이 必要했든 것이다. 모든 支那 文化의 近代化가, 阿片戰爭 後(一八四二年)부터 支那에 侵入해 왔으나, 眞正한 意味에서의 女性 近代化는 日淸戰爭 以後에 지나지 않는다. 支那의 國際的 地位가 瓦解되고 民衆을 發起시켜 國土 强化의 소리가 支那 全土에 꽉 차오게 된즉, 西洋文化에 對한 再認識의 要望이 强해저서 婦人의 生活도 또한 여기에 따라 비로소 改革의 機運이 생기게 되였다.

光緒 八年에 保皇派의 康有爲가 廣東에서 不纏足會를 이르킨다. 뒤를 따라 梁啓超가 變法 自强의 論을 大聲叱呼함에 따라 纏足 亡國論을 主張한 것은 爲先 支那 女性의 近代化의 最初의 부르지즘이였을지 모른다. 日淸戰役後, 外國人의 布敎가 盛하게 되고 밋숀·스쿨ㅡ이 設立되면서부터는 女子 敎育 振興의 運動도 盛히 되고. 男子의 뜻만 쫓는 것이 女子의 美德이라고 생각해온 敎育이 次第로 없어지게 되였다. 女性의 無智 蒙昧를 代表하고 있은 듯한 慈禧太后가 拳匪事件을 招引하여 光緒 二十六年에 聯合軍에게 北京을 占領시키고 西太后는 光緒帝와 함께 逃亡하여 翌 二十七年 七月 講和가 成立함에 따라, 西京으로부터 還都했으나, 이즈음으로부터 支那 女性도 次第로 近代化에 눈을 뜨기 시작했다. 婦人 解放 思想도 크지는 못하나마 擡頭해오고, 海外 留學의 女性도 나타났다. 「秋風秋雨愁殺人」의 一詩를 남기고 靑龍刀에 이슬처럼 사라진 秋瑾女史가 나타난 것도 이 女性 近代化의 가장 일

렸든 때의 일로, 男女 平權을 唱導한 最初의 한 사람이라 생각된다.

그러나 眞正한 支那 女性의 近代化는 五四運動 以后라고 생각한다. 二十年 來의 그들 婦人運動이 처음으로 儒者의 三綱說부터 打破하고 生生한 新天地로 向했든 것이다. 이 二十年 間의 支那의 크다란 新時代의 誕生期에 많은 優秀한 女性을 낳았든 것이다. 優秀하다는 形容詞는 一面 不當한 것인지도 모르나, 功罪相伴하는 그들의 行動이 現代의 支那를 만들어 왔다면, 優秀하다는 말도 그리 不當하지는 않으리라. 五四運動이 文學革命運動이요, 孔子 排斥이요, 禮敎 返對요, 다시 말하면 因襲 打破, 舊物 破壞 때문에 이리난 情熱의 文化運動이고 본다면 거기엔 熱과 힘의 움직임은 있다 치드래도 指導할만한 思想을 갖지 못한다. 五四運動과 함께 支那 女性의 오―랜 꿈은 全혀 깨여지고, 婦人 參政, 婦人 從軍, 婦人 興學 等의 부르지즘과 實行이 一步 一步 行해왔으나, 因襲에의 反抗의 情熱, 다시 말하면 生生하고 新鮮한 呼吸이 어떤 者에게는 眞正한 意義를 가진 것으로 나타나고 어떤 者에게는 反抗과 不滿으로 되여, 野鄙가 되고 過激이 되어 女性 男性化가 되는 일이 적지 않었다.

여기에 近代 支那 女性의 두 型으로서 變動期가 낳은 支那 女性을 文藝 속에서 求해보자.

그것은 女流作家 謝冰心과 丁玲이다. 떨치는 近代化의 動搖를 어떻게 느끼고, 어떤 態度를 했는가는 實로 이 對蹠的인 두 사람이 代表가 될 것이다. 冰心과 같은 型의 作家로 盧隱이가 있고 綠綺가 있다. 丁玲과 같은 作家에는 白薇 等을 생각하리라.

冰心은 本名을 婉瑩이라 한다. 姓은 謝라 한다. 冰心은 펜네임이다. 福建 閩侯에 났는데 아버지는 海軍 士官이다. 아버지는 冰心을 몹시 사랑해서 幼時로부터 男裝을 시켰다. 燕京大學 在學 時부터 詩와 小說을 投稿했다. 文章

은 곱고, 字句는 豐麗했다. 特히 「超人」이 傑出한 作品이였다. 題材는 詩的인 좁은 境地를 把握하여 적은 天地를 往復하고 있었으나, 持筆할 것은 女流 作家로서 着目할만하다. 그는 아이들을 사랑하고 어머니에게 몹시 孝道하는 同時에 사모하고 따르고 바다를 사랑했다. 男女의 戀愛에선 많은 이얘기를 하지 않았다.

뒤에 아메리카에 건너가서 大學에 入學하여 文學을 專攻했다. 「어린 너에게 보낸다」라는 感想集은 當時 病을 앓으면서 病院에서 故國에 있는 아이들한태 通信한 隨筆으로 「晨報副刊」에 發表되였다. 歸國 後 燕京大學에서 敎授로서 吾文藻[02] 博士의 夫人이 되였다. 얼마 안 되여 어머니가 돌아갔다. 「南歸」 等의 作品이 그 情狀을 잘 나타내고 있다.

小說보다 詩쪽이 더 재조가 있지 않을까, 梁實秋 等 一部의 批評家들이 말한다. 取扱하는 取材도 學校와 家庭生活 方面에 恨해 있으나, 支那 女性의 心理를 잘 그리고 母性愛, 兒童의 天眞性, 海上의 風景, 去國의 悲哀 等 優和한 情調가 廣大한 美感을 준다.

일즉이 모든 支那 女性이 그런 것과 같이 冰心도 亦是 깊은 閨房에서 刺繡를 하는 女性이였을 것이다. 三從之訓을 따르는 女性의 運命 그대로를 좇는 것이 가장 健全하고 幸福했을 것이다.

그런데 幸일까, 不幸일까, 冰心이가 겨우 女學校를 卒業할 때가 支那 革新 過程이 가장 컸든 때라, 冰心에게도 분명하게 自己의 存在를 바라볼 수 있는 時代가 왔든 것이다. 마음의 動搖를 조용히 살피며, 支那 女性의 姿態를 보아가는 사이에 낡은 道德에 억매운 生活의 不安과 不滿이 용소슴처 왔다. 熾熱한 口語運動의 波濤가 世上을 騷亂케 할 때, 冰心도 自己의 뜻을 發

---

02 '吳文藻'의 잘못이다.

表하지 않고는 견딜 수 없는 마음이 생겼다. 깊은 閨房에서 生活해 오든 女性이 街頭에 나서서 소리를 웨친다.

그때에 黎明期의 支那 女性의 近代化가 나타났다. 幼稚하다고 할지연정, 小說, 戱曲, 詩, 評論에는 가장 잘 그 뜻이 表現되었으며 眞實한 生活을 이얘기했든 것이다.

冰心은 水許傳과 三國誌와 聊齋志異 等 舊小說에서 뜬 마음의 눈이 次第로 小說月報와 婦人雜誌 편으로 進出하여 「冰心女士」라는 펜네엠으로, 「超人」을 發表한 것이 一九二三年이다. 뒤틀 이어 「往事」, 詩集 「繁星」·「春水」, 아메리카 通信集──「寄小讀者」를 發表하는 때에는 近代 支那 文壇의 明星으로서 歡迎을 받았다. 그것은 明治 文壇의 唯一한 女流作家로서 우리가 樋口一葉을 들 수 있는 것과 가치, 支那 文壇의 女流作家는 謝冰心으로부터 시작되였든 것이다. 그때의 批評家 成仿吾는 「超人」을 評하여 「眞[03]摯한 心情, 豐富한 想像, 詩人的 天分」이라 激讚을 했다. 어쨌든 冰心의 人氣는 近代 支那 文壇 中, 前后에 그를 따를만한 者 없을 것이다. 그 後로 盧隱, 陳衡哲, 袁昌英, 馮沅君, 凌淑葉[04], 綠綺, 白薇, 丁玲 等 여러 사람의 近代 支那의 女流作家를 생각할 수 있으나, 冰心만큼 數萬의 讀者를 魅了한 作家는 求하기 어려울 것이다. 橫溢한 天才타입의 그였으나 「最后의 使者」에 말한 것 가치 「神이여, 제게 特別한 天才를 賦與해 주십시오.」

그는 恒常 삼가는 마음으로 自己를 이얘기했다. 그와 同時에 感傷主義도 克服하며 人生의 虛無를 이얘기했다. 그가 人生을 虛無하게 보는 깨다름과 斷念이 모든 作品에 나타나있었어 그것이 그의 中心思想이 되고 때로는 그

---

03 '眞'의 오식이다.

04 '凌叔華'의 잘못이다.

것이 神秘的 幻想이 되는 때가 있었다. 富裡한 家庭에 生長한 支那 女性이 近代에 눈을 뜨고 그우에 또 그 憫惱를 憫惱로서 自己 마음에 새긴 姿최가 가장 잘 冰心 作品에 배여있다.

生命의 虛無한 것, 人生의 神秘, 人生의 美化──그리고 그가 到達하는 곳은 宇宙에의 사랑, 母性에의 사랑이다. 타골─의 影響을 많이 받은 그는 特히 사랑의 世界를 强調하였다. 豐富한 生活속에서 자라난 唯心論者라고도 하리라. 그의 作品의 殆半은 어머니에게 가는 愛情, 偉大한 바다에 가는 憧憬, 幼年 時에의 回憶에 限해 있었다. 이 冰心의 바다를 그린 作品은 女性다운 纖細한 붓끗과 優美한 바다의 情操가 잘 調和되여 있다.

冰心과 거반 같은 時代에 나타난 黃盧隱도 바다를 그리는 데 優秀했으나 이 作家는 悲哀의 바다를 그리였다. 「海濱故人」, 「曼麗」, 「歸雁」 等 冰心의 作品에 比하면 社會에의 影響은 훨씬 떨어지지만 黃盧隱의 作品에도 또한 버릴 수 없는 妙味가 있다. 여기에도 사랑의 旗幟이 强調되였고 孤獨의 哀傷이 굳게 告白되여 있다. 「海濱故人」은 女學生 時代 「靈海潮汐」는 男便을 死別한 時代였고 「歸雁」은 中年의 熱情이 再發한 時代를 그린 것인데 各 時代의 女性의 心理를 纖細한 붓으로 썼다. 말하자면 全 作品이 黃盧隱의 自叙傳과 같이 되어있으나 特히 「歸雁」은 優秀하다.

이 冰心과 黃盧隱은 對蹠的인 存在라고 하면, 丁鈴과 白薇가 또 그렇지 않을까 한다. 이들도 또한 近代 支那 女性의 한개의 代表型으로 그 性品의 굵즉한 線, 걸어온 險한 길, 人生의 苦難이 그의 皮膚에 저저버렸다. 冰心과는 全然 다른 길을 걸어왔다.

白薇는 戱曲 作家로서 一世에 이름을 떨친 女流作家이나, 丁鈴은 女流 小說家로서 冰心에게 떠러 않지는 人氣를 가진 作家다. 아마 二三十年 來의 女流作家일 것이다. 丁鈴은 湖南 安福의 産이다. 十三四歲 때 省立 第三師範에

들었으나 家庭 形便이 如意치 못해서 生活苦와 知識慾을 求하여 長沙를 헤메기도 하며, 上海에도 가고 하면서 어쨌든 上海大學의 中國文學科에 入學했다. 上海大學이 없어지면서 北京에 가서 三流 호텔에 살면서 胡也頻과 戀愛를 하게 되어 丁鈴이다운 愛慾生活에 빠지고 있었다. 一八二八年「黑暗中에서」,「自殺日記」,「한 女性」을 發表하고 뒤이어 長篇「韋護」를 公刊할 때는 그의 이름이 대단하였다.

그는 資産階級的인 懷疑, 苦憫 等은 全혀 없고, 世紀末的으로 疲困해진 肉體的으로도 普通 사람과 다른 그러나 곧 情緒에 動搖되는 웃으며 울며, 世上을 悲觀하는가 하며, 끝임없는 夢想에 잠긴다든가 또는 肉慾을 즐기는가 하면, 倦怠, 煩悶에 마음을 괴롭히는 女性을 巧妙하게 그리였다. 말하자면 全 作品이 丁鈴의 自叙傳같이 되여 있는데 特히「韋護」는 傑作이다. 이 作品의 女主人公 麗嘉는 所謂 近代化한 一個의 女性으로 思想 指導者 韋護와의 戀愛와 生活의 走馬燈이 一篇의 굵은 線으로 되여있다. 戀愛와 思想과의 相剋. 그래서 그 內面的 마음의 衝突, 苦憫이 陰과 陽으로 나타나서 드디여 韋護는 麗嘉에게 한 장의 片紙를 남기고 第一戰으로 姿취를 감춘다.

丁鈴은 特히 麗嘉를 잘 그리였다. 麗嘉의 近代化한 生活과 性格의 發現이 活潑하게 作中에 生動하여 熱情的인 스타일을 讀者에게 보였다. 이처럼 近代的 女性을 巧妙히 그런 作品은 달리 求하기 어려울 것이다. 總明, 豪邁, 放任, 男子를 操從하는 법을 밉쌀 맞도록 麗嘉는 가지고 있다. 特히 韋護와 麗嘉의 戀愛 場面에 가서는 筆致가 優冴해서 近代文學 中에 比類를 갖기 어렵다.

1942년

支那 映畵『木蘭從軍』- 처음 紹介되는 問題作[01]

樂浪學人

唐나라 時代에 그 나라 서울에서 멀리 떠러저 있는 마을에 花木蘭이라고 부르는 少女가 있었습니다. 그는 少女이면서도 武藝 百般에 뛰여나서 北쪽 國境에 北蕃의 兵丁이 侵入하여 平和한 唐朝의 꿈을 깨트렸을 때, 늙으신 아버지를 代身하여 젊은 兵士로 出征하였습니다. 그는 劉元度라고 부르는 씩씩하고 英傑스러운 젊은이와 알게 되여 두 사람은 親友의 사괴임을 갖게 되였습니다. 戰爭에서 木蘭은 많은 武動을 세우고 花大尉로써 尊敬을 받게 되였습다니.[02]

그 뒤, 뜻밖에 敵의 謀畧을 알게 된 木蘭과 劉元度는 뜻을 決하고 敵地로 달려들어 가게 되였습니다. 劉는 土民의 女子로 變裝한 木蘭을 매우 어여삐 생각하였습니다. 敵狀을 偵探하고 自己편의 城에 돌아왔을 때는 이미 늦어 城은 敵의 大軍에게 包圍되고 있었으나 木蘭의 奇畧에 依해서 敵軍을 擊退시켜 이를 全滅하기에 成功하였습니다. 그리하여 唐의 世代는 다시 平和에

---

01 『三千里』제14권 제1호, 1942.1.

02 '되였습니다.'의 오식이다.

싸이게 되였으며 凱旋날 劉元度의 곁에는 微笑하는 사랑스럽고 아름다운 한 女性이 있었으니 그는 戰友인 花大尉 卽 木蘭이였습니다.

이것은 唐 時代의 傳說로서 有名한 男裝의 美女 花木蘭의 이야기를 映畵化한 것으로 舞代의 名優 梅蘭芳의 得意의 狂言으로서 알려진 것입니다. 現支那 映畵界가 가진 最大의 푸로뜌—사— 張善琨이 製作, 上海 映畵界의 中堅 監督의 한 사람으로 陳雲裳 主演의 作品을 數本을 映畵化한 卜萬蒼이 監督한 作品이다.

이 作品에서 特筆할 것은 木蘭으로 扮한 主演의 陳雲裳이다. 그는 今次 事變 後 彗星같이 支那 映畵界에 나타난 最大의 人氣 俳優로 南支의 華僑의 딸로 자라나서 香港 映畵界에 들어갔으며, 事變과 함께 香港에서 映畵 製作을 始作한 張善琨에게 認定받고 一躍 「木蘭從軍」의 히로인으로 拔擢되였던 것이다. 그는 드물게 보는 美貌와 鮮烈한 個性은 世界 어느 나라에 가든지 大스타—로서 貫祿을 十分 가추었다. 그리고 相對役의 劉로 扮한 사람은 支那 代表的 俳優로 이름을 떨치는 梅熹다.

唱劇 楚漢傳 觀劇記 - 特히 日中 文化交流의 意義[01]

民村生

劇團『花郎』이 이번에 楚漢傳『項羽와 虞美人』을 들고 나온 것은 여러 가지 意味에서 조흔 結果를 어덧다고 본다. 只今까지 唱劇이라면 依例 春香傳이나 沈淸傳으로 박게 몰럿섯고 그것도 판에 박은 듯이 舊套를 직혀 와서 어느 것이나 新境地를 開拓하지 못한 것은 甚히 遺憾된 일이엇다.

그런데 劇團『花郎』이 率先하야 이 方面에 着眼하고 特히 楚漢傳을 中央公演하엿다는 것은 于先 그 意圖부터 壯하다고 아니할 수 업다.

그리고 從來의 唱劇이란 것은 歌詞와 構成이 大槪 너무 低級하야 觀衆의 俗惡한 趣味에만 迎合하려고 드럿는데 이번의 『項羽와 虞美人』은 도무지 그런 구속이 조금도 업시 끗까지 高雅한 情趣를 보혀준 것은 무엇보다도 特記할만한 事實이라 할 것이다.

이것은 勿論 楚漢傳이라는 支那 歷史 中에도 有名한 史劇에서 取材한 所以도 잇겟지만 그보다도 더 큰 功績은 演出者 金昌根氏의 努力에 잇지 안엇든가 십다. 그것은 個個의 演技者를 두고 볼 때 그러하다. 唱劇 俳優 中에는

過去의 所謂 『廣大』式의 스타일이 남어잇서서 어듼지 모르게 賤格을 보이기가 쉬운건데——그래서 劇 全體에 低調한 通俗味를 보이는 것인데 이번 『項羽와 虞美人』에 登場한 俳優들의 演技는 조곰도 그런 點이 업는 것이엿다. 全體가 깨끗하고 高尚하게 統一 中에서 一新한 劇的 氛圍氣를 나타냇다. 이것은 確實히 이번 『花郎』의 企畫과 全 團員의 眞摯한 熱誠으로 된 것이라 하겟지만 그 中에도 演出者의 非凡한 手法이 안이고는 到底히 이만한 成果를 못 내엿슬 줄 안다. 나는 이 唱劇을 볼 때 어려서 書堂에서 通鑑을 읽든 記憶이 떠올럿다. 鴻門宴 잔치의 푸짐하든 場面과 巵酒를 安定辭리요 하든 樊噲의 豪傑風이라든가, 江東 子弟 八千人의 氣槪라든가, 또는 項羽와 虞美人의 佳緣과 그 中에도 雞鳴山 秋夜月에 張子房의 玉洞簫——思鄕曲 한 曲調에 八千 子弟가 허터자는 場面이라든가, 最後에 力拔山 氣蓋世의 項羽로도 어찌할 수 업서서 虞美人은 自決하고 霸王은 吳江으로 가든 千秋의 悲劇——八年 風塵 中에 楚漢 勝負를 다투든 그때 當時에 天下의 人傑이 다 모혀서 中原의 天地를 舞臺를 삼고 一大 活劇을 비저내든 것이 眼前에 躍動하는 것이엿다.

이러한 歷史的 史眼을 가지고 『項羽와 虞美人』을 보는 것은 참으로 興味 津々한 바가 잇섯다.

그러나 한 가지 遺憾되는 것은 이번 花郎의 新境地를 開拓한 『項羽와 虞美人』은 意圖와 企畫이 高尚한 精神을 나타낸 反面에 歌詞와 說明이 너무 簡單하고 劇的 要素가 不足한 것이엿다.

그래서 歷史的 見識이 업는 觀衆에게는 內容이 무엇인지 그 史實을 잘 몰르기 때문에 或如 興味를 減殺하지 안을까 하는 憂慮가 업지 안을까 한다.

끗흐로 演技를 暫瞥해 보면 主役 項羽로 扮裝한 趙相鮮은 體軀는 그럴뜻한데 比해서 목청이 시원치 못한 것이 아까웟다. 唱劇에는 무엇보다도 名唱

이래야 人氣를 끈다. 虞美人 金素姬는 매우 조앗다. 그는 人物로나 唱으로나——더욱 霸王의 압혜서 거문고를 타는 場面이 조앗다. 그 外에는 樊噲의 劍舞와 楚將 朴丘明의 唱調를 나는 조케 보앗다.

　紙面 關係로 大綱 이만 두겟는데 何如間 이번의 花郎 公演은 畫期的 큰 收穫을 끼첫다고 본다. 압흐로 이 精神을 高揚식혀서 더 훌륭한 唱劇을 보여 주기 바란다.

(끈)

戰爭 中의 中國文藝[01]

荻崖

中國의 新文藝運動을 三十余年에 亘하는 歷史的 發展에 부처서 본다면 그것은 中國 民族解放運動의 歷史的 發展과 非常히 密接한 聯繫을 갖이고 있다. 大略 그것은 다섯 개의 段階에 나뉘여 있다.

1. 文學運動의 萌芽 時代

이 時代는 現在의 文學運動者로부터 無視되여 있을 뿐 아니라 全혀 否認되고 輕蔑되여 있었다. 五四 文學啓蒙運動의 前 거반 十年가량 되는 時代에 있어서 多數의 作家가 임이 中國文學의 內容의 貧弱함을 느끼고 遂次 中國의 舊文學의 桎梏를 脫却해 보려고 생각했다. 하나 그들은 無意識으로 無組織이요, 또한 小心하기도 했다. 그들의 一部에는 沈默 中에서 短篇小說의 描寫法을 現代語의 文章으로 곳치는 者도 있었으나 그러나 長篇小說은 尙今도 章回小說의 舊套(水滸傳, 紅樓夢 같은 形式)을 脫却치 못했었다. 가장 成功한

---

01 『大東亞』 제14권 제5호, 1942.7.

것은 林紓(琴南)인데 그는 外國文을 모르는 者로 友人이 外國小說을 읽은 것을 口述해 달라서 그것을 自己 自身의 筆法으로 支那式의 小說을 쓴 것이다. 스토—리가 外國 것인 것만큼 新鮮하고 現實的임으로 當時의 讀書層에서 매우 歡迎을 받았다. 그는 뒤에 反文學革命의 論陣을 첫으나 그러나 그가 五四 文學運動의 先鋒이 되여 文學의 새로운 內容을 注入한 것은 否認할 수 없는 事實이다.

2. 文學革命의 啓蒙運動

이것은 五四 時代에 시작되여 十年 間에 亙한 第二段階다. 그 主要한 內容은 文語文에의 反對, 華麗 無實의 貴族文學에 反對, 即 物的 平民文學의 提唱, 言文一致的 白話文의 提唱, 科學과 民主運動의 主張이었다. 即 反封建을 그 主要內容으로 하였다. 이 時代의 主要한 功績者는 陣獨秀, 魯迅, 胡適 等이다.

3. 革命文學運動

이것은 五州[02] 時代에 시작되여 一九二七年 革命의 實際的 戰鬪生活에 依한 培養을 지나 그 直後의 十年 間에 미치는 第三段階다. 그 主要한 內容은 五四 以來의 反封建의 任務를 强化하고 新文學運動을 爲해서 새로운 길을 뚫고 新興文學의 基礎를 確定하여 그래서 文學革命에서 革命文學에의 一大 轉換을 成就하였다. 이 時代의 人物은 가장 많으나 主要한 人物은 魯

---

02 '州'는 '卅'의 오식이다.

迅, 茅盾, 郭沫若, 丁玲, 巴金 等이다.

4. 民族革命運動의 現實主義文學運動

民族革命運動의 現實主義文學運動은 九·一八事變에 시작되여 北支(蘆溝橋)事變에 이르기까지 계속된다. 그 具體化된 것은 各種 書籍, 新聞, 雜誌에 나타나 있으나 그 主要한 目標는 抗日的인 것이다.

5. 抗戰文學과 和平文學과의 分野

北支事變 以來 今日에 이르기까지의 이 짧은 年月 사이에 文學運動의 方面에 있어선 非常히 또렸하게 두 개의 流派로 分化되였다. 前者는 前段階의 民族革命運動의 現實主義文學運動을 받었음으로 政治的 環境의 變動에 基하여 文學運動의 우에서 抗日의 傾向을 合流시켜 形成된 것이다. 後者는 日本의 近衛首相의 三原則에 響應하여 民族的 危機가 深化하고 國際 間의 形勢가 날로 더욱 緊張하여 가는 때 日支가 誠意를 가지고 合作하지 않으면 東亞는 滅亡하는 危險에 있음을 삶여서 東亞 新秩序 建設의 슬로─간 아래에 和平文學의 擡頭가 된 것이다. 그 將來는 어찌될지 今后의 發展을 보지 않으면 안 될 것이고 그 是非는 또한 文學史家의 批評을 기다릴 것이나 지금 손에 있는 若干의 材料로 現段階에 있는 文藝動向에 對해서 報告하겠다.

6. 戰時 中의 文學

中國의 文化人은 이때까지 上海와 北京 兩地에 集中하여 있다. 그 때문에 이 兩地는 從來 文學運動의 發源地다. 北支事變이 이러나면서 北京과 上海와의 文化人의 半은 抗戰政府의 뒤를 따라 奧地에 들어갔다. 兩地의 出版界도 따라서 停頓 狀態에 빠졌다.

말한다면 戰時에 依한 作家 及 讀書層의 生活 不安定, 物價 騰貴, 八十% 까지 外國에서 輸入한 印刷用紙는 戰爭 前의 十倍나 빗사다. 이래서 出版하라도 優良한 原稿가 없고 또 出版하드래도 定價가 빗사서 一般人의 購買가 困難하다. 出版商은 죄다 먼저의 것을 벗겨 낸다든지 切取한다든지 해서 編纂하는 工作者가 되고 重慶과 香港 等에서 오는 新聞 雜誌 中에서 類似的文章을 모아서 「各國 首都 戰時 風景」이라든가, 「日本 侵畧의 危機」라든가, 「經濟抗戰論」이라든가 이런 팜푸렐을 맨드러서 一部 讀者의 心理를 迎合한다. 奧地에 간 抗戰作家는 著作의 餘裕도 없을 뿐 아니라, 奧地엔 종이도 더욱 缺乏하여 土産紙를 써서 若干의 雜誌를 印刷하는 外엔 書籍의 印刷를 해내는 수가 없다.

一方 陷落 各地는 新國民政府가 成立되여 治安에 努力하고 一體 刷新함으로서 民衆生活도 漸次 安定했다. 上述한 바와 같은 原因으로 新東亞 建設의 和平文學運動이 擡頭하기 시작하였다.

7. 抗戰文學 陣營의 主要 雜誌 新聞

重慶側에서 出版하는 것으로 中華全國文藝界抗敵協會報의 「抗戰文藝」 (羅蓀 編), 讀書生活出版社 出版의 「文學月報」(端木蕻良 編), 周揚 編의 「文藝戰線」, 香港生活書店 出版의 「文藝陣地」(茅盾, 適夷 編)이 있고, 綜合雜誌로서는 廣東 曲江으로 出版되여 있는 「新軍」이 있다.

新聞 附錄版으로서 主要한 것은 重慶 方面에 「大公報」의 「戰線」(陳紀瀅

編),「國民公報」의「文群」(新[03]以 編)이 있고 上海 方面에선「中美日報」의「集納」[04]張若谷 編)이 있으나 內容은 無論 죄다 報告文學을 偏重하고 있는 雜誌와 대개는 같다.

出版物은 端木改[05]良의「科爾沁旗草原」, 巴金의「秋」(「激流」 三部作의 一로「春」,「家」에 對해서 作者의 自傳的 小說에 가까운 것), 王任叔의「戰鬪與學習」, 編譯에는 A·롤스토이의「麵包」(俞荻 澤[06])가 있다.

8. 和平文學 陣營의 主要 雜誌 新聞

和平文學의 擡頭는 事變 以後요, 新國民政府의 南京 還都에서 겨우 勃興하게 되였다. 이 運動에 從事하는 靑年 工作者는 아직 理論的 基礎를 獲得하지 못했으나 그렇지만 意識的으로 거기에 努力하고 있다.

文學雜誌엔 北京에 周作人 等을 寄稿家로 하고 있는「中國文藝」가 있고 南京에서 出版하는 것으로「國藝」가 있다. 綜合雜誌로는 南京 國民政府 宣傳科長 江雲生이 編輯하는「新命月刊」과 新東方社의「新東方」, 上海 嚴軍光의 編輯하는「興建」이 있다.

新聞 附錄版으로선 汪精衛氏의 機關紙「中華日報」의「小探集」과「文藝週刊」이 있고 日本「大陸新報」系의「新申報」의 新光이 있어서 때때로 一讀

---

03 '新'는 '斬'의 오식이다.

04 '（'가 누락되었다.

05 '改'는 '蕻'의 오식이다.

06 '譯'의 오식이다.

할만한 精銳한 短篇이 실리는 外 그 바께 各地 北京, 廣東 等의 新聞 附錄版
에는 趣味的 讀物이 실리여 있었다.

9. 演劇運動

演劇運動은 從來 中國에 있어선 一般의 注意를 끌지 못했다. 知識分子와
學生들 以外는 거반 冷淡한 態度다. 事變 以前에 曹禺의 社會劇 「雷雨」, 「日
出」, 「原野」가 上演되여 成功하고 干伶[07]의 「夜上海」, 「女子公寓」가 好評을
받은 以來 비로서 演劇이 大衆 사이에 地位를 確立케 되였다.

重慶 方面에선 女流作家 丁玲의 「河內一郎」와 「祖國的女兒」와 劇作家 田
漢의 「生意志」 等이 있었다.

10. 映畵

上海 劇藝術社가 낡은 題材의 時代劇 上演에 成功함에 따라 映畵會社가
「木蘭從軍」의 時代映畵를 撮影해서 好評을 받게 되고 또 「明末遺恨」을 「葛
嫩娘」이라 改題하여 그것을 銀幕에 올리는 일들이 있다. 이래서 各 映畵會
社의 時代映畵 製作의 流行을 形成하기에 이르렀다. 最近엔 더욱 民間의 才
子佳人式의 이얘기, 例하면 「玉蜻蜓」, 「三笑」 等 같은 傳說을 上映하기도 한
다. 各 製作唱은 營業上의 競爭 때문에 똑 같은 것을 두 군대서 撮影하고 앞
을 다토아 上映한다.

---

07 '于伶'의 오식이다.

따로 또 日支 合辦의 「中華電影股份有限公司」(日本名은 「中華映畵株式會社」)가 昨年 七月 一日에 成立하여 資金 一百萬圓으로 그 目的이 相當한 모양이다. 하나 成立되여 지금에 이르기까지 아직 어떤 具體化한 行動도 보지 못하고 오직 두 개의 映畵舘을 산 것과 前述의 「木蘭從軍」 等과 같은 映畵를 사서 그것을 新國民政府 治下의 各 映畵舘에서 上映하고 있을 뿐이다.

大東亞 文學者 代表 昨日, 作別 애끼며 離城[01]

기자

　　전통에 빗나는 현란한 아세아의 문화를 『대동아문학자대회』를 통하야 세계에 선양하고 대동아 문화 공영권 건설에 크다란 공헌을 남긴 후 『도─꾜─』를 출발한 만몽 저의 문학자 一행 『빠이코푸』씨 등 二十명은 지난 十四일 총력연맹과 조선문인협회의 초빙으로 경성에 들러 싸우는 반도의 총지휘관인 고이소(小磯) 총독과 회견한 것을 비롯하야 총후 반도의 문화, 산업, 경제 등 각 부문에 걸처 약진하는 실태를 시찰하는 동시에 지금 우렁찬 재출발을 하고 잇는 총후 반도의 문학, 연극, 영화 등 각계의 대표적 문화인들과 무릅을 맛대이고 장차 창조될 대동아 문화의 역사적 구상을 간담하야 반도 문화사상 찬연한 발자최를 남기고서 五일 반도 『호텔』에서 본사 초대의 오찬회에 림하엿다가 동 오후 五시 四十분 인상 기펏든 경성을 떠낫다. 역두에는 마부찌(馬淵), 아쓰지(厚地) 양 대좌, 임경우(林耕宇) 중국 총령사, 쓰다(津田) 총력연맹 선전부장, 니시야마(西山) 동 선전과장과 및 반도칙 문인 대표 가야마(香山光郎)씨와 그 외 조선문인협회 관게자 등 백여명이 작별을 앳기는 속

01　『每日申報』1942.11.16, 3면.

에서 여류시인 로천명(盧天命)씨가 만주국 대표 오영(吳瑛)여사에게 아름다운 꼿다발을 전한 후

"먼길에 안녕히 가십시요."

하고 작별의 인사를 하니 오여사는

"고맙습니다. 반도 여러분들의 따뜻한 환영을 기리 가슴에 간직하야 대동아 문화 건설에 함께 매진키를 약속합시다."

하고 말하야 명랑하고도 아름다운 석별의 광경이 전개되엇다. 정각이 되자 일행은 철도국에서 특별히 제공한 二등 침대차에 올라서 모다 모자와 손수건을 흔들면서 저무러 가는 저녁 안개 속을 『아세아문화건설에 정진』할 것을 서로 굿게 약속하면서 일로 북으로 북으로 향하엿다.

滿·蒙·華 文學者 代表 座談會[01]

기자

大東亞의 文藝復興 - 感銘 기펏든 半島 代表의 發言[02]

　대동아 공영권 내 각지의 문학자를 일당에 모아노코 일치단결 대동아 신문화건설에 매진할 것을 결의한 대동아문학자대회는 내지에서의 일정을 무사히 마추고 참석한 대표 일행은 각기 귀국하게 되엇는데 이에 출석한 만(滿) 몽(蒙) 화(華) 각 대표 二十一씨는 총력연맹과 조선문인협회의 초빙으로 약진 조선의 실정을 시찰하기 위하야 지난 十四일 『아까쓰끼』로 입성하엿다. 우리(白, 鄭)은 이들을 부산까지 마지하야 철도국의 호의로 특별 연결한 二等 침대차 안에서 아래와 가튼 차중 좌담회를 열엇다. 일행은 다망한 일정과 장도의 여행으로 약간 피로한 듯하엿스나 우리들의 간청에 쾌히 흉금을 털어 대동아문학자대회의 성과, 대동아문화 건설의 방책, 동아 고유의 문화 계승과 발양, 조선의 인상 가튼 것을 열과 힘에 찬 어조로 이얘기하야 차가 경성역에 도착하는 순간까지 그칠 줄을 몰랏다.

　白鐵: 멀리 오시느라고 얼마나들 피곤하십니까. 여러분이 이러케 한꺼번

01　『每日申報』 1942.11.17~11.19, 3면.

02　매회 연재분 표제로서 3회에 걸쳐 연재되었다.

에 조선에까지 와 주실 줄은 참 뜻박김니다. 여간 반갑지가 안슴니다. 조선의 문학자와 조선의 민중들이 충심으로 여러분을 환영한다는 뜻을 전하러 저이들이 여기까지 마중 나온 것입니다. 괴로우실 텐 데도 불구하고 여러분의 이얘기를 듯자는 것은 이번 대동아문학자대회에서 어든 성과(成果)와 결의(決議)에 대해서 조선측에서도 충심으로 협력하려 하고 잇다는 그 뜻에서 나온 것이요, 나아가 대동아문학건설에 미력하나마 모든 힘을 아끼지 안흐려는 조선민중에게 큰 도음이 될 것이라 생각해서입니다. 위선 이번 대회에서 느낀 감상부터 말슴해 주셧스면 조켓슴니다.

張我軍: 대체로 북경을 떠날 때 생각햇던 바와 마찬가지엿슴니다. 하여간 각지의 문학자가 한자리에 모혓다는 그 한 가지만으로도 의의는 깁다 생각합니다.

吳瑛: 일본대표의 발언(發言)을 만주말이나 중국말로 통역하지를 안해서 말이 통치 못한 게 유감입니다만은 대회의 분위기만으로도 충분히 감격을 느낄 수 잇섯슴니다.

丁雨林: 대회에서 제일 느낀 것은 모두가 한맘으로 일치할 수 잇섯다는 것입니다. 다른 결의가 업섯더라도 이것만으로도 그 의미는 큼니다.

古丁: 그럿슴니다. 대회에 출석해서 제일 늣긴 것이 그것입니다. 동아에 문학자들이 이러케 자리를 가치해서 친목을 도모햇다는 것은 이번이 처음이라, 더욱 그 일지 협력하는 모양이 기뻣슴니다. 이것을 기회로 서로 동아적(東亞的)인 맘과 생각으로 단결된다면 비로소 진실한 대동아의 문예부흥(文藝復興)의 길이 열니리라고 밋슴니다.

회의는 국지의장(菊池議長)의 통솔아래 화기애애하게 그리고 종시일관 긴장한 가운데 끗까지 순조롭게 진행된 것은 큰 성공입니다.

특히 가야마(香山) 선생의 발언은 이미 다 아시겠지만 대단한 감격을 주엇습니다. 일본인 이상의 열성을 나타내시어서 일본작가들도 모다 감탄하고 잇섯습니다.

爵靑: 이 대회에서 또 하나 어든 큰 성과는 목전의 전쟁에 협력한다는 그것도 물론 결의햇습니다만은 그것에 그치지 안코 인제부터의 대동아문학의 건설의 방침 즉 백년의 대게를 먼 장래까지를 생각햇다는 것은 참 조흔 일이라 생각햇습니다. 지금 일본의 문화는 동아 전체를 지도하게 되엇고 이것은 전쟁이 끗난 후에도 계속해야 할 것이니까 우리도 지금부터 그것을 생각해야 할 것입니다.

沈啓无[03]: 참 이번 대회는 동아에 잇서서는 미증유(未曾有)의 대사요, 또 그 의의가 크다는 것은 누구나 다 아는 바일 것이나 동아 전체가 한 덩어리가 되어 나아가야 할 이때에 공영권 내의 문학자의 입장(立場)으로서는 당연히 개인의 의견을 버리고 대동아공영권 확립을 위하야 기여해야 할 것입니다. 이미 자기의 의견을 논의할 때가 아닙니다. 모든 것을 버리고 대동아 건설을 위하야 단결해서 매진해야 할 때입니다.

小松: 우리들은 새로운 동아의 신정신을 수립해야 한다고 생각합니다. 이번 전쟁은 무력전인 동시에 사상전입니다. 즉 세계관(世界觀)의 전쟁입니다. 동아는 동아 본연(本然)의 동아로 도라가기 위하야 동아적인 세계관을 가저야 하는 것입니다. 이번 대회는 총후에 잇는 문학자가 세계관의 전쟁에 선전(宣戰)을 포고한 것입니다. 이런 의미에서 이번 대회는 큰 시련이라 할 수도 잇습니다.

---

03 '沈啓无'의 잘못이다. 아래도 마찬가지다.

周化人: 그런 의미에서 이번 대동아문학자대회가 만장일치로 동아 각국의 문화의 선구자는 각국의 민중을 지도하야 대동아전쟁의 완수와 밋 대동아 신문화 창조를 위하야 분투 노력할 것을 결의한 것은 진실로 마땅한 일이라 생각합니다.

바이코프: 서로 이해해서 대동아가 전체적으로 문화적인 친근감을 가질 수 잇다는 것이 이번 대회의 일반적 의의라고 생각합니다.

香山: 하여간 문학에 잇서서 개인주의의 청산(淸算)이 제일 강조되엇고 또 이점만은 완전히 일치햇다는 것은 큰 수확이라 아니할 수 업지요.

許錫慶: 이번 대회에서는 누구나 느낀 바이지만 동아의 문학자들이 서로 친목하고 이해하고 단결할 수 잇섯다는 것이 큰 소득입니다. 그것은 다른 분들이 말슴하섯스니까 그만 두고 나는 이번 대회에서 느낀 두 가지 불만을 얘기하겟습니다. 하나는 여러 가지 사정이 잇섯던 줄 압니다만은 남양 방면의 문학자가 참가하지 못햇다는 것이요, 또 하나는 동경이라는 한 지방에서만 거행되엇다는 것입니다. 내년부터는 남양 방면도 부듸 참가하도록 해야 하겟고 또 일본 각지에서 각지의 문학자와 교환할 수 잇도록 햇스면 조켓다고 생각합니다.

柳雨生: 이번 대회는 동아문학의 부흥운동이라 생각합니다. 여기서 말하는 부흥이라는 것은 과거에 우리가 가젓던 것을 중심에 두고 그 위에다 새로운 것을 첨가한다는 뜻입니다. 특히 우리가 가진 가장 조흔 것을 보존하고 발양할 길을 생각해야 합니다. 물론 동아의 문화가 다 그대로 완전하고 조타는 것은 아닙니다. 그런고로 보존하고 발양하는 동시에 버릴 것은 아끼지 말고 버려야 합니다. 그 대신 외국에서 드러온 것이라도 어느 정도까지 소화하고

융화시켜서 섭취할 필요가 잇습니다. 이것은 결코 모방이 아닙
니다. 그 근본을 흘르는 것에는 동아적인 것이 잇서야 한다는 말
입니다. 동아인의 맘속에서 융화되고 창조된 것이 잇서야 한다는
말입니다.

(계속)

出席者:

▲ 滿洲園: 바이코프, 古丁, 爵靑, 小松, 吳瑛, 山田淸三郞.

▲ 蒙疆: 和正華, 恭布札布.

▲ 中華: 錢稻孫, 沈啓旡, 尤炳圻, 張我軍(以上 華北 代表), 周化人, 柳兩[04]生,
        丁雨林, 潘序祖, 周毓英, 龔持平, 許錫慶, 草野心平(以上 華中 代表).

▲ 半島側: 香山光郞, 芳村香道, 兪鎭午, 辛島驍.

▲ 本社側: 白鐵, 鄭人澤.

時日, 場所: 昭和 十七年 十一月 十四日 『아까쓰끼』車 中에서.

西洋的인 것을 追放 - 大東亞 文學精神을 確立하자

芳村: 이번 대회를 통해서 각지의 문학자들이 입때까지의 감정을 모두 털
        어버리고 한 가지 목적을 향하야 협력하겟다는 그 결심만은 충분히
        엿볼 수 잇섯습니다.

香山: 그 한 가지 목적이라는 것은 동아적인 전통으로 도라가자는 그것입

---

04 '兩'는 '雨'의 오식이다.

니다. 그러나 그것은 결코 복고(復古)하자는 것도 아니요, 새로운 대
동아정신을 만드러 내자는 것도 아닙니다. 영미(英米) 문화의 침입
으로 이젓던 것을 발견하자는 것입니다. 동아적인 모든 문화의 연
원(淵源)은 지금 전부가 일본화 되여 일본에 보존되여 잇습니다.

兪: 일본을 지도 국가로 삼자는 것은 이론을 초월하고 명확하게 나타나고
잇섯지요. 이것은 조선칙의 발언이엇습니다. 하엿튼 각 대표가 무엇
이든 일본에서 배워가지고 가려는 열의를 가지고 잇섯습니다.

香山: 요컨대는 서양문화를 떠나서 동아의 문화를 세우자는 그 결심만은
일치햇섯습니다.

芳村: 방향과 목표가 결정된 것이니까요. 그것만이 확실히 결정된 이상
옛날 모양으로 되느니 안되느니 토론하고 논의할 때가 아닙니다.
일로 그 목표를 향하야 매진하면 됩니다.

兪: 우리들은 그러키 때문에 일본대표로 발언을 햇고 따라서 조선의 특수
성에는 언급하지 안핫습니다. 일본어를 동아 공영권내에 보급시키라
는 것도 그런 입장에서 말한 것입니다. 그러면 중국이나 남방 제 민족
의 문화를 노피는 데도 큰 도움이 되니까요.

香山: 실제 문제로도 새로운 동아문화를 수립하는 데는 그 수 박게 업지요.

白鐵: 『이세』(伊勢) 신궁에 참배하셔서 어떤 느낌을 가지섯습니까.

周毓英: 환경이 엄숙한 데 감탄하엿습니다. 환경이 엄숙하니까 참배하는
사람들도 또한 엄숙해 보입니다. 우리가 보와서 제일 달라 보이는
것은 그것입니다. 중국에도 그런 것이 업지는 안치만 일본모양으로
위 아래가 완전히 일치한 엄숙함은 드뭅니다. 중국에는 이러한 정치
상, 도덕상의 엄숙함이 부족합니다.

古丁: 『이세』 신궁은 만주국의 원신(原神)입니다. 나는 전에도 두서너 번

참배한 적이 잇지만 이번에는 특별히 감명이 기펏습니다. 건축은 간소(簡素)하고 삼엄(森嚴)하고 고목이 창연한 속에 건립되여 잇서ㅅ 발만 드려노아도 주선생 말슴대로 엄숙함을 전신으로 느낌니다. 이 『이세』 신궁이 만주국의 원신이라는 것을 일본 신문기자는 당초에 몰르드군요. 여러 번 얘기햇는데 신문에는 한 번도 나지를 안햇습니다.

小松: 일만일덕일심(日滿一德一心)의 정신의 연원지(淵源地)인데 그것을 몰른다는 것은 딱한 일입니다. 그러니까 만주 국민인 우리들은 더욱 기픈 감격을 어들 수 잇섯든 것입니다.

張我軍: 신궁에 참배하고 일본의 고도(古都)를 보고 하면 지금까지 일본이 얼마나 부자연하게 서양적인 것을 숭배해 왓는지 알 수 잇습니다. 사실 입때까지는 좀 지나치게 서양적인 것만을 섭취해 왓지요. 그러니까 인제부터는 서양의 조흔 점만을 취하고 남어지는 버려야 합니다. 동시에 자기의 즉 동아적인 것의 장점을 발견할 필요가 잇습니다. 그러나 이것은 이번 대동아전쟁으로 훌륭하게 발견할 수 잇습니다.

持平: 이번 대동아전쟁은 건설전입니다. 즉 문화의 건설전입니다. 전쟁은 파괴이지만 동시에 새로운 것의 건설이란 일면도 잇는 것입니다. 금후의 학자는 이 동아문화의 건설을 유일 최고의 목표로 하고 단결하여야 합니다.

許錫慶: 각국의 문학자대회를 자조 열고 단결한다는 것은 절대로 필요한 일입니다. 그 대회에서 강령(綱領)을 결정하야 그 강령에 따라 행동해야만 될 줄 압니다.

張我軍: 물론 그러케 한다고 일본이나 중국이 똑 가튼 문학을 쓰라는 것도 아니요, 쓸 수도 업습니다. 일본은 일본, 중국은 중국의 특장을 발휘하면 됩니다. 그것이 대동아의 문학입니다. 일본의 현대문학은 일본으로 도라오고 잇습니다. 중국도 마찬가지입니다. 자기 나라의 장점을 차차로 발견해 가면서 그것이 종합되면 곳 그게 대동아의 문학입니다. 제 각각 달르면서도 박글 바라보는 동아인적인 정신에는 늘 공통되는 점이 잇습니다. 생활이나 혈액 속에 스며잇는 이 정신만이 문학을 일관하면 대동아문학에서 버서나지를 안습니다.

周化人: 대동아전쟁은 일본이 영미와 싸우는 전쟁에서 그치는 것이 아니라 전 동아 해방의 성전입니다. 그런고로 모든 동아의 민족은 모다 이 전쟁의 책임과 의무를 질머지고 잇는 것입니다. 따라 동아 각 민족은 대동아전쟁에 대하야 이미 공동의 이해관계를 가지고 잇는고로 서로 일치협력해서 써 완전한 승리를 엇도록 전력을 다해야 합니다. 그러면 대동아의 문화도 자연히 찬란한 열매를 맺게 될 것입니다.

小松: 북변(北邊)의 진호(鎭護)라는 의미에 잇서서 만주에도 반드시 얼마 아니하야 전쟁문학이 나타나리라 밋습니다. 이번 대동아전쟁은 문학자에게는 역사적인 시련(試煉)입니다. 이것을 게기(契機)로 일본의 사조(思潮)도 변햇습니다. 그것이 좁은 의미에서의 여러 가지 전쟁문학을 만드러 내엇습니다 만은 입때까지의 소위 일본의 전쟁문학은 전쟁의 현실을 묘사는 햇서도 그것만으로는 아직 대동아인으로서의 전쟁문학이라고는 말하기 힘듭니다. 이 위대한 현실과 국민의 특장이 혼연일체가 되엿슬 때 비로소 대동아적인 국민문학으로서의 전쟁문학이 나타날 줄 압니다. 만주국은 정말로 총후(銃後)의 현실을 좀 다른 형식일지는 몰르나 그려낼 수 잇스리라 생각합니다.

또 만주국의 국민으로서 대동아인으로서 이러한 전쟁문학을 만드러 내이는 데 노력하려 합니다.

尤炳圻: 문학에 잇서서는 맘이 제일이요, 제재(題材)는 둘재 문제라 생각합니다. 대동아인으로서의 정신만 가지고 잇스면 아무러한 제재를 취급하더라도 무관합니다. 또 사실에 잇서 중국이나 만주나 일본이나가 똑 가튼 제재를 취급한다는 것도 곤난한 일입니다. 형식이나 내용이나가 너머 유형화(類型化)한다는 것은 도리혀 재미업는 일인고로 역시 그런 점보다는 문학자의 맘과 정신이 대동아의 문학건설에는 제일 중요하고 중대한 문제가 아닐 수 업습니다.

(계속)

八紘一宇의 大精神 - 大東亞 文學者들의 共通된 指標

白鐵: 동아 공영권 내의 문화교류(文化交流)에 관해서 말씀해 주십시오.

尤炳圻: 일본에는 이미 일본문학보국회(日本文學報國會)가 잇고 또 조선에도 조선문인협회라는 것이 잇서서 활발한 활동을 하고 잇는 모양인데 아즉 북지나 중지에는 그러한 단체가 업습니다. 그런고로 금후로는 동경에 잇는 문학보국회를 본부로 하고 북지나 중지의 도시에 분회(分會)를 두어 서로 연락을 취한다던가 의견을 교환한다던가 서로 기고(寄稿)를 한다던가 하엿스면 조켓습니다. 이것은 오래전부터 내가 생각하고 잇는 것인데 이번 대회에서 논급(論及)할 여유를 못 가진 것은 유감입니다.

沈啓无: 대회의 결의대로 조흔 작품을 서로 번역 소개할 것, 강사(講師)를 교환할 것, 유학생(留學生)을 파견할 것——이런 것들을 결의에만 그치게 하지 말고 곳 구체화시켜 실행하엿스면 조흘 줄 생각합니다.

古丁: 만주국에서는 건국정신인 민족협화라는 것을 어떠케 어여쁘게 표현하나 하는 것이 문제가 되어 잇습니다. 지금까지는 일게(日系)는 일게만을, 만계(滿系)는 만계만을 그려 왓스나 인제부터는 민족이 서로 서로의 괴로움이나 번민이나 어여뿜을 얼마나 그리고 어떠케 건설적으로 표현하나 하는 것을 공부해야 할 것입니다. 지금 만주국은 제二건설 단게에 잇습니다. 만주예문지도요강(滿洲藝文指導要綱)에 명시(明示)된 바와 가치 우리는 장차 걸어나가겟지만 그 길을 따라가는 동시에 대동아인으로서의 의무를 생각하야 공영권 내의 문화교류를 꾀하도록 하겟습니다.

爵青: 제재(題材)에 잇서서만 주국의 작가가 제일 빈곤(貧困)합니다. 견문이 좁습니다. 이번에 일본에 와서 즉 대륙을 떠나서 대륙을 도라볼 수 잇섯다는 것은 큰 수확이엇습니다. 고정씨의 말대로 우리는 민족적으로 극기(克己)하야 대동아 전체의 기여(寄與)하려 생각합니다. 그것이 지금의 만주국의 큰 과제(課題)입니다.

吳瑛: 서양의 물질문명에 지배되어온 동아가 본래부터 가지고 잇던 미(美)가 다시 한번 나타나게 노력한다는 것은 만주 여류문학이 특히 생각하여 온 점이예요.

爵青: 역사적으로 보더라도 조선과 만주는 관계가 기펏습니다. 근대에 이르러서는 일본문화가 대륙으로 건너오는 다리엿습니다. 그런고로 본질로는 조선이 만주보다 한 거름 압섯습니다. 그리고 입때까지는 직역적(直譯的)인 것이 만서서 서로 이해가 곤난햇스나 인제부터는 좀더 학문적(學問的)으로 깁게 파드러 가서 입때와는 다른 긴밀한 관게를 문화적으로 매저야 할 것입니다.

白鐵: 중국에서는 어떻습니까.

張我軍: 지금까지는 일본문학이 엉터리 번역이 무척 만앗습니다. 그런고로 정말 일본에 어떤 작가가 잇고 어떤 이론(理論)이 잇는지 알지 못하고 지내왓습니다. 그러나 인제부터는 그런 상태로 내버려 둘 수는 업습니다. 그래서 이번에 북경대학에도 일본문학과를 설치햇습니다만은 일본문학의 조예가 기픈 사람들을 중심으로 책임잇는 본격적인 번역과 소개를 해서 정말 일본을 이해하는 후진(後進)을 만드러 내일 작정입니다. 그래야 정신적 교류가 생길 것입니다.

山田: 나는 지금부터 四년 전에 만주에 건너갓습니다만은 여러 군데로 려행을 댕기고 현지의 사정을 조사하고 하는 사이에 만주의 문학자들과 친해저서 큰 히망을 가질 수 잇게 되엿습니다. 그래서 그대로 만주에 주저안게 되어 가치 만주문학의 건설을 위하야 노력하게 되엿고 어느 틈에 만주문예가협회의 책임자가 되어 만주는 물론이요, 내지인, 반도인의 문학자들과도 협력을 하게 되엿습니다. 이번에 만주대표로서 제일 기뻣든 것은 모든 기회에 만주국의 건국정신을 강조할 수 잇섯다는 것입니다. 만주국의 건국정신은 일본의 조국(肇國)의 정신과 공통되는 것입니다. 따라서 만주의 건국정신을 강조한다는 것은 팔굉일우의 대정신에도 통하는 것입니다. 이것만은 예상 이상의 만주측의 기쁨이엇습니다. 조선작가들과는 전부터 친한 사람들이 만헛스나 이것을 기회로 더욱 그 관게를 기피하야 동아 전체의 문학자가 한 덩어리가 되려고 생각하고 잇습니다. 그것은 곳 대동아전쟁에 익이는 길에도 통하고 잇다고 생각합니다.

小松: 저도 그런 것을 느꼇습니다. 그런고로 아직도 만주에는 여러 가지지즈레기가 남아 잇습니다만은 머지 안흔 장래에 비록 원래부터의 형태는 보존할지언정 팔굉일우의 대정신 아래에 한데로 집중되리라 밋고 잇습니다. 장래의 만주국에는 그런 것이 반드시 나타날 것입니다.

白鐵: 조선의 인상이라던가, 조선대표에 대한 느낌 가튼 것을 말슴해 주십시오.

沈啓无: 아직 잘 몰릅니다만은 일본 내지만큼 산업(産業)이 개발되지를 못했습니다. 문학이라는 것은 정신 방면이면서도 물질과의 교섭이 밀접합니다. 물질 방면이 충분히 발전되지 못하면 정신문화도 자연히 늣저지는 것입니다. 지금 일본의 지도를 어더 대동아공영권 건설에 착수한 이상 대동아공영권 내의 모든 물질적인 방면의 발전에 주력하야써 찬란한 문화들 하루 바삐 세워야 할 것입니다. 조선도 지나와 마찬가지로 산업의 개발이 불충본한듯하니 그 방면에 노력하시기를 원합니다.

尤炳圻: 나는 거이 매년 한 번식은 조선을 지납니다만은 그때마다 진보되고 개선된 듯해서 그것이 여간 반갑지 안습니다. 불과 三十년 동안에 조선이 이러케 변모한 것을 생각하고 새삼스럽게 일본인의 위대함에 놀랏습니다. 조선이라 하지만 여기는 오히려 대륙의 일각이니까 우리는 오히려 조선을 본 바더서 새로운 대륙을 만들 필요가 잇습니다.

周化人: 하여간 뜻박게 귀국하는 길에 조선에 들를 수 잇다는 것만 해도 여간 기뿐 일이 아닙니다. 우리는 이것을 기회로 대회의 결의를 실천하야 공동의 이상을 실현시킬 수 잇도록 더욱 힘잇게 손을 맛잡을 필요가 잇습니다.

張我軍: 중국의 문화가 일본으로 흘러가는 중게지(中繼地)로서의 옛 모습이 만히 조선에는 남아 잇습니다. 그런 것이 옛날 건물 가튼 데 만히 발견됩니다. 처음 조선요리를 먹엇슬 때도 일본요리와 중국요리의 튀기 가튼 느낌이 잇습니다. 그러나 지금부터는 일본이 문화가 중국으로 흘러야 하고 그러려면 또 조선은 그 중게지가 되지 안을 수 업습니다. 따라서 조선의 문화적 지위는 또 한번 퍽 중대해질 것입니다. 지금 일본은 현대 중국을 잘 몰르고 또 중국은 더군다나 현대 일본을 몰르고 잇습니다. 이것을 서로 보고 연구하고 하는 데 잇서 중개역을 하는 것이 조선의 문화인의 사명(使命)이라 하겟습니다.

潘序祖: 하여간 조선이 얼마나 열심으로 건설하고 잇는 중이라는 것은 창으로만 보아도 알 수 잇습니다. 저기서 조그만 소나무를 심고 잇지 안습니까. 저것이 즉 몃 十년 후의 조선을 상징하고 잇는 듯해서 퍽 인상 깁습니다.

草野: 이번에 처음으로 조선의 작가를 대햇습니다만은 진실한 일본인적 정신으로 시종여일한 데 깜작 놀랫습니다. 예상은 하고 잇섯스나 이러케 실감을 가지고 열정적으로 회의에 임(臨)할 줄은 몰랏습니다. 태도도 사람 눈에 띄이는 곳은 업섯스나 잠열(潛熱)이라고 할까 거테 나타나지 안는 힘찬 데가 잇섯습니다. 일본의 미술 가튼 데 대해서도 만주나 지나 대표에 비해서 훨신 잘 이해해서 그 교양이 깁다는 것을 알 수 잇섯습니다. 이것은 즉 조선의 전통과 합병 후의 통치에서 만드러진 것이 한테 합처저서 생긴 것이라고 나는 일행의 열정에서 그런 것을 느꼇습니다.

辛島: 조선에서 간 사람들이 한맘 한뜻이 되어 다른 지방에서 온 대표들에 비해 극히 근엄한 태도를 취햇다는 것은 반가웟습니다. 『이세』

신궁에 참배햇슬 때도 조선서 간 사람들의 태도가 모범적이엇습니다. 또 이번에 만, 몽, 화 대표를 총력으로 경성에 마지하야 교환회를 열 수 잇는 그 힘의 결집(結集)에 대하야도 우리는 감사해마지 안습니다. 차중이나 도중에서 각 대표가 보인 인상이나 태도에서 참으로 새로운 조선, 새로운 조선의 문화를 인식해주엇다는 것을 반갑고 고맙게 생각하고 잇습니다.

白鐵: 조흔 말슴 만히 들려주서서 감사합니다. 피곤하신데 참으로 죄송햇습니다.

(끗)

1943년

華北文壇의 展望[01]

金光洲

①[02]

日中 兩國의 關係는 緊密의 度를 加하고 잇다. 東方에 삶을 바든 두 國家, 두 民族이 참된 意味에서 同甘共苦의 精神으로 英米 打倒의 世紀의 大業을 完成키 爲하야 邁進하는 데서만 世界人類의 平和와 幸福을 爲한 新秩序의 燦爛한 旗ㅅ발이 세워지리라는 것은 우리들이 共認하는 구든 信念일 것이다.

이런 意味에서 볼 때 日中 兩國의 提携와 互助가 얼마나 必要함인지는 多言을 要치 안는 일이며 더욱이 文化의 交流와 溝通이 彼此의 理解와 感情의 融解에 끼치는 힘이 크다는 것도 여기에 喋々할 必要가 업는 일이다.

一般의 周知하는 바와 가티 東亞 共榮圈의 一環으로 甦生한 華北은 最近에 이르러 華北政務委員會와 新民會의 指導 아래 第五次 治安强化運動을 實行하야 自體의 鞏固 强化를 爲하야 씩씩한 거름을 내디디고 잇는 一便 租界返還, 治外法權 撤廢에 感激함은 勿論 汪主席의 正式 參戰宣言과 함께 名實 共히 東方의 兵站基地로서의 굿세인 役割을 다하기에 힘쓰며 共存共榮

---

01 『每日申報』1943.7.15~7.19, 2면.

02 매회 연재분 표기로서 5회에 걸쳐 연재되었다.

의 偉大한 目標를 向하야 눈부시는 躍進을 遂하고 잇다.

文化 方面에 잇서서도 最近에 이르러서는 虛名無實한 부르지즘에 끄치든 傾向이 漸次 업서지고 참된 感情上의 共鳴을 基礎로 한 『交流』와 『合作』의 氣運이 顯著히 보히고 잇스니 日本 文化使節의 來訪을 비롯하야 去年十一月 東京에서 大東亞文學者大會가 擧行된 以來 日中 兩國의 文學者들은 彼此 理解의 조흔 機會를 가질 수 잇섯고 더욱이 今年 一月 林房雄氏가 來華하야 北京, 南京, 上海 等地의 文化界를 訪問하고 中國 新文藝運動에의 協助를 約束한 것과 四月 初旬 南京에서 擧行된 日中文化協會 第二次大會에 武者小路實篤, 鹽谷溫, 河上徹太郎 等 諸氏가 參加하야 兩國 文化의 感情의 融合과 彼此 理解에 힘쓴 事實 等은 確實히 압흐로의 文學을 通한 참된 提携와 合作의 조흔 前兆라 할 수 잇고 中國 新文藝 復興運動을 助長함에 影響되는 바 또한 적지 안을 것을 疑心치 안는다.

이때에 잇서서 本文을 草함도 華北 文化界의 一面을 窺知한다는 意味에서 北京을 中心으로 하고 華北文壇의 最近 動向과 新作家들의 文學活動을 全貌라고는 할 수 업스나 그 大略이라도 紹介하야 甦生하는 中國의 新文化運動에 關心을 가진 이들의 參考에 資하고자 하는 조고마한 意圖에서 나온 것이다.

華北文壇의 中心은 勿論 北京에 잇다. 따라서 우리는 華北文壇을 論하기前에 北京이 中國의 歷史 乃至 地理上에 占하는 地位는 고만둔다 하더라도 그 文化的 重要性이라도 槪念的으로나마 想起함이 順序일 것이다.

②

過去 卽 事變 前의 中國文化를 생각할 때 上海라는 이 畸型的 都市를 저

바릴 수 업슬 뿐더러 表面的 意味로만 본다면 過去의 文化 或은 文學運動의 中心이 全혀 上海에 잇섯다 해도 過言이 아닐 것이다. 換言하면 四千年을 나려온 中國文化의 固有한 傳統을 無視하고 단지 歐化에 陶醉하야 남의 것을 移植하고 模倣하기에만 汲汲하던 過去의 中國文化, 그 가운데서도 特히 文學은 文學으로서의 健實한 發展을 버리고 策略 乃至 宣傳工具로서 利用되엿고 上海는 이런 文化의 中心이 되고 出版事業과 文藝運動의 中心이 되여 一九二五年 以來 七·七事變의 直前까지 文化 方面의 領導的 地位를 持續해왓스니 이 사이에 적지 안흔 變動이 잇섯다 할 수 잇스나 上海 文化界의 全國的 領導性을 움즉일만한 아모런 다른 힘도 업섯다. 事變 前에 出版된 中國文藝書籍의 十分之九까지가 上海에서 發行된 事實만 보드라도 容易히 알수 잇는 일이다.[03]

그러나 이러한 表面的 領導性과는 다른 意味에서 實質的으로 中國의 文學活動을 指導하고 支配해온 것은 오히려 古都 北京의 文壇이엿다고 할 수 잇스니 『五·四』運動을 契機로 하고 展開되엿던 新文學運動이 北京을 中心으로 하고 生長된 것은 勿論 一般이 周知하는 바와 가티 『文學改良』과 『文學革命』을 提唱함으로써 有名한 雜誌 『新靑年』의 執筆者와 寄稿家들이 北京에 集中하여 잇섯고 『改良文學芻議』와 白話詩를 처음으로 發表한 胡適, 『阿Q正傳』과 『狂人日記』 等 短篇을 發表하야 世界的 作家된 魯迅도 다 가티 北京에 머무러 文學活動에 從事하고 잇섯스니 비록 印刷와 出版의 優越性을 上海의 新工業의 힘에 빼아낀 바 되엿다 하지만 北京大學을 中心으로 하

---

03 "出版事業과 文藝運動의 中心이 되여"에서 여기에 이르기까지 모두 上官箏, 「一年來華北文壇的總淸算」, 『中國文藝』제7권 제5기, 1943.1에서 초역한 것이다. 이하 적지 않은 내용 역시 이에서 초역된 것임을 밝힌다.

고 許多한 優秀한 文學者들을 擁有하고『文學季刊』等 健實한 刊物로써 歐米主義의 輕薄性에 빠지기 쉬운 上海文壇과 對立하야 中國文學의 固有한 傳統을 繼承하기에 힘쓰면서 中國 文學活動에 眞實한 刺戟과 꾸준한 支配性을 持續하고 事變 前夜에 이르른 것이다.

그러나 歷史의 巨輪은 이러한 모든 狀態를 뿌렉이부터 뒤업허 버리엿스니 七·七事變의 偉大한 鍾소래는 上海와 北京은 勿論 全 中國의 文化面에도 根本的 改革과 動搖를 이르키고 마럿다. 이 機會야말로 北京과 上海 두 都市에 集中되엿던 中國 文學活動을 全國 各 都市로 分散식혓고 따라서 文學活動의 地域性과 普遍性을 增强식혓스며 過去 이 歐米主義에 支配밧든 그릇된 文化를 淸算하고 東方의 人類의 幸福과 自由를 爲하야 새 時代를 創造하는 世紀에의 大業에 步調를 마처야 할 새로운 文學을 樹立하는 畫期的 時機가 된 것이다.

이러한 意味에서 本文에서 論及할 華北文壇이란 過去의 그릇된 文學에서 完全히 淸算되여 文學的 處女地에 新人들로 因하야 씨뿌려지고 자라나고 잇는 別個의 것이라는 것을 먼저 言明코자 하며 이 새로운 文壇이 어떠한 動向을 보히고 잇스며 어떠한 新人들이 活躍하고 잇는가 함을 瞥見코자 한다.

③

事變 直後의 北京文壇은 위에서도 말한 바와 가티 畫時代的 動搖를 일으킨만큼 그 混亂의 度도 甚하엿다. 各 文化都市의 一般 文藝家들과 文藝 愛護者들은 너무나 커다란 時代의 變動과 多年間 文化의 低迷에 彷徨한 남어지 文化的 活動의 正當한 指針을 일코 한便 時局의 歸趨를 내다보지 못하는 困難으로 因하야 스사로 沈默을 직히고 그러타고 純文學的 白紙로 도라가서

再出發을 꾀할만한 勇氣조차 업시 單只 無意味한 煩悶을 繼續하고 잇섯다.

이러한 低調와 混亂을 물리치고 民國 二十七年(昭和 十三年) 春에 이르러 前 敎育總署 督辦 周作人, 佛文學者요 『四一』劇社의 指導者로 有名한 陳綿 博士 等에 依하야 新雜誌 『朔風』이 發刊되고 뒤를 이어 作家 張鐵笙의 努力으로 純文藝誌 『中國文藝』가 發刊되면서부터 北京文壇은 아즉도 戰火가 完全히 식기도 前에 勇敢히 이 거치른 處女地에 新文化建設의 굿세인 第一步를 내듸된 것이다.

以來 五個 星霜 北京文壇은 어떠한 動向과 進展을 보이고 잇는가. 所謂 文學的 敎養과 技術을 가추엇다는 過去의 老作家群은 거이 全部가 北京에서 자최를 감추고 文壇의 主流가 全혀 新人들에게 依하야 움즉여지니만치 時代에 對한 認識과 文學的 修養의 不足, 그리고 作品을 담을만한 出版物의 缺乏 等 客觀的 條件에 制限되어 貧弱하고 遲々함을 免치 못햇스나 이는 새로 싹트는 文學으로서 그 發展 途中에서 避치 못할 過程이라 할 수 잇는 것이다.

最近의 北京文壇을 말함에 첫째로 指摘해야 할 것은 新人들의 文學活動이 過去의 混沌한 狀態에서 버서나서 漸次 眞摯한 發展의 軌道로 드러서고 잇다는 事實이다.

率直하게 말하면 二三年 前의 北京文壇이란 『新民報』, 『庸報』 等의 大新聞이 重要한 紙面을 바처가며 每日 가티 文藝面을 刊行하야 文壇을 爲하야 貢獻하는 바 잇고자 努力하엿슴에도 不拘하고 어데 가서 文壇의 中心과 主流를 차저야 올흘지 알 수 업스리만치 混頓과 低調 속을 彷徨하엿섯다. 文學하는 이들의 時代에 對한 確乎한 認識과 信念의 缺乏은 말할 것도 업고 發表되는 作品은 그 文學的 價値 云々은 暫時 그만두고라도 低級趣味를 迎合하는 文字의 羅列이거나 漠然히 日中親善을 부르짓는 公式的 文字의 汎濫에 不過하엿던 것이다. 그러나 最近에 이르러서는 이런 傾向이 顯著히 消滅

되고 新生 中國의 새로운 文學을 建設할 文化人으로서의 相當한 情熱과 眞摯性을 보히고 잇스니 그 具體的 表現으로『華北作家協會』가 結成된 事實을 들 수 잇다. 勿論 한 個의 作家協會가 結成되엿다는 것은 우리에게 特別히 新奇한 느낌을 주는 事實도 아닐 것이나 散漫하던 華北의 文學者들이 時代의 使命을 認識하는 東方에 삶을 바든 文化人으로서 이 世紀의 大業을 完成하고 英米 勢力에서 解放되여 참다운 東亞 民族의 共存共榮을 爲하야 이바지해야 한다는 信念 아래 뭉처진 文化人들의 最初의 새로운 大同團結이라는 意味에서『華北作家協會』의 結成은 最近의 華北文壇을 말함에 무엇보다도 注目할만한 價値잇는 事實이다.

北京에서 文人들의 團結을 要望하는 소래가 놉흔 것은 오래 前 일이엇다. 일즉이 事變 直後에『新民報』를 中心으로 한 文藝協會의 誕生이 各 方面에서 期待되엿스나 結局 流産의 悲運에 빠저버렷고 民國 二十九年度에도『華北文藝協會』組織의 氣運이 濃厚히 뵈엿스나 이 亦 實現을 보지 못했고 昨秋에 이르러서 비로소『華北作家協會』結成을 보게 되여 드듸여 九月 十三日 北京飯店에서 成立大會를 열고 文化人의 새로운 出發을 보게 되엿스니 當時 通過된 宣言을 보면 다음과 가튼 一節이 잇다.

【끗】

④

[04]華北 文化界는 그 偉大한 精神과 光榮된 歷史를 具有하고

04　‘『’가 누락되었다

잇다. 그러나 우리는 現在의 沈默을 否認할 수 업스며 오날의 荒凉함을 忽視치 못하는 바이다. 비록 暫時의 沈默은 부르지 즈라는 者의 準備이며 오날의 荒凉함은 봄날을 마지할 前奏라 할 수 잇다 하더라도 우리는 임이 그 沈默과 荒凉함의 너무 長久함을 참지 못하는 者이다. 이에 뜻을 가티하고 길을 가티하는 우리는 서로 集合하야 作家協會를 發起 組織하야 첫재로 華北 作家의 精神的 團結을 求하고 群策群力으로써 華北 文藝 學術의 發展을 圖謀하고 華北 文化의 再建과 國民의 中心 思想 確立에 資하야써 華北 文化界의 過去의 歷史를 復興하며 아울러 우리들 文化戰士의 偉大한 使命을 完成코자 하는 바이다. 華北 作家 中의 先覺者 諸氏와 先輩 諸氏여! 願컨댄 우리들로 하야금 一條의 戰線위에 가티 서서 우리들의 共同의 目標를 向하야 邁進케 하라!』

以上의 一節에서 우리는 『華北作家協會』의 大體的 性格을 엿볼 수 잇거니와 新進 評論家 上官箏은 作家協會의 特點을 다음과 가티 四項으로 指摘하고 잇다.(『中國文藝』誌 今年 一月號, 十七頁.)

(一) 『華北作家協會』는 文藝協會와 그 組成의 範圍를 달리하는
    것이니 『作家協會』는 그 範圍가 넓고 따라서 參加者도 文
    藝 工作者에만 限하지 안코 一般 文筆人을 全部 包容하는
    故로 一種의 文藝 工作者의 團體에 끄치는 것은 아니다.
(二) 『華北作家協會』는 同業 組合이나 統制 公會의 性質을 가
    준 것이니 同志와 思想上의 結合體인 까닭으로 이 組織 안

에는 各種의 思想, 立場, 見解를 달리하는 分子를 널리 包
容할 수 잇슴으로 그 會員은 多方面에 亘한다.

(三)『華北作家協會』의 機構는 上部로부터 下部에 미치는 것
이며 下部로부터 上部에 미치는 것이므로 責任者에 對하
야는『幹事』라는 名義를 쓰나 會員 間에는『小組』를 두지
안는 故로『幹事』는 會員의 推選으로 産生되지 안코 發起
人과 組織者의『當然責任制』에 依하야 産生되는 것이며
『幹事』의 會員全體大會에 對한 責任은 이러한 組織系統
에 依하야 構成되는 것이다.

(四)『華北作家協會』는 普遍性을 떼운 것이니 어느 한 地方의
組織體가 아니요, 全 華北의 組織體이다.『作家協會』의 企
圖하는 바는 全 華北의 文筆 工作者를 全部 綱羅하기를 希
望함이니 이는 成立大會에 天津 代表가 參加한 것과 代表
作家를 外地에 派遣하야 治安强化運動을 視察케 한 事實
만을 보더라도 明白히 알 수 잇는 바이며 北京은 政治的
中心地인만큼『作家協會』가 北京에 成立되엿다는 것은 全
華北 文藝作者의 領導體의 意味를 具有하고 잇는 것이다.

다음으로『華北作家協會』成立의 意義를 더 한 層 明白히 하기 爲하야 發
起人의 한 사람인 張鐵笙의 說明을 引用하면 다음과 갓다.

『華北作家協會』는 一面 老作家와 先輩로 하여금 다시금 華北
文壇에 貢獻할 機會를 주고 同時에 이 組織體를 利用하야 新
進作家를 發見하고 그들로 하여금 彼此 硏究의 機會를 주고

一面 作家 사히의 連絡을 매저 華北 文藝思潮의 復興을 圖謀
하고 한 거름 더 나아가 國外 文筆人과 携手하야 新東亞, 新世
界의 建設에 貢獻코자 하는 바이다.

云々.

要컨대 『華北作家協會』 結成의 意義는 東亞共榮圈에 삶을 바든 文學者로
서 압흐로 同生共死의 구든 信念 아래 如何히 大聖業의 完遂를 爲하야 그들
의 文化的 使命을 다하느냐 하는 데 잇슬 것이니 그것이 所謂 過去의 『協會』
式 協會에 끄치고 만다면 우리는 그 存在의 意義조차 차즐 수 업는 것이다.
그러나 成立以來 滿洲國과의 作品 交換, 華北 作品의 日本에의 紹介, 『作家
月報』의 出版, 文藝 賞金의 制定 等 눈부시는 活躍을 開始하고 잇스니 압날
의 期待되는 바 크다고 아니할 수 업다.

⑤

特히 滿洲國과의 作品 交換은 最近의 華北文壇에 잇서서 한가지의 注目할
만한 事實이니 일즉이 昨年 四月 間에는 滿洲 建國 十周年을 紀念하는 意味
에서 八篇의 代表 作品을 彼此 交換 發表한 일이 잇섯고 第二次로 『05公孫嬺,
幻鷗, 慕容慧文, 張金壽, 麥靜, 程心扮, 東方雋, 蕭菱 等 諸 作家의 小說 六篇,
散文 두 篇을 滿洲國으로 보내여 『新滿洲』誌上에 發表하엿스며 滿洲國側으

---

05 겹낫표가 잘못 기입되었다.

로는 金音, 疑遲, 小松, 勵行建, 爵靑, 劉漢, 杜白雨, 英[06]瑛 等 諸人의 小說 八篇을 『中國文藝』誌를 通하야 華北에 發表하엿다. 이들 作品을 詳細히 紹介할 紙面이 업거니와 作品 交換을 通하야 建國以來 임이 十年의 苦鬪의 歷史를 싸흔 滿洲國의 文學作品이 華北文壇에 示唆한 바 크다고 아니할 수 업다.

다음 文藝를 主로 하고 華北 出版界의 最近의 動向을 一瞥하기로 한다.

먼저 純文藝誌로 『中國文藝』를 드러야 할 것이나 이는 現今의 華北文壇을 代表하는 唯一한 月刊誌요, 四年 餘의 歷史를 가진만큼 그 編輯에도 文藝誌로서의 充實性과 眞摯性을 보히고 잇스며 늘 執筆者의 面目을 一新하야 文壇에 淸新한 空氣를 보내고 잇는 것이 그 特色이라고 할 수 잇다.

이 外에는 滿洲서 온 作家들이 한 그룹이 되여 發行하고 잇는 『每月文園』, 『每週文園』과 輔仁大學 文科生들의 校友誌인 『輔仁文苑』이 잇다. 前 二者는 紙面이 極히 制限되여 잇는만큼 훌융한 創作品의 發表는 期待할 수 업스나 때로 文藝批評의 불만한 것을 提供하기에 힘쓰고 잇스며 後者는 三年이나 꾸준히 刊行해 오던 것이 昨年度에 第十, 十一의 合輯號를 내논 다음 停刊 狀態에 빠저 잇다.

綜合雜誌로는 『中國公論』, 『國民雜誌』, 『東亞聯盟』, 『新進』, 『新民報半月刊』, 『新輪』, 『婦女雜誌』 等 多數를 들 수 잇고 이 中에서 『中國公論』은 權威 잇는 政治 時事의 論文으로 華北 言論界에 업지 못할 存在이며 文藝를 爲하야도 相當한 紙面을 提供하야 각금 무게잇는 作品을 실으며 『國民雜誌』와 『婦女雜誌』는 小型 新聞 『武德報』社의 刊物로 다 갓치 文藝를 爲하야 적으나마 重要한 頁를 提供하고 잇스며 『東亞聯盟』도 때로 短篇의 傑作을 文壇에 求하는 等 微弱하나마 看過할 수 업는 努力을 보히고 『新進』亦是 文藝에

---

06 '吳'의 오식이다.

注重하는 刊物이다. 『新輪』은 華北交通公司의 機關誌이나 每號 꾸준히 一二篇의 文藝作品을 내노코 잇스며 『新民報半月刊』은 北京의 唯一한 大型 漢字紙인 『新民報』의 姉妹誌로서 通俗으로 흐르는 感이 업지 안으나 華北에 잇서서는 重要한 綜合雜誌의 하나이다.

新聞으로는 위에서 말한 北京의 『新民報』와 天津의 『庸報』가 華北의 二大 新聞이나 이들은 비록 多分히 通俗的 趣味를 迎合하는 感이 잇다 하더라도 過去의 事變 即後의 華北 新文藝運動의 初創期에는 相當한 紙面을 提供하야 文壇에 貢獻하는 바 잇섯스나 最近에는 文藝를 너무 虐待하는 傾向이 顯著히 나타나고 잇스며 그 反面에 小型 新聞들이 도리혀 文藝를 爲하야 볼만한 努力을 보히고 잇스니 『武德報』社의 小型 新聞 『民衆報』는 昨年 中에 一般 讀者의 低級 嗜好를 斷然 물리치고 從來의 所謂 章回體의 通俗小說을 버리고 新文藝 小說의 連載를 敢行하는 一面 『文藝』, 『藝文週報』 等의 副刊으로 文藝作品의 批評과 紹介에 힘쓰고 잇스며 『實報』는 一週 一次의 文藝面 外에 『學生新聞』을 刊行하야 젊은이들의 文學的 涵養을 꾀하고 잇고 『新北京報』, 『時言報』도 다 가치 週刊의 文藝面을 가지고 잇다.

單行本 書籍의 出版 方面을 보면 過去에 比하야 減少된 傾向이 顯著하나 最近에도 『藝術與生活』社가 『尋夢者』(黃肅秋의 詩와 散文의 合集), 『虹橋集』(顧視의 詩集), 『同心集』, 『同心二集』(田軍, 曹原, 肅强[07]의 小說合集), 『童年彩色版』(狂夢의 散文集) 等을 刊行하얏고 『中國文化振興會』에서도 『藥味集』(周作人의 散文集), 『現代日本短篇名作集』, 『十三作家短篇小說集[08]』 等의 文藝 書籍을 刊行하얏고 『華北編譯館』은 『中國文學與日本文學』(上半部 靑木正兒 原著, 下半部

---

07 '肅强'의 잘못이다.

08 '十三作家短篇名作集'의 잘못이다.

梁盛志 著)을 刊行햇고 天津에서 發行된 文藝 書籍으로 謝人堡의 短篇集『葡萄園』, 田秀峰의 小說集『一掛念珠』가 잇고 『新進月刊』社에서도 黃道明의 『文學叢話』를 刊行하엿다.

이外에 叢書類에 屬하는 刊物로『武德報』社의『萬人文庫』를 들 수 잇스니 이는 조흔 意味의 通俗性으로 政治, 時事, 經濟, 藝術 等 各 範圍의 內容을 取扱하야 文藝 方面에도 散文集『春宵散筆』,『我的日記』,『短篇小說集』, 『小說特輯』,『日本小說選』等 볼만한 것이 만타.

以上 出版界의 狀況을 要約하야 볼 때 華北文壇의 不振의 原因이 出版界의 貧弱에 잇다는 一般的 見解에도 一理가 업는 것은 아니나 非常 時局을 認識하고 도리켜 생각할 때 華北 出版界는 決코 量的으로 貧困하다 할 수 업슬 뿐더러 도리혀 이만한 紙面과 이만한 刊物을 가지고 잇다는 것은 戰時下의 處한 華北이 어느 다른 곳보다도 文化的 惠澤을 입고 잇다 하겟스니 한 張의 종이도 한 방울의 잉크도 浪費를 許諾치 안는 이 重大 時局에 處하야 주어진 限度 안에서 如何히 하야 한 張의 紙面과 한 방울의 잉크라도 살니워서 文化의 時代的 使命을 다하느냐 하는 것이 華北 文化人에게 주어진 今後의 課題가 아니면 안될 것이다.

(끗)

1945년

中國文學上의 魯迅과 巴金[01]

丁來東

　中國 新文學 卽 白話文學이 提唱된 後로 창作界에 가장 처음으로 小說을 發표한 作가가 로迅이오, 또 가장 成功한 作가로서도 로迅을 들 수가 잇다. 로迅은 고一골, 안드립, 투루게닙, 톨스토이의 影響을 많이 받은 作가이다. 그는 日本 留學생이면서 露西亞 作가의 영향을(留學 當時 日本에서 露西亞文學의 영향이 컷스며 非但 日本뿐만 아니라 世界的으로 異彩를 띄이게 되엇든 것이다) 받은 作가이다. 露西亞와 中국은 大陸인 點에 共通성이 잇고 民族성에도 下層人에는 共通된 點이 적지 않다. 그리고 無識하고 우매한 點에 잇서서도 같은 點이 많다. 魯迅은 特히 中国 鄕村人의 성質, 習慣, 우매 其他 特色을 그 작品에 나타내는 데 成功하엿다. 그 작品이 수次 發표되자 中국인 中에는 魯迅의 작品은 중국의 수치라고까지 말한 사람이 있었다.

　魯迅은 그와 같이 중국인으로서 自己 反省을 하고 自己 비判을 한 작가이다. 어느 작가나 自己의 周圍 環境을 표現하고 自己의 所屬한 民族성을 發揮하고 자기의 希望을 묘出한 것이지만은 魯迅과 가치 深刻하게 중국인을 그

01　『藝術』 제1권 제2호, 1945.12.15.

려낸 작가는 지금까지도 없엇다.

魯迅은 一九一八年 以後 卽 중국이 文化적으로 自己 反省을 하고 西洋, 日本文化와 중국文化의 長短을 比較하고 중국 古代 중古의 문화를 正當하게 비判하며 그 價치를 세계 문化史上 立場에서 認識하게 된 때의 작가이다. 當時의 靑年은 중국 以外의 작가만이 現代小설을 쓸 수 잇고 중국 以外의 국가 環境만이 現代小설의 內容이 될 수 있으며 중국 以外의 작가 言語로만이라야 現代小설을 구成할 수 잇는지 알엇든 중이요, 중국작가는 偉大한 작가가 될 수 없는 것 가치 믿고 잇섯든 것이다. 그러하든 중에 魯迅은 혜星같이 나타낫스며 그 작품은 外국 작품에 손色이 없는 것을 漸漸 알게 되엿다. 그 小설 內容은 중국의 것이면서 外국 작품과 가치 認識하엿고 그와 같은 水準으로 評價하게 되엿다. 學生會, 靑年層의 支持는 말할 수 없엇든 것이다. 로迅과 同時하야 혹은 그 즉後로 張자平이라던지 곽말若과 같은 작가가 亦시 많은 靑年層의 讀者가 잇섯고 중국 新문學上 重要한 지位를 점하고 잇지만은 一九三一年부터 小설을 쓰기 始작한 파金과 같이 靑年층의 讀자는 얻지 못하였으리라고 推測된다. 파金은 처음부터 문學을 志望한 작가는 아니다. 처음은 社會科學 書類를 중국에 移入하엿고 實지 社會運動을 體驗한 작가이다. 그의 작품은 藝術에 잇서 缺陷이 잇슬런지 모르나 熱이 잇고 實感이 잇고 革命運動의 裏面相을 아는 데는 파金의 작품을 제하고는 없으리라고 믿는다. 이러한 點이 動란 중국에 잇서 靑年 讀자를 끄는 것일 것이다. 이제 파金 작 「애정의 三部曲」(霧, 雨와 電)을 評한 釗西渭[02]氏의 一구를 비러서 此편의 結語로 할까 한다.

---

02 '劉西渭'의 오식이다.

「그의 讀자는 太半이 二十歲 左右된 靑年이다. 天眞한 데로부터 世況에 익게 되는 인생의 路程이야말로 가장 留연할만한 것이다. 이곳에 希망, 信앙, 熱誠, 연애, 적막, 苦痛, 유滅 등 여러 가지 色의 사랑스러운 交織이 잇다. 파金은 幸福스럽다. 그의 人物은 여러 眞實한 靑年이오, 그의 讀자도 여러 眞實한 청年이기 때문이다. 그의 마음은 그네들의 마음을 불타게 한다. 그의 感受는 곧 그네들의 읍울不선한 感受이다. 그네들은 다 舊 가庭의 囚籠에서 뛰어나와 마음이 向하는 都市로 오게 된다. 그네들은 동경의 마음, 끓는 피, 남는 힘이 잇다. 그네들은 일을 要求한다. 自己를 爲한 것이 아니고(實際는 自己를 爲한 것이지만) 더 高尙한 理想을 爲한 것이다.」[03]

이와 같이 청년의 讀자가 잇스며 공鳴點이 많은 작가이다.

---

03   劉西渭, 「『愛情的三部曲』 - 巴金先生作」, 『咀華集』, 文化生活出版社, 1936.12.

1946년

祖國愛에 불타는 情熱의 人 郭沫若[01]

저자 미상

朝鮮은 聯合國의 偉大한 勝利로 因해 日帝의 鐵鎖로보터 解放되였다. 이 제 朝鮮은 完全 自主獨立의 길로 指向하야 産業, 經濟, 文化 모든 部門에 있 어 안으로 建設의 塔을 싸아올리는 한편 民主主義 聯合國의 一 構成分子로 서서 박그로 聯合 諸國과의 구든 友誼를 매저 各 部門의 交流가 切實히 要 請되고 있는 이때 더욱히 우리들의 精神的 聯繫를 긋게 해주는 文化部門의 媾通은 무엇보다도 時急히 要請되고 있는 바이다. 이런 意味에서 第二次 大 戰을 通하야 가장 英雄的인 鬪爭을 展開하야 넓리 우리들의 故鄕을 몰으고 있는 聯合國의 作家로서 中國의 郭沫若, 美國의 압튼 싱그레아, 蘇聯의 니콜 라이 치호노포 以上 三 作家의 簡單한 紹介를 하기로 한다.

郭沫若 그는 四川省 出身으로 今年 五十五歲이다. 日本에서 九大 醫科를 畢業하고 곳 文學運動에 從事하였다. 學生 時節부터 詩人으로 일흠이 놉앗

는데 一九二二年 上海에서 郁達夫, 矛盾[02] 等과 더부러 創造社를 組織하야 當時 中國으롤서는 처음인 浪漫主義 文藝運動을 일으키어 一時 中國文壇을 휩쓸었으며 이어 革命運動에 投身하야 一九二七年 北伐軍에 參加하야 武漢으로 들어가 政治部 副主任으로 活躍하다가 中國共産黨의 分裂과 함께 日本으로 亡命하야 千葉縣下에서 조용히 妻子(日人)와 더부러 苦難한 生活 속에 思索과 硏究에 從事하야 主로 中國古代社會硏究에 沒頭하는 一方 각금 獨特한 氣魄을 낫타내었다.

中日事變이 일자 그는 十年 亡命生活을 淸算하고 決然히 일어나 妻子와 生別을 告하고 祖國의 勝利를 爲하야 中國으로 돌아간 것은 너무도 有名한 이야기다.

> 『同胞가 滅亡의 危機에 臨해있는 때 누가 自己의 一身一家의 安全만을 돌아보리오? 내가 現在 取하고 있는 길은 나로서 오직 단 하나 살 수 있는 길이라고 밋는다――나는 마음속으로 古今 內外의 志士 仁人의 일름을 놉이 불러 거울 삼으려다. 비록 金石은 깨어질지언정 나의 뜻만은 變치 않으리라――』

이러케 그는 그의 名作 『脫出記』에 써있는 것을 보아 當時 그의 心情을 推察할 수 있다. 그가 日本으로부터 歸國하는 船中에서 다음과 같은 悲壯 淋漓한 노래를 을퍼 더욱 端的히 그의 心境을 表白하였다.

又當投筆請纓時,

---

02 '茅盾'의 잘못이다.

別婦拋雛斷想[03]絲.

去國十年餘淚血,

登舟三宿見旌旗.

欣將殘骨埋諸夏,

哭吐精誠賦此詩.

四萬々人齊蹈厲,

同心同德一戎衣.

　　上海로 건너간 그는 곳 抗敵 各 文化團體를 主導하면서 爾來 十年 偉大한 抗戰 過程에서 그는 中國 抗日 文學家들을 領導해 오늘의 빗나는 勝利를 어든 것이다. 그의 代表作으로는 小說『反正前後』, 戲曲『三個反逆的女性』, 詩集『女神』外 最近作으로 隨筆, 紀行, 短評 等 多數이다.

03　'想'는 '藕'의 오식이다.

革命詩人 郭沫若[01]

裵澔

又當投筆請纓時, 屛[02]婦抛雛斷藕絲.

去國十年餘淚血, 登舟三宿見旌旗.

願[03]將殘骨埋諸夏, 哭吐精誠賦此夏[04].

四萬萬人多[05]蹈厲, 同心同德一戎衣.

　이 七律은 一九三七年 七月 二十三日? (七月 七日 日支戰爭이 勃發하자) 日本을 脫出하여 歸國한 郭沫若이가 上海 文藝界 同志들이 베푸러준 宴席上에서 發表한 詩이다. 一九二九年에 蔣介石으로부터 逮捕令을 만나 日本으로 亡命하고 있다가 九年만에 歸國한 것이다. 日本 遊學 時代에(一九一四──

---

01 『新文藝』제2권 제2호, 1946.7.

02 '別'의 잘못이다.

03 '欣'의 잘못이다.

04 '夏'는 '詩'의 잘못이다.

05 '多'는 '齊'의 잘못이다.

一九二三) 結婚한 日本人 婦人과 그 所生 三男妹 아히들을 떼여놓고 餘生을 國家에 바치려 四億 同胞와 苦難을 같이 하야 戰列에 나가려는 그 悲壯한 心境을 吐露한 것이다.

또 그 宴席上에서 이렇게 말하얏다.——내가 이번 歸國한 것은 甚大한 決心을 要한 것이나 그러나 野心은 가지지 않었다. 나는 筆管을 잡을 것이나 境遇에 따라서는 銃管도 잡겠다. 必要한 경우에는 一 兵卒이 되고 몇 놈의 敵人을 射殺할 것이다. 中國은 이미 最後 關頭에 到着하얏다. 國內, 國外의 모든 事情은 오늘에 와서 많이 말할 必要가 없다. 잔소리를 하여도 實行하지 않으면 所用 없다. 그러니까 우리는 오로지 實行할 따름이다. 동시에 우리의 敵人과의 싸홈은 오날에 시작한 것이 아니다. 또 모도가 軍事만에 限한 것이 아닐 것이다. 文化 其他 各界를 勿論하고 모두가 抗敵 精神을 갖이고 儉約 生活을 勵行하고 몸을 鍛鍊하고 사람마다 銃을 들고 殺敵 精神을 갖이고 한 時 一分 一秒를 다투어 抗敵 救亡의 主張을 잊어서는 아니된다.——

그는 이렇게 부루짖고 따뜻한 손을 내미는 한 때의 怨讐이든 蔣介石과 握手를 하고 곧 救國運動의 實踐으로 드러갔다. 즉 大本營 政治 訓練部 秘書長, 軍事委員會 政治 訓練部 對日宣傳 部長, 文化工作委員會 主任 等 政治 役割에서 政府, 民間을 不問하고 戰爭下 文化界를 領導하여왔다.

이것이 두 번째 政治 生活이고 第一次의 그것은 一九二六年 廣東政府를 세우고 國民黨과 共産黨이 合作하여 軍閥 打倒, 全國 統一의 北伐軍에 參加한 것이다. 그때도 國民革命軍 總司令部 政治部 宣傳科長이란 要職에 있다가 武漢政府가 서자 다시 總政治部 副主任의 責任을 갖었다. 北伐軍이 成功하여 國民黨이 南京政府를 세우자 豹變하여 左翼을 彈壓하게 이르러 이 때에 蔣介石으로부터 逮捕令을 받은 것이다.

郭沫若은 一八九二年 四川省 嘉定府(成都 近處) 富豪 農家에 나서 中學校를 그곳에서 마치고 十七八歲 頃에 靑雲의 뜻을 품고 멀리 楊子江을 내려와서 오늘까지 故鄕에 도라가지 않었다.(重慶政府 時에 或 갔는지는 모르나) 一九一四年 二十三歲에 僅少한 國費로 日本에 留學하여 六高를 거처 九州帝大 醫學部를 卒業하았다. 그는 醫學을 抛棄하고 九大 在學 時부터 詩를 發表하기 始作했다. 또 日本에 留學 中이든 郁達夫, 張資平, 田漢, 成彷吾 等을 糾合하여 創造社를 組織하여 活動한 것이 現代 中國文壇의 一大 潮流를 이룬 것은 너무도 有名하다.

그의 文學은 詩人으로서 出發하여 戲曲, 小說, 評論, 翻譯에 있어서도 大家의 面目을 가졌다. 더욱 「中國古代社會硏究」와 甲骨文字 硏究는 一流 學者의 地位를 充分히 獲得하였다. 이러한 廣範圍의 分野에서 그 作品의 水準과 分量은 참으로 驚異할만 하다. 單行本 數로는 五六十册을 네리지 않는다. 그의 詩는 大學 時代에 完成되였고 그 後의 行動은 모다 이 詩精神의 發動이라고 볼 수 있다.

勝利의 死

너 암암하고 힘없는 달이여! 우리의 어두운 地球를 이 刹那에
어서 빨리 너와 같이 얼구어 다오!
넓은 바다는 저 悲壯한 노래를 부르고 있고.
한없이 둥굴은 靑天은 벌서 울어서 얼굴이 붉어졌고나.
멀고 먼 西쪽으로 太陽은 빠저 버렸다! ——
悲壯한 죽음이여! 금빛 찬란한 죽음이여!

凱歌와 같은 죽음이여! 勝利의 죽음이여!
남을 사랑하고 나를 버리는 死神이여!
당신에게 나는 마음을 바치리다! 당신은 내가 가장 敬愛하는
막스웨 너를 빨리 救해 주소서!
自由의 戰士 막스웨 너여! 너는 人類의 意志가 이렇게도 權威
있고 偉大하다고 밝혀주었지.
나는 너에 感謝하고 讚美하련다.
自由는 이후로는 죽지 않으리!
밤 帳幕이 뒤바친 달! 아아, 얼마나 光明이뇨![06]

우리는 밝은 光明속에서 서로 맛나리

긴 밤은 느렁느렁 더딜지라도,
마침내 아침은 닥처올지니,
초조하는 별들의 눈이여,
너이는 뚜려시 바라보지 못하리.

이 까막 밤중에,
太陽은 곰곰히 굴르고 굴르고,
그 날카로운 金살을 갈고 갈고,
天魔를 쏘아 죽이고저 하노라.

06　郭沫若, 「勝利的死(其四)」, 『女神』, 泰東出版社, 1920.

太陽은 단 혼자서라도,
孤獨을 슬퍼함이 없었고,
그는 滿腔의 熱誠을 지니어,
萬物을 다시 살리리라.

우룽우룽 龍車의 소리,
이미 黎明은 머지 않고나.
太陽이여 우리의 스승이여,
우리는 밝은 光明속에서 서로 맛나리![07]

　그는 괴테, 쉐리, 빠이론, 호이트만, 타골 等의 詩人들을 崇尙하고 그 詩集
들을 翻譯 紹介하얏다. 이 詩人들의 浪漫 豪宕한 精神은 곧 郭沫若 그 사람
이었다. 우의 詩 두 篇은 모다 初期의 것이다. 그의 作品에는 旣成勢力에 對
한 反抗精神이 恒常 躍動하고 있으니 그것은 그의 天性이라고 할가. 楊子江
을 最後 決心으로 네려온 것이라든지, 醫學을 버리고 文學으로 轉向한 것이
라든지, 日本人 婦人과 結婚한 것이라든지, 文學을 던지고 北伐革命軍에 參
加한 것이라든지, 左翼作家聯盟에 參加한 것이라든지, 日本에 九年동안 亡
命하여 古代社會를 硏究한 것이라든지, 다시 故國의 危急에 奔投한 것이라
든지. 한 가지라도 反抗精神이 아니고 革命的이 아닌 것이 없다. 그 밖에 그
의 一半生은 恒常 生活難이라는 채쪽의 敎訓을 받고 大學 時代에 이미 河上
肇의 「社會組織과 社會革命」을 翻譯하여 必然의 眞理를 發見하얐던 것이다.
　그의 小說은 詩에 一籌를 輸하나 그의 魅力과 指導性은 影響이 컸다. 小

07　郭沫若, 「我們在赤光之中相見」, 『前茅』, 上海: 創造社出版部, 1928.

說은 全部 自傳小說이어서 郭沫若의 生新한 生活 그것이었기 때문에 軍閥 强壓에 떨고 있든 靑年 中國의 心理를 完全히 把握 領導하았다.

그는 翻譯 作品에도 큰 功績을 세웠다. 꾀테의 「파우스트」, 「少年벨텔의 煩惱」, 슈토룸의 「湖水」, 투루게넽의 「新時代」, 톨스토이의 「戰爭과 平和」(未完成), 싱크레아의 「石炭王」, 「石油」, 「屠殺場」, 「요한 싱크레아 戲曲集」, 골즈 워지의 「銀匣」, 「法網」, 「爭鬪」 等이 그 主要 作品이다.

詩集에는 「女神」, 「卷耳集」, 「星空」, 「瓶」 等이 있고 「女神」이 가장 傑作이다.

戲曲集은 「三個叛逆的女性」이 있고 作品이 比較的 적으나 詩의 延長이라 해도 좋다. 題材는 歷史上의 人物이다.

그의 自敍傳 小說은 日本 亡命 中에 쓴 것이고 「我的幼年[08]」, 「反正前後」, 「創造十年」, 「黑猫」 等이 있고 「塔」, 「攬橄」 等의 短篇集이 있다. 短篇 「牧羊哀話」에서 朝鮮 金剛山을 背景으로 한 朝鮮 憂國家庭을 構成한 것과 「鷄」[09] 에서 東京 郊外의 朝鮮사람 勞働者를 取材한 것은 興味있는 일이다.

平和가 온 今後에 있어서 革命詩人 郭沫若은 또 어떠한 方向을 차즐지 곰곰 생각되나 政治에서는 발을 빼고 學問이나 文學으로 다시 進展할 것이라고 믿는다. 그것이야말로 五十四歲의 오늘날까지 一貫해 나온 그의 反抗精神의 正軌이기 때문이다.

---

08 '」'가 누락되었다

09 중국어 원제는 「鷄之歸來去」이다.

中國의 新文學革命의 敎訓[01]

李明善

一. 序言

中國 現代文化에 關하야 多少라도 開心을 갖인 이면 누구나 五·四의 段階에 있어「新青年」雜誌를 中心으로 活潑히 展開되었든 文學革命運動을 記憶할 것이며 이 運動의 指導者들이든 胡適, 陳獨秀, 錢玄同 等의 燦然한 功勞를 認定할 것이다. 그처럼 이 運動은 革命的이었고 多大한 成果를 걷우었든 것이다.

그러나 이 文學革命運動을 只今 다시 冷靜히 批判한다면 中國이 질머진 半植民地라는 社會的 地位에 制肘되어 더 進步的인 方向으로 推進되지 못하고 그대로 中斷되었다고 斷定하지 않을 수 없다. 卽 五·四의 段階는 民主主義革命의 段階며 文學革命은 文化界에 있어서의 民主主義革命인데 다른 政治, 經濟, 社會 方面에서도 그러하얐듯이 文學 方面에 있어서도 不完全하얐든 것이다.

그리하야 一九三二年에 이 不完全하얐든 文學革命을 完全히 徹底히 遂行하기 爲하야 瞿秋白이 中心이 되어 新文學革命을 提唱함에 이르렀다. 이

---

01 『文学』제1권 제1호, 1946.7.

것은 大衆文學 乃至 文學大衆化 問題에 發端하야 中國에 있어서는 文學이 大衆化할여면 먼저 言語 文學의 問題를 解決하지 않고서는 안되다는 데에서 語文改革運動으로 發展하게 되었든 것이다. 그리고 具体的으로 大衆語에 關하야 여러 가지로 論議되고 拉丁(라텐)化 運動이 着々 進行되어 文學革命 當時의 白話運動과는 헐신 進步的인 것이었다. 이것이 또 根本 性格을 달이하는 文學革命의 되푸리가 아니고 新文學革命이라 불이우는 理由다.

勿論 이 中間에 「文學革命에서 革命文學으로」라는 스로간을 내걸고 展開되었든 革命文學運動의 時期가 있었든 것을 無視하려 하는 것은 아니다. 民主主義革命의 五·四의 段階로 넘어갈 때에 文學 方面에서는 文學革命에서 革命文學으로 急角度의 轉換이 있었든 것이다.

그러나 革命文學은 一種의 傾向文學으로 부루조아文學 打倒에 너무나 急하야 中國의 社會的 特殊性이 文學革命을 不完全한 채로 中斷식히었다는 事實을 等閑視하고 言語, 文學에 對하야 全然 考慮하지 않었다.

新文學革命은 革命文學의 이러한 燥急한 態度를 淸算하고 文學革命이 中途에 抛棄한 困難한 課題를 正面으로 내세워 根本的 解決을 한 것이다.

그러므로 여기서는 文學革命을 한번 다시 回顧하고 新文學革命의 經過을 大綱 紹介하야 朝鮮이 現在 直面하고 있는 文化運動에 言及하야 보려 한다. 革命文學에 關하야서는 暫間 保留해 두고——.

二. 文學革命의 回顧

一九一七年 一月에 胡適이 陳獨秀가 編輯하는 「新靑年」 雜誌에 「文學改良芻議」의 一文을 실이었는데 이것이 文學革命의 第一次의 正式 宣言이라 하겠다. 이 중에는 有名한 八不主義가 들어 있다.

一. 不作「言之無物」的文字.

二. 不作「無病呻吟」的文字.

三. 不用典.

四. 不用舊語爛調.

五. 不重對偶——文須廢駢, 詩須廢律.

六. 不作不合文法的文字.

七. 不摹仿古人.

八. 不避俗語俗字.

胡適의 當時의 理論은 歷史 進化의 思想을 文學에 適用한 것으로 그 態度도 決코 急進的이 아니었다.

그러나 가장 急進的인 陳獨秀는 二月에 「文學革命論」을 發表하야 正式으로 「文學革命」이라는 기ㅅ발을 내걸고 三大主義를 외쳤다.

一. 雕琢的, 阿諛的 貴族文學을 推倒하고 平易的, 抒情的 國民文學을 建設하자.

二. 陳腐的, 舖張的 古典文學을 推倒하고 新鮮的, 立誠的 寫實文學을 建設하자.

三. 迂晦的, 艱澁的 山林文學을 推倒하고 明瞭的, 通俗的 社會文學을 建設하자.

錢玄同, 劉半農 等도 蹶起하야 그들의 意見을 發表하고 一九一八年에는 「新青年」은 完全히 白話을 쓰게 되고 이 以外에도 「每週評論」, 「新潮」 等의 白話雜誌가 創刊되었다.

一九一九年에 有名한 五·四事件이 突發하야 學生運動은 最高潮에 達하얏는데 그들은 白話로 된 無數한 小新聞을 出版하고 一般 社會에서도 이 革命的 雰圍氣를 利用하야 數많은 白話雜誌가 洪水와 같이 밀리어 나왔다.

一九二〇年 以後에는 「東方雜誌」, 「小說月報」와 같은 有力한 雜誌까지도 漸次로 白話를 採用하게 되었다. 이리하야 白話를 公然히 國語라고 稱함에 이르러 白話의 勝利는 決定的이었다.

勿論 이 사이에 이것을 反對하는 頑固派도 적지 않었다. 그 中에 代表的 人物이 林紓 琴南다.

一九一九年에 古文學[02] 林紓는 文學革命運動의 中心이 되어 있던 北京大學 校長 蔡元培에게 書信을 보내고 또 그 回答이 있었는데 이것이 有名한 「蔡鶴鄕[03]太史書」, 「覆林琴南書」로 新舊 衝突의 代表的 文獻이 되었다.

林紓가 問責한 點은 要컨데

一. 孔孟을 떠옆고 倫常을 무찔느고,

二. 古書를 내던지고 土語를 써서 文字를 삼는다.

——는 두 가지 點인데 蔡元培는 여기에 對하야 大學 敎授는 學校 以外에 있어서는 自由로 自己 意見을 發表할 것이며 學說에 對해서도 世界 各 大學의 通例를 본받어 「思想自由」의 原則에 딸아 그 自由 發展에 맛길 것이라고 回答하얏든 것이다. 卽 蔡元培는 陳獨秀, 胡適의 背後에서 反對派들의 許多한 策動에 조곰도 動搖되지 않고 그들을 擁護하얏든 것이다.

그러나 文學革命運動을 敵對視하야 激烈한 論爭을 展開한 者가 決코 古文家 林紓 한 사람뿐이 아니였다. 그 重要한 二三의 例를 들자.

一九二一年에 南京에서 「學衡」이라는 雜誌가 出版되었는데 梅光迪, 胡先驌, 吳宓 等의 外國 留學生들이 登場하야 文學革命에 對하야 一大 攻勢를 取하얏다. 여기서는 그 內容에 一一히 言及할 결을이 없음으로 重要한 論文의

---

02 '古文家'의 오식이다.

03 '鄕'은 '卿'의 오식이다.

題目만을 들자.

評提倡新文化者(梅光迪).

評今人提倡學術之方法(梅光迪).

論新文化運動(吳宓).

駁胡先驌君的中國及[04]學改良論(羅家倫).

一九二五年에 章士釗은 「甲寅」週刊을 發刊하야 임의 決定的 勝利를 얻은 文學革命에 對하야 無謀한 鬪爭을 展開식이었다. 그때 北京은 段祺瑞의 臨時執政 時代로 章士釗은 司法總長 兼 敎育總長이 되어 그 地位를 利用하야 學校에서 白話文을 敎授하는 것을 禁止식히고 「評新文化運動」의 一文를 發表하야 文學革命運動을 罵倒하얐다. 그러나 이러한 反動分子의 勢力이 오래 繼續될 이도 없고 文化界 全体의 反擊으로 白話는 꿋々이 保支되었다.

一九三四年──임의 大衆語가 提唱되고 拉丁化運動이 着着 實施될 때에 도리혀 汪懋祖라는 頑固派가 새삼스러히 「文言復興」을 부르짖고 「禁習文言與强令讀經」의 一文을 發表하야 一大 物議를 이르킨 일이 있다. 이것이야말로 頑固派의 最後의 發惡으로 도리혀 大衆語運動 안주거리가 되고 말었다.

以上으로 簡單히 文學革命運動을 槪觀하얐는데 이것만으로도 反對派가 얼마나 틈을 타서 자조 反擊하야 왔나는 짐작할 수 있을 것이다.

三. 新文學革命의 經過

一九三二年 七月에 「文學月報」 創刊號에 瞿秋白(筆名 宋陽)의 「大衆文藝

---

04 '及'은 '文'자의 오기다.

的問題」의 一篇이 실이었는데 이것이 新文學革命運動의 正式의 宣言文이 되었다. 瞿秋白은 中國共産黨史에 巨大한 足跡을 남기었으나 文化運動 方面에 있어서도 魯迅 以外에는 딸을 사람이 없을 만치 爀々한 功績을 남기었든 것이다. 爲先 이 글에서 重要한 몇 句節을 引用하야 보자.

「五·四 以後 文學革命에서 革命文學으로 發展한 것은 一步 前進한 鬪爭이라 하겠다. 그러나 革命文學의 陣營에서는 文學革命의 繼續과 完成을 거의 아주 等閑視하였다. 그리하야 이것이 一種의 習慣이 되어 입으로 말하는 中國 言語의 習慣을 完全히 돌아보지 않고 許多한 古文의 文法과 歐洲의 文法, 日本의 文法을 採用하야 恒常 뒤죽박죽으로 許多한 文言의 文字와 熟語를 듸섞어 一種 읽을 수 없는 白話를 만들어 버리고 設使 읽는다 하야도 들어서 理解 못할 白話를 이루었다. 勿論 小數의 著名한 文學家는 自己의 지은 作品이 多少 寬大히 본다면 眞正한 白話로 되었다고 말할 수 있을 것이다. 그러나 一九二四年 以後 特別히 注意하야 文學革命의 問題를 提出한 사람은 아무도 없었든 것이다. 一切의 新文藝의 作品과 論文은——심지어 飜譯까지도 모두 便宜에 딸어 그러한 新式 文言 (所謂 白話)를 써왔으며 한번도 何等의 懲罰도 받지 않었다. 革命文學이 이 꼴이었으니 地主 資産階級 便이야 다시 더 말할 必要조차 없을 것이다.」

新文學革命은 文言의 殘滓를 繼續하야 肅淸할 뿐만이 아니다. 所謂 白話式의 新文言도 排擊하고 또 舊小說式의 白話에 對

하야도 嚴重히 反對하여야 할 것이다. 現在의 모—든 種類의 林琴南을 排斥하라! 이것이 우리의 새로운 스로간이다. 要컨 데 모도 다 現代中國의 산사람의 白話를 쓸 것으로 더욱이 新 興階級의 말을 쓸 것이다. 新興階級이란 시골사람인 農民과 같이 않다. 시골사람의 言語는 原始的이고 偏僻된 것이다. 그 러나 新興階級은 五方 雜處로 된 大都市 속에 있다. 現代化한 工場 속에 있다. 그들의 言語는 事實上 임의 一種의 中國의 普 通語(官僚的인 所謂 國語가 아니다)를 만들어 내고 있다. 그들의 言 語는 許多한 地方의 土語를 容納하고 各種의 土語의 偏僻性을 消磨식히고 外國의 文字까지도 接受하야 現代的인 政治, 技 術, 科學, 藝術의 術語를 創造하고 있는 것이다.

瞿秋白의 이 論文이 發表되자 어떤 것이 「普通語」냐 하는 具体的인 問題 를 가지고 止敬[05]이 論陣을 펴 激烈한 論爭이 벌어졌다.

그러나 兩人의 結論은 要컨데 漢字의 使用을 拒否하는 拉丁化에까지 이 르지 않을 수 없었다. 「白話 反對」, 「大衆語 提唱」의 結實이 一九三四年에 具体化한 拉丁化였든 것이다. 이것이야말로 魯迅이 이른바 「中國語文의 新 生」이다. 魯迅은 斷定하얐다.

「우리가 大多數의 사람을 根據로 하야 말한다면 中國은 現在 文字를 가지지 않은 것과 마찬가지다.……다만 文字를 가지지 않았다는 이 點만으로도 知識人들은 모호한 不安을 느낄 것

---

05 작가 茅盾의 다른 한 필명이다.

이다. 淸末에 된 白話 新聞, 五·四 時代의 외친 文學革命이 이
것이 아니냐고 할 것이다. 그러나 이것은 도리혀 文章의 難點
을 말함이지 文字를 가지지 않었다는 것을 理解한 것이 못된
다.……文言文을 뒤밖우워 볼여고 提唱한 것이 現在의 大衆語
文의 提唱인데 이것만으로는 根本 問題에는 決코 부닥처 보도
몯한다. 拉丁化의 提議의 出現으로 겨우 問題를 解決할 緊要
한 열쇠를 잡게 된 것이다.」[06]

이것이야말로 中國의 文學革命運動(或은 大衆語文學運動)의 一大 進步일 뿐
더러 端的으로 表現한다면 中國의 文字革命이라 하겠다. 文學革命은 中國
에서는——漢字라는 무서운 遺産을 걸머진 나라에 있어서는 文字革命에까
지 發展하지 않을 수 없는 것이다.

이 拉丁化運動은 當初에는 相當히 活潑히 廣範圍하게 展開되었었는데 얼
마 안되어 今次의 中日戰爭이 勃發하얐음으로 戰爭 中에는 或은 커드란 宿題
로서 一時 保留되어 있지 안나 推測되나 勿論 그 仔細한 것은 알 수 없다.

四. 朝鮮의 新文學革命

朝鮮은 新文學運動에 있어 中國보다 約 十年의 先輩다. 딸아서 文學革命
도 中國보다 먼저 論議되고 實行되었을 것이다. 다만 朝鮮은 中國이 半植民
地인데 比하야 純粹한 植民地인지라 文學革命이 中國에서 不完全하얐으면

---

06   公汗, 「中國語文的新生」, 『新生周刊』 제1권 제36기, 1934.10.13, 34쪽.

朝鮮에서는 더 한層 不完全하얏을 것이라고——적어도 原則的으로는 이렇게 規定 밖에 없다.

只今 具体的인 調査가 아무것도 되어 있지 않어 確言할 수는 없으나 以上의 原則이 承認된다면 朝鮮에서의 新文學革命은 中國에서 있었든 것보다도 헐신 切實한 問題일 것 같다.

中國에서는 國民黨의 進步的인 文化運動에 對한 相當히 慘酷한 彈壓이 있었으나 그래도 一九三二年에는 新文學革命이 있었고 三四年에는 拉丁化 運動으로까지 發展하야 相當한 成果를 보았으나 朝鮮에서는 이러한 前進은 커녕 이러한 時期를 契機로 하야 日本帝國主義의 野獸와 같은 酷毒한 彈壓이 年々이 强化되어 退步의 一路를 걸어 今日에 이르렀다. 우리는 爲先 이 慘憺한 現實을 正視하고 여기서 出發하여야 한다.

中國에서 革命文學運動이 그러하얏드시 朝鮮에서도 一九三〇年 前後의 左翼作家들은 言語, 文字의 問題를 等閑視하고 그러한 問題를 去々하는 것은 有産階級의 任務이라는 듯한 態度를 取하야온 것은 否定할 수 없는 事實이다.

그러나 오늘에 이르러서는 임의 이러한 態度는 修正되어야 하고 進步的인 모—든 文化人은 一致 協力하야 新文學革命運動을 展開하고 一般 社會에도 이 必要性을 强調하여야 할 것이다.

中國에서는 文學革命은 그것을 徹底히 遂行할여면 文字革命에까지 이르렀다. 그러나 朝鮮에서는 漢字라는 무서운 遺産 代身 한글이라는 고마운 遺産의 德澤으로 文字革命은 거의 처음부터 問題도 되지 안는다.

그러나 한글일지라도 現在 相當히 여러 가지의 問題를 包含하고 있는 것 같다. 橫書 問題, 草書 問題, 固有名詞의 特別取扱 問題 等々 決코 적지 않을 것이다. 文字革命은 안이되 文字改良의 必要는 如何히 不可避의 問題 같다.

그리고 中國에서 論議되었든 普通語, 大衆語 等의 問題는 朝鮮서는 아즉 한번도 正當히 論議되어 본 일조자 없다. 大衆文學 乃至 文學大衆化의 問題도 이와 聯關될 것이다. 이야기책에 對한 眞摯한 硏究 批判도 이것을 爲하야 緊急한 일의 하나일 것이다.

이러한 文字, 言語의 問題는 短時日에 그 成果를 期待할 수 없는 꾸준한 努力을 要하는 가장 困難한 問題다. 그러나 그렇다고 絶對로 뛰어넘어갈 수도 없고 돌어 갈 수도 없는 正面으로 부닥처 突破하지 않으면 안될 切實한 問題다.

要컨데 朝鮮에서도 新文學革命은 必要하다. 絶對로 必要하다. 新文學革命 없이는 적어도 文化 方面에 있어서는 모—든 問題가 空에서 空으로 空轉할 念慮가 充分히 있다.

解放된 朝鮮文化는 新文學革命을 出發點으로 하야 大膽하게 그 第一步를 내디디어야 할 것이다.

(一九四五·一一·二八)

紹介되는 中國文學[01]

기자

　再建하는 中國文學을 紹介하고저 金光洲 李容珪 兩氏는 第一着으로 『魯迅短篇小說集』第一輯을 出版(서울出版社)하였는데 이어 中國의 有名한 作品을 우리말로 飜譯 出版하고저 準備 中이라 한다.

---

01 『東亞日報』1946.8.31, 4면.

學生劇運動의 新烽火 -
魯迅先生의 阿Q正傳 上演, 高大劇研會 主催로[01]

기자

八一·五 以後 朝鮮에 잇서서 學生劇運動이 活潑하게 움직이고 잇는 傾向이 보이는데 우선 成均舘大學 學生藝術座, 東國大學 等에서 公演 準備에 奔忙하다고 한다. 그런데 高麗大學 演劇部에서도 名稱을 『劇藝術研究會[02]로 改稱하고 今月 十五日부터 十九日까지 中央劇場에서 中國의 大文豪 魯迅先生의 『阿Q正傳』을 公演하리라 하는 데 對하야 劇壇은 勿論 一般 社會에서도 만흔 期待를 가지고 잇다 한다. 그리고 後援은 서울新聞, 藝術新聞, 朝中文化協會 等이라 하며 그 스탑과 配役은 다음과 가치 配定되엇다 한다.

阿Q正傳「四幕」 創造 스탑

原作　　魯迅

飜譯　　尹世重

01　『藝術通信』 1946.12.7, 2면.

02　'』'가 누락되었다

演出　　安英一

演出助手 金基泳

文藝助手 崔濟德

舞台監督 宋柱京

裝置　　金一影

效果　　李源性

照明　　李根泝

衣裳　　曹日煥

小道具　宋柱京

配役表

老공(붉은 코, 米莊에 사는 건달, 나이 먹엇다)	柳基奉
七斤(사공, 老공의 친구)	徐明錫
윤土(장사치, 老공의 친구)	金基泳
主人「술집 主人 姓은 周某	尹林
孔乙사「시골에서는 有職[03]者이나 浮浪人이다」	曹日煥
阿Q「날품파리나 浮浪人이다. 대머리」	李相稷
陳菊生「自作을 兼한 小作人」	崔濟德
王胡「病 알는 阿Q의 동무로 게우름뱅이」	李鎬廷
錢大人「西洋 留學生」	金允鎭
小尼「女僧」	李榮愛

---

03 '職'은 '識'의 오식이다.

吳嫂「趙家宅 下人」　　　　　　　　　　　　姜麗子

趙家宅 아씨　　　　　　　　　　　　　　　　邊貞淑

小(Ⅰ)「阿Q의 동무짝」　　　　　　　　　　李壽烈

七嫂「趙家宅 이웃에 사는 婦人 五○歲」七斤의 어머　金順姬

趙大人「趙家宅 主人」　　　　　　　　　　　金光得

司農「趙家宅 下人」　　　　　　　　　　　　李鎬廷

趙家宅 마님「趙大大人의 夫人」　　　　　　李榮愛

洞長「姓은 四」　　　　　　　　　　　　　　崔濟德

八一嫂「七斤嫂의 동무」　　　　　　　　　　李榮愛

七斤嫂「七斤의 妻」　　　　　　　　　　　　姜麗子

肅야「술집 主人」　　　　　　　　　　　　　尹林

單四嫂「과부」　　　　　　　　　　　　　　　邊貞淑

趙白眼「趙家宅 親戚」　　　　　　　　　　　□模□

徐二虎「囚人, 囚監」　　　　　　　　　　　　曹日煥

□子貴「囚人」　　　　　　　　　　　　　　　李根錫

吳之光「囚人」　　　　　　　　　　　　　　　徐明錫

看守 甲　　　　　　　　　　　　　　　　　　尹林

看守 乙　　　　　　　　　　　　　　　　　　安□鎭

馬育才「囚人, 光復會 黨員」　　　　　　　　金基泳

阿義「看守長」　　　　　　　　　　　　　　　屈鎭煥

監長　　　　　　　　　　　　　　　　　　　　李鎬廷

魯迅先生 原作 阿Q正傳의 解題 - 高大劇研 上演 臺本[01]

高麗大學 劇藝術研究會에서 今 十五日부터 十九日까지 中央劇場에서 上演하는 魯迅先生의 阿Q正傳의 경개와 阿Q라는 人間의 性格은 어떤 것인가, 簡單한 解題를 다음에 紹介한다. 이 作品은 世界的인 名作으로서 로만 로랑을 爲始하여 多數한 文豪가 激讚한 小說이든 바 이것을 舞台에 形象化식힘에는 意義가 적다고 할 수 업다.

"阿Q正傳"은 그의 一生을 形式을 떠나서 內容的으로 充實한 新中國을 建設하기 위한 苦憫으로 一貫하엿고 人性 及 國民性을 追求하여 마지 안아 人間으로서의 不幸 속에 一生을 마친 實로 中國이 世界에 자랑한 大文豪 "魯迅"의 力作이다.

이 作品에서 그는 中華民國의 建設이라는 偉大한 事業에 어떠케 되어서 成就되엿는가 하는 名題를 無識쟁이야말로 더욱 良心的이고 愛族的인 날품파리 "阿Q"를 主人公으로 하여 叙述的으로 描寫하엿든 것이다. 混沌과 沈滯의 어둠 속에서 헤매는 한 社會의 오뢰를 自由스럽고 建全한 發展을 約束

01　'名作鑑賞', 『藝術通信』 1946.12.14, 2면.

하는 建設的인 社會로 飛躍시키려면 이에는 무엇보다 가장 良心的이며 眞
實로 民族과 國家를 사랑하여 마지 안는 鋼鐵가튼 意慾에 불타는 人士가 要
請되는 것은 必然的 事實이다. 果然 그렇타면 解放을 마지한 朝鮮의 現實은
어떠한가? 人民의 先頭에 선 指導者들은 참말 良心的이엿스며 民族을 自己
自身보다 사랑하고 씩씩하게 節操를 지켜 왓든가. 그를 쫏차가는 民衆들은
어떠하엿든가? 이런 모든 點을 反省해 볼 때 더욱이 오늘날의 朝鮮 現實은
一九○年代의 中國과 恰似하다는 말은 示唆와 自己 反省의 機會를 주는, 우
리로 하여금 深刻하는 冥想에 감기지 안을 수 업게 하는 作品이다.

第一·二幕(浙江省 紹興府 어느 시골)

날품파리며 浮浪人인 阿Q는 그가 良心的이고 好人임으로 말미암아 항상
남에게 놀림만 밧게 된다. 그러나 自尊心이 强한 그는 남에게 悔辱을 바들
때마다 「내 孫子代가 되면 이런 일은 업겟지. 지금 세상은 거꾸로 되엿스니
까 할 수 업지만.」 의러케 自慰한다. 그러나 이러한 阿Q도 어떠한 대스럽지
안흔 事件 때문에 그 시굴에서 迫放당하여 때맛침 革命이 일어난 서울로 올
라가지 안으면 안되게 된다.

第三幕(一·二幕에서 數箇月 後)

서울 갓든 阿Q는 솜옷 입고 돈 만이 벌고 헌다한 "장꾀"가 되어서 돌아와
一曜 洞里의 英雄이 되엇다 하나 阿Q는 서울서 또 만흔 것을 배와 왓든 것
이다. 無識한 그는 革命이 무엇인가를 정말 理解하지는 못하엿스나 가장 民
族과 國家를 사랑할 줄 알앗스며 同胞를 위하여 自己 목숨을 바치지 못한 것
이 恨이엿섯다.

(第四幕 略)

演劇短評 阿Q正傳[01]

裴澔

阿Q란 대체 무엇일가? 여기 큰 바위에 치인 거북이 한 마리 있다. 이 거북은 목이 말으고 배가 곱파서 죽을 지경이라 발버등을 치고 하나 바위는 움찔도 안한다. 비래도 왔으면 하고 하늘을 처다 볼래야 氣運조차 없다. 그러나 偶然히 바위가 움지기기 始作했다. 그래도 거북은 바위 밑에서 빠저 나오지 못한다. 이 거북이 곧 阿Q이고 이 바위가 老中國의 歷史的 壓力이고 이 動搖가 革命의 曙光이다.

戱劇 阿Q正傳은 魯迅의 小說 阿Q正傳을 中心으로 하고 그의 全 作品에서 適當히 人物을 配置하야 몽瀧하고 廣大한 背景 속에서 阿Q를 크다랗게 描寫한 田漢의 脚本이다. 田漢은 中國 現代 演劇界의 開拓者이고 또 重陣이다. 田漢은 그의 創造力을 發揮하여 阿Q를 性格化하는 데 成功한 作品이다. 全篇 五幕 中 第三幕은 削除하얏으나 相當한 長篇이고 登場人物이 複雜한 性格的 人物이 많음에도 不拘하고 이 作品을 選擇한 것은 高麗大 劇藝術研究會 여러분의 大膽한 勇氣와 藝術的 力量과 아울러 演出家 安英一氏의 奮鬪

---

01 『獨立新報』 1946.12.17, 2면.

를 爲先 생각케 된다.

一幕과 三幕에 나오는 酒莊의 主人이 너무 生硬하고 表情과 動作이 더 必要했고 對話의 抑揚이 變化性이 적다. 一般的으로 語調가 같은 傾向에 흘음은 否認할 수 없다.

言語의 어색한 點이다. 下流層의 言語가 너무나 高尙하다. 이것은 俳優나 演出家에 要求할 바는 아니지만은 日帝의 被害에서 하로 바삐 回復하여야 하겠음을 느껴진다.

以上 몇 가지 不足을 指摘하였으나 俳優 全員의 流暢한 對話라든지 洗練된 動作은 素質과 熱意를 充分히 發揮하였으며 終始一貫 觀衆을 끌고 갔다. 劇藝術의 質的 向上은 이러한 純粹한 團體에서만 期待할 수 있고 이러한 團體를 資本主義的 外國映畵의 侵略에서 救하려면 經濟의 根本的 解決에서만 있을 것이다. 純粹한 意味의 演劇 大衆化도 이러한 길에서만 救할 수 있을 것이다.

1947년

새로운 것[01]

　한해도 점을랴는 이 嚴冬에도 어린것들을 둘처 업고 國境을 넘고 三八線을 넘어온 戰災民 知己가 있어, 親舊의 單間房을 비러 복댁이를 치고 있는 나를 찾어 와서는 몸 담을 곳을 주선해달라는 기막히는 事實이 있는가 하면 十餘年을 서로 消息도 모르다가 解放되였다는 故國에서 반가히 만난 親舊가 나로 하여금 苦笑를 禁치 못하게 하는 事實도 있다. 그는 그대로, 나는 나대로, 異域을 流浪타가 十餘年만에 만난 親舊이니 무엇보다도 반가움이 앞서야 할 것인데, 이 親舊의 입에서는 도리혀 憤怒의 한숨이 복바처 오를 뿐이다. 以北 S市에 暫時 멈으러 있었는데 戰災民과 避難民이 거리에서 酷寒에 떨건만 爲政者들은 거들떠보지도 않고, 이 S市 驛頭에는 五十萬圓의 巨金을 던저 『스탈린』의 肖象을 해 세웠다고 激憤하는 것은, 이 親舊의 지나친 興奮이고, 그 眞否를 論할 일이 못된다고 하드라도, 또 한 가지 S市에서 이 親舊가 中國 曹禺의 『雷雨』를 上演하랴 했더니 爲政 當局의 文化 責任者에게 『非進步的』이라는 理由로 上演 禁止를 당했다는 이약이는 이것이 비

01　'爐邊 漫筆', 『東亞日報』 1947.1.7, 4면.

록 一笑에 부처버릴 價値도 없는 일인지도 모르고, 譯者인 나로서 上演 禁止를 당햇대서 가려움을 느낄 일도 없으나, 作者가 非進步的이란 말인지 作品 內容이 非進步的이란 말인지, 或은 譯者가 비위에 거슬린다는 意味인지, 이 『非進步的』이란 말을 가만히 생각해보면, 苦笑를 禁함길이 없는 것이다.

어느 主義나 主張에 버서나고 自派 自黨을 擁護하지 않는 일이면, 모다 『非進步的』이고『退步的』이라고 한말로 거더치워 버리는 것을 드를 때마다, 嚴冬에 三八線을 넘어 온 親舊들이 나를 찾어와서, 國境을 넘고 三八線을 넘든 나의 追憶을 새롭게 할 때마다 나는 이『進步的』이란 말을 가만히 생각해 보게 된다.

中國 C市에서 解放을 맞이한 나는 우리를 解放해주었다는 偉大한 『불근 軍隊』를 정말 世界 어느 나라 軍人보다도 進步的이라고 믿고 있었다. 그러나 이 偉大한『스탈린』先生의 部下들이 새로운 작난감을 發見한 어린 兒孩 같이 時計의 태엽을 주무르는 것은 사랑할만한 일이라고 치드라도, 나로 하여금 도끼를 며리마헤 놓고서야 밤잠을 자게 하고, 白晝에도 拳銃을 드리대고, 반찬 사러 가는 몃 푼 않되는 돈까지 톡톡 터러가는 데는 기가 맥혓다. 나는 나의 안해의 貞操까지 이『進步的』이라는 軍人들에게 바칠만한 그런 偉大한 聖人은 될 수 없었기 때문이다.

無數한 朝鮮의 안해와 누의와 아주머니의 貞操를 바친 이 嚴然하고 怨痛한 事實을 바라보면서도 良心과 正義에 산다는 朝鮮의 文化人들은 一言半句도 말이 없이 도리혀 이것을『占領地에 있어서 默認할 일』이니,『罪囚를 푸러 논 故로…』云々하고 辯明하랴는 이런『進步的』을 나는 實로 理解하기에 괴로웁다. 以北으로 以北으로『進步的』□□□여야 떠나간 우리 □□한 文化人들이 정말로, 朝鮮을 살리고, 朝鮮 사람을 잘살게 하는『進步的』을 똑바로 工夫하고 도라오기를 나는 밤으로 낮으로 빌고 있다.

『種族의 延長이란 것은 確實히 生物界의 事業의 大部分을 占
領하고 있다고 생각된다. 왜 延長하지 않으면 안되느냐? 두 말
할 것도 없이 進化하고 싶은 까닭이다. 進化의 途中에는 新陳
代謝가 있어야 한다. 그렇기 때문에 새로운 것은 즐거히 앞으
로 나아가야 한다. 이것이 곳 자라는 것이다. 날근 것도 또한
즐거히 앞으로 나아가야 한다. 이것이 곳 죽엄이다. 제 各其 이
렇게 나아가는 것이 곳 進化의 길이다.』

  爐邊에서 魯迅의 『隨感錄』을 뒤척어리다가, 偶然히 이러한 句節를 읽고
나니, 우리는, 지금이야말로, 정말로, 民族을 살리고, 나라를 살리고 남에게
國土를 떠매끼지 않는 정말로, 새로운 것을 갖고, 새로운 것을 찾고, 모든 陳
腐한 偏見과 날근 내 主張, 내 主義에 對한 奴隷 根性을 버리고 새로운 길을
거러야 할 때가 아닌가 하고 생각된다.

「原野」閑談 - 그 上演을 보[01]・譯者로서[02]

金光洲

拙譯「原野」의 舞臺를 觀衆席 한 구퉁이에서 求景하고서 몇 가지 느낀 바를 簡單히 적어보련다. 첫째로 樂浪劇會의 「雷雨」上演에서도 그러하였거니와 이번 民衆劇場의 「原野」를 보면서도 느껴지는 것은 低俗한 拍手를 치게 하거나 或은 값싼 눈물을 자아내는 演劇이 아니면 이 따에서는 舞臺에 올리기 어렵다는 事實이다. 「雷雨」를 가르쳐 『後母를 侵犯하는 演劇』云云하는 한 말로 걷어치워 버린 것 같이 「原野」亦是 「남의 안해를 빼서가지고 다러나는 演劇』云云으로 걷어의 치워버리고 單只 演劇 表面에 나타나는 줄거리의 興味만을 더듬자는 이 따 觀衆들의 演劇 水準은 그것이 一般 觀衆으로서는 도리어 當然한 일이고 그 外의 다른 것을 찾자는 것이 無理한지도 모르지만 譯者인 나로서는 몹시 섭섭한 일이었다. 그러나 藝術이란 觀衆 心理를 迎合하야 阿諂하는 데 있는 것이 아니고 보담 더 높은 데로 그들을 이끌고 나가는 데 있다는 것을 굳게 믿고 自慰를 삼기도 한다.

---

01 '고'자가 누락되었다.

02 '演劇 時感', 『京鄕新聞』 1947.2.2, 4면.

舞臺에 나타난 「原野」에 對하야는 첫째로 「雷雨」와 똑같이 「原野」도 이따의 演劇 條件으로는 時間 關係上 到底히 原作 그대로를 上演할 수 없는 것이 무엇보다도 演出者를 괴롭게 했을 것이다. 四幕 八場이나 되는 原作을 四幕으로 주리고 그리고 또 다시 部分 部分 無數한 가위질을 하고도 이만한 舞臺面을 構成해 논 데 對하야 우리는 演出家 安英一氏의 非凡한 力量을 率直히 認定해야 할 것이다. 이 가위질인즉 지나친 데가 없는 것도 아니고 이로 말미암아 觀衆으로 하여금 主人公 「仇虎」의 復讐의 焦點까지 不分明한 데 빠지게 할 嫌이 없지도 않고 原作의 意圖에 어그러진 點도 많은 것을 잘 알지만 이것은 이 따의 不利한 演劇 條件에 비춰어 볼 때 譯者로서 넉넉히 諒解할 수 있는 일이라고 생각된다.

그러나 舞臺에 한 번 나타난 演劇의 不足이란 作品의 說明이나 作品의 紹介로 補充되는 것도 아니고 또 譯者인 나로서도 이런 目的으로 이 붓을 든 것은 아니다. 單只 여기서 譯者로서 蛇足을 加하고 싶은 것은 原作者 曹禺가 「雷雨」와 「原野」를 通하야 探求하야 마지 않은 것은 東洋 道德에 벗어나고 倫理를 無視한 單純한 色情의 世界도 아니요, 低俗한 復讐의 世界도 아니며 두 作品을 通하야 우리가 엿볼 수 있는 本能的 原始的 人間性에의 無慈悲하리만치 嚴肅한 肉迫이다. 善良한 農夫의 아들 主人公 「仇虎」의 一家 一族을 滅亡케 한 한 橫暴한 軍閥이 死後에 받는 報復, 한 참된 人間이 그의 原始的 本能을 가지고 그가 받어온 억울함을 復讐하고 復讐하기 爲하야 저질은 罪惡 앞에 또 다시 부들부들 떠는 몸서리 처지고 戰慄할만한 人間의 原始的 本能的 殘忍性에 肉迫하는 作者 曹禺는 그 大膽 緻密한 着想에 있어서 或은 演劇 構成의 優秀한 手法에 있어서나 確實히 現代中國 演壇의 한 魅力的 存在임을 否認할 수 없다.

끝으로 裝置, 衣裳, 照明 等, 서투른 點도 많고 言語, 動作 等 中國的이 아

니라는 트집을 잡으랴면 얼마던지 있을 것이나 이런 모든 枝葉的 問題를 떠나서 演技의 舊型을 뱃어버리고 新境地를 開拓해 보자는 沈影氏의 眞摯한 態度를 엿볼 수 있었고 李象伯, 李載玄, 張基浩, 南宮蓮, 崔英善 諸氏의 忠實한 演技도 훌륭히 살만한 데가 있었다.

大戰 前後의 中國文化[01]

韓志成

文化는 政治, 經濟, 社會 生活의 反映이다. 抗戰期에 잇서서 中國 文化人들은 抗日戰士의 영웅적 作戰, 人民들의 動員을 報導하고 煽動하여 日本 軍閥의 暴虐과 漢奸 投降主義者, 國內 團結을 破壞하는 細奸들의 陰謀를 暴露시키는 것을 主要 任務로 하엿다. 小說, 歌曲, 映畵, 演劇, 詩 모든 것이 抗戰 生活이 中心이엿고 또 抗戰의 勝利를 爲하야 動員되엿다. 記者, 小說家, 畵家, 劇界 人士들은 戰線으로 農村으로 探入하여 士兵과 農民들과 가치 生活하며 그들을 理解하고 그들의 生活과 要求를 報導하며 그들이 接受할 수 잇는 藝術品을 創作하엿다. 그들은 偉大한 抗戰을 通하야 舊形式의 新內容의 理論을 發□하엿고 그 理論에 依하야 中國의 大衆文化를 한층 向上식혓다. 中國 文化人들은 有閑階級의 理想天地를 서述하는 것이 아니라 大衆 속에 드러가서 모든 惡劣한 政治 環境과 生活 條件을 克服하면서 大衆의 先頭에 서서 自己 任務를 끗까지 遂行하엿다. 한 個의 單純한 文化人이 아니고 洗練된 革命鬪士의 性格을 가지엿다. 이것이 半世紀동안 革命的 傳統을 밧아오

---

01 『文化日報』 1947.3.22, 2면.

는 中國 文化人들의 特性인 것 갓다.

　中國 文化人들은 일즉부터 國際 文化 關係가 깁어 外國文化를 中國에 만이 輸入하엿고 또 中國文化도 國際的으로 만이 紹介하엿다. 中蘇, [02]美, 中영, 中佛, 中印 等 文化團體가 잇서 각 國과의 文化的 關係가 密接히 되고 잇다. 朝선 問題는 朝선義勇隊의 活動을 通하야 中國에게 紹介되엿고 中國 文化人들도 朝선文化를 紹介하려고 만이 努力하엿다. 世界 名曲으로 알린 長城謠의 作家 劉雪庵氏의 紹介로 『아리랑』은 중국에 가장 廣汎히 傳播되엿다. 桂林에서 열린 文化 夜회에서 中國 女娘이 『아리랑』을 獨唱하여 滿場의 唱味를 獨占한 것이 새롭개 記憶난다. 『沒有祖國的孩子』, 『祖國이 업는 兒孩』의 作者 舒群과 中國의 『꼴키』로 일홈난 『八月鄕村』의 作者 肅[03]軍은 朝선을 中國에 紹介하려고 가장 努力한 사람이다. 한번은 朝선 歷史劇을 쓰겟다고 半年을 構想하다가 結局 資料 不足으로 그만두엇다. 내가 歸國할 때 上海에서 오랜 親友인 『世界知識』 主編 金仲草[04], 文涯日報[05] 主編 孟秋江을 맛낫슬 때 그들은 朝선 民主 文化人과 中國 文化人과의 連絡과 團結을 强調하여 朝선 文化人들의 中國 來訪을 希望하엿다. 中國에 잇다가 故國으로 도라오니 우리의 文化人은 『籠中鳥』와 가튼 感이 잇다. 自由스럽게 創作하고 國際的으로 發전할 수 잇는 政治 環境을 創造하여야 할 것이다.

　中國國民黨 統治下에 잇는 中國 文化人들도 抗戰 後에 잇서서 文化의 自由와 政治의 민主化를 戰取하는 것을 首要 任務로 하고 잇다. 重慶, 成都, 上海,

---

02　'中'자가 누락되었다.

03　'蕭'자의 오식이다.

04　'金仲華'의 오식이다.

05　'文匯報'의 잘못이다.

昆明 각 大學 教授, 學生들의 自由 爭取 運動과 文化界 人士들의 민主 爭取 鬪爭은 廣汎히 進行되고 잇다. 一九四六年 正月 重慶에 잇는 七個 文化團體 代表 郭沫若 等 百餘人이 文化座談會를 開催하엿슬 때 『生活即教育』의 首倡者인 陶行知氏는 自由를 限制하는 法令이 二十八種이라 하엿스며 西南聯大 名教授 羅隆基氏는 自由가 업는 곳에는 偉大한 作品이 잇슬 수 업다고 高調하며 自由가 업고 민주가 업스면 中國은 將次 沙漠이 될 것이라고 絶叫하엿다.

小學 마친 大學敎授와 周作人의 特別 講義[01]

宋志英

(上)[02]

나의 南京에서의 三年동안 學窓生活이랍시고 지난 것은 두 말할 것 업이 放浪의 倦怠에서 비롯한 것이엇다.

지나노코 보면 어느 것인들 아름다운 追憶의 실오리가 아니리오만 더욱이 學窓은 人生의 黃金 時節이라서 갑잇는 그리움이 되는데 하물며 壯年期에 들어 異域 學窓에서 맛 본 情緖란 그 더욱 안타가웁게 머물러 잇는 回想이 아닐 수 업다. 鐘山이 굽어보는 곳 두루 八十里의 石頭城이 蒼然한 옛빗 그대로 잇고『煙籠寒水月籠沙』의 그럴듯한 風景은 업서도『後庭花』옛 曲調인가 그대로 笙歌가 들려오는 秦淮의 繁歌가 남은 옛 都邑, 六朝 文物의 자최야 잇건 업건 江南 煙水의 景物이 예런 듯 極히 아름다운 金陵은 自然風物이 잇끄는 구석도 유달리 만치만 나로서 오늘날까지 情에 감기여 더욱 그리운 것은 格別히 師弟의 誼가 깁헛던 몃몃 敎授와 그리고 文學院을 中心으로 組織되엇던『中國文學研究會』의 同門 諸子들과의 두텁던 交分이다.

---

01 ‘海外生活 回想’ ⑷, ⑸, 『文化日報』1947.4.1~4.2, 2면.

02 매회 연재분 표기로서 2회에 걸쳐 연재되었다.

한동안 商務印書舘의 編輯長으로 또는 大學敎授로서 名聲이 높앗고 特히 國際 政論家로서는 中國에서 第一人者의 稱이 잇던 번仲雲[03] 校長을 먼저 말하지 안을 수 업다. 氏는 겨우 小學校를 마첫슬 뿐, 이러랴 할 學歷도 업으면서 英露語에 能通한 篤學者엿다. 한번은 農園에서 우리 文學硏究會員을 招待하야 校長 손수 茶를 따처주며 왼 終日 交談을 자미롭게 한 일이 잇는데 그때에 氏는 나더러 朝鮮文學에 關한 이야기를 꼬지꼬지 캐어물엇고 또 飜譯 紹介하도록 懇曲히 勸勉해 주엇스나 아는 것이 적고 資料도 업서 南京 잇는 동안 한번도 紹介의 붓을 들지 못한 것은 지금까지 恨된 일이다.

프리스톤 出身의 蒙古人 敎授로 心理學, 論理學으로 일홈이 높흔 吳圖南 先生도 구수하기 짝 업섯고 그 中 나를 寵愛하다십히 한 龍沐운[04] 敎授는 더욱 印象이 깁흔 분이다. 詩詞學으로 南北 中國을 通하야 그 精深 賅博한 知識과 多情 多感한 人品이 斷然 獨步로 손곱는 巨星이엇다. 先生의 時間만은 거의 한 번도 빠짐이 업섯고 또 先生도 異邦人으로서 中國의 詩詞를 그만큼 안다는 것이 奇特타 하여 特히 나를 여러 가지로 勸奬해 주엇다. 가끔 잔듸 밧과 城壁 우에서 自然을 呼吸하며 弟子들에게 花生米를 사주면서 得意의 講義를 들려주기 일수엿다.

(계속)

(下)

우리가 文學硏究會를 처음 만들기는 몃몃 同好 間에서만이 비롯하야 된

---

03 중앙대학교 총장 樊仲雲이다.

04 龍沐勳이다.

것이지만 이것을 成果잇도록 推進시켜 준 분은 中國文壇의 知人으로 往年 創造社의 同人이엇던 龔—冰로[05] 先生의 힘이 만앗다. 氏는 거의 每月 한 두 篇式 創作을 써내엇는데 發表하기 前 의레 우리 會員들에게 돌려서 讀後感을 듯고 하엿으며 그가 主宰하던 文學月刊『作家』에는 每號 三分의 一은 우리 會員의 原稿로 채웟엇다. 會員數는 三十餘名 되엇으나 熱意로서 努力하는 동무들은 十二, 三人이엇는데 그 중 女同學 네 사람은 우리 會에서만 빗나는 存在일 뿐 아니라 全 南京文壇에서 異彩 잇는 별들이엇다. 特히 創作을 主로 하며 散文詩를 곳 잘 써내던 荒砂의 筆名을 가진 芮琴和孃은 반드시 日後 中國文壇에서 名聲을 날리리라고 본다.(그가 文學 修業을 버리지 안는 限) 처음에는 對讀會, 合評會, 座談, 硏究發表會 等으로 每週 모히다가 各自 주머니에서 털어 얼마 안되는 基金을 가지고『野草』라는 同人誌를 내엇는데 創刊號부터 集體 創作을 실리기로 하야 처음 題를 골른 것이『雨』엇다.

우리가 모히는 곳은 一定치 안아 될 수 잇스면 名區 勝蹟을 번갈아 指定하엿는데 主로 擇하는 곳은 鷄鳴寺, 白노洲, 玄武湖, 淸凉山 等이 자조 가게 되는 곳이엇다. 바루 創刊號를 내이기 前週에는 細雨 훗날리는 五月의 어느 土曜라고 생각된다. 白노洲를 차자 煙雨軒 마루에서 淸茶를 따루워 가며 수박씨를 까가며 册을 만들어 낸다는 깃붐에서 한 바탕 웃고 떠들던 남어지 卽席의 卽景으로『雨』를 題로 擇하엿던 것이다. 다음 번엔 어째서『蛇』라는 題를 골랏섯는데 두 번 다 成績이 優秀하야 한동안 六七同學은 거의 寢食을 이즐 程度로 밤낮 업시 부터 다니며 수군거렷는데 일홈이 記憶나는 벗으로 항州서 온 陳繼生君, 楊州의 何金聖, 馬厚榮 兩君과 北京의 伍延璋君, 曹其恕君 等은 모다 詩로 散文으로 小說로 情熱이 익어가고 잇섯다.『野草』는 八號

---

05 龔冰廬이다.

까지 나오고 伍君은 延安으로 曹君은 蘇北으로 陳君은 新聞人으로 가버리고 나조차 南京을 떠나게 되어 더 자라지 못하고 앗갑게 시들고 말앗다. 나自身 會의 幹事의 한 사람이면서 글을 쓰고 評하기보다 여러 친구의 시중을 들 뿐이엇다.

또 하나 記憶이 새로운 것은 對日 協力者로 只今은 獄中에 들어 잇는 周作人의 印象이다. 氏는 二十年만에 처음 南京을 왓노라면서 前後 二回의 特別 講議를 들려 주엇고 우리 會友와의 座談까지 자미롭게 하엿섯는데 그는 몃 번이나 新文學을 배우자면 中國의 古典文學을 알아야 한다고 強調하엿다. 最近 들건대 獄中의 그를 불상히 여겨 重慶서 나온 文壇의 舊友들이 救出運動을 꾀한다고…中國人다운 氣習을 엿볼만 한 일이다.

흘러간 채 남아 잇는 아름다운 꿈쪼각들이다——歲月이 가고 環境이 박긴 오늘 이네들은 모다 어데서 무엇들을 하고 잇는지? 河山落英! 생각만 멀리 달려갈 뿐이다.

(筆者는 中國文學 研究家)

滿洲의 演劇運動[01]

顧陸賈

南滿洲의 여러 都市와 큰 村落에는 劇場과 「써─커스」와 映畵館들이 있다. 五六世紀以來의 傳統과 因襲에서 한 발거름을 더 나가지 못한 中國의 舊劇은 歷史劇 以外에는 別다른 것을 上演하지 안는다. 그러나 寫實主義的인 新劇도 이미 育成되고 있다.

어떠한 날 우리 遼東半島를 巡行하고 있는 滿洲人民劇場의 演出을 觀覽하도록 招待를 받은 일이 있었다. 그것은 日本이 降伏한 뒤에 華北에 있는 進步的인 演劇人들로 組織된 새로운 劇團이었다.

戱曲은 馬戰嶺[02]의 「血淚咀[03]」라고 하는 것으로 中國의 進步的 社會에 있어서는 높이 評價되는 作品이었다. 그것은 中國의 半封建的, 軍閥의 生活을 하고 있는 土豪 王氏와 그의 家族의 生活을 묘寫한 것이었다. 눈코를 뜰 사이 없이 不幸은 不幸에 꼬리를 있는다. 王氏의 아들은 償金을 칠었음에도 不

---

01 『文化日報』1947.5.15, 2면.

02 ‘馬健翎’의 잘못이다.

03 ‘血淚仇’의 잘못이다.

拘하고 無理하게 地方의 縣官에 依하야 軍隊에 끌려 나간다. 그 뒤에 늙은 王氏는 마누라와 며두리를 잃게 된다. 貪慾한 村長의 滿足을 채우기 위하여 王氏는 그의 孫女까지 奴隷로 팔지 안할 수 있게 되었다.

얼마 아니하야 王氏는 그의 家屋과 土地와 家族과 모든 것들을 일허 바린다. 아모데도 呼訴를 할 길이 없는 늙은 王氏에게는 오죽 어린 孫子 하나가 남을 뿐이다. 어데로 가야할 것인가? 무엇을 해야 할 것이었든가?

王氏는 좀더 살기 좋고 새로운 곳을 찾기 위하야 길을 떠난다. 그는 民主主義的인 中國의 解放地區로 찾어간다. 그곳에서 그는 勤勞하는 人民의 共同家族에 依하야 極盡한 歡待를 받는다. 처음에 그든 여러 가지 欵[04]惑으로 苦惱을 한다. 그러나 마침내 그는 地球 우에도 正義라고 하는 것이 참으로 存在해 있다는 것을 알게 된다. 그는 새로운 中國의 忠實한 支持者가 된다.

그리고 마즈막에 가서 密偵의 任務를 맡은 自己의 아들이 그 不正한 漢奸의 行爲를 遂行하려고 나스는 것을 막는 것도 늙은 王氏 自身이었다. 舞臺 우에 흐르는 臺詞의 한 마디 한 마디는 觀客의 猛烈한 反響을 이르켰다. 主人公의 言辭나 行動이 옳다고 볼 때에 觀衆은 커다란 목소리로 「好!」하고 웨쳤다. 主人公의 아들이 우물에 毒藥을 풀려고 손을 내밀 때에 全 座席은 우뢰와 같은 소리로 밎인 듯이 마倒를 했다.

그리고 觀衆의 多數는 마치 敵을 찢어 발기려고나 하듯이 椅子에서 뛰어 일어났다. 그래서 主人公의 아들로 粉裝한 俳優 自身도 怯이 나서 한 때는 내밀었든 손을 움칠하는 판이였다.

演劇이 끝나자 勞働과 自由를 찬揚하는 우렁찬 노래가 울렷다. 劇場에서 흐터저 나오며 大衆들은 演劇의 內容에 對하야 활발한 討論들을 展開시켰

---

04 '疑'자의 오식이다.

다. 그만큼 그곳에 묘寫되었든 諸 事件이 그들에게는 있을 수 없이 親密해졌
든 것이엇다.

『徐志摩論』[01]

尹永春

現代 中國 新詩에 있어에 在來의 荒唐[02]無稽한 詩들을 除去하고 새로 押을 가리고 音律과 字數에 注意를 加하여 그야말로 西洋 律體詩 基礎를 바로 中國詩壇에 세워놓은 詩人은 두 말할 것 없이 徐志摩가 第一者일 것이다. 이 詩人은 珠玉같은 詩를 많이 썼다. 英國의 湖畔詩人 워즈워드를 聯想하리만치 當時 「新月派」 詩人이라 하면 徐氏가 얼핏 머리에 떠돌고 徐氏를 말하게 되면 연달아 「新月派」를 말하게 되리만치 그 詩想이 自然界 속에 □한 것으로 더욱 그 이름을 날렸던 것이다.

氏는 浙江 硤石人, 英國 留學했다. 늘 飛行機 타기를 즐겨 하므로 飛行機로 上海에서 北京으로 가던 途中에 墜落하여 死亡된지도 벌서 數年 前 일이다. 그의 著書로 詩集 「志摩의 詩」, 「翡冷翠的一夜」, 「猛虎集」, 「雲遊」 等, 散文으로는 「落葉」, 「自剖」, 「巴黎鱗」「瓜[03] 及 小說로는「輪盤」, 戲曲로는 「卞昆

---

01 ‘中國文學’, 『京鄉新聞』 1947.6.29, 2면.

02 원본 상태로 적지 않은 글자들이 가려져 있다. 엮은이가 추정하여 보충한 부분의 문자는 밑줄로 표시해 둔다.

03 「巴黎的鱗瓜」의 잘못이다.

崗」等이 있다. (이하 1행 판독 불가 - 엮은이) 出되었다. 同時에 描寫한 背景도 亦是 五四運動 當時의 一部分 인테리層의 心理 意識을 如實히 曝露했다고 볼 수 있는 것이다.

五四運動 初期의 狂風 時期를 代表할 詩人을 꼽는다면 小市民的 浪漫主義者 郭沫若일 것이고 世記末的 空氣를 謳歌한 代表 詩人을 뽑는다면 王獨淸일 것이요, 그 中間期의 代表 詩人을 뽑는다면 徐志摩일 것이다. 이 詩人의 多量의 詩歌 中 唯美主義와 印象主義의 色彩를 包含한 것이 많으나 決코 頹廢的이 아니고 積極的이다. 現代 中國 社會에 不滿을 가졌으나 厭世觀的 態度는 없었다. 그는 애오로지 한 生命의 信徒임에 틀림없었다. 그의 詩는 自身의 「靈魂的 冒險」을 象徵했다.

그의 積極的 態度는 運命에 對한 宣戰을 나리다싶이 되었다. 『精神의 勝利는 偉大하다』고 웨쳤음은 卽 움직일 수 없는 信念과 自身의 偉力을 表現함이라고 생각한다. 이런 點으로 보아「왈 (이하 1행 판독 불가 - 엮은이) 苦痛, 苦痛에서 失敗에 이르렀으나 다시 精神의 偉大한 힘으로 이를 克服하여 認識에서 實現, 實現에서 圓滿에 이른 것이다.

自剖 가운데 이 같이 말했다. 『나는 動하기를 좋아하는 사람이다. 매양 몸으로 動할 때마다 나의 思想도 따라 動하는 듯하다.』「니체」가 말한 『苦를 받는 者가 悲觀의 權利가 없다』고 한 말이 곧 志摩의 思想을 反映해 준 金言 같다. 그는 自我의 實現을 要求하였으므로 感情 奔放을 도리어 禮□하였다. 따문에 現實 世界의 牢籠에서 뛰어나와 각금 自己의 自由를 恢復하며 노래하였으니 그 一例로 한 句節을 紹介하면

　　나를 딸아오라
　　나의 사랑이어.

人間들은 벌서 우리 뒤에 떨어졌다.

보라. 이 희고 망망한 大海를

희고 망망한 大海

희고 망망한 大海

끝없는 自由 너와 나와의 사랑.[04]

이 분의 散文은 亦是 詩的 形式이어서 詩라기보다 散文詩로 봄이 妥當할 것이다. 이 詩人은 산뜻한 自己 感情의 流露, 抒情에는 長했으나 그와 反比例로 社會生活을 描寫함에 拙 (이하 1행 판독 불가 - 엮은이) 因하여 그만 그 主題가 才子佳人式의 戀愛 비슷한 글투가 되어 버리고 말았다.

그는 順境에 處한 好運의 生活을 했으나 社會의 現實에 對하여 너무 等閑的이요, 아무런 把握한 바 없이 現實 社會相에 지나치게 逃避的이었다고 非難하는 이도 적지 않았다. 남이야 아무리 評하건 이 詩人은 『나는 내 思想에 充實했을 뿐이었노라』 自負한 것이다. 이 詩人은 센치멘탈하여 抒情詩나 抒情散文이 선히 그의 感情으로 表現함에 充足했던 것이다.

大體 白話의 基本語體를 터로 하여 古文 方言과 歐美化한 몇 가지 말을 加入시켜 심지어 車夫들이 쓰는 用語까지를 引用하여 表現力이 富한 文章을 비저낸 徐氏야말로 文體 變遷上에 莫大한 貢獻을 했다고 말하지 않을 수 없다. 이를테면 單純한 理念과 信仰이 이 詩人에게 靈的 勇敢을 줬다고 볼 수 있다. 때문에 빠이론을 崇拜하여 『빠이론은 아름다운 惡魔요, 빛나는 判鬼』라고 외치지 않았는가 싶다. 우에서도 말한 바와 같이 이 詩人은 勞働階級의 下賤한 말이라도 韻律에 和諧시켜 가며 音樂的으로 지음에 그 艶하고

---

04   徐志摩, 「這是一個懦怯的世界」, 『志摩的詩』, 中華書局, 1925.8.

淸麗하며 質樸한 맛을 終始 잃지 안코 成功하고야 만다. 車夫와 장들뱅이들이 더듬는 俗語와 알뜰하면서도 좀 추잡한 듯한 北京 土話와 硤石 土話를 混用하군 했다.

　그러면서도 어떤 詩든지 아담진 詞句가 充滿하며 感情의 奔放이 자질렀다. 그 取材가 비록 넓은 範圍에 미치지 못했다 하드라도 여러 가지 같지 않는 形式을 取했기 때문에 形式의 變化는 지향 없이 讀者에게 廣範圍의 무엇을 導入시켜 주는 듯한 感을 주는 것이다. 이것이 이 詩人의 特色이라고 말하구 싶다. 이제 여기에 紹介하려는 「五老峰」一篇은 그 리듬이 참으로 大自然의 起伏과 함께 넘노는 듯하며 그 밖에 「天寧寺」一篇도 亦是 節奏가 마치 □□과 함께 떠들어치는 듯한 感을 주어 印象主義의 完璧을 뵈어 주었다고 안할 수 없다.

五老峯

　　감이 흔들어 볼 수 없는 神奇
　　감이 맞바라 볼 수 없는 威嚴
　　이 불쑥 솟은 뫼뿌리
　　이 벋쳐 나간 잔허리
　　감이 긔어오를 수 없는 峻險
　　보라 저 드높은 巖石 허랑한 곳에
　　하늘은 뵈우다 아득한 蒼天이
　　이 끝없이 헤넓은 품에 안기어
　　꾸불퉁 나타난 큰 형상이어

누구의 意匠이며 누구의 想像이냐?

누구의 손재주로 비저낸 흔적이냐?

이 古典的인 虛空속에

소스라처 부는 바람 天體와 氣象

때로는 번득여 나부끼는 五色 구름들

늙은이의 수염을 가벼히 시처주네

한 그루 梅花나무 달 아래 있어

윤택하고도 해맑은 香氣를 풍기듯이

……略……

虛禮的인 虛榮도 찾을 길 없고

俗世의 奔走와 幻夢도 찾을 길 없네.

영혼이여, 이 으젓하고도 偉大함을 아는가.

五老峰에 올라 自由스런 山바람을 마음껏 먹네.

이는 山바람이 아니라 옛 聖人의 祈禱라네.

모아 이룬 이 「凍樂」 같은 神工을 건축하여

인간에게 한 수 주려 하네.

이 不朽의 證據를

한낱 「崇嚴한 疑問」은 無窮한 蒼空에 있다고.[05]

註: 『凍樂』은 白話에 없는 말이다. 或 外來語 아닌가 하여 여러 方面으로 參考했으나 알 길이 묘연하다. 詩人 獨創語인가 싶다.

05　徐志摩, 「五老峯」, 『志摩的詩』, 中華書局, 1925.8.

中國文壇의 巨星 郭沫若論[01]

尹永春

文學이 政治와 늘 接近되는 것은 마치 繪畵가 詩와 늘 接近하며 音樂이 늘 詩와 密接한 關係를 가지고 있는 것과 마찬가지다.

中國의 政治를 알고저 하면 于先 文學을 알아야 한다고 中國의 當代 文豪 林語堂은 말했다. 文學革命은 辛亥革命 以來의 一大 事件으로 世界의 注目을 끌고 왔거니와 더욱 抗日戰線에서 筆鋒을 揮揚하여, 無智한 民衆을 啓蒙시키는 일쯤은 한 方便으로 삼드라도, 보담 더 近 十年에 가까운 長期戰에 國民은 퍽으나 窒息的, 厭戰的 傾向이 있었건만, 이런 氣分을 沬消시키고, 더 熾烈的, 最後의 勝利를 얻도록까지에 戰意를 북돋아 준 것은 武力보다 筆力에 依한 것을 文人뿐 아니라 武人들도 共認하는 바이다. 이 點에서 郭沫若氏는, 그 活動이 猛烈했고, 從軍生活 數年에 許多한 傑作도 世上에 보냈기 때문에, 그의 存在는 勝利의 作家로 새로운 世界舞臺에 君臨하게 된 것이다. 勿論 全 中國文壇을 通하여 詩人 郭氏처럼 文學 報國에 盡力하지 않은 文人이 어대 있었으랴마는 이분처럼 多樣으로 文學生活과 政治生活을 兼하

01　『白民』 제3권 제4호, 1947.7.

여 온 분이 없는 까닭에 他人의 追從을 不許한 줄로 믿는다. 이제 簡單히 氏의 生活과 作品을 紹介하기로 한다.

詩人 郭沫若氏는 四川 出生으로 今年 五十六歲이다. 일즉 日本에 留學, 岡山 六高를 經由하여 福岡醫科大學에서 공부했다.

그가 福岡에 있을 때 中國 新文藝運動 勃興의 機會로 張資平, 郁達夫, 成仿吾 等과 創造社를 組織키로 된 것이다.

郭氏는 許多한 小說을 創作했지만 그보다도 詩人으로 더 널리 알려저 있다. 그는 詩集「女神」을 處女作으로 出版하여 一躍 詩人의 地盤을 잡게 된 것이다.

詩人 郭氏의 一貫한 精神은 反抗이다. 그의 反抗的 精神은 한밤중의 火炬와 같아야 灼灼히 靑年의 마음과 文藝를 愛好하는 靑年의 맘을 燃燒시킬 뿐더러 그 强烈한 힘에 그만 吸引되여지고야 마는 것이다.

그는 언제든지 時時의 앞에 섰으며 困苦와 奮鬪하면서도 不屈不撓하였다. 이러한 反抗精神이 思想 方面에 表現되기까지에는 數次의 轉變을 지났으니 그가 故鄕에서 封建勢力과 格鬪하고 文藝運動에 從事한 以來, 이윽히 一切 事物에 不滿을 느끼게 되여 드디어 强烈한 反抗的 文士가 되여버리고만 것이다.

一九二六年에 浪漫主義로부터 轉換하여 革命文學을 提□케 되였음은 詩人 自身도 初期의 自己 作品이 英雄的 色彩가 濃厚한 것과 너무나 지나친 空想的 浪漫主義였다는 것을 覺悟함이 아니였든가 推想된다. 氏의 主幹인 創造月刊은 軍閥 當局의 嫉視한 바 되여 極端으로 蹂린을 當하다 못하여 窮地에 이르게 될 때 氏는 斷然 困苦와 싸우며 勞怨을 不辭하고 廣東 革命軍이 北伐로 出帥할 때 革命의 洪水 속에 投身하여 實際 鬪爭에 從事케 되였다. 當時 氏는 總政治部 副主任으로 있었다. 一年이 未及하여 政局이 變化되자 다시 政治 漩渦에서 나와 扶桑에 가서 다시 文藝生活을 계속한 것이다.

그때에 執筆한 中國古代社會 硏究와 甲骨文 硏究는 只今 東洋學界에서 最高 權威로 認定을 받고 있는 名著이다.

當時 一般 靑年의 心理는 二種의 分野로 되어 있어 一派는 壓迫과 犧牲을 不顧하고 始終如一하게 前進 抗爭하는 것이오, 또 다른 一派는 外界의 壓迫으로 因하여 그들의 意氣는 頹喪되어 消極的 灰心으로 幻滅의 岐路에서 彷徨하는 것이였다. 이 두 가지 精神的 傾向은 中國 創作界에도 二種의 思想的 傾向처럼 表現되어 있었다. 이에 進步的 一派의 代表 作家로는 郭氏를 들 수 있고 頹廢的 一派의 代表 作家로는 郁達夫를 들 수 있다. 一部分의 靑年은 前進 向上에 勞力하는 반면에 그들의 生活 感情을 表現해 주었으면 하는 企待에 詩人 郭氏는 이들의 唯一한 信仰 作家로 君臨한 것이오, 一部分의 靑年은 頹廢 幻滅하는 反面에 그들의 頹廢 幻滅의 感情을 表現해 주었으면 하는 企待에 小說家 郁達夫가 이들의 尊貴를 받는 信仰 作家로 出世한 것이다.

詩人 郭氏의 處女作 「女神」이 出世할 때 그의 生活은 餘地없이 困窮했으며 社會의 萬惡을 壓到할 때 여러 가지 새론 希望이 떠돌았으며 一種의 空想的 理想의 꿈속에서 그날 그날을 보내며 지은 것이 「女神」 一集을 일운 것이니 어떻게 보면 詩人의 꿈으로도 해석할 수 있다. 그가 日本서 回國하여 품은 理想이 實現되지 못하고 打擊 粉碎되어 苦悶 中에서 現實과 理想의 먼 距離와 經濟的 苦悶에서 産出된 것이 後期의 代表作 「橄欖」이라고 볼 수 있는 것이다. 더 仔細히 이토록 磨折된 그의 思想的 轉變을 顯明히 紹介한다면 社會的, 政治的, 經濟的 壓迫과 敵對 文壇에의 攻擊 等은 創造社 生活의 全貌일 것이오, 日本서 日本 夫人과 단락한 生活을 하다가 事變 當時 卽 歸國하든 때까지의 生活은 亦是 初期 懷心인 浪漫主義 色彩와는 퍽이나 距離 먼

現實에 着眼한 不變의 反抗的 生活로 看做할 수 밖에 없으며 歸國 後 今日에 이르기까지의 生活은 모든 反抗的 生活을 總網羅한 그야말로 救國 抗戰의 第一線 勇士 生活로 보아야만 妥當할 것이다.

「女神」[02]

> 끝없는 天海야!
> 샛동그란 水銀의 물거품
> 우에는 별들이 물결치고
> 아래론 구슬이 꾸물거리어
> 바로 생물들이 잠잘 때
> 나만이 호을로 白孔雀의 羽衣를 펼치다.
> 흔들흔들 거리며
> 한척 象牙舟 우에서 머리를 드높이다.

　그는 비록 苦悶하여 反抗하면서도 白孔雀의 羽衣를 펼치는 詩魂을 가진 훌륭한 詩人이였다. 當時 氏의 作詩 見解로 말하면 無心中에 自然히 流瀉함이 純眞하고도 無缺한 詩의 表現이오, 谷間에서 흘러나오는 것을 냇물이라고 한다면 心琴에서 흘러나옴은 멜로듸요, 生의 顫動이오, 靈的 叫喊이 참 詩라고 했다. 「女神」一集 中에 靈感이 豊富한 詩篇이 許多하다. 一例를 들어 말하면

02　시 원제는 「蜜桑索羅普之夜歌」이며 인용된 부분은 첫 연이다.

「鳳凰涅槃」一篇 가운데

「망망한 宇宙, 冷酷하기는 쇠와 같고나!
망망한 宇宙, 어둡기는 漆과 같고나!
망망한 宇宙, 더럽기는 피와 같고나!03

그러면서도 詩人은 悲痛이 極할 때는 이를 詛呪하기를 사양치 않았다.

「너의 피로 더럽힌 屠場아
너의 悲哀가 휩쌓인 囚牢야
너의 무리 귀신 울부 짓는 墓야
너의 群魔가 跳梁하는 地獄아.」

또다시 詩人은 海洋의 痛哭을 배워가지고 日月星辰 全 宇宙를 包含한 노래를 읊은 것이다.

「아아, 내 눈앞에는 굼틀거리는
洪水가 왔구나
아아, 끝없는 毁滅 끝없는 창조
끝없는 努力아.」

「女神·立在地球邊上放號에서」

---

03 ‘ 」’가 누락되었다

첫째로 女神은 인스피레슌이 豊富할 뿐만 아니라 偉大한 힘에 넘치는 震現的 表現, 奔馳的 表現, 紛亂한 表現, 率直한 表現, 立方的 表現이 長技라고 볼 수 있다.

이제 또다시 「筆立山頭展望」 一首를 紹介하면

> 「大都會의 脉膞아,
> 生의 躍動아,
> 치며 불며 뜀이여!
> 뿜으며 날며 뜀이여!
> 사면 하늘은 煙幕속에 몽롱하고나.
> 나의 心臟아, 어느 곳으로 뛰여 나오려니!
> 아아, 山岳의 도도[04] 瓦屋의 도도[05]
> 용소슴 용소슴 용소슴침이여!
> ……略……」

(註: 筆者도 年前에 筆立山에 遊覽한 일 있는대 이 산은 門司 西方에 있는 景慨 좋은 名山이다.)

둘째로 그의 情緖가 健全하여 病態的 氣味가 도모지 뵈이지 않는다. 다시 말하면 이 詩人의 눈에는 곳곳마다 生命의 光波, 新鮮한 情調, 우슴과 노래로 뵈여진 것이다. 또다시 크게 이 詩人의 詩歌를 三類로 大分하여 말한다면 自然을 읊은 것은 女神이오, 戀詩를 읊은 것은 甁이오, 革命을 읊은 것은

---

04 '파도도'이다.

05 '파도도'이다.

前茅이다. 또다시 그의 技巧를 말한다면 첫째는 힘의 技巧요, 둘째는 沈痛의 調子요, 셋째는 田園詩的 技巧이다. 筆立山頭展望 같은 것은 二十世紀의 動的 精神을 읊은 힘의 노래다. 沈痛한 調子로 읊은 詩로는 「黃浦江口[06]의 最後의 一節」[07]인대

> 「적은 배는 물우에 까불대고
> 사람은 꿈속에 잠긴 듯하고나!
> 평화한 고을아, 나의 부모의 나라여!」

또 이와 비슷한 「星空」 一首를 紹介한다면

> 「아름답다, 아름답다.
> 하날과 나, 임이 이 밤 같은 기쁨 있었든가.
> 아름답다, 아름답다.
> 나는 오날 밤 있는 것만으로
> 인생을 참으로 禮讚하노라.
> 까마아득 끝없는 포옹이여!
> 사랑에 끝없는 눈짓이여!
> 다못 넓은 하늘에
> 번적이는 별과 나뿐이노라.」

---

06 '」'가 누락되었다

07 홑낫표의 위치가 잘못되었다.

또 이와 類似한 「偶成」 一首를 紹介하면

「달은 나의 머리 우에 흐믈거리고
바다는 나의 발밑에서 넘실거린다.
나는 바다 위 험한 언덕바지에 서있고
아해는 나의 품에서 고요히 잠잔다.」

셋째는 田園詩的 技巧인대 그 一例로 南風 一首를 紹介하면

「南風自海上吹來,
松林中斜標出幾株烟靄.
三五白帆[08]蒙頭的靑衣女,
殷勤勤的[09]在焚掃針骸.」

이 같은 詩는 北宋 諸家에 뒤떨어지지 않을 것이며 陶潛의 「結廬在人境,
而無車馬喧」과 白居易의 (大隱隱朝市)와 蘇軾의 「北山猿鶴漫移」 等의 詩와는
좀 다른 묘미를 가지였다고 볼 수 있다. 그는 女神 이후 革命詩를 쓰기 전의
發展 階段을 본다면 象徵主義에 가까운 傾向이 없지 않었는가고도 생각된다.
「大鴛」 一首를 紹介하면

---

08 '帆'는 '帕'의 잘못이다.

09 '的'는 '地'의 잘못이다.

「西伯利亞의 大鷲!
너의 주둥이는 黃銅 같고 발톱은 갈퀴 같고
너의 매선 눈은 하날을 향하여
휠휠 날개를 휘저으며 울부짖는고나!
西伯利亞의 大鷲!
너는 집토ㅅ끼도 잡지 않고 순한 비닭이도 채지 않는
오로지 너는 聖雄主義의 象徵이로구나.
아아, 西伯利亞의 大鷲」

그러나 이와는 좀 달리 激한 調子로 읊은 「上海의 새벽[10]」을 보면

아스팔트 위는 세멘트가 아니다.
노동자의 핏땀과 생명으로 되였다.
피ㅅ투성된 생명, 피ㅅ투성된 생명
자동차 박휘 밑에서……대글대글……
형제들이여!
나는 靜安寺路 아스팔트 한복판에서
무선 火山이 폭발될 것을 확신하노라.」

이 詩人의 鳳凰과 涅槃, 天狗, 女神의 再生, 光海, 梅花樹下醉歌 等은 대개
自身의 悲哀와 울분한 激怒, 그러면서도 自我의 毁滅과 自我의 再生을 읊은

10　중국어 원제는 '上海的淸晨'으로서 시집 『前茅』, 上海: 創造社出版部, 1928에 수록되어
　　있다.

것으로 본다면 女神 以後의 作品은 悲哀와 鬱悶과 激怒를 推闡 折去하고 不合理한 舊道德과 奴隸性的 文學을 排擊하며 勞工, 거지, 失業者를 同情한 作品이 많다. 「勝利의 死[11]」를 보면

「暗淡無光한 달아, 우리가 사는 음산한 地球가 이 殺那에 너와
함께 氷心되기를 願하노라.」

이 亦是 얼마나 疾憤的이며 悲哀的이며 沈痛的이랴!

「날뛰는 大海는 바로 그의 비장한 哀歌를 노래하고
휘영청한 푸른 하날은 울고 난
낮처럼 붉고나.
멀고먼 西便 하날 太陽은 잠기다.
비장한 죽엄이여! 金光이 찰란한 죽엄이여!
개선과 같은 죽엄이여! 勝利의 죽엄이여!」
(中略)
「나는 너의게 感謝하며 너를 찬미하노라.
自由는 이로부터 죽지 않으리라
밤의 장막 나린 뒤의 달 얼마나 밝은가.」

人類의 價値는 능히 懺悔하며 革新하는 데 있다. 世界의 文化도 이런 點으로부터 發生하여 生産된 것이며 懺悔란 美德 中에 美德이며 一切의 빛의

11　郭沫若, 「勝利的死」, 『女神』, 泰東圖書局, 1921.8.5.

근원이다.

> 「아아, 진흙 우에 발자욱
> 너는 흡사히 나의 령혼의 상중**[12]**인 듯하고나.
> 너의 진흙 속에 빠지면
> 너는 사람의 유린을 받을 뿐이라.
> 아아, 나의 령혼
> 어서 속히 산봉오리 우에 올으자.」**[13]**

　이 詩人은 千兵萬馬처럼 몹시 豪華로운 調子로 나아가다도 어떤 때는 神
聖한 熱情으로 超入間的 새론 境地를 開拓하려는 듯한 氣風을 뵈여 주기도
하는 것이다. 中國 新詩의 意義는 다른 나라 新詩와는 같지 않은 點이 多少
있다. 하나는 新詩가 그저 新詩로서 一貫했다고 하면 다른 하나는 中國의 古
有의 詩보다도 새롭고 歐洲의 固有 詩보다는 새론 中間層의 것이라고 볼 수
있다.

　詩人 郭氏는 純粹한 本格的 新詩만을 썻을뿐 아니라 地方的 色彩를 保存
하면서도 純粹한 外國詩를 模倣하지 않았다. 때문에 이 詩人은 東西古今의
藝術을 土臺로 한 새론 境地에 達하는 作品을 創造하려는 것이였다. 참으로
地方 色彩와 時代 精神을 如實히 把握하여 新詩 以上의 新詩를 비저논 이는
아마도 郭氏가 中國에 있어서 第一人者일 것이다.

　西洋 格言에 「變化는 生活의 色料」라는 말과 같이 하나의 좋은 世界文學

12　중국어 원문과 대조해보면 '상징'의 잘못이다.

13　郭沫若, 「登臨」, 『女神』, 泰東圖書局, 1921.8.5.

을 建設코저 할진댄 各國 文學은 其 地方 色彩를 發展시키지 않어서는 안될 것이며 딸아 共同한 時代精神으로 一貫하지 않어서는 안될 것이다. 여기에 비로소 各種 色料는 비록 서로 差異가 있다손 치드라도 結局은 서로 調和된 點이 있게 되는 까닭이다. 더 쉬운 말로 바꾸어 말하면 變異 가운데 一律이라는 말과 다름없을 것이다.

筆者는 이 詩人의 詩歌뿐 아니라 다른 作品들도 거의 讀破했다. 特히 詩는 言語의 驅作에 調節과 節約과 簡明이 絶對 必要할 것이나 이 詩人은 너무 지나치게 自由奔放하여 言語에 節約이 없는 것이 缺點이 아니라고 할 수 없다. 事變 後 妻子를 日本에 남겨두고, 밤을 타서 고요히 배를 타고 歸國하여, 上海를 中心하여 各 文化團體를 紏合하여 抗日戰線의 强陣을 일우어 가지고, 中央軍과 함께 轉地 繼續 抗戰하여 今日의 勝利를 戰取한 것이다.

日本의 文化人들은 郭氏를 어떻게 誘引하여 抗日을 和日로 展開시키려고 가진 애를 썼으나 그는 그럴사록 抗戰에 더 熱을 加했을 뿐이였다. 從軍 中에 쓴 戰爭文學도 不少하며 特히 八·一五 直前에 蘇聯科學紀念大會에 中國代表로 出席하여 世界 學者의 耳目을 놀래게 한 일은 너무나 커다란 일이며 同時에 그의 「蘇聯紀行」은, 中國文壇의 大好評을 받었다. 그리고 그가 쓴 小說, 戱曲, 飜譯 等 作品이 都合 五十餘册 된다. 今後 偉大한 이 詩人의 評傳을 上梓할 期會가 있게 되면 그때 戰爭 中과 그 후의 散文도 더 仔細히 紹介하려 한다.

이제 마지막으로 以下의 一首를 읽으며, 이분의 紹介를 끊지려 한다.

　「나는 오래 살기를 원치 않습니다.
　도로혀 얼핏 죽기를 원합니다.
　한 번 먹은 굳은 절개

저, 뭇 창생을 구하고 싶습니다.」

「女神 三六頁」에서[14]

──끝──

---

14   시제는 '棠棣之花'다.

中國文學과 朝鮮文學 - 그 關聯性에 對한 一考察[01]

洪曉民

　어느 나라 文學치고 外國文學의 影響을 받지 않은 것이 別로 없는 것은 各國의 文學史가 雄辯으로 證明하고 있는 바로 朝鮮文學도 한때는 中國文學의 影響을 받어 거의 中國化한 感이 있는 漢文 文學이 우리 朝鮮을 支配한 때도 있었다. 그리고 그의 殘滓로는 지금도 우리는 때로 漢詩의 四律를 짓는 先輩를 볼 수 있는 것으로 이제는 한 개의 古典化하랴고 하고 封建的인 殘滓로의 待遇를 받게 되었다. 이것은 必然的인 時代의 推移로써 漢文의 본바닥인 中國에서도 漢文式 小說과 詩는 벌서 拒否된 지가 오래다. 따라서 白話體의 小說과 詩가 쓰어지게 되어 내가 아는 程度의 小說家와 詩人도 郭若沫[02]을 筆頭로 朱子淸, 徐志摩, 謝氷心 等의 數많은 文學人이 나온 줄 알었고, 또 魯迅과 같은 世界的인 文學人을 보내고 있다.

　그런데 아직까지도 朝鮮文壇에서는 이 中國文學에 對한 關心이 너무나 적다. 여기에 對하여는 三十六年 間이란 日本的인 支配가 朝鮮文壇에로 相

01　『京鄕新聞』 1947.8.10, 2면.

02　'郭沫若'의 오식이다.

當히 浸透되어 가장 親해야 할 이웃 나라의 文學은 아니 革命的인 文學은 버려두고 日本을 거처오는 再湯 三湯된 外國文學을 읽고 이것도 끔직이 알았고 또한 이것을 消化하고 宣揚하기에 우리는 얼마나 애썼는지 모르는 것이다. 그 덕분으로 二三의 英文學者, 數人의 佛文學者, 獨文學者를 가진 것을 사랑하는 마당에 서있게 되었거니와 여기에 比하여 中國 文學者는 가장 가까운 隣國임에 不顧하고 英文學者만큼도 많지 못한 數를 가지었다. 이것은 中國文學이라 하면 아직도 漢文 文學이 中國文學인 줄 아는 部類가 있는 까닭이 아닐까. 그렇지 않으면 中國을 턱없이 깔보는 못된 버릇이 있는 때문이 아닌가 한다. 朝鮮사람은 까닭 없이 中國人을 깔보는 버릇이 있는 것과 같이 朝鮮文壇에서도 中國文學은 그다지 重要視하지 않는 버릇이 있는 것이다. 이것은 큰 잘못이다. 果然 우리는 魯迅만한 文人을 내었든가. 郭若沫만한 文人을 내었든가.

日前 尹永春氏의 編著인「現代中國詩選」을 읽었다. 그리고 내 머리에는 우선 이런 생각이 떠올랐다.『朝鮮文學은 中國을 通하지 않코는 앞으로 朝鮮文學은 설(立) 수 없을 것이다.』하는 생각이다. 일즉 中國文學通의 한사람인 金光洲氏도 어디서 그런 말을 한듯한데 事實 우리는 우리 生活에 있어서 中國的인 것도 많지마는 政治, 社會, 文化 모든 面에 있어서 中國的인 現實과 彷彿한 곳이 많은 것이다. 그렇다고 하여 在來 漢文學者들이 取한 態度와 같이 自己의 朝鮮이란 것은 이저버리고「小中華」라는 卑屈한 讚辭를 듣고서 滿足할 때는 勿論 아니지마는 分明히 中國文學에 對한 關心도 他 外國에 對한 그것만큼은 가져야 할 것이다. 여기에 尹氏의「現代中國詩選」은 그 時宜를 얻은 것으로 內容도 좋다.

『地球! 나의 어머니!

당신의 孝子 밭이랑의 農夫 부럽습니다.

그들은 全 人類의 褓母

당신은 늘 그들을 사랑해 주소서.』

이것은 郭若沫의 「地球, 나의 어머니」란 詩의 一節이거니와 「밭어랑의 農夫를 全 人類의 褓母」로 생각하는 郭氏야말로 偉大한 民主主義者의 한사람이다. 우리는 얼마나 「밭이랑의 農夫」를 「農奴」로부터 現代의 「小作人」에 이르기까지 賤待, 蔑視하였던가.

앞으로의 中國文學과 朝鮮文學의 關聯은 좀더 깊어가야 할 것이다. 그것은 먼저 이미 그 까닭을 말했으므로 重複을 避하거니와 지금의 내가 아는 範圍로 金光洲氏의 「雷雨」와 尹永春氏의 「現代中國詩選」과 「魯迅選集」이 나온 것이다. 이러한 程度는 우리가 알아야 할 隣邦 中國에 對한 것이 너무나 貧弱하지 않은가. 그 前과 같이 漢文에 對한 것이면 무턱대고 輸入해 드리고 無條件하고 敬愛하던 그 態度도 지나친 그것이지마는 오늘과 같이 中國文學에 對한 朝鮮文壇의 等閑도 삼가지 않으면 안될 것이다. 우리는 中國이 國共 兩軍의 피비린내 나는 中에서도 中國文學을 키워가고 있다는 사실을 몰라서는 안될 것이다. 또한 偉大한 中國文學이 이러한 데서 나오고 있는 것을 우리는 배우지 않으면 안될 것이다. 中國文學은 우리 朝鮮文學과 같은 同等한 硏究의 對象인 것을 깨닫지 않으면 안될 것이다.

一九四七·八·七

中國文壇의 動向[01]

概說

中國의 偉大한 것은 말할 것도 없이 縱으로는 悠久한 歷史가 있고 橫으로는 廣大한 國土를 가졌다. 거기에서 생겨나온 獨自의 文化는 Variety한 民族性의 姿態이다.

上古의 茫漠한 神話와 歷世 二十餘朝의 興亡 盛衰의 足跡은 讀書家로 하여금 많은 感慨를 不禁하게 한다. 先秦 時代 學術의 絢爛, 秦始皇帝의 雄略, 三國 時代의 演劇 같은 興亡, 漢나라와 西域의 Romantic한 交通, 煬帝의 豪華, 唐나라 때 玄宗과 楊貴妃와의 艶美 悲調한 이야기, 元朝 때 男兒들이 企圖한 世界 征服의 大望과 또는 明朝 末葉에 슳음을 남긴 여러 가지의 Episode 等 언제나 回顧의 感慨와 큰 讚仰의 亢奮을 자아내게 한다. 이것은 거기에 남아 있는 足跡이 유난히도 크고 너무도 그 힘이 强한 탓이다.

中國의 文字, 史學, 法制, 倫理, 道德, 禮儀, 哲學, 文學, 藝術은 오늘날까지도 世界에 燦然한 빛을 내고 있다.

三綱과 五倫, 四德으로써 修身 齊家 治國하여 天下를 平定하는 千載의 模

01　『新天地』제2권 제8호, 1947.9.

範 教訓의 規律이 있는 反面 天下의 詩를 蒐集하여 吟味하여 보아도 李太白의 詩와는 比肩할만한 것이 없고 現代의 二十世紀 科學이 發達하였다 할지라도 周易의 豫言學과는 對抗하지 못할 것이다.

唐, 虞, 三代에 亘하여 堯, 舜 時代, 夏, 殷, 周 時代, 春秋 戰國 時代, 禪讓放伐 時代가 있어 孔子의 『敦乎仁, 博乎義』를 核心으로 한 論語, 子思의 『天人合一』을 骨子로 한 中庸, 孟子의 『謁[02]人慾, 遵天理』을 主論으로 한 孟子, 荀子의 性惡說, 老子의 道學, 列子의 氣形質論, 楊朱의 快樂的 爲我主義, 莊子의 本體論, 墨子의 兼愛說, 名家로서는 鄧折[03], 惠施, 公孫龍 諸氏가 있었고 法家로서 管子, 申不害, 商鞅 諸氏가 있어 韓非子의 法治至上主義, 淮南子의 萬物一體論, 董仲舒의 五常說, 文中子의 三敎合一論, 韓退之의 原道性論, 周濂溪의 人生論, 張橫渠의 太虛論, 程明道의 平等說, 程伊川의 修養論, 朱子의 心理說, 陸象山의 太極說, 王陽明의 致良知說 및 知約行一說 等 자못光彩 있는 文化史를 볼 수 있다.

이렇게 中國 文化는 世界文化史上의 先驅的 地位에 있게 되었다. 이러한 光輝있는 中國人으로써 今日 입을 열면 Anglo—Saxon文明만이 讚美되고 Slave思想과 模倣에면 陶醉되어 日本文學은 餘地없이 根絶되고 새로온 處女地에 淸新한 ideologie(社會意識)를 礎石으로 한 新進作家들의 努力에 依하며 自由中國의 感情과 呼吸을 結符하여 새로운 文學이 움 터는 事實을 보아서라도 最近의 中國文壇의 動向은 右에서 左로 흐르는 傾向이 많이 보인다. 이에 이 新文化의 方向에 關心을 가지고 있는 우리들에게 있어서 크게 注目되는 바이다.

---

02 '遏'의 오식이다.

03 '鄧析'의 오식이다.

戰後의 中國文壇은 어떠한 方向을 걸어가고 있는가? 또한 戰爭 中에 中國文壇은 어떠한 作品을 많이 가지고 있었나? 그 作家는 누구였던가? 中國文壇에 關心을 가지신 분들은 限없이 궁금할 것이며 더구나 그들의 作品을 마음대로 購入하여 볼 수 없는 것을 歎할 것이다.

小說界

八年이라는 長期 戰爭 中에 많은 作品이 發表되었는데 그 中에 가장 人氣를 끈 것은 茅盾이 지은 『子夜』라는 長篇小說이다. 出版한지 數個月 內에 百萬部를 突破하였다고 한다. 진실로 『水滸誌』, 『鏡花緣』보다 몇倍나 人氣를 끌고 있다. 그 內容은 純全한 白話文으로 勞動者와 資本家 사이에 일어나는 鬪爭面의 暴露를 實事的으로 描寫한 著名한 作品이다.

그 다음으로 人氣를 끄은 것은 巴金의 『家』, 『春』, 『秋』, 『群[04]』이 네 長篇小說인데 이 作品의 內容은 中華民國 初年에 封建制度의 殘渣와 一般 新興靑年의 革新運動을 描述한 偉大한 作品이다. 中國文壇의 著名한 批評家 胡風과 沈端先은 이 作品을 評하기를 『現代 中國靑年의 思想을 읽을수록 잘 느낄 수 있는 優秀한 作品이다.』라고 한만치 이 作品은 오늘날 中國文壇에 있어서 主流를 占하게 되었다.

또 現 中國 小說界에 있어서 郭沫若氏의 作品을 빼놀 수 없다. 그는 數篇의 作品을 發表하였는데 그 中에서 優秀한 作品으로는 『棠棣之花』와 『屈原』의 두 作品이다. 첫째 『棠棣之花』의 內容을 紹介하면 三十年 前에 일어난 中

---

04   정보가 잘못되었다. 이는 巴金이 기획한 적은 있지만 완성하지 못한 작품이다.

國 歷史上에 남아 있는 事實 그대로 描寫한 것인데 逃亡해온 靑年과 酒家의 少女 이 두 사람은 偶然히 서로 만난 후 情深 意固되어 그 靑年의 집 代代의 怨讐를 갑고 드듸어 絶命하였다는 悲壯 慘絶한 그의 作品은 全 中國에 알리어저 있다.[05] 다음에 『屈原』의 內容은 『屈原』의 一生과 그 時代의 政治背景을 描寫한 것으로써 그 獨特한 諷刺가 넘치는 리얼리즘의 作品으로써 出版 卽時로 演劇化하게 되었다.

그리고 中國의 유모어 作家로는 老舍를 들 수 있으니 그는 戰爭 中에 『黃包車夫[06]』라는 作品을 發表하였다. 그 內容은 中國 都市生活의 內容을 暴露하고 資本主義 階級을 皮肉하는 유모러스한 作品인만콤 많은 讀者을 가지고 있다.

그 다음 中國 푸로文壇에 있어서 푸로 女流作家로 가장 注目을 끄는 丁玲 女史가 있다. 이 女史의 作品은 가장 熱情的이오, 革命的인 것이다. 近作 『二萬 五千里 長征記』는 共軍이 中央軍에게 襲擊當하기 前에 瑞金을 放棄하고 延安으로 갈 때의 實記을 革命的으로 描述한 것으로서 이 作品이 世上에 發表되자 中國 各層 各界의 人士들의 耳目을 놀래게 하였다.

그리고 主로 中産階級의 家庭生活과 社交界에 對한 女性의 責任 等을 指導하려 하고 있는 氷心女史가 있으니 近作으로는 『心』, 『我的日記』 等의 短篇小說[07]이 있다.

끝으로 中國의 新文壇에 頭角을 내여 놓은 多數의 新進作家로써 가장 그

---

05 정보가 잘못되었다. 이 작품은 전국시대 聶政이 한나라 재상 俠累를 암살한 이야기를 내용으로 하고 있다.

06 중국어 원제는 '駱駝祥子'이다.

07 두 작품 모두 확인되지 않는다.

將來를 囑望하고 있는 作家로는 水沫, 梅子, 若汗, 綠波 諸氏의 短篇小說을 紹介 아니할 수 없다. 水沫 作 『끊어진 거문고 줄』, 梅子 作 『延着된 汽車』 (新天地 六月號), 若汗 作 『福받는 사람』, 綠波 作 『죽은 나의 언니』 以上 諸氏 의 短篇은 모두 授賞作品으로서[08] 戰爭 中 中國 靑年層의 生活과 現實에 對 한 不滿에서 생긴 苦痛과 悲哀를 巧妙하게 또 建實한 筆致로서 描寫하기에 心血을 傾注한 新進 氣銳의 人氣作이다.

以上 紹介한 이들은 現代 中國文壇의 代表的 作家이다. 이들의 作品에서 그 傾向을 究明하면 幽妙한 古典的 文學을 離脫하고 現 時代의 呼吸과 感情 에 符合된 進步的 傾向으로 흐르고 있는 것마는 事實이다. 一九三一年 以前 에 나온 作品을 比較하여 보면 思想的으로 엄청난 差異點을 發見할 수 있다. 다시 말하면 大家가 群居하고있는 中國文壇은 進步한 主義에 進步된 思想 의 新傾向으로 흐르고 있는 感이 있다.

寂寞한 詩壇

우리들이 周知하는 바와 같이 中國의 옛 詩壇은 世界 어느 나라의 詩壇보 다도 權威을 가진 것만은 事實이다. 그러나 現代 白話文 詩로 나온 것은 모 다 歐美 諸國의 有名한 詩聖들의 詩集 翻譯이였고 創作으로 나온 것은 별로 히 볼 수 없다. 그 原因은 一般 民衆 生活에 政治 經濟 問題가 가장 關心事가 되어서 있는 만큼 白話詩 같은 軟文은 社會로부터 歡迎을 받지 못한 것이 事 實이다. 그러나 比較的 生活에 餘裕가 있는 인테리 靑年層에서는 詩의 愛讀

---

08 중국어 원제는 각각 '斷了的琴弦', '誤点的火車', '會享福的人', '誰殺害了姐姐'이며 1940 년 4월 잡지 『西風』 창간 3주년 기념 작품 현상 모집 1~4위 작이다.

者가 相當히 많다. 抗戰期 中에는 『高蘭 朗誦 詩集』이 出現하여 큰 人氣를 끌고 있었다. 著作 高蘭은 아즉 三十五歲의 靑年 詩人으로써 現代人의 感情을 가장 잘 노래하는데 相當한 天才를 享受하였다고 한다.

一般的으로 寂寞한 詩壇에 이 詩集이 나와 大 人氣를 끌게 된 것은 무엇보다도 그 內容과 形式에 있어서 現代人의 音樂的 리듬과 現代人의 感情에 가장 符合되는 內容을 가지고 나왔다. 抗戰 後의 流浪 生活, 愛國詩, 著者 本人의 生涯 그 中 第一首 『哭亡女 蘇菲』 內容인즉 매우 슲은 것이다. 著者의 亡女를 描寫한 것으로써 一字 一言이 모두 著者가 亡女에 對한 愛情의 惋惜, 끊임없이 흐르는 著者의 눈물, 그 字句의 深動은 많은 讀者로 하여금 自然히 울게 한다. 이러므로 文藝的 價値가 있다는 定評까지 받은 아름다운 詩集이다.

이 外에는 特筆할만한 詩集 出版이 數三卷도 되지 못한다.

이렇듯 白話 詩作의 稀貴함은 戰爭의 影響이라고 볼 수 있다. 이러므로 戰爭 中 中國詩壇은 寂寞이라는 두 字를 記錄하였을 뿐이다.

劇作界의 活躍

戰爭 中 中國文壇에 있어서 劇作界가 比較的 많이 活躍하였다. 曹禺가 世上을 떠난 후 洪深, 郭遜, 招司, 雷姸 이 네 사람이 그 뒤를 이어 『愛與恨』, 『金玉滿堂』, 『槿花之歌』의 名戲曲으로 中國의 劇壇을 震動시키고 있다. 特히 『槿花之歌』는 戰爭이 끝난 후 中國 戰時 首都 重慶에서 洪深 및 몇몇 戲曲 作家의 監督下에서 純 朝鮮式으로 上演되였다. 이 戲曲 內容은 朝鮮 革命家들이 日本 帝國主義者의 心臟에 銃, 劍을 박는 朝鮮 革命家의 偉大한 作風과 嚴密한 計畫, 그 一擧 一動이 緊張한 分圍氣 속에서 表演되여 보는 사람으로 더불어 많은 感動을 받게 한 名戲曲이다.

中國文壇의 動向

紙面 關係로 評論界를 略하고 다못 一般的으로 中國文壇의 動向이 어대 있는가?를 略述하려 한다. 中國文壇에서 가장 多數로 發賣되는 雜誌를 보면 民主, 西風, 群衆, 思潮, 東方 等이며 小說로서는 『子夜』, 『家』, 『春』, 『秋』, 『群』이다. 그 다음으로 哲學書籍으로 가장 많이 發賣된 것은 艾思奇 作 『大衆哲學』, 『哲學與生活』 等의 著書이다. 中國의 讀者의 趣味와 要求는 物質生活에 對한 作品보다도 自然科學에 對한 것과 革新思想에 關한 哲學的 作品을 渴求하는 새로운 轉換的 傾向을 가지고 있다고 解釋할 수 있는 듯하다.

이로서 본다면 中國 및 全 世界의 文壇에는 將次 物質思想에서 轉換하여 人間의 精神文化의 再樹立에 哲學的 革新思想이 轉開하는 듯한 느낌을 주고 있다.

더욱히 左翼의 言論과 思想을 代表하는 『群衆』 雜誌는 中國의 將來에 革命——新民主々義의 길로 向導하는 代辯者의 役割을 하고 있다.

全 世界가 思想的으로 政治的으로 民主主義의 再編成期인만치 將次 全 世界의 文學은 이 새로운 世界의 出現을 憧憬하는 새 思索의 世界로 動向하지 않나 하고 筆者는 거듭 생각하게 된다.

今後 우리들은 變遷의 나라, 進步의 나라 中國의 文學界를 우리는 注目하지 않을 수 없다.

―끝―

一九四七年 仲夏夜 新堂洞 弟舍에서

中國 抗戰詩[01]

尹永春

中國文學이 抗戰 過程에 올으기 시작하기는 저 멀리 一九三一年 東北事變 以後 即 抗日, 排日 思想이 불타기 시작한 때부터라 해도 過言이 아니다.

反帝國主義의 感情이 激烈化됨에 따라 日帝의 野獸的 侵略 行爲는 尤甚하여 드디어 이런 事變을 일으켜 戰禍가 十年 게속 되는 동안에 文化面은 抗日 反帝主義의 武裝을 한 채 奮鬪해왔다. 即 民族解放運動과 反封建主義가 抗日文學과 抗戰文學으로 形成되어 나왔다고 볼 수 있으니 이번 抗戰 十年 동안의 民族革命戰爭은 文學에 있어서 新詩의 出現을 胎動으로 한 五四運動 當時의 新文學 □設과는 한 거름 더 나아가 좀더 大衆的이오, 理論을 떠나 實踐으로 옴기는 必然的의 歸趨에 이르렀다고 볼 수 있다.

『人生을 爲한 藝術』, 『藝術을 爲한 藝術』이 두 對立은 形式上으로는 달으나 藝術의 基本 原理에 있어서 過히 먼 距離가 아닌 對立이다. 前者는 人生 問題를 取扱한 사람의 性格과 心理 그리고 그 生活하는 社會面을 描寫한 現實에 가까운 것이라 하면 後者는 浪漫主義的이며 純粹 藝術에 가까운 것

---

01 『新天地』 제2권 제8호, 1947.9.

으로 볼 수 있다. 어째든 이 두 對立은 市民階級的 人本主義의 精神을 包含한 點으로 보아 多分히 共通性을 가지고 있지 않은가 한다.

魯迅 先生은 現實을 똑바로 認識한 不世出의 智者요, 封建的이며 頹廢的인 特權 階級 또는 官僚的인 것에 對해서는 苦悶해 왔으며 한편으론 非科學的이오, 아주 無能한 中華民族의 無知를 痛嘆하여 써낸 것이 大傑作『阿Q正傳』이었다. 抗戰 中國의 文壇은 全般的으로 藝術을 爲한 藝術이라기보다 中國 民族을 爲한 藝術이었으며 瞬間 危機에 부닥치는 現實에 全力을 置重하여 前線主義에로 달리지 않을 수 없었음을 더 말할 必要도 없다.

『우리들은 血肉으로 새로운 萬里長城을 쌓아 敵을 물리치자!』라고 욋치는 그들의 口號를 보아 文學이건 經濟건 政治건 왼통 犧牲하여서라도 勝利를 불러오자는 굳은 뜻을 가히 알 수 있는 것이다. 그들은 祖上적부터『精神勝利의 秘訣』이 있었으며 忍耐, 悠久, 叡智, 確信 等의 特性을 가진 國民性은 모든 難關을 물리치고도 남을만한 餘力을 가질 것이다. 이 빛나는 國民性과는 背馳된 無批判的이오, 追從的이며 無能한 사람은 阿Q와 같이 亡해 갈 것을 그들은 너무나 똑똑히 잘 알고 있는 것이다. 때문에 文人은 왼통 第一線에 나아가 軍人과 더부러 生活하며 中等 以上의 學生群은 남김없이 토치카를 지키고 無識한 下卒兵을 敎育이켜 주는 啓蒙運動에 從事했으며 文筆에 從事하는 사람들은『戰地服務團』, 『宣傳隊』, 『工作團』 等을 組織하여 몸소 戰線에 나아가 數百次나 公演 或은 宣傳했으며 壁新聞과 삐라 붙이는 等 참으로 이번 大戰에 他國이 追從키 어려울만한 異彩를 뵈어 준 것은 놀라운 일이 아닐 수 없다.

이는 오로지 愛國的 熱誠과 赤心에서 온 줄 안다. 이 모양으로 自然發生的으로 形成된 것이 報告文學이었다. 報告文學은 곧 排日文學이오, 排日文學은 抗戰文學이오, 抗戰文學은 國防文學에로 옮겨간 것이다. 報告文學이라

했댓자 戰爭 中 시작된 듯이 생각되기 쉬우나 其實은 저 멀리 九·一八 前後하여 上海 工人層의 愛國熱과 生活은 자못 世人의 崇仰을 받기에 足할만한 點이 있어서 當時 좀더 大衆的으로 人氣있든 文藝誌에는 가끔 이들의 短篇的인 글이 실리워서 그들을 英雄的으로 推符시킨 것을 契機로 하여 그후 그냥 이 報告文學의 形式이 繼續되어 오다가 이번 抗戰 中에 좀더 活潑한 形態를 갖추어 가지고 나왔다고 볼 수 있다. 인제는 一種의 文學的 쟌루의 認定을 받게 된 것이다. 報告文學은 假想的이 아니오, 본 그대로요, 들은 그대로를 적은 것이다. 따라 報告文學뿐만 아니라 一般 文學에 있어서 長篇보다 短篇이 더 많이 읽혀졌다는 것이다. 이런 點에서 一般 生活이 얼마나 不安했으며 餘暇없는 焦燥한 生活이었다는 것을 넉넉히 짐작할 수 있다.

詩가 더 많이 읽혀진 것도 이 까닭인 줄 안다. 抗戰 中에 詩는 참으로 눈부실 만치 커다란 成果를 거두었다. 詩 쓰는 이가 在來보가 훨씬 더 많이 나왔을 뿐더러 文藝雜誌와 新聞 學藝面 같은 데는 特別히 詩가 많이 실리우고 用紙와 印刷難으로 詩集 刊行이 大端히 困難했을 법함에도 不拘하고 적지 않은 詩集이 나왔다는 것은 戰勝과 함께 기뻐하지 않을 수 없다.[02]

勿論 質과 量에 있어서 많은 進步를 뵈어주었다. 詩集은 나오는 대로 各戰線 甚지어 遊擊地區에까지 配布되었으며 또는 詩 朗讀과 詩 展覽까지 있어서 그 收穫은 자못 컸다. 매양 다른 部門에서 보다 더 많은 讀者와 聽衆을 가졌음은 오로지 詩에서인가 한다. 軍人과 農村과 工場에서까지 愛讀者가 가장 많이 났으며 武漢, 桂林, 重慶 等에서 가장 刮目할만치 活潑하였다. 重慶에서는 正式으로 詩歌朗讀隊가 組織되어 이 方面에 커다란 推進力이 되

---

02 이 단락부터는 常任俠의 「抗戰四年來的詩創作」, 『文藝月刊』 제11권 제7기, 1941.7(孫望·常任俠 편찬, 『中國現代詩選』, 南方印書館, 1943.7에 재수록)의 내용을 선택적으로 초역한 것이다.

고 이 밖에도 詩 슬르간, 詩 展覽 같은 것은 하나의 抗戰 武器로서 活動했다 해도 過言이 아니며 새론 藝術活動의 主要 部門으로 再認識하지 않을 수 없다. 詩 技術과 朗讀 技術을 檢討하고 再吟味코저 重慶 全國文協에서 開催한 『詩歌晚會』는 적지 않은 成果를 뵈어주었다. 아무튼 詩人의 理念과 感情은 抗戰에 集中되었으니만치 在來의 吟風弄月루의 詩와는 엄청나게 다른 局面을 뵈어주었고 심지어 『新月』, 『現代』 두 派에 屬하는 舊詩人들까지 約束이나 한 듯이 抗戰에 武裝하고 詩壇에서 活躍해 준 일은 기쁜 일인 同時에 불속에서 쓰듸쓴 經驗을 겪은 新進詩人들의 絶唱은 참으로 뼈저리게 心琴을 따리는 데가 있다.

詩論에 있어서 詩歌의 民族的 形式論이 여러 번 論議되어 있었는데 그 論調를 둘로 나누어 볼 수 있다.

그 하나는 中國 數千年來 遺傳되어 온 珍貴한 離騷, 詩, 詞, 歌, 賦, 唐詩, 元曲이오. 또 하나는 널리 民間에서 流行하는 民謠, 山歌, 歌謠, 小調, 彈詞, 大鼓詞, 戲曲이다. 이 두 論調의 目的은 다름 아니라 押韻을 하느냐 안하느냐가 主要 論題가 되어 있었다. 이에 對하여 郭沫若氏는 이같이 말했다. 卽 『그 內在的 情抒美에 置重한 것이 詩요, 音樂的 形式에 置重한 것이 歌라.』[03] 云云했다.

도리켜 생각해보면 生死 危急한 抗戰 中에 押韻하느라고 形式的 拘碍에 時間과 精力을 消耗키보다 차라리 좀더 自由的이며 느낄 바 그대로 急速히 率直히 告白하는 편이 더 效果的이었을런지도 몰른다. 아까도 말한 바와 같이 抗戰 中에 許多한 詩人들이 輩出하였다. 例를 들면 艾青 같은 優秀한 詩人인데 氏는 香港에서 『頂點』이라는 詩集을 發行했다. 이어서 『北方』, 『他死

03　郭沫若, 「論節奏」, 『創造月刊』 제1권 제1기, 1926.3.16.

在第二次』,『向太陽』詩論集까지 있다. 徐遲, 袁水伯[04], 常任俠, 汪銘竹, 李廣
田, 杜谷, 郭尼迪, 雷蒙, 魯沙, 白岩 같은 詩人들이다. 이제 이 新進詩人들의
詩를 全部 紹介치 못함을 遺憾으로 생각하며 몇 분의 優秀한 것만을 골라서
紹介하는 바이다. 爲先 艾靑의 것부터 吟味하려고 하는 바 戰爭詩 外에도 抒
情詩로서 優秀한 것이 많으나 亦是 戰爭에 連結시킨 構想이 많고 또 그 抒
情詩가 아이로지칼한 點도 눈에 띄인다. 氏는 巴里에서 文學을 硏究했다.

橋[05]
艾靑

    땅과 땅이 물에게 난운어 젓슬 때
    길과 길이 물에게 갈리어 젓을 때
    智慧러운 사람은 물가에 서서
    이윽고 다리를 지어 내엿네.

    괴롭게 거니는 人類여!
    마땅히 다리에 감사해야 한다.

    다리는 땅과 땅의 連結이다.
    다리는 물과 물과 길의 愛情이다.

---

04   '袁水拍'의 오식이다.

05   艾靑「橋」,『曠野』, 生活書店, 1940.9.

다리는 배와 車輛이 머리 흔들어 禮하는 驛頭이다.
다리는 배탄 이와 步行하는 이가 손들어 작별하는 곳이다.

그가 일어나다[06]

그가 일어나다.
數十年 동안의 굴욕 속에서
敵이 파노흔 깁흔 함정 엽헤서 일어나다.
그의 얼골은 피에 저젓건만
그래도 그는 웃기만 한다.
일찍 웃은 적 업는 우슴을 한다.

그는 우스며 눈부시게 압을 본다.
敵의 彈丸은[07]
煙霧 속에서 튀어나와
그의 오른팔을 꿰뚤고 나아갓다
급기야 靜脈에서 鮮血이 튀어나온
손

---

06 艾靑, 「他起來了」, 『北方』, 上海: 文化生活出版社, 1938.

07 이 행부터 아래 "彈丸은 敵을 꿰뚤고 나아갓다."까지는 잘못 기입된 내용으로서 尹永春,
『現代中國詩選』, 서울: 靑年社, 1947.7.29에 白岩의 「負傷兵」 중의 부분 시구로 되어 있
다. 그러나 常任俠의 「抗戰四年來的詩創作」, 『文藝月刊』 제11권 제7기, 1941.7, 17쪽에
의하면 이 시의 중국어 원제는 「受傷的兵」이며 莊言의 작품이다.

한 떨기 붉은 꼿 가튼 손
아니 그 傷處 입은 손을
꽁시 나려놋치 안코 힘을 주어 주어
방아쇠를 당기자
彈丸은 敵을 꿰뚤고 나아갓다.
마치 一擊 주든 원수 차즈려는 듯
그는 일어나다. 그는 일어나──
모든 猛獸보다 더 猛敢하게
모든 人類보다 더 총명하게

그는 반드시 이래야만 할게다.
원수의 死亡에서 이러나야만 할게다.
自己의 生存을 도로 차저 내기 위하여──

압예는 大勝利가 잇다[08]

徐遲

압에는 空前의 大勝利 잇고
뒤에는 慰勞團이 파견되어 왔다.
捷報는 午後 네시에 알려젓다.
아홉시에 慰勞團은 출발하여

---

08 徐遲, 「前方有了一個大勝利」, 『最强音』, 桂林: 白虹書店, 1941.10.

하로 밤을 꼼박 별 아래에 새여 걸어
하늘이 밝기 전에 전선에 이르럿다.

며칠 전까지 억센 敵이 예서 삐치엇고
어제까지 우리는 反攻의 砲火 날리엇다.
지금도 토닥토닥 山허리에는
煙氣가 자욱코 총소리 들려진다.
이는 우리 搜査 部隊가 殘敵을 掃蕩함이다.
慰勞團員은 하룻밤을 자지 못햇다.
그들은 興憤되고 快活햇스나
兵丁들의게는 퍽으나 생소한 사람이엇섯다.
「동무여! 우리는 大勝利 햇습니다.」
「동무여! 당신들은 참 잘 싸워습니다.」
「동무여! 당신들은 참으로 受苦햇습니다.」
「동무여, 우리는 당신들께 冊 가저 왓습니다.
아직도 만흔 畵報와 新聞도 잇고
아직도 만흔 빵과 통조림도 잇습니다.
아직도 만흔 꼿 잇스니 가저가서요!」

兵丁들은 뗌뗌 토치카에서 나와
慰勞團의 조흔 이야기를 듯고 잇습니다.
듯고 나서야 왼 영문인지들 똑똑히 안듯
이는 무삼 소릴까 뒤에서 보내주는 소리
이것이 무엇일까 뒤에서 보내준 禮物

이는 무삼 사람일까 뒤에서 온 民衆 代表

나는 달려가서 機關銃에 형님을 불러오고
더러는 砲兵隊에 가서 불러오고
政治工作隊 隊員도 불러 왔습니다.
騎兵들은 키 큰 말 타고 쿡들은 지게에 밥 지고 왔습니다.
십여대의 탕크도 와 다엇습니다.
우리들의 機械化 部隊는 陣地에서
山허리에서 이 해맑은 새벽 속에서
불숙 나타나 여기 와 멈춥니다.
보서요 熊腰虎骨가튼 저들의 모습 얼마나 억센가요.

여보서요 우리들은 慰勞團입니다.
新聞을 가지고 왓으니 갓다 보서요.
뒤에 大都會에서는 이번 胜利에 號外를 냇습니다.
당신들 記事도 적혀 잇스리다. 그러치요?」
나려오서요. 陣地에서 나려오서요. 말 잔등에서도 나려오서요.
탕크 속서에도 나오서요. 우리들은 당신들의
얼골과 그 큰 몸집을 보고십허 합니다 그려.
……略……
慰勞團의 女性동무여 우리가 북을 칠테니
당신들 가운데서 누가 춤추는 이 나와 주서요.
勝利의 춤을! 저기 헤넓은 空地 梅花 아래서 추서요.

여성동무 넷이 梅花 아래에서
이번 勝利를 춤추며 찬미한다.
그러나 中國의 勝利는 만은 奮鬪가 이뤄젓다.
山峰에서 兵丁들은 아래를 나려다 본다.
푸른 풀 언덕바지에서 네 여성이 춤추는 것을—
그들은 兵丁의 용감과 步武를 춤추고
인제는 民衆이 잘 아는 춤을 춘다.
쪽빛 구름이 헤넓은 언덕바지를 흐날릴 때
兵丁과 村사람들은 신이 나서 고요히 보며
북소리에 가끔 우슴도 터저 나옵니다.
인제는 그들은 마지막 춤을 춥니다.
觀客은 모다 일어나서 따라 춤춥니다.
簡單하면서도 소리 마차 추는 이 舞蹈를—
언제 그날이 와서 四萬 五千은 다 함께
熱狂的으로 이처럼 춤출 수 잇슬까요.

母親[09]

雷蒙

어머니는 生前에
두 가지 生物을 무서워햇다.

---

09 雷蒙, 「母親」, 『七月』 제5권 제2기, 1940.3.

하나는 빈대, 다른 하나는──兵丁

매양 遠遊하는 아부지가
더 만흔 白发로 집에 돌아 오신다거나
혹은 淸明節에
시골 가서 省墓하고 돌아온 형님이
몸에 흙을 뭇처 가지고 돌아 올 때면
적지 안케 빈대에 대한 이야기가 버러젓다.
하면 어머니는 무엇보다도 먼저
벗어 노흔 옷을 물에 三四日
間 잠거두라 분부하신다.

어머니는 吸血하는 生物을
戰爭에게 吸血된 집에 두지 아케 햇다.
어머니 눈에는
빈대와 兵丁은 똑 가튼 물건으로 뵈이엇섯다. 러나 (一九二七年)
兵丁을 무서워하든 어머니가
적은 아들이 軍服입고 돌아온 것 보고
빈대 한 마리나 잡은 듯이 말슴하섯다
「이 옷을 벗고 다실랑 가지 마라.」
그러거늘 나는 다시 안갈 수 업서서
軍帽를 눈 아래까지 꽉 눌러 쓰고
아해처럼 엉엉 울기만 햇다.

이로부터

나는 또다시 옛날의 옷을 가라입고

하 오라면서도 빈대 업는 옛집에 살며

낡은 石油燈 켜 잇는 밤이면

보금자리에 누어 게시는 어머님으로 더부러

한 옛날의 이야기들 속삭엿섯다.

「달밤 참새는 물에 들어가 조개 되고」

이가 어머니는티¹⁰ 歷史圖을 끄내어 말할 때

이 가슴에는 또 한 옛말이 떠올랏다

한 마리 개미가 빈대가 되어

또 다른 개미와 싸움한 옛말을——

저윽히 이 말을 어머님께 아뢰면 어머니는

개미가 빈대와 싸워 이기다니——

하나는 吸血하는 것 또 하나는 부지런히 일하는 것.

개미를 사랑하는 어머니는

부지런히 일하기를 즐겨하섯다.

아해들을 쓰다듬든 그 주름쌀 만흔

두 손은 香氣러운 선비門閥의 傳統을 바덧섯고

布衣로 이어가는 끈임 업는 勞働은

勤勞者에게 한대 친절한 同情이 잇섯스며

아해들에게 기처 준 어머님의 깁흔 敎養은

자장歌와 田園 生活의 歸依와

---

10 '이가티 어머니는'여야 하며, 글자 순서가 잘못되었다.

빈대를 실혀하는 潔癖性을 길러주엇다.
나의 記憶에 남은 어머니는
나를 다리고 古城 우에 가
용소슴치는 江물을 뵈여 준 어머니다.
나의 氣質에 남은 어머님은
호미들고 뜰에 나가 채소 심으시든 어머니다.

허나 나는 끗끗내 어머님과 갈러젓다.
빈대를 거려하는 心境으로써
번거러운 빈대 가튼 都市生活과 부닥겨가며——
나는 어머님에게 吸血者가 人類를 殘害한다는
그 憤을 말하기도 전에 어머님께로부터
吸血者에게 損害밧는 편지 바덧다. 거기에 씨어지기를
故鄕에는 大軍이 낫는데
너의 書齋까지 그들 行營 되엇다고——
그리고 어머니는 書畵를 수습타가
황망한 가운데 그만 다리를 상했다고——
이 소식은 마치 이부자리에 빈대처럼
나로 하여금 밤새껏 편치 못하게 햇다.
어머니는 아들을 吸血者로 만들고십지 안흐나
세상에는 그득히도 吸血者가 잇섯다.
어머니는 簡潔한 살림을 조와 하건만
簡潔한 살림이 사정업시 掠奪당햇다.
이토록 아직껏 안 이저지는 것은

어머니 重態엇을 때 어머니 하시든 말씀
똑똑히 불르시든 나의 이름
나는 먼 훗날에도 이것을 이즐 수 업고나.
어머니 臨終하시기 바로 하루 전
세 兵丁이 우리 집에 와서 뒤부시게 什物을 뺏어갈 때
死神과 더부러
아니 死亡보다 더 무선 恐怖에 떨든(人類의 厄運에 대한 恐怖)
그 괴론 어머니 똑똑히 記憶하노라.

어머니여! 당신의 棺압헤서
아들은 묵묵히 맹서합니다.
당신 生前에 나는 한 軟弱한 被吸血者엿스나
당신 死後엔 목숨 내걸고 吸血者와 싸웁니다.
이윽고 나는 畵筆을 들엇습니다.
꼿과 빗과 사랑과 어머니를 그리든 畵筆을 들엇습니다.
어머니 生前에 苦痛을 미루어
殘害당한 千萬 어머니의 苦痛을 그려내며
내 맘에 끌는 熱血을 미루어
피를 빨리운 千萬 熱血을 그려 내렵니다.
때로는 苦悶이 나를 둘러싸 일에 怠慢할 때 잇어도
나를 救해 낸 것은 오로지 어머님이 남겨 준
智性과 때때로 꿈에 뵈이는 엄숙한 어머니 얼굴입니다.
어머니 당신 生前에 아들에게 대한 苛責은
바로 지금 내게 대한 苛責입니다.

어머니! 당신이 生前에 眞理의 빗츨 사랑햇슴은
곳 내 生活의 빗츨 비처줍니다.
어머니 돌아가신 바로 다섯 번째 해에
中原에는 무선 鋒煙이 가득 차서
吸血者의 똥똥한 살찐 몸 압혜서
被吸血者인 中國도 軍服을 입엇습니다.
自由와 正義를 위하여 차린 戰鬪服은
戰血에 때는 도로 깨끗히 싯처지리니
이 피야말로 害입은 千萬의 父母와 희생된 千萬 子女의 總合
體입니다.
피 무든 이 軍服은 進化한 人間의 머리 우에
올려 노은 悲壯하고도 아름다운 旗폭과도 갓습니다.

어머니 내가 당신께 아뢰어 안 드린
그 개미와 빈대의 이야기를 잘 記憶하고 잇습니다.
만약 개미가 軍服을 입엇다면
어머니는 반드시 이런 軍服을 꺼려 안햇슬 것입니다.
그러거늘 나는 이제
헌 겨울 옷 다 내팡가치고
겨울 異鄕에서 방황하는 아부지가
몃 萬里 어려운 路程을 지나
덥석 뛰어든 저 戰鬪의 熔爐 속으로 나는 갑니다.
내가 다시 軍服 입을 때
兵丁을 무서워하든 어머니!

吸血者의 손에서 安葬 안 된 채로 잇는
그 屍體를 먼저 생각합니다.
受難者의 白髮속에서
어머니 生前에 白髮 차저 내기 어렵지 안코
受難者가 四方에서 流離하는 그 모습은
어머니 生前에 격근 痛苦, 悲凄보다 더 甚합니다.
아! 이 塵土의 新衣 업슴을 나는 슬퍼할 뿐입니다.

어머님 만약
軍服 입은 이 아들의 武器를
依然히 한 자루 畵筆로 아신다면
슬퍼하실까요? 기뻐하실까요?
「注」: 「塵土의 新衣」는 國土에 아직 새론 勝利의 局面이 오지
안헛슴을 意味함인 듯.[11]

어머니 나는 이 스산한 겨울밤
北國의 눈 덥힌 山野를 지날 때
江南 故鄕을 멀리 향해
燈 업서 어둡던 옛날 당신의 門窓과
窓 박게 가득 찬 吸血者의 硝煙을 바라봅니다.
어머니 당신은 두려워 마서요.

---

11 중국어 원문은 "나는 이 새 군복에 먼지가 묻지 않았음을 부끄럽게 생각합니다."의 뜻으로 여기서는 잘못 이해되었다.

犧牲者의 피는 決코 헛되히 흘르지 안코
勝利의 그 하로를 다려올 것입니다.
만약 죽지 안는다면 당신의 棺 압에 돌아가
당신이 실허하든 軍帽를 벗고(人類도 다 벗을 것이다)
이 醜한 人類의 탈을 당신의 面前에서 태워 祭奠하리다.
어머니 당신은 일직 이 하로를 미덧스리다.
어머니 우리가 싸워 이기는 이 하루를──

(꿋)

魯迅과 中國 - 그의 十一周忌를 記念하야[01]

宋志英

바람비 모질게 휘몰아치는 한밤중에도 意志의 햇불만은 타올라 死의 威脅에서 生의 鬪爭으로 無窮한 苦難에서 不絶한 希望을 안고 中國文壇은 또 한 번 魯迅 先生의 逝世를 沈痛히 紀念하게 되었다.

魯迅이 어쩔 수 없는 悲憤 痛哭으로서 老大中國의 『阿Q』相을 세상을 떠나는 그날까지 責罵하면서도 그래도 쓰다듬어 어여삐 여김이 뼈와 살이 되어 그가 간지 열이요 또 한해 조곰도 變함없이 靑年 中國의 빛나는 燈塔이 되어온 것이다. 무슨 雜됨이 있으랴. 오롯 한길 正義와 眞理를 위하야 富貴에 淫함 없고 威武에 屈치 않었으며 貧賤에 옴기긴커녕 오히려 달게 지켜가며 믿음의 한길을 쫓아 때로는 吶喊하며 鼓動치며 暗示를 던지고 때로는 痛哭하며 流涕하였음이 모다 두루뭉치어 四億萬의 喊聲으로서 외롭게 웨침이었다.

그의 倔強하며 固執된 性格은 몇 千年 동안 櫛風沐雨 그대로 씻겨온 中華民族의 본뵈기였으며 이속에서 울어나오는 精神과 力量의 偉大는 民族의

01　『漢城日報』1947.10.19, 2면.

一大 試鍊期인 抗戰의 전날 밤 수만흔 젊은 가슴의 피를 鼓舞시킨 것이었다.

魯迅은 갓스되 그의 굿세인 固執은 數千萬 가슴에 뿌리박아 그가 간지 다음 다음해 爆發된 抗敵의 불길 속에서 한줄기로 얽혀진 精神과 힘은 헛되지 안하 前線에서 後方에서 여덟해 동안 正義와 同胞愛로서 싸워왓고 끗々내 싸워 익이었다. 이는 틀림없이 魯迅精神의 偉大한 勝利였든 것이다.

그러나 殘酷하기 이를 데 없는 傳統의 害毒과 頑暴 卑劣한 魔의 손아귀가 오늘도 如前히 그가 사랑하던 靑年 中國에 거미줄처럼 엉키었고 勝利를 歡呼하는 爆竹소래 멈추기 무섭게 內戰과 饑餓의 울부지즘이 四百州에 차있음에 九原 野臺에서 魯迅의 魂魄이 오히려 責罵하는가 날카로운 소리 들려오는 듯도 하다.

언제이고 偉大한 啓示와 號召는 헛되히 총칼 앞에서 꺼꾸러질 바 아니다. 해가 깊으면 깊을사록 퍼지고 자라는 힘이 어찌 하루아침 光明을 끌어안고 웨치는 날이 없다랴? 『咀呪로운 땅에서 咀呪로운時代를 擊破하자!』고 고함친 魯迅의 소리는 十年이 넘은 오늘에 더 크게 더 만히 들려오고 있다.

大衆과 더부러 生命있는 文學의 길을 열어 中國 新文壇에 있어서 開山이 되었음은 더 말 말기로 하자. 또 魯迅의 한쪽 팔만을 붓드러 그것만이 옳거니 그르거니 함을 따지지 말기로 하자. 그의 울다가도 웃을만한 유모어와 辛辣하기 비길 데 없는 諷刺와 치면 소리 날 듯한 感觸과 奔放히 넘처 흐르는 熱情 이 모든 것이 간사와 아첨과 굽힐 줄 모르는 그의 人格에 배어 눈에 거슬리고 귀에 아픔이 있을 적마다 創造가 있고 進步가 있어 남겨놓은 言言句句 暗黑의 떼거리이면서 光明의 화불임만을 똑똑히 알아 받들기로 하자!

魯迅이 세상을 떠난 지 열한 해 세월이 자꾸만 뒤숭숭하여 갈수록 그에 向한 追慕와 仰止의 念이 더욱 깊어감을 오늘날 中國의 어느 册肆에서고 쉽사리 그의 關한 評傳이니 硏究니 하는 文献을 七八種쯤 골르기 어렵지 않으므로 보아 알만한 일이지만 더욱 반가운 일은 그의 夫人 景宋女史가 患難의 남어지 北京서 옛날과 조곰도 다름없는 貧窮과 싸우며 오히려 勇氣百倍하야 부즈런히 麗筆을 가다듬어 夫君의 뜻을 받들어 이어가고 있음이다.

嗚呼! 人類의 自由와 幸福을 위하야 鬪爭하든 中國文壇의 導師 가고 없는 오늘 그가 生前에 벗 앞에서 입버릇 삼아 『내야 太平歲月을 볼 수 있나?』라고 외였다든 말을 다시금 생각하며 오늘의 中國을 바라볼 때 紀念하는 자리 우리로서 沉重하거늘 바루 이날 中國文壇의 諸子들이야 오직 沈痛함을 늣기랴!

(漫畵는 魯迅)

偉大한 中國作家 魯迅의 回憶 -
그의 紀念 講演會를 열면서[01]

丁來東

(上)[02]

中國 新文學運動 以後로 처음 난 偉大한 創作家요, 現代 世界作家 中에서도 가장 異彩가 있는 作家의 一人인 魯迅이 逝去(一九三六年 十月 十九日)한 지 발서 十一週年이 된다. 서울大學 文理科大學 內에 있는 中國文學研究會에서 今月 十八日 午後 二時에 魯迅을 紀念하는 講演會를 開催하는 데 際하야 다시금 氏의 經歷, 作品을 一考할까 한다.

처음에 氏가 創作을 發表한 것은 一九一八年 四月 『新青年』誌에 『狂人日記』를 揭載한 것으로 비롯하였다. 그後로 繼續하야 『孔乙己』, 『藥』, 『明天』, 『阿Q正傳』 等을 發表하자 그의 名聲은 나날이 높아가고 끝々내 中國의 가장 偉大한 小說 作家가 되었다. 氏의 小說은 世界 各國語로 飜譯이 되고 朝鮮에 筆者가 紹介한 것도 近 二十年이나 된다. 氏는 創作이나 論文에 있어서 中國 封建社會의 弊習을 攻擊 暴露하고 中國의 新光明을 打開하려고 不斷한 努力

---

01 『東亞日報』1947.10.21~10.22, 2면.

02 매회 연재분 표기로서 2회에 걸쳐 연재되었다.

을 繼續하였다. 그는 언제나 靑年과 같은 勇氣를 갖었다. 그래서 或은『思想界의 權威者』라고 하고 或者는『靑年 叛徒의 領袖』라고까지 말하였다.

氏는 貧困한 家庭에 出生하야 官費生으로 日本에 留學하야 처음에는 醫學을 學習하다가 俄日戰爭 時에 中國人이 密偵으로 被斬되는 光景을 映畵에서 보고 中國은 몬저 新文藝를 提唱하여야 할 것을 깨닭고 目的을 變更하야 文學을 專攻하였었다. 氏는 歸國 後 敎員生活과 小官吏를 하다가 一九二五年에 反動勢力으로 罷免을 當하고 一九二六年 張作霖에게 被追되어 南下하야 福建 廈門大學, 廣東 中山大學에서 敎鞭을 잡다가 一九二七年에 上海에 와서 著作에 專心하였다.

(下)

氏가 文學革命 當時에 作家로서 健將이었든 것은 더 말할 것도 없고 一九二八年에는 革命文學派와 一大 論戰을 일으키었으며 一九三〇年에는 끝끝내 左翼作家로 轉變하였다. 그러나 氏의 創作生活은 擧皆가 그 前에 있었으며 氏의 目的은 中國社會의 腐敗面을 除去한 데 있었든 것을 氏의 全作品을 通하야 엿볼 수 있다.

氏의 作品이 遠久性을 갖이게 된 것은 다못 한 時代 한 社會의 暗黑面을 平面的으로 描寫한 데 그친 것이 아니고 언제나 中國 々民性, 人間의 根本性에 立脚하야 一時的 腐敗와 弊習으로 因한 缺陷을 指摘하고 暴露한 데 있을 것이다. 또한 그의 作品에 있어 用語와 文字는 平凡하고 皮相的인 데 있지 않고 深奧하고 立體的인 데 있다. 그러므로 그의 作品은 百讀하여도 每番에 새로운 感銘과 啓發이 있는 데 그 特色이 있다. 或者는 純粹 白話文이 아니고 古文을 混用하였다고 非難한 者도 있으나 氏야말로 中國文學의 特色을 如實히 發揮하였다고 볼 수 있을 것이다.

氏의 作品은 朝鮮에서도 飜譯 出版되었으며 過去 二十年 間에 紹介된 文字는 적지 않다. 이제 氏의 作品을 硏究하며 그 作品의 偉大性을 再認識하려는 萌脈이 쌌트는 傾向이 있어 감을 볼 때 氏의 枯淡한 面貌가 어끄제 對하였든 것 같으며 氏의 作品, 生涯, 丰彩를 通하야 남은 諧謔이요, 冷酷한 印象은 時日이 갈사록 새로워진 것 같은 感이 없지 않다.

1948년

魯迅과 그의 作品[01]

金光洲

魯迅은 中國의 新文學運動을 通하야 가장 빛나는 作家일뿐더러 임의 世界的으로 名聲을 남기고 간 現代 中國의 偉大한 作家의 한 사람이다.

그러나 이러한 한 作家와 그의 作品을 이 짧은 紙面에서 論한다는 것은 한 가지의 唐突한 일이 될 뿐만 아니라 임의 朝鮮에도 해放 前부터 魯迅에 關하야는 이 方面의 權威라 할 수 있는 丁來東氏를 通하야 詳細히 紹介된 바 있었고 最近에도 그에 關하야 斷片的으로 紹介된 文章은 그만두고라도 서울大學 文理科大學 안에서 그의 逝去 十一週年을 記念하는 講演會를 通하야 그의 人間的 經歷이나 作家로서의 生涯가 詳細히 紹介된 것은 一般이 周知하는 바라고 생각된다.

그럼으로 이 한 篇 拙文에서는 主로 魯迅의 作品을 通하야 特色이라고 느낄 수 있는 것 或은 筆者 個人的으로 印像 깊이 읽은 作品 等에 關하야 簡單히 써보고자 한다.

爲先 小說에 있어서 한 篇의 俗된 長篇小說도 쓰지 않고 「彷徨」과 「吶喊」

『白民』 제4권 제1호, 1948.1.

1948년 371

(크게 외친다는 뜻)이라는 두 册子 속에 드리 있는 三十餘篇의 短篇小說만을 깨 끗이 남겨놓고 그의 文學生活을 마쳤다는 것도 우리가 魅力을 느낄 수 있는 魯迅의 特色의 한 가지이다.

이 두 小說集 가운데서 第一 有名한 것은 朝鮮말로도 임의 紹介되였고 再昨年 서울서 演劇化까지 되였던 「阿Q正傳」이다. 周知하는 바와 같이 이 作品은 中國 民族性의 虛僞, 卑屈, 過大한 自尊性 等을 조곰도 容恕없는 칼날을 들고 싸늘하게 어여 놓았으니 이것은 魯迅의 自己 自身에 對한 殘忍하리만치 무서운 해剖인 同時에 中國 國民性의 長點과 短點을 人類社會를 向하야 大膽하게 외친 傑作이라 할 수 있을 것이다.

그러나 「阿Q正傳」과 함께 우리가 魯迅의 小說을 말할 때 저바릴 수 없는 作品은 「狂人日記」이다. 이것은 그 題目과 같이 한 미친 사나히의 日記를 그대로 써논 것이다. 다시 말하면 한 미친 사나히를 通해서 본 中國社會의 暗黑面을 그린 作品으로 魯迅의 獨特한 諷刺性, 中國 舊習慣에 對한 불같은 증惡感이 이 作品처럼 나타난 作品도 없을 것이다.

이 한 篇 作品으로서 魯迅의 作品의 全貌를 엿볼 수 있다 해도 過言이 아니리라고 생각된다.

一千九百十八年 그가 三十八歲 때 비로소 處女作인 이 「狂人日記」를 中國文壇에 내놓차 마치 한 個의 무서운 爆彈과 같이 當時 中國의 讀書界를 뒤흔들었든 것이다. 이 作品은 中國의 白話文學 卽 現代小說 形式으로서의 最初의 優秀한 作品일 뿐더러 불같이 타오르는 藝術家로서의 왼갓 情熱을 기우린 피와 같은 文句를 가지고 中國 數千年來의 끝없이 어둡고 무거운 封建勢力에 對하야 數億萬 中國 百姓들이 하고 싶으면서도 敢히 입을 버리지 못하든 말을 大膽하고 率直하고 冷情하게 외친 것이다. 이 첫 作品에서 벌서 魯迅은 그가 實生活에서 얻은 材料를 가지고 한 個 藝術的 世界를 創造했다

느니보다 오히려 單刀直入的으로 눈앞에 보히는 人間社會의 醜惡을 向하야 몸과 맘을 다 같이 기우려 肉迫하자는, 그의 文學의 가장 남다른 特色을 强烈히 나타내고 있다.

이 두 作品 外에도, 時代에 뒤떠러진 인테리가 열여덜푼의 외상 술값을 질머진 채 거지가 되어 죽는「孔乙己」, 또는 作者 自身의 幼年 時代의 그리운 追懷와 歸鄉의 經驗을 一種의 哀傷的 筆致로 描寫한「故鄉」과 中國 文化界의 特殊한 絶望과 不運함을 表現한「孤獨者」,「幸福된 家庭」,「酒樓에서」,「端午節」같은 같은 系列의 特色을 가진 作品이 있고「風波」,「비누」,「長明燈」,「示衆」,「高老夫子」,「離婚」等 珠玉같은 短篇들이 있는데 紙面 關係上 여기서 이것을 한篇 한篇에 對하야 仔細히 紹介하지 못함이 遺感이나 拙譯으로 임의 魯迅의 短篇集이 第二輯까지 出版되였음으로 이것을 通하야 그의 作風의 一端이나마 알 수 있을 것이다.

한마디로 簡單히 말하자면, 魯迅이 남기고 간 이 몇 篇의 짧은 小說을 通하야 우리가 선듯 느낄 수 있는 것은 人間社會에 對한 明哲하고 正確한 해剖와 中國 國民性에 對한 無慈비하리만치 殘忍하고 두려웁고 銳利한 暴露이며, 이것을 한 作品으로서 完成할 수 있을만한 緻密하고, 깨끗한 構想과 또 이에 따르는 살을 찌를듯하고 諷刺가 넘치며 무된 듯하면서도 簡潔 明瞭한 그의 文章이다. 모든 人間 生活의 僞善과 卑屈과 墮落과 싸워서 손톱만한 타協도 敗北도 갖기를 싫어한 魯迅의 文學精神은 길이 中國 民族과 함께 그의 作品 가운데서 용소슴처 흐르고 있을 것은 疑心 없는 일이다.

그러나 魯迅이 그의 文學家로서의 藝術的 情熱을 갖은 것은 小說보다 오히려 엣세이—— 即 隨筆 文學에 있다고 봐야 할 것이며 이런 意味에서 나는 魯迅의 中國 新文學運動에 있어서의 隨筆家로서의 地位를 더 높게 評價하려 한다. 中國에 新文學이 擡頭한 以後의 文壇에 있어서 一時 全 文壇을 뒤흔드른 小品文 即 엣세이 文學의 活潑한 發展은 魯迅이 스사로 短文 或은 雜文 乃至 隨感이라고 부른 「隨筆」에서부터 始作되였다 할 수 있으며 그의 獨特한 스타일과 文章은 確實히 中國 隨筆文學의 한 새로운 境地를 開拓하였고, 그가 本名으로 或은 여러 가지의 편넘으로 各 新聞紙上에 短文을 發表할 때마다 그것은 中國 사람의 모든 醜惡하고 虛僞的인 生活面과 腐敗한 生活面을 容恕없이 찌르는 날카로운 칼날이 되었고, 短刀直入的이요, 거리낄 것을 모르며, 우숨 속에 칼날을 품고 있는 듯한 그의 諷刺的인 文章은, 그가 小說에서 보혀준 境地를 한 거름 더 넘어서서 보담 더 强烈히 읽는 사람의 心弦를 찌르는 것이다.

魯迅의 隨筆文學은 그 分量으로도, 그의 作品의 大部分을 占領하고 있으니 册子로 나타난 것만도, 「熱風」, 「華蓋集」, 「朝華夕拾」, 「野草」, 「而已集」, 「三閒集」, 「二心集」, 「兩地書」, 「南北腔調集02」, 「准風淡月03」, 「花邊文學」, 「門外文談」, 「墳」 等 그 主要한 것만도 十餘卷에 達한다. 이 數百萬에 達하는 短文 中에서 그 한 篇이나마 全部를 紹介하지 못함은 遺感된 일이나 이는 後日 稿를 달리하야 써볼 機會가 있을 것이므로 그의 隨筆文學의 一端이나마 엿보게 하자는 意味에서 가장 異色있고 印像的이라 생각한 몇 句節을 다음에 紹介해보고자 한다.

「人類의 滅亡이란 것을 생각하면 몹시 쓸쓸하고 슬픈 일이다. 그러나 어떤 若干 사람들의 滅亡은 결코 쓸쓸하지도 않고 슬픈 일도 아니다. 生命의 길은 進步하는 것이고 끝없는 精

---

02 '南腔北調集'의 잘못이다.

03 '准風月談'의 잘못이다.

神의 三角形의 斜線을 따라서 위로 進展되여 올라가는 것이니 아무 것도 이것을 阻止하지는 못한다. 自然이 人間에게 賦與한 調不和는 매우 많고 人間 自身으로도 墮落하고 退步하는 사람이 또한 많다. 그러나 生命이란 결코 이것 때문에 뒷거름질 치지는 않는다. 어떠한 暗黑이 思潮를 가로막는다 할지라도 어떠한 悲慘함이 社會를 드리친다고 할지라도 어떠한 罪惡이 人道를 더럽힌다 할지라도 人類에게 潛在해 있는 完全을 渴望하는 힘은 언제나 이런 쇠사슬의 가시 덤풀을 짓밟고 앞으로 나아간다.

生命은 죽엄을 두려워하지 않고 죽엄 앞에서 웃으면서 춤추면서 滅亡하는 사람들을 디디고 넘어서서 앞으로 나아간다.

무엇이 길(路)이냐? 길 없는 곳에 짓밟혀서 맨들은 것 단지 가시덤불뿐인 곳에 開拓된 것이 길이다.

예전에도 벌서부터 길은 있었고 이 다음에도 永遠히 길은 있을 것이다. 人類는 쓸쓸할 까닭이 없다. 生命은 進步的이고 樂天的이기 때문에……」[04]

以上은 「熱風」 가운데 隨感錄의 一節인데 그 中에는 또 아래와 같은 句節도 있다.

「現在의 社會는 理想과 妄想조차 明白히 區別하지 못한다. 좀 더 있으면 「하지 못하는 일」과 「할야고 하지 않는 일」조차 똑

04　魯迅, 「六十六 生命的路」, 『熱風』, 北新書局, 1925.11.

똑이 모르게 될 것이다. 마당을 쓰는 일과, 地球를 開拓한다는 것이 똑같은 일처럼 이약이될지도 모른다.」[05]

또, 「墳」이라는 隨筆集 가운데는 다음 같이 滋味있는 一節도 있다.

「밥은 돈으로 사야만 된다는 것을 알면서도 돈을 賤한 물건이라고 말하는 사람들은, 그네들의 밥주니를 까뒤집어 본다면 아마 아즉도 생선이나 고기 나부럭이가 다 消化되지 않은 채로 남어 있을 것이다. 그를 하로만 굶기고 나서 다시 말다툼을 하기로 하자……」[06]

要건대 魯迅은 新中國의 形式을 떠나서 內容的으로 充實히 파보자는 苦悶으로 一生을 一貫하였고 人間性과 國民性의 眞實을 追求하기 爲한 人間으로서의 不幸과 不運 속에서 敢然히 싸운 偉大한 文學家임을 거듭 말해두고자 한다.

(끝)

---

05 魯迅, 「隨感錄 三十九」, 『熱風』, 北新書局, 1925.11.

06 魯迅, 「娜拉走後怎樣」, 『墳』, 未名社, 1927.3.

中國『五四運動』의 意義[01]

宋志英

꿈을 깨친 東方의 獅子

四川에서 日帝 侵畧에 向한 抗敵의 熱이 힘껏 부풀어 오를 때 中國의 文化人들은 散漫에서 統合에로, 小異에서 大同에로 뭉이어『抗敵文藝家協會』의 旗幟下에서 果敢히 싸왔고 이때에 特히 五月 四日을 擇하야 全國의『文藝節』로 만들어 抗敵必勝의 意氣를 북돋우어 왔든 것이다.

十月 十日이 辛亥革命의 發勒[02]의 날로 新中華民國 創生의 意義깊은 날이라 하면 五月 四日은 中國革命史上 特히 文化運動의 劃期的 發展을 招來한 날로서 더욱 크게 紀念되는 날이다.

辛亥革命 失敗의 뒤를 이어 當時 中國의 政情은 侵畧 蠶食을 일삼는 列强의 瓜牙 날로 깊히 백히어 가고 모처럼 일어섰든 國民革命이 內部 分裂로 더욱 紛爭을 자아내는 동안 民衆은 依然히 帝國主義의 奴隷의 사슬에 감기어 또는 封建勢力의 搾取에 쪼들려 暗黑 慘澹의 生活을 이어가고 있게 되었다.

그러나 外來 影響을 받은 中國에 있어서의 資本主義의 터오르는 삯과 新

---

01 『白民』통권 제14호, 1948.5.

02 '發勃'의 오식이다.

思潮에 對한 吸收와 希求는 언제까지고 잠자는 東方 獅子國을 그대로 두지 않고 물밀듯 일어나는 民衆의 새로운 革命意識은 오랜 꿈속에서 차츰 깨어 나기 비롯하였든 것이며 더욱 第一次 世界大戰의 爆發로 말미암아 歐美 列强이 中國에 對한 侵畧의 魔手를 늦추게 되자 日本帝國主義는 이 機會를 노리어 虎視耽耽의 野慾을 中原 大陸에 뻗히기 시작하야 별의별 煽動과 謀畧을 敢行하여 왔든 것이다. 이리하야 中國은 다시금 中世紀의 暗黑時代로 돌아가는 듯도 하였으나 한편 五千年 동안 軍伐과 革命에 씻기어 온 中國의 民族 抗爭의 底力은 새로운 黍[03]明이 되어 빛의었든 것이다.

中國 近世史에 일홈을 남긴 革命家인 李守常氏는 一九一五年 다음과 같이 中國 民族에게 부르짖었다.

> 『吾族靑年, 所當信誓里里[04], 以昭示挖來世者[05], 不在齦齦, 辯證白首中國之不死, 乃在汲汲孕育靑年中國之再生. 吾族今后之能否立足於世界, 不在白首中國之苟延殘喘, 而在靑春中國之投胎復活.』[06]

이야말로 젊은 中國의 再生魂이 무엇임을 말해주는 것이며 또한 이와 前后하야 澎湃히 일어난 新文化運動은 當時의 新進 知識層을 總網羅하야 一大 精神的인 洪流가 되어 民衆意識을 啓發 誘導하기에 게을르지 안었다.

---

03 '黎'의 오식이다.

04 '里里'는 '旦旦'의 오식이다.

05 '以昭示於世者'의 잘못이다.

06 李大釗, 「靑春」, 『新靑年』 제2권 제1호, 1916.9.1., 6~7쪽.

이때의 新文化運動의 偉大한 功績은 辛亥革命이 累千年의 封建 帝室制度를 顚覆시키듯이 文化的으로 果敢하게 信奉 傳守하여 오는 舊禮敎에 對한 挑戰이었으며 科學化, 民主化를 提唱하는 한편 古文을 死文學으로 宣告하고 白話文을 主張한 데 그 힘은 큰 것이다. 이로써 中國의 新文化運動은 새싹이 터오른 것이며 또한 中國 民衆의 愛國運動이었든 五四運動이 文化的으로 더 높히 評價되는 것이오, 오늘에 와서 이 날을 中國 文化人의 名節로 만들게쯤 된 것이다.

그러면 五四運動이란 어떠한 經路로서 일어난 것인가 이것부터 먼저 살펴보기로 하자.

革命潮流에 爆發된 憤怒

第一次 大戰 中 蘇聯 十月革命의 成功은 中國에 있어서 帝俄 時의 所有한 一切 特殊 權益을 抛棄하는 동시 不平等條約을 解消하여 버리게 되어 中國 民族解放運動에 크다란 衝擊을 주게 되었으며 美國 윌손 大統領의 民族自決 口號가 精神的 鼓舞를 더 한 층 크게 한 것은 勿論이고 大戰 終結을 前后하야 世界的으로 휩쓸은 革命의 潮流는 獨逸에서, 芬蘭에서, 항가리에서 또는 印度, 土耳其, 埃及 等 各國에서 民族 自立의 巨大한 運動이 先後하야 일어남으로서 中國 民衆에게 끼처 준 힘이 더욱 컸든 것이다.

一九一九年 巴里에서 平和會議가 열리었을 때 中國政府는 租界의 返還, 領事 裁判權의 取消, 外軍의 撤退, 關稅의 自主 等 일곱 가지를 希望 條件으로서 提出하는 동시 一九一五年 歐戰의 틈을 타서 日本이 山東省 內 前 獨逸의 權益을 빼앗는 한편 中國의 權益을 侵奪하는 中國人들의 『五九國恥』라는 所謂 廿一個條約의 取消를 要求하였으며 아울러 大戰 時 日本이 山東

에서 奪取하여 간 一切 權利를 돌려달라고 하였든 것이다.

그러나 結果로 보아 大戰에 參加하였든 中國政府의 要求는 하나도 滿足한 報答을 얻지 못하고 겨우 도로 찾게 되었다는 것이 그전 八國 聯合軍이 北京에 들어갔을 때 獨逸이 갖어갔든 天文儀器뿐이었든 것이다. 이리하야 巴里會議에서 中國은 完全히 除外되다싶이 失敗하였다. 이 消息이 中國에 傳해지자 中國 民衆의 쌓여온 憤怒는 一時에 爆發되었다. 이것이 五四運動의 發端인 것이다.

이렇게 民族의 憤怒로서 일어난 불길은 中國 民衆의 廣汎한 反帝鬪爭으로 벌어지게 되었으니 即 처음 佛蘭西에 留學하고 있는 學生들이 일어나 巴里和約에 調印을 反對하게 되자 이어서 北京에서 學生層이 蹶起 呼應하야 이해 五月 四日 피와 죽엄의 슬로간을 웨치며 學生 五千餘名이 天安門에 集合하야 大規模의 示威 行列을 開始하였다. 이에 對抗하야 政府는 軍警을 動員시켜 殘虐한 彈壓을 내리었으며 많은 學生을 逮捕하게 되자 全 北京의 學生은 總盟休로서 反抗하여 조금도 굽힐 줄이 없었으며 이리하야 盟休의 불똥은 全國的으로 튀어 天津, 上海, 南京, 武漢, 福州, 廣東, 山西, 浙江, 江西 및 東三省 各地에까지 波及되어 燎原의 불길처럼 뻗치게 되었다. 窮巷 僻村에까지 삐—라가 날라들고 골목마다 愛國 熱情에 불타는 學生들의 피를 吐하는 듯한 呼訴가 들리게 되어 이 學生들의 피눈물에 感激되어 흐늣겨 우는 民衆의 廣大한 同情과 援助가 저절로 民衆運動으로 變하게 되어 六月에 이르런 商街의 撤市, 工場의 罷業 等으로서 展開되자 軍警의 총칼을 무릅쓰고 血海 속에서 더욱 猛烈히 救國運動은 불붙어 올르게 되었다.

이 巨大한 群衆의 壓力 앞에 爲政者는 기어코 굽히고야 말았다. 六月 九日에 政府는 當時의 親日派요, 賣國賊이었든 曹汝霖(交通總長), 陸宗輿(幣制局總裁), 章宗祥(駐日公使) 三人을 罷免시키는 동시에 巴里和約에 調印을 正式으

로 拒否하게 되었다. 이것은 두 말할 것 없이 中國 民衆運動의 힘의 勝利이며 또한 老大中國이 靑年中國으로서의 自覺을 世界에 宣示함이었다.

辛亥革命을 資産階級의 民主革命이라고 한다면 五四運動은 廣汎한 民衆運動으로서 新文化의 씨를 大衆의 속에 깊이 묻어준 데 그 意義 더욱 큰 것이다.

大破壞·大建設의 轉換點

文化的으로 보아 外來思潮의 影響된 情來의 洋務運動과 康有爲, 梁啓超 等의 維新運動과 辛亥革命 以后 展開된 新文化, 新生活運動 이 모든 것이 五四運動을 契機로 하야 近 百年來 中國文化史上에 있어서 大破壞의 最頂點을 짓는 한편 大建設의 最低段이 되었든 것이다. 五四運動이야말로 怒吼하는 北風과 같이 一切의 썩고 묵은 枝葉을 휩쓸어 가는 동시 陽春의 따뜻한 볕이 바야흐로 쪼이기 비롯하야 前부터 쌌 터 오르든 舊禮敎에의 反對, 白話文의 提唱, 新思潮의 吸收 等은 愛國運動의 激流와 함께 全國的으로 新聞, 雜誌며 판푸렛 等이 雨後竹筍처럼 낱아났고 知識層의 思想的으로 움즈김이 한층 깊어저 分化作用을 일으키게쯤 되었다. 만약 五四의 大破壞가 없이 그대로 交錯한 가운데 新文化의 建設을 꾀하였다면 뒷날에 얼마나 더한 阻碍가 있었을런지 모른다. 그러므로 五四運動의 根本 作用은 文化面에 있어서 그가 갖인 바 重大한 意義, 破壞의 두 글자로서 다하는 바인데 이것이 아니면 五四運動이 갖인 바 歷史的인 使命을 完遂할 수 없었든 것이다.

그러나 또한 생각할 바는 五四 當時의 主動 人物들이 너무 現實的이며 理智的이었기 때문에 그들이 애를 써가며 新思想의 領域을 開拓하노라 하였지만 지나치게 現實的이기 때문에 思想의 範圍를 生活 改革의 面에서 벗어나지 못하였으며 갑작스레 닥가놓은 理智의 얕은 빛은 生命 深處에 흐르는 줄기를 빛의지 못하였든 것이다. 그러므로 哲學에 있어서 幽玄의 秘奧라든가, 文學에 있어서 浪漫의 潮流는 五四 精神으로서 包容하기 어려웠든 것이매 后日에 이르러 五四運動이 思想的으로 보아 淺近할 뿐 深入함이 없고 積極이긴 하나 徹底치 못한 늣김을 갖게 하는 것이다. 그러치만 그 一貫한 反抗의 精神과 改革의 意慾은 그날 그때에 있어서 그의 缺點으로서 탓할 수는 없는 것이다.

이러한 意味에서 五四運動을 가르쳐 中國의 『루넷산쓰』라고 呼稱함은 多少 見解가 틀리는 바 있지 안흔가 생각된다. 即 西洋史上의 『루넷산쓰』는 往者를 繼承하고 來者를 啓發하는 두 가지의 要點을 具有한 것으로 古典文化의 內在的인 또는 永恒的인 價値를 發輝하야써 古代文明의 再生을 이룩하는 동시 新人類의 覺醒과 新世界의 誕生을 招來하였든 것이다. 그러나 中國의 五四運動은 비록 새로운 科學的인 方法으로 古典에 對한 考究를 提唱한 바 있었지만 實際를 東方 古代文化에 對하면 無慈悲한 盲斷에서 얼마만큼의 同情心도 諒解도 갖고 있지 안었든 것이다. 一時 靑年 學生層의 버릇인 呼聲처럼 되어 있든 『打倒孔家店』(孔子의 一切를 打倒하자는 뜻)의 標語는 批判을 加해볼 겨를도 없이 다만 反抗과 破壞임을 象徵하는 좋은 한 例로서 볼 수 있는 것이다.

더욱 藝術에 있어서 古典의 美와 貴는 形式과 調和와 節制를 重히 여기는 바인데 五四 時代에는 藝術에 있어서 이러한 精神은 그 더욱 찾아볼 수 없었든 것이니 하믈며 옛 中國이 갖인 繪畵와 建築과 詩歌, 音樂, 散文 等이 具有한 美感과 美學은 全然 새로운 認識을 加味해 보지도 못하였든 것이다.

때에 一時 風潮에 휩쓸리어 中國은 自家의 古典을 破壞, 忘却함에 反하야 新思潮를 실고 들어온 歐洲人들이 東方文化에 對한 一種의 好奇心과 또는『루넷산쓰』以後 窮途에 빠진 物質文明에 對한 厭惡에서 東方의 옛 구슬을 캐기 비롯하야 中國 民族이 이에 對한 自覺을 하였을 무렵엔 벌서 쓸 만한 많은 구슬이 中國을 떠나갔고 五四 當時에 부르짖기만 하든 科學的인 方法으로의 考究도 이쪽보다 더 많이 저쪽에서 成果를 얻게쯤 된 것은 실로 웃어버릴 수만 없는 事實인 것이다.

이러므로 中國의 五四運動은 西洋의 文藝復興과는 그 精神이나 實際에 있어서 다른 것이라 아니할 수 없다.

風雨如晦! 東方은 밝나?

五四運動이 있은지 三十年의 歲月이 흘러갔다!

辛亥革命에서 發端한 民主中國의 途徑과 五四에서 씨를 뿌린 文化의 쌍은 그것이 生長 發展하기에 三十年의 歷史는 너무나 艱難하였다. 砲煙彈雨 四百州에 잦는 날이 없었고 桎梏, 霜風寒日이 四億 頭上에서 걷혀지지 않았다. 그러나 쫓기고 시달리고 억눌리는 가운데서도 뭉처지는 것 民族魂의 덩어리였고 빛나는 것 意志의 光塔이었다.

七七抗戰을 契機로 하야 또 한 번 大革命의 試鍊을 받아 辛亥革命과 五四의 精神이 그대로 뻗히어 中華民國은 자라온 것이오, 기어코 勝利의 깃븜을 얻은 것이다.

그러나 政治的으로 오늘의 中國이 더 할 수 없는 困境에 빠저있듯이 文化的으로 또한 逆境을 벗어나지 못하고 있음은 진실로 中國 民族만의 悲哀가 아닌 것이다.

여기에 五四運動은 이믜 三十年 前의 묵은 歷史이지만 五四의 끼친 波紋은 그대로 靑年中國의 가슴에서 흔들리우고 있는 것이니 五四運動의 革命

史的 또는 文化史的 意義를 밝히어 그 偉大한 成就를 肯定하는 동시에 그의 得失을 愼密히 批判하야 보다 더 完全한 新時代, 新生命의 誕生을 갖어오게 큼 하는 것이 오늘날 中國에 賦課된 使命이 아닌가 한다.

돌아보아 五四의 文化運動은 反抗的이었다. 너무나 反抗的이었기 때문에 勇敢은 하나 沉思와 熟考가 缺乏하였고, 또 그것은 改革的이었다. 너무나 現實的인 改革뿐이었기 때문에 組織的인 系統이 서질 못했고. 또 그것은 移植的이었다. 뿌리가 깊지 못하고 근원이 멀지 못하였기 때문에 移植만 하였지 深遠함이 없었다.

이에 沉思와 熟考로서 옛 東方에 피었든 內在的인 永恒的인 古典의 꽃을 값있게 再生시키고 또 系統있게 組織的으로 이를 發揚 光大시키고 또 深遠한 生命力을 부어 移植文化의 調和를 얻는 데서 新中國의 새 生命은 躍動할 것이다.

이리하야 언제이고 닥아오는 五月 四日의『文藝節』은 東方의 예明을 祝福하는 光榮된 날이기를 기다리는 마음 風雨如晦의 이 밤 어찌 한갓 中國 땅의 士女들 뿐이리오!

(봄비 窓을 뚜드리는 새벽 銅峴旅寓에서)

外國文學 輸入의 一考 - 主로 中國文學에 대하야[01]

文學은 늘 固定的(Stationary)이 아니고 流動的(Floating)이어서 各 民族間의 思想과 感情을 廣範圍에서 交流함으로써 그 向上을 圖謀하는 것이다.

藝術的 氣質이 富한 伊太利文學과 佛蘭西文學에 情的인 羅典文學의 頻繁한 交流가 있음으로 해서 燦然한 歐洲文學이 創造되었고 歐洲文化가 中國에 輸入되기 시작해서 中國의 新文學이 胎動된 것은 저 五四運動의 燦然한 文學的 成果를 보아 알 수 있는 것이다.

어떤 民族이든지 母國의 文化와 藝術을 他國에 紹介함으로 母國의 國威를 發揚시키고 民族의 生活 感情을 멀리 알리려고 함은 古今을 通하여 共通的으로 있을 수 있는 人間性의 하나이다. 二次大戰 後 世界 各國은 政治的鬪爭의 尖端과 緊張으로 因하여 日常生活이 그 影響을 받지 않을 수 없다. 政治的 眞實性이 곧 生活의 眞實性을 意味할진댄 文學은 生活을 意味하니만치 政治的 要素에 迫切해 있는 現 階段에 있어서 文學 그 自體가 政治的要素를 全然 無視할 수 없는 것이다. 然이나 文學 그 自體가 思想的으로나

---

01   『白民』통권 제14호, 1948.5.

感情的으로나 또는 그 行動에 있어서 政治의 一 道具的 役割만을 해서도 않될 것이다. 왜냐하면 文學과 政治는 늘 平行的으로 歷史的 使命을 함께 지고 있는 까닭이다.

이제 우리 文學을 回顧컨대 庚戌年을 한 契機로 하여 其前은 大陸으로부터 들어왔고 其後 即 日本에 奪取된 뒤로는 玄海灘을 거쳐 日本文學이 輸入되었다. 庚戌 以前 即 三國 統一 時代의 文學은 어떠했든가? 두 말할 것 없이 新羅 時代의 文學은 唐나라 影響이 濃厚했고 麗朝에는 佛敎 文學이 首位를 占領했고 李朝에는 宋儒의 漢文學이 多量으로 輸入된 것이다.

時代的 歷史性에 關連시켜 생각해 볼 때 그때 文學은 그 時代의 立場과 角度에서 보면 가장 效果的이오, 進步的이었으리라고 생각되지마는 現實의 科學的 立場에서 볼 때 너무나 無批判的으로 漢文學에 追從的, 隸屬的 態度를 取했음을 指摘 안할 수 없다. 하기는 그때 우리 文學은 제 自身을 潤澤시키기 爲하여 이 같은 先進國의 文學的 要素를 所重히 했음은 當然할 법한 일이나 外國의 文學的 氣脉이 너무 지나치게 우리 文學 內部에서 主流的 役割을 했음으로 因하여 우리의 獨創的인 面이 薄弱해진 것을 누가 否認할까 보냐? 때문에 우리가 지금 中國文學을 輸入한다고 해서 덮어놓고 在來와 같은 角度와 繼承的 見地에서 吸收한다면 이는 큰 잘못일 것이다.

大體 漢文學 그 自體가 中國에 있어서 政治的 威力에 直接 影響을 많이 받은 것은 事實이다 東漢 末葉에 資本家의 土地 擴張으로 細民層의 生活은 雪上加霜으로 貧困을 더하여 思想的으로 當時 現實과 동떨어진 逃避的 佛敎에 沒頭해 버렸고 宋朝에 이르러 地域的으로는 全國을 通하여 統一은 되었으나 政治的 私慾과 劣等의 官史에 끌리어 內亂은 끄칠 사이 없었다. 明朝에 와서 다시 爲政者의 野慾으로 社會는 다시 浮華되었고 淸朝에 와서 曾國藩, 梁啓超 等의 維新運動은 「中學爲體」, 「西學爲用」의 슬로간을 내어걸고

일어서게 된 것이다. 이처럼 客觀的 情勢에 끌리어 가며 形成된 漢文學이란 文學者 그 自身들은 가장 正統的 思想과 先驅者的 立場에 自處했으나(自處할 만한 분도 상당히 있었으나…) 其實은 그들이 보는 文學的 視野는 좁고 因習的이며 非現實的이며 偏僻的, 畸型的이었음을 否認할 수 없는 것이다.

其後 辛亥革命에 依하여 淸朝 崩壞되고 民國은 創建되고 文學은 在來 因習的, 封建的인 缺点을 淸算하고 歷史的 敎訓에 依據하여 啓蒙的이며 進步的이며 普遍的인 大衆的 活文學에로 發足하여 今日에 이르기까지 長足의 發展을 뵈어준 것이다. 其間 十年에 걸친 戰爭文學은 文學을 爲했다기보다 中國 民族을 爲한 文學이었으며 現實을 克服하는 勝利의 文學이었다고 볼 수 있다. 戰爭이 끝나자 文學은 그 本然의 態勢로 돌아가리라 믿었으나 不幸히도 內亂으로 因하여 文壇에도 그 餘波가 밋지 않을 수 없다. 그러면서도 文學은 如前히 活潑한 모습 그대로를 뵈여 주어 昨今 二年 間에 出版된 書籍만으로도 戰爭 當時의 거의 곱될만한 數量이 되었다 하니 기쁘지 않을 수 없다.

內亂으로 文壇에의 對立도 없을 수 없으나 우리 文壇에서처럼 左右 相剋은 아니다. 어느 程度까지는 包攝的이며 相助的이며 妥協的이어서 좋다. 무슨 派閥을 캐기보다 그저 自由的 立場에서 文學 行動을 하며 벅찬 힘의 文學, 理想的이며 積極的인 文學이 더욱 좋은 것이다.

이제 우리가 밟어 온 中國文學의 過程을 삶혀본다면 漢文學의 古典은 우리의 士氣를 너무 薄弱케 했으며 바로 받어드려야 할 新文學을 正常的으로 輸入했다면 그동안의 우리 缺陷과 空虛를 多少라도 補充했을 법 했으련만 韓日合倂 以後로는 外國文學 그 가운데서도 특히 中國文學은 容許되지 않어서 思想的으로나 文學的으로나 우리에게 滋養될만한 것은 除外되고 말었다. 이는 日本 帝國이 民主主義的인 것을 꺼려했으며 나중에는 우리말을 抹殺시킴으로 朝鮮的인 觀念을 一切 없새 버리려는 얄구즌 意圖에서 나온 까닭이다.

이처럼 外國文學 中에서도 우리와 接近되어야 할 中國文學이 푸대접 받아 온 慘狀이어서 그 桎梏的이며 眞空管的 狀態에 저윽히 놀라지 않을 수 없다. 이제 우리가 급기야 中國文學을 理解코저 해도 漢籍을 除하고는 白話文을 接讀할만한 飜譯物이 없다. 外國文學을 理解시키는 媒介物은 번역이며 번역 없이는 文化가 凍結되는 셈이다.

李泰俊氏가 「民族과 言語」라는 題目 아래에 이같이 말했다. 「滿洲 民族은 政治的으로는 漢民族을 征服하고 도리혀 文化的으로는 漢民族에게 同化되고 만 것이니 民族의 文化的 實力이란 民族의 政治的 實力보다 偉大하다는 것을 아니 느낄 수 없는 것이다.」라고 하여 文化의 힘이 政治의 힘보다 억셈을 强調했다. 나도 이에는 贊同하나 同化됐다고 해서 在來 滿洲文學이 無功 無效에 돌아갔다고는 하고 싶지 않다. 왜냐하면 在來 滿洲文學의 特徵은 全혀 漢文學의 飜譯에 있는 것이다. 일즉 歐洲에 紹介된 漢籍은 漢籍으로서 直譯이 아니라 滿譯에서 重譯된 것이다. 바로 淸朝 時代에 中國에 온 캐토릭 僧侶들이 漢文과 함께 滿洲語에 能通하여 歐文으로 譯함에 滿文이 퍽으나 알기 쉬웠기 때문에 重譯한 것이니 이야말로 西洋에 中國을 처음 紹介함에 滿語로 번역된 滿洲文學의 偉大한 功績이 아닐 수 없다. 이런 意味에서는 重譯은 뜻있는 일이나 解放 후 우리 文學界에 英文을 爲始하여 飜譯物이 산뎀이처럼 나왔으나 重譯 아닌 것이 그 몇이며 덮어놓고 收支 맞추기 爲하지 않은 책 그 몇이뇨?

우리는 우리의 손으로서 우리의 處地와 環境에 알맞는 文學을 輸入해야 할 것 아닌가? 戰後의 中國文學을 우리의 손으로 직접 紹介하지 않고 또 누구의 손으로 거처 번역해야 할 것인가 말이다.

여기에는 우리의 準備 過程으로서 語學的 基礎를 닦아야 할 것이며 이 方

面의 專門家가 多數히 輩出해야 할 것이다. 中國 留學生도 必要하며 白話文 書籍이 많이 들어와야겠다. 現今 大學에서 講義하는 中國文學을 더 强行해야 할 것이며 적어도 機關紙 하나쯤은 있어야 할 것이다. 輸入의 態度에 있어서도 在來 漢文學과는 달리 新文學의 主流를 바로 把握해야 할 것이오, 우리 머리에 아직 남아있는 在來 漢文學의 非科學的인 이데오로기를 淸算하고 現代 中國 靑年, 學生, 智識層은 科學的이고 良心的이고 民主主義的, 革新的이라는 데 爲先 着眼해야 할 것이다. 滿淸 統治가 깨트러지고 立憲 政治가 번쩍 떠들 적에도 魯迅은 그냥 歷史 舞台의 등불 앞에 阿Q를 내세우고 阿Q가 어떠케 生活한다는 것을 說明하지 않코 다만 阿Q가 무었을 要求할까 함에 「革命」이라고 答하지 않았는가? 當時 魯迅의 思想이 아직두 젊은이의 思想界에 흘르고 있는 것을 忘却할 수 없다. 그리고 그는 中國 新文學을 育成시킴에 外國文學 紹介에 全力을 다하다시피 했다. 우리는 다시금 魯迅에게서 外國文學 紹介에 對한 態度를 배워야겠다. 그는 中蘇文化交流에 대해서

> 「中蘇文化 交流는 비록 中英, 中佛보다 늦으나 이 두 나라(中蘇)가 絶交해도 좋았고 復交해도 좋았다. 우리 讀者 大衆은 이로 因하여 進退한 적이 없었으니 이것이야말로 祝賀할 일 아닌가? 송두리채 내여 버린대도 좋았고 禁壓해도 좋았다. 우리 讀者 大衆은 이로 因하여 결코 盛衰한 쩍이 없었으니 말이다. 正常的이면서 擴大的이며 때로는 禁絶과 禁壓的이면서도 擴大되어 갔으니 이로써 우리 讀者 大衆은 私利的 眼目으로서 쏘련文學을 본 것 아님을 가히 알 수 있다.」[02]

---

02   魯迅, 「祝中俄文字之交」, 『文學月報』(上海) 제1권 제5, 6기, 1932.12, 3쪽.

云云했다. 政治的 제스추어로 絶交도 되고 復交도 되어도 關係할 바 없이 讀者 大衆으로 하여금 꾸준히 제 갈 길 가게 하는 이의 雅量이야말로 얼마나 큰 것을 다시금 吟味케 하는 바다. 우리는 自黨派 勢力 保全에 汲汲하여 他派의 主義 主見을 檢討하기 전에 몬저 血氣로서 대하고 過小 評價하고 辱을 주지 않었는가? 自派의 것이면 다 옳고 바른 路線이라 변호하며 過大 評價하지 않었는가? 이 弊習이 커서는 外國文學 輸入에까지 惡影響을 주어 自派의 傾向과 接近한 派의 것을 紹介할 때면 奇想天外로 最大 評價하고 自黨과 相異한 黨의 것을 紹介할 때는 無條件으로 過小 評價해 버리고 만다. 이런 小量으로 어찌 許多한 外國文學을 받어 드릴 수 있을까 의심스럽다. 우리는 外國文學을 紹介함에 있어서 있는 그대로 紹介해야 할 것이오, 너무 임이로 寫眞을 複寫하듯, 쫄리고 늘키고 해도 안될 것이다. 무슨 文學이건 良心的이오, 民主主義的인 것이면 左右를 캘 것 없이 바로 吸收하여 제 비위에 맞으면 그만일 것이다. 自己의 비위에 맞어 自己의 營養素를 만들지언정 이로 因하여 우리의 固有 文學과 우리의 文學的 優秀性, 다시 말하면 外來文學에의 陶醉로 因하여 自我를 忘却하는 卑劣한 일 제발 없기를 바란다.

이제부터 우리는 좀더 大陸的 氣魄로 中國文學을 對하기로 하자!

救國文學과 國防文學[01]

李魯夫

①[02]

요지음 救國文學에 對한 論議가 漸次로 活潑해지는 모양인데 中國서도 一九三六年에 强盜 日帝의 侵略에 對備하여 「國防文學」을 내세우고 一大 論爭이 버러진 일이 있어 이것이 우리가 救國文學을 論하는데 多少나마 參考가 되리라고 생각되어 여기서는 主로 그것을 紹介하고 이와 聯關하여 救國文學에 對한 나의 意見을(或은 疑問을) 簡單히 添付해 보려고 한다.

그때 「國防文學」을 提唱한 것은 中國文藝協會로 그들의 意見에 依하면

> 「우리가 말하는 國防文學은 其實은 民族自衛文學이다. 마치
> 우리가 民族的 自衛戰爭이 必要한 것처럼 民族的 自衛文學
> ──即 國防文學이 必要한것이다.」(胡洛)[03]

---

01 '紙上 討論 - 救國文學의 理論과 實踐', 『조선중앙일보』 1948.6.26~6.27, 2면.

02 매회 연재분 표기로서 2회에 걸쳐 연재되었다.

03 胡洛, 「國防文學的建立」, 『客觀』 제1권 제12기, 1936.2.5.

「나는 國防文藝는 여러 가지 것이 統一된 것이여야 하지 한 가지 色으로 싹 칠하야 버리는 것이여서는 안될 것 같다. 國防文藝는 各種 各樣의 文藝作品——純粹한 社會主義的인 것으로부터 偏狹한 愛國主義的인 것에 이르기까지——모두를 包含□되 다만 賣國的인 것과 帝國主義의 압잡이를 서는 作品만은 除外한다. 그러므로 國防文藝는 非賣國的 文藝 或은 反帝的 文藝라고 定義하는 것이 좋겠다.」(郭沫若)

「나는 國防文藝는 作家 關係의 標幟지 作品 原則上의 標幟여서는 안 된다고 생각한다. 賣國的인 것이 아니고 帝國主義의 압잡이를 서는 사람이나 或은 作品이 아니고 어쨌든 우리의 目標와 近似만 하다고 認定만 되면 우리는 그들과 손을 잡어야 한다. 反帝 戰線의 擴大를 爲하여 우리는 훨신 融通性 있는 工作을 하여야 할 것이다.」(郭沫若)

「나는 또 國防文藝는 廣義의 愛國文藝라고 하여도 좋다고 믿는다.」(郭沫若)[04]

이러한 中國文藝家協會의 國防文學의 提唱을 是認하면서도 魯迅을 中心으로 한 中國文藝工作者는 「國防文學[05]이라는 名詞의 本質的인 文藝 思想上의 意義의 不明瞭性을 救援하기 爲하여 새로 「民族革命戰爭의 大衆文學」

04　이상 모두 郭沫若, 「國防·汚池·煉獄」, 『文學界』 제1권 제2호, 1936.7.10.

05　'」'가 누락되었다

이라는 口號를 提唱하여 이 두 口號를 가지고 激烈한 論爭이 展開되었었는데 魯迅의 意見에 依하면

> 「나는 作家는 抗日의 旗幟나 或은 國際의 旗幟 밑에서 聯合할 것이지 國防文學의 口號 밑에 聯合할 것이 아니라고 생각한다. 그 理由는 많은 作家가 國防을 主題로 하는 作品을 쓰지 않더라도 各 方面에서 抗日의 聯合戰線에 參加할 수 있을 것이기 때문이다.」

> 「民族革命戰爭의 大衆文學이란 名詞는 本質的으로 國防文學이란 名詞에 比하여 意義가 더욱 明確하고 더욱 深刻하고 더욱 內容을 가지고 있는 것이다.」

> 「나는 國防文學이 우리 目前의 文學運動의 具體的인 口號의 하나라고 말하였다. 그것은 國防文學이란 口號가 퍽 通俗的이고 이미 많은 사람 귀에 익어서 우리의 政治的 影響과 文學的 影響을 擴大시킬뿐더러 作家를 國防의 기빨 밑에 聯合케 하는 것으로 解釋되며 넓은 意味의 愛國主義文學이기 때문이다.」[06]

이 論爭의 最後的인 續論이라고 볼 수 있는 比較的 公平한 立場에 선 陳伯達과 柳林의 意見은 다음과 같다.

---

06   이상 모두 魯迅, 「答徐懋庸幷關於抗日統一戰線問題」, 『作家』 제1권 제5기, 1936.8.

「國防文學 이것은 聯合戰線의 口號다. 다만 이 口號에 對한 態度는 모두가 꼭 一致할 必要는 없다. 民族革命戰爭의 大衆文學 이것은 應當 國防文學의 左翼이며 國防文學의 가장 重要한 一種이며 一部分으로 同時에 또 國防文學의 主力이다.」[07]

「國防文學은 우리의 現 段階의 文學에 對한 具體的 標幟이다. 그리고 民族革命戰爭의 大衆文學이란 口號의 提出은 이 口號 自體가 아주 明白히 國防文學의 本質的 特點을 說明함에 있는 것이다. 兩者는 本質的으로 아무 달은 데도 없다.」[08]

②

救國文學이 提唱된 오늘의 朝鮮의 事情과 國防文學(或은 民族革命의 大衆文學)이 提唱되었던 一九三六年의 中國의 事情과는 勿論 相當한 差異가 있을 것이며 함께 混同할 수는 絕對 없을 것이다. 그러나 祖國의 危機에 直面하여 救國戰線의 一環으로서 救國文學 或은 國防文學이 提唱된 이 基本的인 點에서는 完全히 서로 一致한다.

그러므로 中國서 國防文學이 論議될 때 提出된 여러 가지 問題 中에서 또 極히 重要하다고 認定되는 한 두 가지 問題만을 끄리다가 救國文學의 論題로서 提出하여 보려고 한다.

---

07 陳伯達,「文學界兩個口號問題應該休戰」,『國防文學論戰』, 上海: 新潮出版社, 1936.10.

08 蘇林,「關於國防文學與民族革命戰爭的大衆文學的論爭」,『浪花』제1권 제2기, 1936.8.1.

㈠ 救國文學은 聯合戰線의 口號냐 아니냐 이것은 極히 重要한 問題로 우리가 從來부터 써오는 民族文學이란 口號가 있음에도 不拘하고 왜 새삼스럽게 救國文學이란 口號를 새로 내놓지 않으면 안되나 하는 問題와도 聯□되는 것 같다. 萬若 救國文學의 口號가 聯合戰線의 口號라면 이것은 民族分裂, 國土兩斷 等의 祖國의 切迫한 事態에 對應하여 從前보다도 더 廣範圍하게——스파이와 帝國主義의 앞자이를 除外하고는 全 文學家를 全部 救國의 기빨 밑에 聯合시키어야 할 것이다. 그렇다면 從來 해오던 文學 大衆化運動을 그대로 强力하게 推進시키면 된다고 簡單히 생각할 것이 아니라 聯合戰線이란 새로운 觀點에서 文學 大衆化 運動을 再檢討하여야 될 것이다. 그리고 從來의 民族文學과는 本質的으로 같으면서도 그것을 擴大强化하고 具體化한 것이라는 것을 分明히 하여야 할 것이다.

㈡ 救國文學이 作家 關係의 標幟지 作品 原則上의 標幟가 아니라고 보는 것이 옳으냐 그르냐? 이 問題도 亦是 重要하다. 作品 原則上의 標幟로 보지 않는다면 創作에 있어 從前보다도 더 큰 自由가 □許되어야 할 것이다. 좀더 具體的으로 말하면 그 作品이 救國에 도움이 되고 그 作家가 救國戰線에 加擔을 한다면 □□□ 나가야 할 것이다. 이렇게 말하면 或은 反□□□와의 鬪爭을 抛棄하고 自己가 스사로 武裝 解除하는 것이 아니냐고 反問할는지도 모르나 그것은 聯合戰線의 本議를 옳게 把握하지 못하였기 때문일 것이다. 「文藝政策論」에 「抗日 問題에 있어서도 同時에 鬪爭과 批評이 있는 것이다. 한 개의 統一戰線 안에 團結만 있고 鬪爭이 없거나 或은 鬪爭만 있고 團結이 없다면 過去 어떤 同志가 實行한 右傾的 投降主義, 機會主義 或은 左傾的 排他主義, 宗派主義를 實行하게 되는 것이니 다 레닌의 所謂 跛□政

策다.[09] 政治에 있어서 이렇다면 藝術도 또한 이런 것이다.」[10]

---

09 중국어 원문의 뜻은 '절름발이 정책'이다.

10 毛澤東, 『在延安文藝座談會上的講話』에서 인용되었다. 이는 1942년 5월에 발표된 연설문이며 1943년 10월 경 延安 新華書店에서 『論文藝問題』라는 제목의 소책자로 간행된 바 있다.

魯迅의 文學觀 - 文藝批評에 對하야[01]

李明善

一九二七年부터 一九三六年까지 十年 間 魯迅은 上海에 居住하면서 蔣介石 政府의 무시무시한 文化 彈壓에 抗拒하여 英雄的 鬪爭을 繼續하였다. 魯迅은 元來 創作家로 批評家가 아니었으나 이 時期에 있어 단 한 편의 小說도 쓰지 못하고 社會時評——所謂 雜感文 쓰기에 奔忙하였으며 이 때에 나온 『三閒集』, 『二心集』, 『南腔北調集』, 『僞自由書』, 『准風月談』, 『花邊文學』, 『且介亭雜文』, 『同 二集』, 『同 末編』 等 거의 全部가 이러한 雜感文을 모은 것이다.

이 雜感文 中에는 勿論 社會 一般에 關한 時評이 中心이 되겠으나 文藝批評에 關한 것도 적지 않다. 新月派, 現代派, 論語派 等과의 論爭이 곧 이것이다. 元來 그의 文藝批評은 그때 新聞, 雜誌의 要求에 應하여 時事問題의 한 가지로서 取扱한 것이라 整然하게 體系가 서 있지는 않으나 이것을 通讀하면 거기에는 魯迅의 文學觀이 뚜렷이 드러나 있으며 그의 一貫한 戰鬪的인 批判精神이 銳利한 칼날과 같이 번득이는 것이다.

---

01 『文学』 제1권 제8호, 1948.7.

그가 文藝批評의 專門家가 아니면서 專門家 以上의 痛烈하고 決定的인 打擊을 敵에게 줄 수 있었다는 것은 놀랄만한 事實이며 그가 끝까지 嚴然하게 中國文壇의 中心的 地位를 차지하였던 秘密이 或은 여기에 들어 있었는지도 모른다.

新月派라는 것은 詩人 徐志摩, 聞一多, 有名한 胡適 博士, 評論家 梁實秋, 陳西瀅, 舊劇의 大家 歐陽予倩 等──大槪 歐美 諸國에 留學한 紳士들의 團體로 그들의 機關紙『新月』創刊號에는『健康과 尊嚴』이라는 그들의 口號가 堂堂하게 提出되었던 것이다.

魯迅은『新月 批評家의 任務』속에서 그들의 本性을 餘地없이 暴露하였다.

> 『新月社의 批評家는, 嘲笑하는 사람을 몹시 憎惡한다. 그러나 그들도 一種의 사람들만은 嘲笑한다. 即 嘲笑하는 글을 쓰는 사람 말이다. 新月社의 批評家는 現狀에 不滿인 사람을 크게 잘못이라고 생각한다. 그러나 그들도 一種의 現狀에 對해서는 不滿이다. 即 오늘날 이 現狀에 不滿인 사람이 存在한다는 事實 말이다.
>
> 이것은 아마『그 사람의 道로서 도리어 그 사람을 다스리』는 것으로 눈물을 흘리면서 治安을 維持하는 것을 意味하는 것 같다. 例를 들면 殺人은 勿論 옳지 못한 일이다. 그러나『殺人犯』을 죽이는 사람이야 같은 殺人이라 할찌라도 누가 그를 잘못이라고 하겠느냐? 사람을 치는 것은 勿論 옳지 못한 일이다. 그러나 점잖은 나리께서 싸움하는 犯人을 혼내키기 爲하여 밑의 사람을 시켜서 다섯! 열! 하고 매질하는 것이 罪될 것이 어디

있겠느냐? 新月社의 批評家도 嘲笑하는 수도 있고 不滿인 境遇도 있다. 그러면서도 그들만이 嘲笑와 不滿의 罪名에서 超然하게 벗어날 수 있는 理由를 나는 이러한 道理에서 오는 것이라고 생각한다.』

『오늘날 新月社의 批評家는 이렇게 盡力하여 治安을 維持하였다. 要求하는 것이라고는 「思想의 自由」뿐인데 이것도 생각하는 데 그치는 思想이지, 決코 實現하는 思想은 아니다. 그러나 意外로도 또 다른 한 개의 治安 維持法에 걸려서 思想을 생각하는 것까지 容納 안 되게 되었다. 이 後부터는 그들은 必竟 두 가지 現狀(이 現狀에 不滿인 사람이 存在한다는 것과 思想을 생각하는 것까지 容納 안 된다는 것과——譯者의 註)에 不滿일 것이다.』[02]

新月派를 代表한 評論家는 梁實秋로 그 後 더욱 激烈한 論爭이 魯迅과 사이에 벌어져서 『文學에는 階級性이 없다』느니, 『資本主義를 攻擊하는 것은 文明을 否定하는 것이라』느니 主張하여, 그들이 내건 『健康과 尊嚴』이 누구를 爲한 健康과 尊嚴인가를 스사로 暴露하고 말았다.

現代派는 一名 第三種人이라고도 하며 雜誌 『現代』를 中心으로 한 蘇汶, 戴望舒 等으로 그들의 看板은 『文學을 爲한 文學』이다. 그들은 第三者를 假裝하고 나서서 때로는 當局者의 神經을 刺戟하는 危險千萬한 人名과 主義를 예사로 云云하여 그들의 勇敢性과 不偏性을 發揮하기도 하엿으나 事實

02　魯迅, 「新月社批評家的任務」, 『萌芽』 제1권 제1기, 1930.1.1. 나중에 『三閒集』에 수록된다.

인즉 이것은 蔣介石政府의 文化政策의 巧妙한 새로운 表現에 不過한 것이었다. 魯迅은 『第三種人에 對하여 論함』 等에서 그들의 虛僞性을 摘發한 바 있었고 또 그들 自身이 實際의 行動으로써 이것을 證明해 주었다. 即 그들은 蔣介石政府에 協力하여 文人들의 一切의 原稿를 檢閱하는 所謂 『中央圖書雜誌審查委員會』를 組織하여 一切의 文學運動에 對하여 가장 徹底한 彈壓을 加하였다. 그리하여 그들의 『文學을 爲한 文學』의 正體를 暴露하였다.

正體를 暴露하고서도 그들은 辱說을 말라느니 文人 相輕을 삼가라느니 하여 眞正하고 熱烈한 一切의 批評을 巧妙하게 抹殺해 버리려 하였다. 여기에 對하여 魯迅은 꽤 많은 雜感文을 썼으며 勿論 敵의 無慈悲한 原稿 檢閱로 因하여 생각하고 있는 半도 表現하지 못하였으나 그래도 老鍊한 手法으로 敬[03]의 矛盾 弱點을 指摘하며 嘲笑하여 마지 않았다.

여기 그 몇 가지 例를 들자.

> 『우리는 文藝批評史上 一定한 圈을 가지지 않은 批評家를 본
> 일이 있는가? 모두 一定한 圈을 가지고 있는 것이다. 或者는
> 美의 圈, 或者는 眞實의 圈, 或者는 前進의 圈이다. 一定한 圈
> 을 가지지 않은 批評家가 있다면 그야말로 怪奇한 人物이다.
> 雜誌를 하는데 一定한 圈을 가지지 않았다고 自稱할 수는 있
> 다. 그러나 그것이 곧 圈이다. 남의 눈을 속이기 爲하여 내놓은
> 妖術장이의 손수건이다.』
>
> 　　　　　　　　　　　　　　　　　　　　　(『批評家의 批評家』)[04]

03　'敵'의 오식이다.

04　倪朔爾(魯迅), 「批評家的批評家」, 『申報·自由談』 1934.1.21. 나중에 『花邊文學』에 수록된다.

『또 한 가지 批評家에 滿足 못하는 批評이 있다. 所謂 批評家는 『辱說』을 좋아하며 그러므로 그들의 文章은 批評이 못 된다는 것이다.……

一例를 들면 어느 女子를 가리켜 갈보라고 하였다 하자. 萬若 그 女子가 여염집 女子라면 그것은 辱說이다. 그러나 萬若 그 女子가 참말로 賣笑의 生活을 하고 있다면 그것은 決코 辱說이 아니고 도리어 眞實을 말한 것이다.』

(『漫篤[05]』)[06]

『辱說은 勿論 많은 옳은 사람을 애무하게 埋葬한다. 그러나 그저 曖昧하게 『辱說』을 撲滅하는 것은 도리어 一切의 惡質分子를 保護하게 된다.』

(同上)

『우리 讀書界에는 平和를 사랑하는 人士들이 많다. 筆戰을 보기만 하면 곧 『文壇의 悲劇』이니 『文人相輕』이니 甚之於는 是非는 不問에 부치고 『개판』이니 『뒤범벅』이니 해버린다. 그리하여 오늘날에는 누구누구가 批評家라는 소리를 들을 수 없이 되었다. 그러나 文壇은 그 前과 別로 달라진 것이 아니고 다만 그것이 露骨的으로 드러나 있지 않을 따름이다.』

(『讀書 瑣記 三』)[07]

---

05 '漫罵'의 오식이다.

06 倪朔爾(魯迅), 「漫罵」, 『申報·自由談』, 1934.1.22. 나중에 『花邊文學』에 수록된다.

07 魯迅, 「看書瑣記」, 『花邊文學』, 聊華書局, 1936.8.

『나는 여기서 決코 文人은 거만하여야 한다든가 或은 거만해
도 좋다고 主張하는 것은 아니다. 다만 이런 것을 말할 뿐이다.
即 文人이라는 것은 追隨, 附和하는 것이 서투르고 追隨, 附和
를 잘 하는 것은 거간꾼뿐이다. 그러나 이처럼 追隨, 附和하지
않는다는 것은 또 決코 廻避하는 것을 意味하는 것이 아니다.
옳다고 생각하는 바를 提唱하고 愛好하는 바를 讚頌하며 옳지
못하다고 생각하는 것과 憎惡하는 것에 휩쓸려서는 안 된다.
批評家는 옳다고 생각하는 바를 熱烈히 主張하는 同時에 옳지
못하다고 생각하는 바를 熱烈히 攻擊하여야 한다. 愛好하는
것을 熱烈히 抱擁하는 同時에 憎惡하는 것은 더 한층 熱烈하
게 捕捉하여야 한다.——마치 헬크유레스가 그의 臣下 안다유
스를 꽉 껴안듯이. 그의 갈빗대를 부러뜨리기 爲해서다.』

(『文人相輕을 再論함』)[08]

『文人들은 熱烈한 憎惡感을 가지고 反對派를 攻擊할 뿐만이
아니라 그보다도 더 熱烈하게 「死의 說敎者」(批評을 없애려고 하
는 文壇의 平和主義者——譯者의 註)한테 挑戰하여야 한다. 이라한
痛嘆할 時代에 있어서는 죽여야만 살 수 있으며 憎惡하여야만
愛好할 수 있다. 또 살고 愛好할 수 있어야만 文學할 수 있는
것이다.』

(『일곱 번째 「文人相輕」을 論함』)[09]

08　隼(魯迅), 「再論"文人相輕" - 兩傷」, 『文學』 제4권 제6호, 1935.6. 나중에 『且介亭雜文二
集』에 수록된다.

09　隼(魯迅), 「七論"文人相輕" - 兩傷」, 『文學』 제5권 제4호, 1935.10. 나중에 『且介亭雜文二

魯迅은 어디까지나 批評은 있어야 하며 더구나 一定한 圈을 가진 熱烈한 批評이 있어야 한다고 主張하였다. 現代派의 代表的 人物 蘇汶은 일찌기 無慈悲한 批評家가 自己에게 『走狗』라는 烙印을 찍을까 두려워하여 作品을 쓰지 못한다고 率直히 告白한 일이 있었는데, 魯迅의 態度와 比較하여 매우 재미있는 對照라고 하겠다.

論語派라는 것은 유모아 大師로 有名한 林語堂, 北京大學 敎授 周作人 等 雜誌『宇宙風』,『論語』를 中心으로 한 小作文 作家들이다. 그들은 마지막 마지하는 祖國의 運命에는 눈을 딱 감고 陶淵明의 後孫으로 自處하며 風流 韻事에 汨沒하였던 것이다. 魯迅은 일찌기 小品文 雜誌『語絲』를 自己 손으로 主編한 일도 있고 하여, 小品文의 生命이 어디 있는가를 明示하고 그들이 隱士로 自稱하며 現實에서 逃避해버린 傍觀者的 態度에 對하여 猛烈한 攻擊을 加하였다.

> 『小品文의 存在 意義는 抗爭과 戰鬪뿐이다.……』
> 五·四運動의 時期에 이르러서는 다시 文壇에 展開되어 散文, 小品文의 成功은 거이 小說, 戲曲, 詩歌 以上이었다. 이 때의 小品文에도 勿論 抗爭과 戰鬪가 들어있었지만 그러나 英國 風의 隨筆(Essay)을 본받아서 그래도 얼마간의 유모아와 溫順한 傾向이 있었다. 手法도 매끈하여 이것이 舊文學에 對한 示威가 되어 舊文學만이 가질 수 있다고 생각하였던 것을 白話文學도 能히 할 수 있다는 것을 表示하였다. 그 以後의 經路는

集』에 수록된다.

더 뚜렷이 抗爭과 戰鬪의 길을 걸었다. 元來부터 『文學革命』
과 『思想革命』에 萌芽하였기 때문이다. 그러나 現在의 趨勢를
보건대 새삼스럽게 舊文學과와 合致點, 雍容, 漂亮, 緻密을 提
唱하여 結局 『骨董品』化하여 風流人들의 淸玩에 이바지할 뿐
만이 아니라 靑年들까지도 이 『骨董品』을 淸玩하여 粗野에서
風雅로 變하려 하고 있다.』

(『骨董品』)[10]

『小品文은 이처럼 危機에 到達하였다. 그러나 내가 말하는 危
機는 醫學上의 所謂 『極期』(Krisis)와 같아서 生死의 決定點이
다. 그대로 死亡하느냐 或은 다시 恢復하느냐가 決定된다. 麻
醉性의 作品은 麻醉시킨 者와 麻醉당하는 者를 한데 통 털어
서 滅亡시켜 버리는 것이다. 참된 小品文은 반드시 匕首다, 槍
이다. 讀者와 함께 한 줄기의 生存의 血路를 뚫는다.』

(同上)

『陶淵明 先生은 우리 中國의 赫赫한 이름을 알리는 大隱士로,
一名 『田園詩人』이라고도 한다. 勿論 그는 決코 定期 刊行物
도 내지 않았고 『團匪 賠償金』(이 돈으로 美國 留學을 한 胡適, 林語
堂에 對한 諷刺. 譯者의 註)을 타 먹는 데는 한 목 못 끼었었으나
그러나 그에게는 奴隸가 있었다. 漢晉 때의 奴隸는 主人의 잔
심부름을 할 뿐만이 아니라 主人을 爲하여 農事도 짓고 장사

---

10 魯迅, 「小品文的危機」, 『現代』 제3권 제6호, 1933.10.1. 나중에 『南腔北調集』에 수록된다.

도 하여 純全한 돈버는 道具였던 것이다. 그러므로 淵明 先生
도 如前히 돈버는 道具는 가지고 있었던 것으로 그렇지 않았
다면 이 점잖은 老人도 술은 姑捨하고 밥도 못 먹어서 벌써 前
에 東쪽 울타리 옆에서 굶어 죽었을 것이다.

(『隱士』)11

『仕官도 먹고 사는 길이고 歸隱도 먹고 사는 길이다. 假令 먹
고 사는 길이 없어진다면 『隱』도 감출 수 없이 될 것이다.』

(同上)

위에서 新月派, 現代派, 論語派를 相對로 斷片的으로 發表한 魯迅의 文學
觀의 一端을 뽑아 보았는데 이것만으로도 그의 戰鬪的인 批判精神이 얼마
나 强烈한 것인가를 짐작할 수 있을 것이다. 그리고 이러한 戰鬪的인 批判精
神은 그가 處하고 있는 社會가 野蠻的이면 野蠻的일쑤록 더 切實히 要求되
며 더 한층 빛나는 것도 바로 理解할 수 있을 것이다.

그는 일찌기 楊霽雲에게 보내는 書信 속에서 蔣介石政權 治下의 中國이
얼마나 野蠻的인가를 다음과 같이 말한 일이 있다.

『나는 가끔 外國人들을 만나서 이야기하는데 中國에 오랫동
안 있어보지 못한 사람으로는 아마 天地間에는 이러한 일이
있을 수 없다고들 합니다. 그들은 『아라비안·나이트』를 듣고

---

11   長庚(魯迅), 「隱士」, 『太白』 제1권 제11기, 1935.2.20. 나중에 『且介亭雜文二集』에 수록된다.

있는 줄로 압니다.』[12]

또『深夜의 씀』에서는 童話의 世界를 빌리어 中國의 暗憺한 現實을 描寫
하였는데 法律에 對해서는 다음과 같이 말하였다.

『出版에 對해서는 많은 法律이 制定되어 있다. 學者를 派遣하
여 各國의 現行 法律을 調査시키고 그 精髓를 摘出하여 編纂
한 것이다. 그러므로 어느 나라도 이 나라의 法律처럼 完全하
고 精密하지 못하였다. 그러나 卷頭에는 한 페지의 白紙가 있
어 이것은 印刷되지 않은 六法全書를 본 사람만이 겨우 글자
를 찾아낼 수 있었다. 맨 처음에 三個條가 들어있다. 一. 或은
寬大하게 處理할 일, 二. 或은 嚴重히 處理할 일, 三. 或은 境遇
에 따라서는 全然 適用하지 말 일.』[13]

이처럼 爲政者가 어떠한 蠻行도 恣行할 수 있는 中世 以上의 無法天地에
魯迅은 生存하였었으며 이러한 無法天地에서는 그로서는 小說보다도 雜感
文이 더 必要하고 더 便利한 鬪爭의 武器였던 것이다. 그리고 또 이 熱火 속
에서 그의 文學觀이 鍛鍊되고 確立되었던 것이다.

(一九四八.四.九)

12　魯迅,「致楊霽雲」(一), 1934. 5.15.

13　魯迅,「寫於深夜里」,『夜鶯』제1권 제3기, 1936.5. 나중에『且介亭雜文末編』에 수록된다.

中國 女流作家 廬隱論[01]

尹永春

一

中國 「五四」 運動이 産出한 女流作家 셋이 있으니, 氷心과 丁玲과 廬隱이다. 眞正한 意味에서 魯迅의 當時로부터 現今까지에 作家生活을 持續한 분을 손꼽는다면 二十名 內外일 것이다. 이 二十名은 旣成文人으로 볼 수 있으며, 이 二十名 中에 女流作家 三人이 相當한 地盤을 잡은 것이다.

丁玲은 社會외 關聯된 小說을 主로 썼고 氷心은 詩人으로 母性愛와 自然風物을 背景으로 하여 不少한 作品을 내였으며 廬隱은 感情과 理智의 衝突에서 일어나는 모든 悲觀과 苦憫을 主로하여 썼다. 때문에 그의 題材 範圍는 愛人과 동무와 自己 身邊에 局限된 것이라고 볼 수 있다.

廬隱은 福建 閩候人이며 姓名은 黃嬴仙[02]이다. 中産階級의 家門 出産으로 女高師를 卒業했다.

丁玲은 뚱뚱한 몸집에 男性에 가깝다 하면 廬隱은 快活하면서도 多情스런 맛누님格의 性格을 가졌다. 하기는 年齡과 文學의 貫綠으로 보아 中國 新

---

01 『白民』 제15호, 1948.7.

02 廬隱의 본명은 黃淑儀로서 여기서는 정보가 잘못되었다.

文學의 가장 나이 많은 閨秀作家이다.

丁玲은 線의 굵고 것칠것칠한 反抗的인 것이 特色이라고 하면 氷心은 溫雅 緻密한 편이오, 廬隱은 어데까지나 悲壯 痛快한 것이 特色이라 아니할 수 없다. 丁玲의 佳作 中의 하나인 「母親」은 封建 家庭에 대한 反抗에서 일어나는 말하자면 家庭的 革命을 모토로 한 作品이라 하면 氷心의 諸 作品 속에는 어머니의 사랑, 아우의 사랑, 大自然의 禮讚 等이 그의 一貫된 精神이라 할 것이오, 廬隱의 作品은 男學生, 女學生, 同姓愛, 多角愛와 愛情의 追從과 悲運의 人間을 描寫한 것이 그의 一貫된 精神이라 할 수 있다.

氷心은 燕京大學에서 外國文學의 影響을 받았다고 하면 廬隱은 女子高師 國文科 出身으로 中國 舊詩詞와 舊小說의 情緒를 多分히 描寫했으며 때로는 女主人公을 林黛玉이나 薛寶釵에 比한 것으로 보아 紅樓夢같은 小說에서 不少한 影響을 받지 않았는가도 생각되는 것이다.

五四運動의 激潮 속에서 封建 雰圍氣를 박차고 일어난 時代 覺醒의 한 作家이며 半殖民地의 中國 社會 狀態에 不滿을 품은 채로 『女性解放』에 炬火를 든 作家이다.[03] 때문에 그의 作品으로 지금 읽는다 하드라도 五四 當時의 空氣를 十分 把握할 수 있으리만치 되어 있는 것이다. 다시 말하면 人生의 意義를 追求하는 熱情的이면서도 空想的인 靑年들이 思想的으로 徘徊 苦憫하며 몇 千年 동안의 傳統과 因襲 思想에서 벗어나 自身 發展으로 追求하려는 모습을 뚜렸이 우리에게 뵈여주고 있기 때문이다. 「海濱故人」의 主人公 露沙는 自身을 가르친 名著이다. 主人公이 宗瑩과의 對活 中에

　　「나는 몇일 전에 집에 들어가니 어머니가 어떤 상대자를 내

03 이하 내용은 주로 茅盾의 「廬隱論」(『文學』 제3권 제1호, 1934.7.1.)을 참고한 것이다.

게 소개해 주는거야. 부모님의 말에 의하면 그의 얼굴은 스마트하고 학문도 훌륭하고 다만 관료(官僚)인 것이……내 성미를 너도 아다시피 관리와 결혼하는 것은 귀찮은 일이란 말야…… 더구나 그런 분은 교제도 넓을 터이고 규측적 행동을 할른지도 의문이고……때문에 결정을 안이었드니, 아부지는 대단히 노하시어 「지금 계집애들이란 그 눈에 저의 부모도 없는가 보아. 더 강권하지도 않으니 이런 좋은 기회에 아부지 책임이라는 것도 좀 유이해야 할 것이어늘……네가 잘못되면 다른 사람을 원망 말어라……그는 나이도 젊고 보기 드문 좋은 청년으로 과장쯤은 틀림없을 거야……」」

云云했다.

이런 環境 속에서도 그는 구지 사양했다. 父母의 要求에 犧牲될 것이면 何必 學校에 들어가서 공부할 것 무엔가? 이런 結論을 나리우고 그는 不利한 環境가 頑强한 家庭 威勢를 헤치고 나와 良心의 自由를 찾으려고 한 것이다. 回顧해보면 廬隱 時代는 民國 八九年 頃이오, 女子들은 學校에서 騷賦와 騈體文을 공부할 때였다. 이런 가운데서 호올로 新文學 思想을 받어들여 舊文學의 觀念을 버리고 白活文學 小說을 써서 近代小說의 한 曲[04]型을 이루었다는 것은 결코 쉬운 일이라 할 수 없다.

創作集이 合計 近 十册 되며 그 中에서 著名한 作品으로는 海濱故人을 爲始하여 「曼麗」, 「歸雁」, 「雲鷗情書」, 「靈海汐潮[05]」, 「女人의 마음」, 「장미의

---

04 '典'의 오식이다.

05 '靈海潮汐'의 잘못이다. 아래도 마찬가지다.

가시」, 「象牙戒指」 等이다.

二

五四 時代는 即 古典主義를 깨트리고 浪漫精神과 人權運動이 新生面을
뵈여주든 때였었다. 頑强한 그의 父母를 향하여 約婚을 解約하겠다고 敢이
提言하여 難境에 이르게 되였다. 父母의 怒염 사는 것 쯤은 그다지 큰 問題
로 삼지 않고 終始 破約하여 社會의 惡評이 어지간했음에도 不拘하고 다시
妻子 있는 郭夢良이라는 靑年과 結婚을 하고 말었다.

『사랑만 있으면 처자가 있는 것쯤은 상관안합니다.』했다.

이런 點은 헨릭·입센의 노라와 비슷하다고 하여 도리혀 同情해 주는 분
이 많었다는 事實도 否定할 수는 없다. 海濱故人으로부터 그 후 「女子의 마
음」에 이르기까지 沈滯期라고도 할 수 있었다. 時代의 前進에 前進하지 않
는 것을 客觀的 意味에서는 停滯 後退라고도 볼 수 있다. 「장미의 刺」에서
그는

『나의 지금의 不安은 어머니 배속으로부터 지니고 왔노라.』했다. 그가 希
望한 꿈과 光明은 自己 身上에 속한 것이지 客觀的 立場에 立脚한 것은 아
니었다. 더 쉽게 말하면 一篇의 아름다운 空想的, 神秘的 心境에 이르고 말
었을 뿐, 어둔 社會面과 그늘진 人間의 非良心面을 描寫치 못했음을 遺憾으
로 생각하지 않을 수 없다.

얼마 안되여 結婚한 男便이 死去해 버리자, 그는 人生의 幻滅을 느끼게
되였다. 이때 그는 自己 自身에 대하여 퍽으나 苦惱하였다. 一切의 信仰은
動搖하기를 시작하여 理智와 感情의 不調和에서 술과 담배로 몸의 괴롬을
물리치려고 애를 썼다. 一種의 데카단的 放浪 生活을 보내게 된 것이다. 그

러나 이 때에 産出된 「歸雁」, 「雪⁰⁶歐情書」 等은 그 前 作品보다는 深刻味가 있었다.

三

「海濱故人」集 中에 七篇을 除外하고는 그 題材 範圍가 좁았다. 初期 作品을 다시 分析하여 말하면 客觀的 寫實主義였었다. 例를 들면 「한 片紙」에 있어서 農民의 딸은 어찌하여 財主에게 妾으로 가서 나중에는 慘死케 되었는가라든가, 「두 小學生」에 있어서, 受傷하기를 請願한 두 英雄을 利用한 當時 敎育의 無智를 暴露한 것이라든가, 「靈魂을 팔 수 있는가」에서 工場 女職工 生活을 그린 것이라든가, 「餘淚」에서 和平을 위하여 殉職한 女敎師를 그린 것이라든가, 「月下의 回憶」 같은 것은 하나의 콩트에 不過하지만 寫實主義의 모습을 그대로 뵈여준 것으로 볼 수 있다. 例를 들어 말하면 日本帝國主義의 잔악한 帝國 敎育이 大連에까지 뻐처 大連市의 兒童들을 阿片中毒시키고 말았다고 했다.

그날 밤, 여위고도 길쯤한 낯을 한 사나이는 손을 내둘르며 이같이 연설했다.

『제군, 제군들! 아편 먹기보다도 몇 백만 勇士를 중독시키는 것 무엔지 아십니까? 교육이라는 이름만은 좋으나 독을 포함한 교육은 아편과 같은 것을 당신들은 압니까? 대련의 아해들

---

06 '雲'의 오식이다.

은 중화민국을 모릅니다. 그들은 모다 아편에 중독되여 버렸
어요.』

云云했다.

이때야말로 그가 社會運動의 最高潮에 達한 時期라고 볼 수 있는 것이다.
비록 思想과 技巧에 있어서 幼稚하다고 할망정 五四 時期에 女作家로 革命
性과 社會性에 關聯된 作品을 쓴 것은 大膽한 일이라 아니할 수 없다. 이 點
으로 丁玲보다도 이분이 더 先覺者였다.

四

五四運動이 低潮에 이르자 廬隱은 方向을 轉換하였으며, 그때부터의 作
品을 後期로 봄이 妥當할 듯하다. 後期의 作品 長短篇을 통하여 初期의 것보
다 훨신 더 많었다. 方向轉換이라 함은 우에서 말한 바와 같이 卽 感情과 理
智의 쇼크를 받어 그때의 悲觀 苦憫相을 自己 身邊에 連結시켜 通稱해 말함
이다. 「어떤 사람의 悲哀」 中에서

『내 맘은 물결에 흔들대고 내 일생에 얻은 代價란 수고(愁苦)뿐
이다. 아아! 내 맘은 방황한다. 어느 길로 가야할까? 나는 아직
두 인간에서 놀고 있다.』

그 후 여러 해를 隔하여 쓴 「歸雁」과 「女人의 마음」 두 篇은 새로운 局面
을 뵈여주었다고 하는 이도 있으나, 나 보기에는 海濱故人의 續篇에 지나지
안는상 싶다. 이 두 作品의 主人公 「歸雁」 中의 「나」나, 「女人의 마음」 中의

「素璞」은 거의 비슷한 角度에서 取扱한 것이다.

曼麗는 스케일이 크며 그 뒤 한동안 作品이 나오지 안은 原因은 生活上 打擊이 主要한 原因이라 하지 안을 수 없었다. 靈海汐潮나 象牙戒指 等은 身邊 描寫에 能熟했으며 그 前 作品보다 더 熱情的이오, 센치멘탈한 것으로 볼 수 있다. 「時代의 犧牲者」, 「一幕」, 「憔悴梨花」 等에서 結婚 問題와 男女 問題를 單純한 戀愛 問題로 取扱하지 않고 社會問題에 關聯시커 取扱하였다. 아무튼 이런 作品을 쓴 뒤로는 「戀愛 失敗 후에 革命에 轉入한 女子」라는 別名을 얻게 된 것이다. 曼麗와 歸雁에서 都市文明을 懷疑하고 懷鄕病에 感染된 모습을 뵈여주었다.

後半期의 名著로는 「靈海汐潮」와 「장미의 刺」를 들 수 있으며 「장미의 刺」의 主人公 沙冷[07]은 이 같이 말했다.

> 「나는 가장 약한 사람……나는 감정의 위대성(偉大性)을 존중
> 하며 우주의 일절 속박을 초월했다──그러나 나는 한편으로
> 감정의 명령을 반항하면서도 부자연한 규율(規律)의 생활에는
> 부출(俯出)했었다………날어가는 구름아─ 너는 내가 이 모순
> 가운데서 살고 있음을 알 것이다.」

이것은 그의 作中 人物의 人格을 表現한 片貌로도 볼 수 있다. 아무튼 그의 前期 作品은 散漫한듯 하면서도 많은 人物이 나와 법석이는 反面에 後期

---

07 이 인물은 작품집 『장미의 刺』(上海中華書局, 1933)에 수록된 소설 「나무 그늘 아래서(樹蔭下)」의 주인공이다.

作品은 이와 달리 簡素해진 感이 있으며 眞理와 正義를 위하여는 마구 肉迫해 드는 듯한 感을 주었다.

中日事變이 시작되자 上海에서 戰爭의 慘景을 몸소 겪고 閘北의 戰火를 題材로 하여 戰爭小說을 썼다. 이것은 勿論 本來의 作風과는 달렸다.

廬隱은 多辯한 사람이었다. 어떤 男子가 女子를 諷刺한다든가 女子를 빈정댈 것 같으면 그는 낯을 불켜가며 어떤 論法으로든지 期於히 說服시키고야 만 것이다. 그래서 文人들은 가끔 그를 「常勝將軍」이라고 불러주었다.

全 作品을 通하여 보드라도 그는 個性이 몹시 强하였다. 表面上으로는 樂天主義者 然하면서도 때로는 술에 醉하면 自己와 悲運을 痙嘆하고 지난 일에 傷心하여 곳장 울기도 했다는 點을 미루어 보아 樂天主義者라고만도 할 수 없다.

몇 해 전에 李惟建과 結婚했다. 그의 精神과 物質生活은 動搖에서 平靜에 돌아왔다고 볼 수 있었다. 産後病으로 上海 大華病院에 入院 加療 中 즉 지금으로부터 八年 前 五月 十三日에 逝去하고 말았다. 슬하에는 딸 둘뿐이다. 이제 마지막으로 「醉後」 中에 몇 마디를 引用하면

『나는 세계에서 가장 약한 사람이었다. 나의 눈물은 다 말러서 人間에 가서 다시는 한 점 아니 반 점의 눈물도 흘릴 수 없다. 이리하여 나는 영웅(英雄)이라는 이름을 얻게 되었다. 바로 내가 기세를 낱일 때 어느 것이 나의 기개(氣槪) 아닌 것이 없었거늘……』

『나는 고요히 참회할 때도 어찌하여 이 적은 나를 극복하지 못하며 일즉 영웅의 기상이라든 기개를 잊어버렸는가를 생각해

낸다. 그리고 손에는 번쩍이는 자웅검(雌雄劍)을 잡은 채 히말라야 높은 봉에 올라가, 오연히 인간을 내려다보며 일절의 불평을 위하여 나 자신을 희생하며 일절의 죄악을 위하여 이 빛나는 쌍검(雙劍)을 휘둘르지 못하는가를 념(念)하게 된다. 영웅! 위대한 영웅! 이는 얼마나 숭배할만 하며 흠위(欣慰)할만한 것이랴?』

韓中 文化交流에 關하야[01]

丁來東

韓國과 中國 間에 過去 四千年 間 文化가 서로 交流한 것은 우리가 歷史 上으로 잘 아는 바이지만 近 四十年 間은 우리가 直接 間接으로 그 影響을 받은 바가 크며 中國은 特히 獨立思想의 溫床이었으며 世界의 思潮 輸入도 日人의 掩蔽와 誤傳을 相對로 中國은 그 眞相을 우리에게 傳하였다. 唯獨 히 淸末 民國初에 있어 植民地 愛蘭, 波蘭, 印度 等의 實地 情況을 들어 中 國 民衆을 激勵한 梁啓超의 論文은 韓國에도 傳播되어 많이 우리의 革命志 士를 啓蒙하였으며 事大思想에 沒頭하였든 우리의 漢學者들에게도 많은 激 勵와 反省의 機會를 주었든 것이다. 또한 朝鮮의 實情을 暴露한 有名 無名의 志士 文人의 글도 中國에 紹介되어 中國 知識人을 覺醒케 하였었고 三十六 年 間에 中國에 滯在한 우리의 革命鬪士와 學生들은 中國의 指導者, 學生에 게 口傳 刊行物로써 韓國의 日人 鐵蹄下의 慘狀을 傳하고 植民地의 虐待, 賤 視 等 各項 植民地의 쓰라림을 그들은 또 中國 民衆에게 宣傳하야 中國 建 設에 많은 도움이 된 것도 事實이다. 그리고 우리의 革命志士들이 그네들의

---

01 『民聲』 제29호, 1948.11.

따뜻한 援助와 同情을 받아서 韓國 獨立에 直接 間接으로 도움이 된 것도 또한 事實이다.

이와 같이 韓國과 中國의 知識人들은 서로 文字와 交分으로 서로 同病相憐하여 가면서 第二次 大戰 終末 時까지 協力하여 왔든 것이다.

그러나 中國에 있어서는 第二次 大戰이 終熄되면서부터 다시 國內에서 國共이 相鬪하고 韓國은 三八線을 境界로 南北이 分裂되어 그 情形의 差異는 있으나 비슷한 困境에 빠저 있고 知識人 卽 文化人들도 思想上으로 二分 或은 三分되어 統一이 極히 困難한 處地에 뇌어저 있고 같은 苦悶에 빠저 있으며 文化人의 社會的 地位라던지 經濟生活의 低下된 點도 거의 同一한 處地에 노여저 있다. 그러나 中國이나 韓國은 어떠한 努力을 하여서라도 또는 어떠한 犧牲을 하여서라도 民族的 統一과 國家的 統一을 達成하지 못하면 一時라도 安睡할 수는 없는 處地에 있다. 이러한지라 兩國이 親善을 圖謀할 것은 勿論이요, 上記한 바같이, 同一한 環境에 있는 만큼 兩國의 文化 交流는 意義가 깊다. 그리하야서 戰爭 中에도 重慶에서는 中韓文化協會를 組織하야 中韓 文化人들이 그 當時 及 戰後에까지라도 兩國의 文化 交流를 中心하야 兩國의 親善을 圖謀하려고 하였었고 解放 直後 上海에서는 中韓文化學會를 組織하야「中韓文化」라는 刊行物을 出版하야 韓中 文化 交流의 先聲을 올리고 韓國에 있어서도 韓中文化協會를 組織하야 이 方面의 努力을 企圖하였으나 아직까지 우리는 獨立이 完成되지 못하고 文化人이 分裂狀態에 있어서 合心 協力을 하지 못하고 政界 混亂은 文化를 回顧할 餘暇를 갖이지 못하게 하야 沈滯 狀態에 있으나 不遠한 將來에는 반다시 豫企하였든 進展을 보리라고 믿는 바이다.

學界에 있어서도 韓中은 비슷한 點이 많다. 中國에 있어서는 五四運動 以後로 學生이 社會革命에 많은 功獻이 있었고 現今도 그 任務를 다 하고 있는데 最近에 있어서는 北京에서 學生의 身邊 保障이 되지 못하야 學潮가 이러나고 教職員의 生活이 保障되지 못하야 今年 四月 頃에 北京大學, 燕京大學의 講師 職員의 罷教 事變이 있었고 思想 關係로 聞一多, 李某 教授의 慘變이 二年 前에 있었으며 一般 文化人이 經濟上, 思想上, 學問研究上 여러 가지 不安을 느끼고 있는 것도 韓國과 비슷한 點이 많다. 韓國에 있어서도 教職員의 生活 困難이 極度에 達하여 있으며 多少 原因은 다르나 教員이 京城 地方에서 二名의 慘變이 있었으며 學者가 經濟的 其他 條件으로 研究를 如意하게 하지 못한 點 等 相似한 環境에 있는 點이 많다.

그러나 韓中 文化人들은 이러한 環境의 制裁를 克服하여 가면서라도 兩國의 文化를 交流하고 文化를 通하야 兩國 及 兩民族 間의 葛藤을 克服하여 가고 兩民族의 親善을 圖謀하며 指導하여 가야 할 것이다.

過去 韓國에 居留한 中國人은 商人과 勞動者가 多數이었든 關係로 文化를 論謂하기가 어려웠으나 最近에는 유엔 共委 等 文化人의 往來가 頻繁하고 中國의 留學生까지 오게 되고 彼此의 書籍이 輸出入되어서 彼此의 實情을 서로 通察하고 彼此의 感情을 融通하야 政治的, 經濟的 謀略과 秘密이 없는 國交가 繼續되지 않으면 않 될 것이다. 政治的, 經濟的 合同 分離는 結局 葛藤과 甚至於 戰爭까지라도 誘導하는 것이나 文化의 交流는 歷史上 언제나 아름다운 事實로 남어지 있게 되는 것이다.

蘇聯은 思想的으로 他國의 干涉을 甚히 하므로 도리혀 弱少國의 感情을 사고 있으며 過去 韓國에 있어서는 中國 儒教를 極度로 崇揚하야 事大 思潮를 이루었으며 그 腐敗로 因하야 最近까지 思想的으로 排華熱이 濃厚한 것도 事實이다.

最近 中國의 三民主義를 宜傳하야 中國의 政治思想을 그대로 直輸入하는 것으로써 韓國의 將來를 開拓하려고 三民主義를 信奉하고 그 方式 그대로

推進하려 하는 傾向이 있어 도라혀 靑年 學徒의 反感을 사는 傾向도 있으니 이는 蘇聯의 思想 宣傳과 同一한 結果를 招來할 憂慮가 있다고 볼 수 있다.

文化는 強迫하고 直輸入하면 破綻을 일으키고 反動을 일으키는 것이다. 文化는 自然히 融化가 되고 自發的으로 吸收하여야 自己 民族의 피가 되고 살이 되는 것이다. 兩國의 政治家는 特히 이 點을 留意하야 後日의 弊害와 兩 民族의 反目이 없도록 努力하여야 할 것이다. 美國에 있어서는 「오부듸 퓌필」, 「빠이 듸 퓌필」, 「온듸 퓌필」이 美國 情形에 비추워 適當하므로 現在의 形態와 繁榮을 이루웠고 蘇聯은 「볼쉐비즘」이 어느 程度 適當하므로 現在 이 過程을 밟고 있으며 中國은 「三民主義」가 어느 程度로 中國의 民族性에 適合하므로 現在의 發展을 보게 되어 있으며 韓國은 韓國 現在 社會 情形에 맞는 「프린스플」이 있어야 이 期間의 歷史的 課程을 밟어 나갈 것이다.

그러나 人類의 共同 目的은 同一하고 하나이다. 우리는 어느 길을 밟어야 이 共通한 目的地에 到達할 수 있겠는가? 라는 것이 큰 課題이다. 世界 各國 各 民族은 서로 研究하야 이 빠른 길을 發見하여야 할 것이다. 韓中 兩國의 文化 交流도 이 點에 着眼하야 서로 指導하고 서로 啓蒙하야 小我를 바리고 大我에 歸一하는 大道를 밟어 나가야 할 것이다. 韓中 兩國 文化人의 任務는 이러한 見地에서 重大하고 참다운 意義가 있는 줄로 믿는다.

(了)

戰後의 中國文壇[01]

丁來東

一

　中國은 八年 抗戰으로 歷史上 只今까지 歷驗하여 보지 못한 民族的 苦痛을 격어왔다고 볼 수 있다. 中國 過去의 戰爭은 幾個月 或은 二三年에 끝났으며 歷史上 金遼元의 征服은 있었다 하드래도 그는 一國을 形成할 수 있는 戰爭이어서 內亂의 種類로 볼 수도 있는 것이었고 今番 大戰과 같이 他民族 他國家의 蹂란을 받은 일은 거히 처음이라고 말할 수 있다. 地域으로 본다 하드래도 어느 省을 치고라도 그 災禍를 입지 않은 곳이 거히 없었다. 그런 만큼 그 影響이 컸으며 戰爭의 印象이 深刻하였다고 볼 수 있다.

　그우에 大戰이 끝나자마자 國共의 內戰이 이러나 同族끼리의 相殺 相殘은 他民族과의 戰爭보다 그 性質이 달라서 有識者로 하여금 더욱 傷心하게 하는 바가 있다. 國共相爭이야말로 中國 自體 內의 疾病과 같애서 他國과 他民族을 怨惡하는 것 보다는 中國 自身의 反省을 促進하여 國家에 對한 觀念, 民族에 對한 觀念까지도 그 內容을 變更하게 하며 社會制度에 對하야도 今後에는 多少 修正하여야 할 것을 示唆하고 있다. 中國의 事態는 韓國에도 同

01　『大潮』 제28호, 1948.12.

一한 事情이어서 同病의 處地이며 他山의 불로만 볼 수 없는 바이다.

二

八年 抗戰 其後의 內戰으로 因하야 人民의 苦痛은 더 말할 것도 없고 生活이 塗炭에 빠짐은 勿論이요, 사람 사람이 生死의 岐路에 서있는 關係로 文學에 있어서도 構想에 잠겨 있을 餘暇도 없으려니와 出版, 印刷 等도 地方으로 轉轉한 關係上 퍽으나 不自由하였으며 文人들도 各地로 流浪 生活을 하거나 或은 從軍 或은 陰閉 生活을 하게 되어서 藝術을 云謂할 餘地가 없었든 것이다.

그러나 戰爭 中 優秀한 作品은 없었지만은 作品 活動이라던지 出版이 全然 없었든 것은 않이다. 或은 重慶에서 或은 桂林에서 各各 最大 能力을 發揮하였고 戰後에는 다시 上海, 南京, 香港 等地에서 活潑하게 文學 行動을 하고 있는 中이다. 解放 後 韓國에서 出版物이 汎濫하고 日刊新聞이 倍大하여저서 相當히 많은 書籍이 刊行되고 많은 新聞이 나오며 紙面이 넓어졌다고는 하나 따이 넓고 人口가 四億에 넘는 中國에 비길 배는 되지 않는다.

三

中國文壇에 있어 旣成作家의 活動은 없지는 않하였으나 一般的으로 본다면 力作이 없었다는 것이요, 過去의 文學 水準에서 一步도 나가지 못하였다는 것이 定評이요, 新人의 力作이 많았다는 點이 特히 留意된다. 그 中에서도 沙汀의 『淘金記』는 四川省, 西康省 中間에 있는 金沙江의 沙金을 개리는 鑛夫의 生活을 그린 것으로서 方言을 많이 쓴 것이 그 特色이며 現地 報

告 作品으로 相當한 好評을 받고 있다. 이 作品에는 土豪 劣紳에 關한 深刻한 描寫가 있어 中國 現代 地方社會의 狀況이 如實하게 나타나 있다.

다음에는 郁茹의 『遙遠한 사랑』, 『劉明의 苦悶[02]』 等이 中産層의 苦悶을 表現한 것으로서 現代 中國社會의 核心을 形成한 中産層의 告白이어서 中國의 將來를 領示하는 作品으로 볼 수 있다.

戰爭 中 重慶에서 刊行된 文藝雜誌로는 『文藝』, 『戱劇春秋』 等이 있으며, 韓國 事情을 內容으로 한 『槿花의 노래』(陽翰笠[03] 作) 等이 있어서 우리의 注意를 끌으나 作品으로는 上乘은 되지 못한 便이다.

이 外에 巴金의 『火三部曲』의 第一部에 또한 韓國 革命家의 思想, 生活이 그리어저서 中國의 作家가 漸漸 韓國의 事情에 注意한 것을 엿볼 수 있다.

四

八年 抗戰 以後의 作品 內容을 보면 詩, 小說, 戱曲, 散文을 莫論하고 戰爭의 實況의 그 內容으로 하지 않은 것이 없으며 國共 衝突의 悲慘한 現狀을 그 內容으로 하지 않은 것이 없다. 이제 『太平洋』 雜誌에 실여 있는 『控訴』라는 詩를 보면 이로서 中國 近來 作品 內容의 一般을 窺知할 수가 있을 것이다.

『八年 抗戰

02　이 작품은 嚴文井의 장편소설로서 『文藝陣地』(重慶) 제6권 제3기, 1941.2에 발표되었다.

03　'陽翰笙'의 잘못이다.

祖國의 獨立 自由를 爲하야
우리의 錢糧을 献納하고
우리의 量力을 다 써서
只今은 勝利를 얻었다.
우리는 休息하여야 하고
우리는 安康하여야 하지만
그러나
더 많은 人民이 戰場으로 가고
더 많은 税糧은 쏘다저 나온다.
우리는
다시 어린 羊이 되고
다시 憂愁에 빠지게 되었다.

父母는 눈물이 마르도록 울고
妻子는 肝腸이 끓고
바래 보니 子女의 그림자는 뵈이지 않고
親切한 목소리는 들리지 않는다.
惡鬼는 벌서 投降하여서
只今은 옛집에 도러와야겠것만
그러나
그들은 아즉도 戰場에서 彷徨하고
自己의 총으로
同胞의 가슴을 꼬누고 있다.

그네들은

統治를 爲하여서

『革命』을 爲하여서

剝奪을 爲하여서

『解放』을 爲하여서

우리에게 安息을 주지 않고

그네들은 우리에게 安康을 許하지 않는다.

戰場에서

自己의 손으로

自己 兄弟의 가슴을 무찌르고

그리고도

이 戰績은 輝煌하며

이 銃꾼은 賞을 받아야겠다……고

城市를 佔領하고

民家를 强占하고

同胞를 槍殺하고

米糧을 掠奪하고

그리고도

이것은 『和平』에 曙光을 비친다 하며

交通을 破壞하고

村落을 불사르고

靑年을 募集하고

牛羊을 다 잡어먹고도
그네들은 말하기를……
『民主』의 力量은 날로 强壯하여진다……고
말한다.
그러나
참다운『和平』,『民主』는 逃亡가고
그저
人民은 欺瞞만 當하고
百姓은 傷處만 받을 뿐이다.

內戰은
우리에게 憂愁를 갖어오고
內戰은
우리의 企望을 빼서 가고
內戰은
우리를 滅亡에 빠지게 한다.

國家의 建設을 爲해서
民族의 復興을 爲해서
自己의 幸福을 爲해서
子孫의 安康을 爲해서
우리는 이러나 反抗하자.
이 殘酷한 內戰을 反抗하자.
우리의 力量을 減殺한 內戰에 反抗하고

우리의 希望을 찾이며

우리를 害하는 魔의 손을 毁滅하자.[04]

以上에 抄譯한 詩가 詩로서 잘되고 못되고는 그만두고라도 中國文人의 苦悶이 어디에 있으며 그네들의 理想과 企望이 무었인가를 엿볼 수가 있다.

五

또 한 가지 出版界의 傾向을 보면 飜譯作品이 많이 刊行되는 點이다. 文學人의 糧食은 自國의 作品은 勿論이요, 自國의 古典을 硏究하는 것은 더 말할 것도 없거니와 外國의 作品, 外國의 古典을 硏究하여야 할 것도 더 말할 必要가 없다. 그러나 外國作品을 原文으로 보면 問題 以外이지만은 飜譯으로 읽는다면 그 不充實함에 如干 不滿이 있는 것이 아니다. 그러므로 한 作品에도 數種의 飜譯이 있으며 또 過去의 飜譯에 不滿을 느끼고 다시 譯出하는 例도 적지 않다.

이제 『文化生活出版社』에서 刊行한 書籍을 보면 過去에 中國에서도 出版된 作品이 再譯된 것이 많다. 例를 들면 露西亞의 『톨스토이』, 『투르게넾』, 『체콥』, 『떠쓰토스키』 等의 作品이 다시 譯出되어 있으며 佛蘭西의 作家들 것 곳 『쏘라』, 『프로뻴』, 『발작』, 『모파송』, 『유ㅡ고』, 『로ㅡ랑』, 『지ㅡ드』 等 作品의 選譯集이 많이 出版되어 있다.

中國文學의 新生面을 打開하는 데 外國作品을 그 參考로 하는 것은 必要

04　狷介, 「控訴」, 『太平洋』(北平) 제1권 제6기, 1947.6, 10~11쪽.

以上의 必要일 것이다.

또 曹禺의 作品이 政府의 賞을 타서 美國 旅行을 한 것은 우리의 周知한 事實이요, 그의 『日出』, 『原野』, 『脫05變』 等 劇本은 우리文壇에도 紹介되었으며 熊佛西, 田漢, 宋之的, 夏衍 等 諸 作家의 作品보다 水準이 높다는 評이 있다.

中國 作品이 歐米에 飜譯된 것도 적지 않으나 그중에서도 沈從文의 作品이 倫敦에서 出版되어 많은 好評을 받는다고 傳한다.

今後 中國의 書籍이 드러옴에 따라 次次 中國文壇의 動行을 紹介하기로 하고 爲先 이만 끝인다.

---

05 '蛻'자의 오식이다.

魯迅과 林語堂[01]

尹永春

　魯迅先生 生前에 『뻐나드 쑈』와의 面談이 그로 하여곰 퍽으나 東洋人의 矜持를 갖게 했다는 點으로 우리의 두터운 景仰을 받고 있는 터이다.

　그런데 同國人으로써의 魯迅과 林語堂과의 적으마한 糾葛은 亦是 우리의 興味를 끌지 않을 수 없다. 이 같은 事實은 「兩地書」에서 찾어 볼 수 있으니 即 魯迅 先生이 許廣平女史에게 써보낸 廈門通信 중에 自己 個人의 生活과 思想을 叙述한 外에 그를 찾어 廈門에 가서 도아 들인 林玉堂과 沈兼士 等에 대해서도 말한 바 있었거니와 林玉堂은 即 後에 유모어로 有名해진 林語堂이다.

　또 어떠 短文에는 魯迅과 林語堂에 對하여 若干의 지난 일을 기록해 놓은 것도 보았다. 가르되 「語堂은 魯迅 先生에게 대하여 思想的으로 不同된 점이 있은 것은 事實이나, 個人的으로 무슨 仇恨이 있은 것은 아니다.」

　却說 「人間世」(語堂이 主宰한 잡지)가 創刊 되기 전에 語堂은 自己집에 손님을 청한 바 오신 분은 黎烈文, 徐懋庸, 劉大杰 諸氏였었다. 그때에 늦도록 魯

01　『大潮』제28호, 1948.12.

迅이 오지 않았으므로, 먼저 온 十九名 中에서 더러는 魯迅이 或 길을 몰을까싶으니 語堂은 무슨 方法으로던지 그가 속히 오도록 하라고 권할 때에도 語堂은 自信을 갖고, 재촉하지 않아도 그가 넉넉히 찾아올 수 있다고 댁구해 버렸다.

좀 있다가 초인종이 따르릉 울리자 과연 魯迅이 찾어 왔다. 長袍에 고무신 신고 品海牌 담배를 피우섰다. 座中에는 金瓶梅 作者의 方言 用語에 대한 이야기가 버러졌었다. 作別 時에 魯迅은 語堂에게서 한 卷의 두터운 獨文册을 빌었다. 車 한 대를 불러하고 徐訏와 함게 집에 도라 갔다.

어떤 이는 이로 因하여 魯, 林 사이에 옥신각신 하는 일이 없이 文壇上의 敵이 되는 일도 없이 잘 지내 주었으면 하고 은근히 바랄 뿐이었다.

그러나 이러한 일은 얼마던지 있을 법한 일로써 個人 私交上의 情誼 深淺도 하나의 人間事라 하면 文學이나 政治나 世界 大局으로 보는 觀點이 같지 않음도 하나의 人間事로 보지 않을 수 없으니 이 두 분의 距離는 本格上으로 思想的 發展을 決定지을 수 밖에 없는 일이다.

魯迅 先生은 林語堂에게 대하여 飜譯 工作에 致力하되 中國에서는 西洋 文學의 번역이 절실히 要求되니만치 林語堂의 英語 學力이면 이 같은 飜譯 紹介는 可能할 뿐더러 이 일은 目前에 有用보다 後世에 大端히 有益될 일이니 해달라고 勸한 일이 있었다.

그러나 林語堂의 回音에는 「지금은 中國文學을 西洋에 紹介하겠다」고 했다. 어떤 이는 魯迅은 이 편지를 보고 좋아 않했다고 했다. 왜 그러냐 하면 林語堂은 自己를 老人으로 봄이라고 해석했다는 點에서였다. 그러나 이러한 말은 적으만한 新聞紙上 까십에 지나지 않는 말이기에 그다지 문제 삼을 배도 아니다.

林語堂은 말했다. 「어떤 부질없는 친구 한 분이 나를, 西洋사람 앞에서는

中國文學 말하기를 좋아하고, 中國사람 앞에서는 西洋文學 말하기를 좋아한다」云云했다. 이 부질없는 사람이라는 말은 魯迅을 指摘했음에는 틀림이 없다. 이를 魯迅 自身도 그의 어떤 短文 중에 써 있는 것을 볼 수 있다.

陶亢德은 이같이 말했다. 「魯迅은 「論語」(이도 林氏가 創刊한 刊行物)를 取할지언정 「人間世」는 取하지 않으리라고……」 그도 그럴사 論語 중에는 적지 않게 社會의 醜惡한 꼴을 諷刺한 短文이 있었으나 人間世에 있어서는 閑適한 人間相을 그린 데 不過한 적으만한 刊行物이기 때문이다.

戰時 중 林語堂은 총총히 美國에서 비행기로 重慶에 돌아와 靑年들에게 易經을 읽으라고 勸한 外에 魯迅에게 대해서는 코우슴치는 격식으로 말해 버렸다. 도두보거나 깔보거나 두 분의 思想 發展을 본다면 아무런 이상히 생각 될 點도 없으며 도리혀 當然한 일이라 생각될른지도 몰을다.

그것은 또한 魯迅과 林語堂의 志向하는 바 文學 世界觀에 있어서도 顯著히 알 수 있는 때문이기도 하다.

——끝——

1949년

周作人의 方法[01]

周作人이라고 하면 現 中國의 大學者로서 北京大學 總裁이란 重職에 있으며 또 國民政府가 中共과 和平을 云爲하기 前 孫科가 首相이 되기 앞서 이 周作人氏를 首相으로 就任케 하리라느니 또 駐蘇大使가 될 것 같다느니 하는 風說이 높이 돌던 名望家인 것이다. 더욱이 그는 中國 文學者로서 世界的으로 손꼽는 文豪이기도 하다.

그의 政治的인 方面은 내 알지 못하는 바이며 또 그것을 알려는 것이 아닌 까닭에 그것은 却說하고 그의 中國文을 배웠다는 그 方法을 생각하여서 우리의 한 參考資料가 되었으면 하는 것이다.

그는 自己가 大學에서 中國文을 擔當하게 되었을 때에 이러한 말을 하였던 것이다.

"내가 國文을 맡게 된 것은 좀 奇異한 일이다. 왜 그러냐 하면
나는 지금까지 國文을 硏究한 것은 勿論 없고 장난삼아서라도

01 『새교육』 제2권 제1호, 1949.2.

國文을 배운 일이 없었다. 다만 읽었다고 말을 붙인다면 西遊
記나 三國演義, 聊齋志異 같은 小說類나 읽었다고 할가?"

　이러한 말을 하고 있으며 또 뒤이어 그는 공부한 經路를 말한 가운데에
그는 故鄕에서 여섯 살 때에 처음으로 入塾하여 열세 살까지 論語, 孟子, 詩
經, 易經을 다 읽었다고 하였다. 그 書塾에서 공부하는 모양은 아침에 이미
전 날 배운 것을 외우고 그 다음 처음 배우는 것을 예순 번 읽고서 習字를 하
였다. 낮에는 또 讀書를 六十遍하고 저녁 때에 唐詩 一首씩을 解釋하여 드렸
다는 것이다. 이렇게 正式의 中國文 書籍을 讀破하기는 하였으나 그것은 眞
正으로 말한다면 自己에게 秋毫도 利益을 준 것은 없다고까지 極言을 하고
나서 나중에 커서 文章을 쓸 수 있게 되고 또 道德觀이 確立된 것은 다른 方
面 卽 小說에서 얻은 것이라고 말 하고 있는 것이다.
　이러한 그의 告白을 우리가 읽을 때에 여러 가지 생각이 도는 것이다.
　먼저 생각나는 것은 어린 周作人을 指導한 敎師들의 敎育方法이다. 往時
에 우리나라에서도 그러하였드시 그 當時 中國의 書塾 先生님들은 無條件
하고 內容을 알건 모르건 또는 그 글의 맛을 알든 말든 어린이 心身 發達 過
程에 合致 안 되는 極度의 難文章을 그저 읽키고만 있었던 까닭에 배우는 어
린이들이 수박 겉핥기가 되고 만 것이 그 主原因이 된 것이겠다. 그러고 다
른 한 편 생각하여 볼 때에 그의 中國文學에 대한 見解 問題라든지 또는 經
書에 對한 態度 問題도 있을 것이지만 그는 참된 自己 나라 國文學 硏究하
는 方法으로 다음과 같은 말로서 後輩를 指示하고 있는 것이다.

　　"나는 이렇게 그들 學生에게 말할 것이다. 될 수 있는 대로 많
　　이 책을 읽으라고. 小說, 戲曲, 詩 같은 글의 여러 가지와 새

것, 古典 그리고 內外國의 글, 또 좋고 나쁜 것도 읽어야 한다.
그렇지 않으면 文學과 人生의 全體를 알 수 없을 것이다. 勿
論 이것은 亂讀이 되어서는 안 될 것이고 반드시 指導를 받지
않아서는 안 된다. 그 다음에 다른 方面의 學問과 知識도 차차
읽어서 한 개의 健全한 人生觀을 養成하여야만 한다………"

이러한 말을 自己 經驗에 비주어서 吐露하고 있는 것이다.

그는 다만 中國文 硏究에 對하여서만 이야기하고 있는 것이나 우리는 이
말을 달리 느끼고 깨닫기도 할 수가 있다.

우리가 學問을 닦고 갈고 하는 것은 오로지 이 人生을 거룩하게 하며 너
그럽게 하자는 데에 그 窮極의 目的이 있는 것임에 틀림없는 것이다.

우리가 敎育을 하는 것도 산다는 그것을 沒却하고서는 아무 것도 成立이
되지 않을 것이며 또 實生活에서 우러나온 것이 아닐진대 이 역시 이렇다 할
뜻도 맛도 없을 것이다. 이 人生을 몸소 營爲하고 實踐하는 데에서만 深奧한
眞理도 나올 것이며 조그만 生活의 斷片에서도 깊고 깊은 哲理에 비추어 살
아 갈 수도 있을 것이다.

周作人의 참된 工夫가 된 것은 論語도 孟子도 아니었고 低級하다고 생각
되어 書塾에서는 正科로 指導하지 않는 三國演義이었으며 市井에서나 읽는
西遊記이었다. 卽 그 小說 속에는 피가 도는 實生活이 있었다는 것이다. 그
렇다고 이제 내가 이야기하고자 하는 것은 小說類를 敎材로 探擇하자는 말
이 아니라 學校에서 正式 敎材라는 것이 얼마나 참되고 眞實한 人生을 터득
하고 깨닫는 데에 도움이 되며 또 人生의 深奧를 깨우치는 것은 學校 敎材만
이라고 할 수 없다는 것을 알리고 싶다는 말이다.

나 역시 日帝 時代라는 逆境에서 日人의 敎育을 받았었고 또 學生 時代에

學校 工夫에만 熱中하지 않았던 關係인지는 모르지만 現在에 人生이라는
것을 콩꼬투리만큼이라도 짐작을 하게 되었다고 말할 수 있다면 그것은 역
시 學校 工夫 以外에서 얻은 것이 더 많은 것을 속일 수 없다.

　까닭에 生活中心 敎育을 이미 建設하고 있는 이 지음에 이러한 말을 하면
너무도 어리석은 일일는지 모르나 그러나 우리 敎壇에 서는 사람은 또 한 번
깊이 생각하여 우리 어린이들에게 塵埃에 묻친 俗世를 뚜렷이 알려 줄 것이
며 텁텁하며 매캐한 日常生活에서 굳센 生活力을 터득하도록 공부 시켜야
만 할 것이다.

　이리하여 피도 있고 눈물도 있고 기쁨도 쓰라림도 있는 人生을 몸소 生活
化하게 하며 또 各樣 各色의 것을 답답이 많이 經驗케 하여 周作人의 말마따
나 健全한 人生을 建設하게 하여야만 할 것이다.

　이러한 것을 이렇게 指導하여 주는 것이 우리 敎師의 任務가 아닐가?

(筆者 同德國民學校長)

中國 新文學論[01]

李魯夫

우리가 지내고 있는 『文學常識』은 그 大部分이 日本을 通하여 習得한 英, 佛, 獨 等의 歐羅巴의 先進 諸國의 『文學常識』이다. 리아리즘이니 로맨티즘이니 하는 文藝思潮의 理論은 勿論 作家論, 作品論 같은 것도 거의 全部가 이 歐羅巴의 先進 諸國의 『文學常識』에 依據하여 論議하는 것이 이미 오랫동안 한 개의 慣習으로 되어 버렸다.

그러나 中國의 新文學을 論議하는 데 있어서는 이 慣習에서 버서나서 이때까지의 『文學常識』을 暫間 保留해 두는 것이 爲先 먼저 必要할 것이다. 왜냐하면 中國의 新文學은 在來의 『文學常識』의 尺度만으로는 論斷할 수 없는──이 보다도 더 深刻하고 더 切實한 面이 있기 때문이다. 이 面을 無視하고 아모리 리아리즘論을 展開하고 作家論, 作品論을 느러 놓아야 정작 中國의 新文學은 옳게 보여지지 않을 것이다. 아니 옳게 보여지지 않을 뿐더러 玉石이 混효될 것이다.

端的으로 八年 間의 抗戰期의 文學을 가지고 말하자. 中日戰爭이 勃發하

01 『연합신문』 1949.2.16, 4면.

자 中國의 文學者들은 周作人이와 같은 親日文人 몇々을 除外하고는 모다 北京, 上海를 버리고 香港으로 重慶으로 桂林으로 延安으로 分散하여 巨大한 抗戰의 隊列에 參加하여 祖國을 破滅의 구렁에서 救出하기 爲하여 全力을 다하였다. 詩니 小說을 돌아볼 사이도 없이 祖國의 時急한 要請에 呼應하여 蹶起하였던 것이다.

그들이 歐羅巴의 『文學常識』에 依據하여 詩나 小說을 쓰지 않고 民衆을 啓蒙하여 抗日戰線에 더욱 熱誠을 받이도록 宣傳 비라만 쓰고 壁報만 부치었다고 해서 文學者의 墜落이라고 그들을 辱할 수 있을가? 그들이 담배연기 자옥한 茶房에 모히여 커피—나 마시는 所謂 『文壇』이라는 것을 맨들지 않고 數百里, 數千里 떠러진 벽村에까지 걸어서 돌아 단기며 工作에 從事하였다고 해서 文學의 政治에의 隸屬이라고 그들의 活動을 非離할 수 있을가?

그들은 마치 自己집에 불이 났을 때에 불이야 소리를 질러 洞里 사람들을 모히고 모힌 사람들을 列을 지워 가장 效果的으로 불을 끌 수 있도록 指揮한 것과도 같다. 歐羅巴의 『文學常識』을 가지고 그들을 非難하는 사람들은 그들에게 불이야 소리 代身 활활 타오르는 불꽃과 煙氣를 描寫하라고 要求하는 것과도 같다. 불 끄러 모인 洞里 사람들을 指揮하는 代身에 불을 보고 놀래는 人間性을 探求하려고 主張하는 것과도 같다.

歐羅巴의 『文學常識』에 사로 자피어 있는 사람들은 文學者는 一般 大衆과 함게 現實에 휩쓸리지 말고 一定한 距離를 두어야 하며 冷철한 理性을 가지고 純客觀的인 立場에 서야 한다고 主張한다. 그러나 이것은 담배연기 자옥한 茶房 속에 앉어서 「불」 一般을 머리속에 그리고 있을 때는 或은 容認될 것이나 自己집에 불이 부텃을 때에는 如前히 一種의 넌센스에 不過하다.

兄수가 물에 빠졌을 때에 그 손목을 잡어서라도 끄내는 것이 옳으냐 그르냐는 問題를 孟子가 提起한 일이 있는데 우리는 여기서 이것을 想起할 必要

가 있다. 참된 禮는 이러한 때에는 兄수의 손목을 잡는 데 있지 잡지 안는 데 없는 것과 마찬가지로 참된 文學은 이러한 때에는 所謂『文學』을 抛기하는 데 있지 그것을 固執하는 데 있지 않기 때문이다.

불이야 소리가 文學일 수 있는 나라――아니 불이야 소리만이 文學일 수 있는 나라 그것이 抗戰期의 中國이였다. 宣傳 삐라가 文學이냐 壁報가 文學이냐는 反問은 勿論 있음직한 일이다. 그러나 抗戰 中期의 中國에 있어서는 그것은 文學일 수 있었으며 그것만이 文學일 수 있었던 것이다.

그러나 同時에 이러한 곧고 억센 抗戰文學이 決코 抗戰과 함게 별안간 이루워진 것이 아니라는 事實도 잊어서는 안될 것 같다. 이러한 곧고 억센 抗戰文學은 이미 꽤 오래 前부터 準備되었으며 여기에 다른 누구보다도 功勞가 큰 것이 魯迅이었으며 그러므로 魯迅이가 中日戰爭이 勃發하기 直前에 이미 죽었음에도 不拘하고 戰爭 中에도 또 戰爭 後에도 嚴然하게 中國의 文學界에 君臨하는 理由가 있을 것이다.

이러한 點에서도 五·四運動 以來의 中國의 新文學에 對해서 새로운 認識이 切實히 要請되며 魯迅에 對해서도 새로운 角度에서의 再檢討가 要請되리라고 믿는다.

魯迅 夫人 景宋女史의 프로필[01]

李明善

一九四一年 十二月 十一日 即 日本이 眞珠灣을 爆擊하여 太平洋戰爭을 이르킨 第四日이다. 上海의 『日本憲兵隊總部』에서는 佐々木德正 以下 數十名을 動員하여 魯迅 夫人 景宋女史의 집을 急襲하였다.

이때 景宋女史는 虛弱한 遺兒 海嬰을 다리고 魯迅의 著作──더구나 民國 元年부터 始作하여 죽을 대까지 繼續한 尨大한 日記를 抄하고 있었다. 景宋女史가 上海를 떠나지 않은 理由는 遺兒의 不健康, 魯迅의 藏書 原稿의 保管, 整理 等도 있었지만 또 한 가지는 日本에도 魯迅 崇拜者가 많어 그 未亡人에 對하여는 어느 程度 寬大할 것이라고 親知들도 모다 그렇게 말하고 또 景宋女史 自身도 그렇게 생각하였기 때문이다. 그러나 無道한 侵略者들은 조곰도 寬大하지 않었을 뿐만이 아니라 魯迅의 藏書, 原稿, 書信, 印章 等을 數三 時間을 두고 搜集하여 一大 修羅場을 만든 뒤에 『抗日의 罪名』을 씨우는 데 必要하다고 認定한 것을 커다랗게 두 보퉁이로 싸가지고 景宋女史와 함께 憲兵隊 總部로 끄러갔던 것이다.

---

01 『新女苑』 창간호, 1949.3.

그리고 그날로 峻嚴한 訊問이 始作되었다. 擔當者는 奧谷이라는 憲兵 曹長이다. 『魯迅三十年集』, 魯迅의 日記, 『下[02]海婦女』等의 雜誌, 親知로부터 贈呈받은 著書의 署名이 있는 책들을 物的 證據로서 책상 위에 싸놓고 그 하나하나에 對하여 追窮하여 마지 않았다.

後에 景宋女史가 쓴 『遭難前後』에는 그 仔細한 記錄이 있다. 朝鮮에서도 그러하였지만 所謂 『現地』에 있는 日本 憲兵隊란 囚人을 虐待하고 拷問이 滋甚한 點에서 現世의 地獄이며 大概는 一年이 못되어서 獄死하고 마는 것이다. 그때 日本은 宣戰 布告도 하지 않고 새로 美英과 大戰爭을 이르킨 때인만큼 美人, 英人에 對하여는 徹底하게 調査하고 處斷하겠으나 中國人에 對하여는 從來의 『抗日分子』일지라도 寬容하겠다고 宣言하였음에도 不拘하고 監房 內의 待遇도 取調室에서의 取調 方法도 美人, 英人에 比하여 一般 中國人에 對하여 훨신 殘忍하여 (이하 4~5자 정도 원문 누락) 을 만치[03] 살려 놓았었다.

景宋女史는 같은 監房에 들어 있는 經驗者로부터

『가장 重要한 일은 前後의 口述이 一致한다는 것이다.』라는 말을 最大의 敎訓으로 하여 빈틈없는 答辯을 해나가며 拷問이 滋甚하여 生理的으로 견데지 못할 대에는

『自己를 犧牲하여 他人을 保全하고 個人을 犧牲하여 團體를 保全하자』는 말을 宗敎 信者들이 經典을 외우드시 마음속으로 외웠던 것이다. 나종에는 그여히 電氣 拷問까지 하여——受刑者의 動靜을 보아 그가 忍耐할 수 있는 最大 限度까지 電氣를 通하였다가는 暫間 멈추고 또 족처서 시언치 않으면 다시 電氣를 通하고 원 終日 十餘次를 繼續하였다. 全身에 제절로 痙攣이

---

02 '上'의 오식이다.

03 문맥상 '죽지 않을 만치'로 짐작된다.

이러나고 五臟六腑가 全部 뒤집히어 버리는 것 같아서 꼽박 까물어치었다가는 깨나고 하였다.

일찌기 魯迅은 國民黨의 酷刑에 抗議하여 文明의 利器도 中國에 들어오면 그 用途를 달리하여 電氣같은 것도 外國에서는 産業을 振興시키고 生活을 便利케 하는 데 利用되지만 中國에서는 拷問하는 데만 利用되고 있다고 말한 일이 있었지만 바로 그의 夫人이 日本의 憲兵에 依하여 그 지긋지긋한 電氣 拷問을 받을 줄이야!

證據物로 押收해다 놓은 雜誌 中에는 景宋女史 自身이 쓴 抗日의 文字도 더러 있었으나 多幸히도 民國 二十八年 以前에 쓴 것이다. 法的으로 罪가 成立하지 못하였고 其他의 것은 거의 全部가 魯迅의 所藏이요, 魯迅의 著作이다. 自己는 잘 모르겠다고 내밀었다. 自己는 어데까지나 一個의 平凡한 家庭婦人에 不過하다고 내밀었다. 때려도 얼려도 구실러도 때로는 文字化하기조차 챙피한 方法으로 侮辱을 加하여도 이렇게만 내밀었다. 나종에 종이와 펜을 갖다 놓고 感想을 쓰라고 하였을 때도 마지못하여 그저 簡單하게 빨리 自由를 回復하여 어린아이를 보게 하여 달라고만 썼다.

이러한 獄中 鬪爭이 꼭 두 달半 繼續되었다. 殘忍無道한 日本의 憲兵의 힘으로도 電氣 拷問으로 그의 身體의 構造에 打擊을 주어 關節이 절리어 出獄 後까지 步行이 不自由하게는 만들 수 있었으나 단 한 가지의 罪名도 뒤집어 씌울 수가 없었으며 하물며 그를 通하여 여러 雜誌社의 內容이나 文化團體의 組織關係에 이르러서는 아무 端緒도 잡을 수 없었다.

景宋女史 被檢의 消息이 한번 傳하여지자 許多한 그의 親知가 急하게 避身하고 여러 가지 事情으로 避身할 수 없는 사람들은 언제 自己의 本身이 脫露될는지 알 수 없는 不安 焦燥의 하루를 보내다가 無事 釋放의 消息을 듣고

서 모다 비로서 安心하였다. 數百 數千의 抗日戰爭의 有能한 文化人들의 生命과 安全이 實로 景宋女史가 拷問에 견데느냐 못 견데느냐에 달렸던 것이다. 그러므로 景宋女史가 지긋지긋한 拷問을 이기고 無事 釋放된 것을 鄭振鐸이가 『遭難前後』 序에서 『勝利』라고 말한 것은 誇張도 아무것도 아니다. 抗日戰爭의 한 개의 偉大한 勝利에 틀림없었다.

그동안 어린아이 海嬰은 周建人(魯迅의 둘째 동생)의 집에서 無事히 學校를 단이고 있었다. 前에 幼稚園에 단길 대에는 家長인 魯迅의 일홈만 裕齋라고 變名하였었는데 이번에는 그것을 다시 또 松濤라고 變하고 어린아이의 일홈까지도 變해 있었다.

景宋女史가 歸家하여 第一着으로 한 일은 책을 태운다는 일이었다. 먼저 憲兵隊가 搜索한 外에도 三層에 大量의 圖書가 保管되어 있었는데 다시 또 搜索받을 念慮가 있으므로 우연만한 것은 全部 불살러 버렸다. 이것은 魯迅을 爲하여는 同時에 또 中國文化를 爲하여는 참으로 不各償의 莫大한 損失이라고 하지 않을 수 없다. 焚書는 秦始皇 時節의 故事에만 나오는 것이 아니다. 現代에도 파씨스트에 依하여 훨신 大規模로 훨신 巧妙하게 實施되는 것이다.

景宋女史는 元來 中國革命의 策源地 廣東 사람으로 北京女子師範大學 出身인데 魯迅이 이 學校에 講師로 出講하였었으므로 서로 알게 된 것이며 말하자면 師弟之間이었다. 魯迅은 自己의 私生活에 對하여 쓴 글이 퍽 적으며 더구나 文壇에 나슨 以後의 生活에 對하여는 말하지 않았다. 둘 사이에 交換된 書信을 모아 맨든 『兩地書』라는 책을 보아도 所謂 로맨쓰라고 할만한 것은 단 한 句節도 發見할 수 없다. 그들의 生活이 所謂 私生活이라는 것이 介在할 餘地가 없을 만큼 社會生活化해 버린 때문일 것이다. 그대 北京서는 日本의 앞재비 段祺瑞 政權, 張作霖 政權에 抗拒하여 이러난 學生運動이 最高潮에 達하였었으며 이 일 때문에 둘이 자주 만나게 되고 親近하게 되었던 것으로 그들의 夫婦生活은 곧 이것을 그대로 延長시킨 데 不過하였다. 北京에서 追放되어 廈門, 廣東을 거치어 上海에 이르러 正式으로 家庭을 이루었는데 國民黨이 魯迅한테 나린 逮捕令은 그가 죽을 대까지 徹回되지 않았으며 新聞, 雜誌에 發表된 그의 大部分의 글은 數十個의 變名으로서만 發表할 수 있었으며 筆跡을 감추기 爲하여 景宋女史가 原稿를 다시 한 번 베끼어내는 수가 밖에 없었다. 그들의 生活은 언제나 半地下 生活 때로는 完全한 地下 生活이 强要되었으며 生命의 危險은 늘 있었다. 이러한 緊張과 不安 속에서 어떻게 로맨쓰를 云云할 수 있을가 보냐! 같은 抗日戰線에서도 宋美齡女史와 같이 美國까지 건너가 議會에서 熱辯을 吐하여 聽衆을 울리고 世界的으로 人氣를 높이는 華麗한 生活도 있었지만 景宋女史와 같이 默默히 自己의 자리를 死守하여 文字 그대로 肉彈으로 日帝와 싸운 苦難의 生活도 있었던 것이다. 아니 中國의 絶對 多數의 人民은 이러한 苦難의 生活을 八年間 繼續하였으며 能히 이 試鍊에 견대어 내어 最後의 勝利를 獲得하였던 것이다.

中國의 內戰이 아주 決定的 段階로 突入한 오늘날 宋美齡女史와 景宋女史가 將次 어떠한 길을 걸어 갈 것인지 比較해 보는 것은 確實히 興味 以上의 關心事일 것이다.

(一九四九·一·二○)

中國 新文學의 理念[01]

丁來東

一九一七年 以後의 中國 新文學運動은 主로 그 目的이 國語文學 樹立에 있었고 따라서 中國 國語統一運動에 있었으며 文言文學을 反對한 데 그 主力을 傾注하였었다. 그래서 胡適의 新文學運動의 主點은 그 「八不」 主張에 明示한 바와 같이 難澁한 中國 古文學의 弊害를 除去하고 貴族文學을 反對하며 平易한 語體文學으로서 代替하자는 데 있었든 것이다. 이 運動에 있어서 多少의 波瀾曲折은 있었으나 大體로 본다면 그 所期의 目的을 成就하였다고 볼 수 있다. 胡適氏가 『建設的文學革命論』에서 말한 『國語의 文學, 文學의 國語』는 約 十五年 間에 成功하였든 것이다.

또 同 運動의 急先鋒으로 나섯든 陳獨秀氏가 그의 『文學革命論』에서 主唱하였든 三大主義 即

一. 彫琢的이고 阿諛的인 貴族文學을 打倒하고, 平易하고 抒情的인 國民文學을 建設할 것.

二. 陳腐的이고 鋪張的인 古典文學을 打倒하고, 新鮮하고 誠實한 寫實文

01　『白民』 제5권 제3호, 1949.6.

學을 建設할 것.

三. 迂晦하고 難澁한 山林文學을 打倒하고 明瞭하고 通俗的인 社會文學
　을 建設할 것.

等도 完全히 成就되었다고 볼 수 있다.

五四運動 以後 文學革命의 偉業 中『國語統一』은 中國語學 大家 黎錦熙氏의 말을 빌어서 말한다면 二千二百餘年 前 中國『文字統一』을 實行한 秦始皇과 李斯의 事實과도 같으며, 또 二千百餘年 前에 中國의『文體復古』를 實行한 漢武帝와 公孫弘의 事業과 같이 歷史上에 大書特書할 일이다. 秦始皇, 漢武帝의 上記 功績은 六國을 倂呑하고 南海, 桂林, 象郡을 設置한 것이나 西南夷를 通하야 西域에 通한 事業에 比하야 더 큰 偉業이며 近年에 文學革命運動은『五四運動』,『打倒帝國主義』等等에 比하야도 그 關係가 더 重大하다고 말할 수 있다.

中國에서는 이와 같이 그 偉大한 事業은 成就하였으나 先進 諸國에서 問題된 文學上 諸 潮流는 끈일 날이 없이 그 論戰이 繼續되었다.

그 中 가장 큰 論戰의 한 가지를 든다면 藝術은 藝術을 爲한 藝術이냐, 人生을 爲한 藝術이냐 한 問題이었다. 이 問題는 歐米 諸國 文壇에서만 問題된 것이 않이요, 中國에서도 今日에 와서 새삼스럽게 問題된 問題는 않이다. 中國 最初의 詩歌인 詩經, 楚辭의 時代부터 있던 問題다. 곧 다시 말하자면 詩經 序에 있는『詩言志』와 漢代의 文藝批評家 揚雄의『文以載道』란 말에서부터 갈린 問題다. 이 問題를 文學革命 當時의 評論家는 어떻게 보고 있는가?

우리는 이 問題에 關하야 周作人과 郭沫若의 說을 代表的으로 들 수 있다.

몬저 周作人의 主張을 들면 아래와 같다.

　『……나의 新文學에 對한 要求를 말하자면 아래와 같다. 過去

의 技術에 對한 主張을 보면 大槪 兩大派로 分別할 수 있다. 一은 藝術派, 一은 人生派다. 藝術派의 主張은 藝術은 獨立의 價値가 있으므로 實用과 關係할 必要가 없이 一切 功利를 超越하고 存在할 수가 있다. 藝術家의 全 心血은 純粹한 藝術品을 製作한 데 있으면 그만이다. 例를 들면 景泰藍(明代 左藝師)이나 或은 彫刻의 工人이 가장 美麗 精巧한 美術品을 製造하면 그의 職務는 끝이 난다. 他人에게 무슨 用處가 있는가는 그에게 相關이 없다. 이러한 態度는 많은 學問이 進步한 큰 原因이 되었다. 그러나 文藝上에 있어 技工을 重히 하고 情思를 輕히 하면 自己 表現의 目的을 妨礙하여서 甚至於는 人生이 藝術을 爲하야 存在한 것 같으므로 妥當치 않다.

人生派는 말하기를 藝術은 人生과 關係가 있어야 하므로 人生과 關係를 離脫한 藝術은 承認할 수가 없다. 이 派의 弊害는 功利 方面으로 흐르기가 쉬워서 文藝를 倫理의 工具로 써서 一種 壇上의 說敎로 變하기가 쉽다. 正當하게 解說한다면 文藝로 竟究 目的을 삼아야 할 것이다. 그러나 文藝는 應當 著者의 情思와 人生의 接觸을 通過하여야 한다. 말을 바꾸어서 말하자면 著者는 藝術의 方法으로써 그가 人生에 對한 情思를 表現하야 讀者로 하여금 藝術의 亨樂과 人生의 解釋을 얻게 하는 것이다. 이렇게 말하고 보면 우리가 要求한 것은 사람의 藝術派의 文學일 것이다.……우리는 이 兩派 中에서 人生의 藝術派를 取하게 된다.

人生의 文學은 어떠한 것인가? 나의 意見에 依하면 二項으로 난우워서 說明할 수가 있다.

一. 이 文學은 人性의 것이요, 獸性이나 神性의 것이 않이다.

二. 이 文學은 人類의 것이며 個人의 것이요, 決코 種族의 것
이거나 國家의 것이거나 鄕土 及 家族의 것이 않이다.』[02]

周氏는 古代의 集團藝術과 近代의 人類의 文學을 아래와 같이 說明하였다.

『古代의 人類의 文學이 階級의 文學으로 變하고 그 後로 階級
의 範圍가 漸漸 없어지고 個人의 文學으로 歸結되었으며 이것
이 곧 現代的 人類의 文學이다.…나는 人類의 一이요, 내가 幸
福을 要하려면 몬저 人類를 幸福스럽게 하여야 그때 비로소
나의 幸福이 있는 것이다. 一步를 나아가서 말하면 나는 곧 人
類라는 結論에 이르게 된다. 그러므로 個人과 人類의 二重 特
色은 서로 衝突하지 않을 뿐만 않이라 도리혀 相成하게 되는
것이다.

이 新時代의 文學家는 『偶像破壞者』다. 그러나 그는 또 그의
新宗敎가 있다. 人道主義의 理想은 그의 信仰이요, 人類의 意
志는 곧 그의 神이다.』[03]

以上으로써 우리는 周作人의 新文學의 理念을 엿볼 수가 있으며 氏의 文
學觀을 了解할 수가 있다.

---

02 周作人, 「新文學的要求」(1920년 1월 6일 北京少年會에서 한 연설), 『点滴』(下冊), 北京: 北京大學
出版部, 1920.8.

03 위와 같음.

郭沫若은 文藝上의 이 兩大 派別에 對하야 아래와 같이 말하였다.

『어떤 사람은 文藝는 곧 目的이 있다. 이것은 文藝가 發生한
後 必然한 事實이다. 藝術를 爲한 藝術과 人生을 爲한 藝術,
이 兩大 派別은 여러분이 아다싶이 퍽으나 顯著한 論爭이다.
그러나 그 實은 藝術의 本身과 効果上의 問題에 不過하다. 例
를 들면 큰 나무는 그 本身으로 말하면 사람이 器具를 만들기
爲하야 生長한 것은 않이다. 그러나 우리는 適當한 器物을 製
造할 수가 있다. 科學도 亦是 이렇다. 自然科學으로 말하면 純
粹 科學의 硏究는 客觀的 眞理를 探求한 데 있다. 人類가 應用
하지 않는다 하드래도 그 硏究한 眞理는 依然히 存在하여 있
는 것이다.
藝術이 人類에 對한 貢獻은 퍽으나 偉大하다.…』[04]

以上 周郭 兩氏의 藝術上 見解를 보면 그 論點은 各各 다르나 文藝上 兩
大 派別에 絶對的 主張은 없으나 周氏는 人類의 文學, 個人의 文學을 主張하
고 郭氏는 文藝의 主體와 効用을 區分하야 論하였으나 다 같이 『人生의 文
學』에 主點을 둔 것으로 보면 中國文學史上에서 論爭하여 오든 『文以載道』
의 範疇를 버서났다고 볼 수가 없다.

中國 新文學이 始初부터 目的性이 있었고 또 十九世紀 以後의 世界文學
潮流가 人類社會에 그 重點을 둔만큼 中國 新文學도 그 範圍를 버서나지 못
하였든 것이다.

---

04   郭沫若, 「文藝之社會的使命 - 在上海大學講」, 『文學』(『民國日報』 副刊) 제3기, 1925.5.18.

中國의 文學革命이 있은 後 不過 幾年하야 擡頭한 프로테타리아文學과 民族文學도 그 目的이 各各 階級과 民族에 있었으므로 이 또한 『文以載道』의 文學論에서 徘徊한 것으로 볼 수 있다. 周氏의 理論에 依하면 『文以載道』와 文學評論이 橫行할 때에는 偉大한 作品이 나오지 않고 政治가 混亂하고 社會에 秩序가 없고 自由思想이 澎漲할 때에야 비로소 文學作品은 優秀한 것이 있다고 하였다. 그래서 周氏는 沈啓无[05]氏의 『近代散文鈔』 序에서 아래와 같은 意見을 말한 것이 곧 中國 新文學史上에나 其他 國의 文學變遷史上에도 適用될 것으로 筆者는 믿는 바이다.

> 『朝廷이 强盛하고 政敎가 統一된 時代에는 載道主義가 一定코 勢力을 佔有케 되므로 文學이 大盛하야서 平伯氏가 말한 것과 같이 『크고 높고 바른 것이다』. 그러나 이것은 大部分이 다 한 무더기 쓰레기이어서 읽으면 昏眛하여서 잠이 오는 것들이요, 頹廢 時代가 되어서 皇帝, 祖師 等等 要人이 그리 큰 力量이 없고 處士가 橫議를 하고 百家가 各各 異論을 主張하고 正統派는 人心이 不古한 것을 大歎하게 된다. 그러나 우리는 많은 新思想, 좋은 文章이 다 이 時代에 發生한 것을 알 수가 있다. 이것은 自然히 우리는 詩言志派이기 때문이다. 小品文은 個人文學의 尖端에 서서 言志하는 散文이다. 小品文은 叙事, 說理, 抒情의 分子를 集合하여서 自己의 性情에 浸透하야 適當한 手法으로 調理한 것이다.……』[06]

---

05 '沈啓无'의 잘못이다.

06 沈啓无 編, 『近代散文抄』(上), 北平人文書店, 1932.9.

氏는 個人과 人類는 同一한 것이라는 說을 主張하고 理論에 있어서『詩言志』를 主張하면서『文以載道』의 範疇 안에 있으면서도 亦是 純粹한 載道主義는 反對한 것을 알 수가 있다.

이러므로 民族主義文學이나 國家主義文學을 主張하드래도『言志』에 主要한 目標를 두지 않으면 文學行動에 있어서는 失敗한다는 것을 文藝思潮史上으로 證明할 수가 있는 것이다. 過去의 左翼文學이 큰 進展이 없는 것도 이에 基因한 것으로 볼 수가 있다.

中國의 二大文豪 - 郭沫若과 茅盾의 性格[01]

저자 미상

중국 근시의 三대문호(文豪)라고 하면 누구나 이론 없이 魯迅, 郭매若, 모盾의 三인을 지적한다. 『阿Q正傳』의 저자 魯迅은 이미 고인이며 소위 魯迅 시대는 지났다. 중국의 가장 우울한 시대를 상증하는 작가이며 신중국의 새 싹이 서리를 마저 고생을 한 시기를 대표한다. 이에 반하여 魯迅 시대를 후게 하는 郭매若[02], 모盾 시대는 명랑하다. 이 두 작가는 거번의 신정치협상회의 준비공작에 참가하였다. 진보적 문학자가 직접 정치행동에 참여하게 되였다는 것은 魯迅 시대와는 상당히 큰 시대의 변화를 표시하는 것이다. 郭매若의 특장은 강개 비가적에서 우국의 지사를 상기시킨다. 정게 전장에 투신하여 유랑 곤궁의 파란만장을 체험하였다. 연애 결혼 六개월만에 바다에서 자살을 기도하다가 생명만은 건지고 저술한 것이 극작 『劇原[03]』이나 이것이 郭의 사생활인 동시에 문인생활이라고 하면 돌연 장개석씨의 면전에 나타

나서 경고하는 것이 郭의 정치생활이다. 蔣씨에 불만을 느껴서 지금은 중공 측으로 갔다. 본질적으로는 낭만파이며 시인적이나 잠시도 국사를 망각하지 않는다. 郭매若을 하기(夏季)의 폭포, 동기(冬季)의 표풍이라고 하면 모盾은 춘풍태탕의 호수이며 위대한 평범인이라고 하여도 좋을 것이다. 담담한 불란서 문학도 맛보는 것 같은 그의 작품은 기실에 있어서 분골쇄신의 결정이다. 郭매若 一사千리로 一주일 동안에 장편의 사극(史劇)을 써내는 것과는 전연 그 수법이 다르다. 하로에 기꿋하여야 五백자 내지 一천자 쓰는 꼼々쟁이라고 하며 부인도 한 번 얻으면 한평생 절대로 리혼해서는 안된다고 한다. 郭의 대표작은 『女神』, 『屈原』이라고 하면 矛盾의 걸작은 『子夜』와 『腐蝕』이다. 이렇게 성격이 다른 두 작가가 신정치협상의회를 어떻게 요리할 것인가 그러한 우려는 필요 없다. 웨 그러냐 하면 료리인 중공이며 두 사람은 조수에 불과하기 때문이다.

【東京時事 發 共立】

現代 中國 作家論[01]

尹永春

(一)[02]

中國 新文學(白話文學)의 年조로 말하면 우리보다 오히려 얕다고 볼 수 있으나 散文學의 長足의 發展은 퍽으나 앞선 감을 준다. 古典文學으로 世界 水準에 優位를 차지하는 감을 주는가 하면 現代文學으로서도 世界的 水準에 가는 作家가 없다고 할 수 없으나 원체 新文學의 年조가 짧으니만치 古典에서처럼은 首位에 간다고는 到底히 할 수 없으나 古典처럼 許久한 歲月을 지나는 동안이면 現代文學도 世界一流의 文學으로 自處할 수 있을 바가 아니라 함은 筆者 한 사람만의 엉뚱한 企待라고는 하지 않으리라 믿는다. 웨냐하면 現役 作家로써 벌서 世界的 名望을 받는 作家도 不少하려니와 보다도 그들 大陸的 持久性과 悠久한 歷史的 傳統과 大愚的 叡知는 詩나 短篇小說에서보다도 長篇小說에 더욱 具格 맞는 條件을 가짐이 아니었을가 믿어지기 때문이다.

編輯 先生으로부터는 現代 中國文壇의 動態에 대한 것을 要請하신 모양

---

01 『協同』제24~26호, 1949.9, 1949.11, 1950.1.

02 매호 연재분 표기로서 3회에 걸쳐 연재되었다.

454 '한국근대문학과 중국' 자료총서 ⓮

이나 아직껏 우리 文壇에 紹介되지 않은 優秀한 作家를 紹介함도 그들 作家的 活動領域으로나 現 中國文壇에 꺼친 바의 文學的 功蹟으로 보아서나 注文 받은 主題와는 별반 큰 差가 있는 상 싶지 않아서 五四運動을 契機하여 中國文壇에 登場한 以來 中堅的 大家의 好評을 받는 몇몇 作家의 作品과 아울러 주체 넘는 筆者의 批判的인 一文을 加해보려 한다.

巴金의 作品

巴金이란 펜넴은 아나키즘의 크로포트킹에서 由來했으니 만치 크로포트킹이나, 휴맨니즘의 톨스토이와도 얼마만한 가까운 距離에 있는 것을 대견스레 짐작할 수 있다. 氏의 姓은 李요, 一九〇五年에 泗[03]川에서 出生했다. 成都에서 어린 時節을 보내고 南京서 공부한 후 一九二六年에 巴里 留學을 했다. 氏의 出世作 長篇小說 「滅亡」은 巴里 在學 時에 쓴 것으로 意外의 好評을 받아 그 후 一躍 文壇에 慧星的 存在로 君臨하였다.

巴里에 있을 때에도 佛文으로 가끔 短文을 發表한 일이 있었으며 本格的인 創作을 비롯하기 전에 그는 번역 文學에 먼저 留意했었고 處女作 「滅亡」을 執筆하기 전에 主로 哲學, 倫理, 心理學 等에 걸쳐 數種의 번역을 시작한 일도 있었다.

巴里 在學 中에 文學的 敎養을 本格的으로 했으려니와 그의 作品을 通하여 主人公들은 대개가 國內에 있는 분이 아니라 異域 生活하는 革命家와 愛國者의 모습을 그린 것들이다.

巴里의 黃昏이 깃드릴 제 氏는 國家墓園으로 발을 옮겨 룻소의 銅像 앞에

---

03 '四'의 오식이다.

이르러서는 손으로 싸늘한 石座를 마치 오랜 옛 벗의 살결을 어루만지는 듯, 머리를 들고 손에 冊과 草帽를 들고 엄연히 서있는 巨人을 볼 때는 일직이 톨스토이가 「十八世紀의 全世界의 良心」이라고 한 思想家의 앞에 머리 숙으린 巴金의 앞에는 非良心, 非合理, 悲痛, 苦悶은 잠깐 살아졌을 것이다. 그의 虛無主義的 個人主義는 룻소의 銅像 앞에 설 때 斷然 빛을 發하는 듯도 했고 따라 革命이라야만 個人의 理想을 完成할 수 있으리라는 確念을 가지는 同時에 下層 勞動者와 無意識 大衆에게로 向發하는 同情心은 더 强烈했던 것이다. 聖母院에서 그윽히 들려오는 鐘소리를 들을 때는 上海에서 살던 過去 生活의 片貌가 떠오르며 苦鬪하는 벗들과 過去의 愛와 恨, 슬픔과 기쁨, 괴롬과 同情, 希望과 忍耐 等이 머리에 떠올라 칼로 어이는 듯 아프기도 하고 꺼지지 않는 불길은 가슴속에 그냥 타오르는 것만 같았다. 외로운 靑年의 마음을 慰安하여 드리고도 싶어 그의 생활 경험에서 추려내여 고요한 聖母院의 鐘소리를 들으며 쓰기 시작한 것이 「滅亡」의 前篇이다. 그는 크로포트킹의 著를 많이 읽었고 더욱히 倫理學의 起源과 發展은 感銘된 바 많아서 번역까지 했었고 풀라토, 아리스토톨의 著도 勿論이려니와 틈 있는 대로 다른 冊보다도 聖經을 熟讀한 것이다. 「滅亡」이 脫稿된 후에 그는 自費로 國內에서 出版해볼가 했으나 經費 關係로 주저하는 가운데 國內에 있는 어떤 친구가 자기가 알선하겠노라 해서 그에게 依託해 버려둔 채 一九二九年에 上海에 돌아왔을 때는 滅亡은 小說月報에 실리기로 豫告가 났었고 스피노자·쏘펜하우엘·칸트 같은 哲學者의 著를 번역키로 되어 小說에는 붓을 돌릴 餘暇가 없었다. 그러나 그는 그냥 小說 쓰기를 게을리 하지 않고 그 다음해에는 「죽어가는 太陽」과 短篇으로는 「房東太太」를 썼다. 그 후 뒤이어 「復仇」와 「不幸한 사람」, 「亡命」, 「愛의 摧殘」 等의 許多한 小說을 썼다. 「亡命」과 「亞麗安娜」는 巴里에 亡命해온 분들의 苦痛을 主題로 한 것이며 亞麗安娜는 國際大會의 事件에 關連있었다고 해서 佛蘭西 政府로부터 驅逐을 당하여 巴里

를 떠나는 波蘭 女子 革命家의 勇敢한 모습을 그린 것이다. 그 후에 그냥 上海에 있어서 作家 生活을 繼續하여 二十餘萬字의 長篇小說 「激流」와 八九萬字의 新生(滅亡의 續篇)과 中篇小說 「霧」와 其他 短篇小說을 十餘篇 썼다.

一九三二年에 上海에 戰火가 일어나자 短篇小說 「바다의 꿈」을 쓰던 중 南京에서 上海에 돌아와 본즉 閘北戰이 激烈했던 것이다. 이렇게 東奔西走하며 「바다의 꿈」을 脫稿하고 南方 여행을 하는 중에 精神異狀이 생긴 少女의 얼굴에 가을 웃음이 떠도는 것을 보고 「春日中의 秋日[04]」을 쓴 것이다.

當時 그의 親知 한 사람이 材料를 提供해 주어서 「沙丁」이라는 小說을 썼다. 이도 現地 視察까지 한 후에 쓴 것만은 사실이다. 戰火가 날로 甚해가고 日帝에 追從하는 文人도 있었으나 巴金은 堅志에서 悲慘한 戰火 中일망정 밝아올 將來를 믿고 있었던 것이다. 戰火가 심한 가운데서 希望과 精力을 잃지 않고 創作에 精進하여 長篇小說 「雨」의 續稿도 끝내고 短篇 「電椅」는 靑島 어느 친구의 집에 가 있으면서 쓴 것이고 北平에 돌아와 기침을 심하게 하는 肺病 患者와 同居하며 기침소리에 靈感을 받은 듯 「靈魂의 呼號」를 그 때에 쓴 것이다. 北方 旅行을 끝내고 短篇 「將軍」과 長篇 「萌芽」를 脫稿하고 廣東, 福建 旅行을 끝내고 「旅途隨筆」을 쓴 것이다. 長篇 「萌芽」에는 作者의 經驗이 적지 않게 들어갔다. 一九三一年에 作者는 石炭礦에 가서 손님 생활을 하며 實地로 炭礦 內部의 生活을 알게 되었다. 바로 그가 이 炭礦에 到着하기 一個月 前에 礦內에서 爆發事件이 일어나 十五人이 치어 죽은 事實을 알고 더 머물러서 炭礦 內部生活을 細密히 그린 것이다.

이 밖에도 長篇小說로는 「家」가 있는데 벌서 影畵化되었다. 아까도 말했거니와 「滅亡」은 어떤 革命家가 孫傳芳의 戒嚴司令에게 죽는 面을 그린 作

---

04 중국어 원제는 '春天裏的秋天'이다.

이다. 그는 언제나 不幸한 사람의 편에 섰다. 滅亡보다 그 후 나온 「죽어가는 太陽」은 技巧나 全體 構想이 훨씬 나았다는 評이 있다 하는 「太陽」은 個人主義的 色彩가 濃厚한 作이며 톨스토이의 文句를 引用한 句節이 차라리 中心思想으로 表現한 바 아닌가도 생각된다.

> 「사랑, 저 잠겨드는 태양을 사랑하고 싶다. 저 무섭고도 위대한 태양이 한 나절을 붉게 물드렸을 때 그때 벌서 하늘에는 黃昏의 奇蹟이 비롯했지요. 사랑 저 죽어가는 태양을 사랑하고 싶고 저 상채기가 난 죽어가는 獅子를 사랑하고 싶으니 獅子가 죽기 전에 怒吼하여 먼데 駝鳥는 무서워서 머리를 모래 속에 파묻으며 鰐魚도 흥분된 듯 입을 벌린다.」

革命은 嚴肅하나 犧牲을 要하는 것이며 犧牲에는 榮光이 따르는 것이다. 아까도 말했거니와 中國作家로 歐洲 風土를 背景으로 해서 쓴 作家는 이 분이 처음일 것이다. 더욱이 短篇에 그러하다. 敍述體로 썼고 感想的 悲哀的인 것이 많았으며 在來의 傳說과 民間 史話를 가끔 作品에 넣었으며 甚至於 옛 이야기 속에 이야기를 집어넣는 경우도 많았다. 實際 있는 事實을 小說化한 것도 많으며 언제나 讀者에게 무거운 實感을 주는 것이다.

矛[05]盾과 時代性

本名은 沈氷雁이며 茅盾은 筆名이다. 一八九六年에 浙江省 桐鄕에서 出

---

05 '茅盾'의 오식이다. 아래도 마찬가지다.

生했으며 初期에는 번역과 批評에 注力했으나 一九二六年 以來 中國革命運動에 참가했고 五四運動 以後로는 新文學運動의 人氣作家로 君臨했다.

鄭振鐸, 周作人 等과 文學硏究會를 組織하고 小說月報를 文學硏究會에서 編輯케 되자 矛盾은 그 主幹으로 있었고 大學 敎鞭을 잡은 일도 있다. 그의 作으로서는 三部面이 제일 有名하니 즉 幻滅, 動搖, 追求이다. 그의 創作期로 말하면 新興文學 初期였었으나 그의 意識은 新興階級的 意識은 아니었고 풋내기 革命的 小資本階級이 革命에 대하여 幻滅과 動搖가 일어나는 것을 描寫한 데 있는 것이다. 當時의 作家들은 一身上의 道德的 觀念이나 家庭的 要素를 內包할 創作에 着眼했으나 이 作家는 時代的 精神을 多分히 反映시켰다고 볼 수 있다.

幻滅은 當時 小資本階級의 心理的 變遷過程을 如實히 表現시킨 問題作으로 主人公인 靜이란 여자는 當時 女性의 性格을 典型的으로 表現시켰다고 볼 수 있다.

動搖는 一九二七年 十一月부터 十二月 初까지에 쓴 것이다. 中國靑年 革命 過程의 激烈한 動搖를 그려낸 것이다. 描寫한 時代的 人物이나 投機分子들의 醜貌는 當時 社會相을 如實히 暴露시킨 것이다.

一九二七年은 確實히 中國 革命運動이 變化를 이르켜 革命運動 그 自體가 퍽으나 難關에 부닥쳐 있었다. 左翼에서는 傳統的 在來 風習을 打破하는 反面에 右翼에서는 報復的 手段으로 亂打가 버려진 판국이었다. 이 時期에 있어서 動搖될 것은 當然한 일이었다. 이 作家는 戀愛를 通하여 動搖되는 群像을 그리는 同時에 完全한 革命이라야만 完全한 革命者를 낸다는 結論을 내리게 된 것이다.

追求는 一九二八年 四月부터 六月까지에 쓴 것으로 中國靑年의 革命 第三期 過程을 描寫한 것이니 卽 動搖 後 새로운 것을 追求함을 表示한 것이다. 主要人物 그도 男女 세 쌍으로 配置하였다. 幻滅의 끝에는 暗黑, 動搖의 끝에도 暗黑, 追求의 끝에도 暗黑이다. 追求에 있어서의 클라이막쓰는 動搖나 幻滅에 있어서 보다도 弱하다. 心理的 描寫와 分析은 動搖가 퍽이나 精密하였고 더욱이 異性 間의 戀愛 心理 狀態를 如實히 그렸다고 볼 수 있다. 追求에서 決定的인 一面을 紹介한다면

「그들은 어떠한 것을 追求하려고 노력하는 것이며 그들은 각각 동경을 가졌으나 모다 실패하고 말았다. 그들의 개성과 사상은 모다 같지 않다. 똑 같은 것이란 실패뿐이다.……그들 실패한 이들은 제가끔 몹시 공상을 하며 머리를 너무 높게 쳐들었기에 하늘가 아롱진 놀을 볼 수 있을망정 발밑에 함정이 있는 것을 깨닫지 못했다.」

「野薔薇」는 「牯嶺에서 東京까지」를 발표한 후 七個月만에 完成한 作이다.

「將來를 信賴할 줄 아는 사람은 복되며 반드시 찬미를 받아야할 것이다. 그러나 歷史的 必然을 自己 自身의 幸福된 豫約券으로 하지 말도록 해야 할 것이며 또 이 豫約券을 無制限으로 팔아서도 안 될 것이다. 진정한 認識 없이 豫約券 빙쟈하여 약침(嗎啡針)으로 하는 社會的 活力은 모래 우에 樓閣이며 그 결과는 必然的인 실패에 돌아가고 말 것이다.」

이 한편에서 그의 創作的 哲學을 알 수 있는 것이다. 그의 創作은 過去에

대해서는 感傷的이거나 未來에 대해서는 誇張的이거나 하는 빛은 없이 오로지 現實을 凝視하고 現實을 分析하며 추잡한 現實을 克服하려고 한 것이다.

張資平의 戀愛小說

氏는 主로 연애小說을 쓴 作家이다. 一九二一——一九二八年代의 小說은 過去에 屬한다고 볼 수 있으나 그 후의 作品은 轉換한 후의 것을 볼 수 있다. 以前 것은 三角연애였었고 그 후의 것은 三角以上 多角的인 것이었다고 볼 수 있다. 初期의 作은 五四運動 直後의 것으로 女性解放運動이 일어난 當時의 實況을 作品으로 再現시켰다고 볼 수 있다. 當時의 女性解放運動이란 半封建的인 面이 없을 수 없었으며 作品에 나오는 女性들도 대개가 그러하였다. 이 같은 人物은 그의 作 「苔莉」의 克歐의 行動에서 볼 수 있었다. 「最後의 幸福」의 主人公 阿瑛에게서도 볼 수 있으나 阿瑛은 克歐보다 勇敢한 主動的 行動으로 뵈여 주었기 때문에 男主人公은 도리혀 卑怯한 꼴을 뵈여 주지 않았는가 의심스러우며 男女 主人公들은 殘餘의 舊式 生活制度를 벗어나지 못한 것만은 사실이다. 그의 戀愛觀은 때로는 靈肉의 衝突을 이르킨 적도 있었으나 靈보다도 肉에 가까웠으며 閑人의 享樂的인 感은 줄망정 戀愛의 새론 哲學的 理念은 없었다.

描寫의 手法과 技巧은 成熟되며 當代 中國 文人으로 性愛의 心理的 描寫를 이 作家에게 匹敵할만한 분이 없었다 해도 過言이 아니며 「苔莉」과 「最後의 幸福」은 이 點에 있어서 더욱 좋았다. 아까도 말했거니와 거의 作家的 立場을 말한다면 轉換期 前에는 舊式 思想에 立脚한 小資本 知識層의 生活을 客觀的으로 戀愛事件을 通하여 表現했다고 볼 수 있다. 戀愛小說로는 最後의 幸福이 가장 優秀하였다. 그 內容은 封建的 思想에서 解放해 나온 女性의

性的 煩悶과 生理와 心理面에서 展開되는 갈등과 고민을 잘 表現했다고 볼
수 있다. 苔莉는 具體的으로 封建思想을 代表하여 解放해 나온 小資本 知識
階級의 戀愛 問題로 일어나는 心理的 衝突을 描寫한 것이다. 轉換 後의 張氏
는 革命 時代의 背景을 把握한 채 特히 靑年 革命家의 모습을 그리려고 힘쓴
것이다. 아무튼 그의 創作的 技巧는 自然主義的 技巧에 適合했다. 그러나 長
短篇을 通하여 千遍一律的으로 되지 않은 것 없었으니 長篇에 있어서 「愛力
圈外」, 「愛의 濁流」, 「紅霧」, 「天孫之女」, 「明珠와 黑炭」, 「群星亂飛」, 「軌道를
떠난 星球」, 「上帝의 子女들」 等의 多量의 作品은 거의 一律的 技巧와 手法
으로 이루워지고 말았다. 이것이 그의 缺陷이라고 볼 수 있다. 作品에 나오는
女性 主人公들은 肉感的 多角戀愛에서 結局은 厭世 自殺을 꾀한다던가 主婦
가 男子 하인과 가치 자는 場面이나 男主人이 下女와 사랑을 속삭이는 장면
은 추악한 꼴에 지나지 않았다. 그렇다고 해서 그 사랑이 熱烈했다 해도 괴테
의 베르테르나 모파상의 肉感的인 그야말로 深刻한 苦悶을 □은 듯한 무엇
을 뵈여 주지는 못했다. 연애 萬能主義로 自處해도 過言 아닐 상 싶게 作中
人物의 居處는 公園, 森林, 여관 等인 것이 눈에 띄었다. 後期에 와서 思想的
變動은 없었으나 社會性을 띤 作品을 썼으나 썩 시월치 않은 채로 그에게는
讀者가 많았으며 初期의 新文學運動으로부터 오랜 經歷을 가진 분이다.

葉紹鈞의 溫健한 作品[06]

創作과 쩌나리스트로 文壇에 重鎭的인 役割을 하는 이는 葉紹鈞일 것이

---

06 이 부분 내용은 錢杏邨, 「葉紹鈞的創作的考察」, 『現代中國文學作家』(제2권), 上海泰東書
局, 1930.3을 축약하여 초역한 것이다.

다. 그의 作品은 消極的인 冷靜한 態度에서 事物을 細密히 觀察하였고 美麗한 文章은 讀者로 하여금 그의 作品 雰圍氣 속에 甘醉시키고야 마는 것이다.

그의 處女作 「隔膜」은 靑年層의 好評을 받은 作品이며 그 內容은 一貫的으로 人間이란 로버트에 가까우며 社會와 家庭과 舊制度에 대하여서는 懷疑的 色彩를 가졌다. 中間[07] 新文化運動의 初期에 있어서 生의 覺醒에 生의 懷疑도 없을 수 없었으니 懷疑라고 해서 彷徨하는 것이 아니라 作家 葉氏는 懷疑할만큼 矛盾된 點을 없애려는 데서 苦悶과 悲哀를 느낀 것이다. 當時 中國 文壇에 있어서 靑年作家의 熱情을 多分히 가진 분은 郭沫若이었으며, 頹廢的인 靑年의 心理狀態를 如實히 그린 분은 郁達夫였고 人間 生活의 陰森하면서도 隔膜한 面을 主로 暴露시키는 同時에 社會 諸相에 걸친 懷疑를 解決하려고 한 作家로는 葉紹鈞일 것이다. 그는 現實 社會의 여러 가지 悲哀를 向上的인 光明面으로 導入시키려고 애를 썼다. 그러면서도 그는 그 悲哀와 울기도 하고 사랑으로써 이를 同情해 주기도 하고 사랑으로써 人間과 人間 사이의 距離를 縮少, 接近시키려고 한 것이다. 人間의 本性은 그렇게 乾燥無味하게 생긴 것이 아니라 多趣 多味하게 생긴 것이었었으나 社會 環境과 利害 關係에서 殺伐이 벌어진 것으로 看做한 것이다. 人間의 切迫한 生活面에서 떠나 天眞 平和한 生活을 營爲하는 이는 兒童世界에서만이라고 했다.

아이와 같이 거짓 없는 純眞性이 살아있기 때문에 世界는 維持되어 간다고 했다. 反面에 和樂과 사랑이 없어진 그 裏面의 具體的 原因을 바로 把握하지 못한 채 따라 그 解決策을 뚜렷이 보여주지 못한 채 人氣를 集中했던 「附生物」과 「隔膜」 두 篇에 未備했던 點을 「火災」에 와서 補充해 준 感을 준다. 즉 「火災」 一篇은 벅찬 힘과 情熱에 依하여 生命의 活力을 보여줬으며

躍動하는 生活素에 依하여 險惡한 社會를 救할 수 있다는 自信을 보여준 것이다. 저주와 非難은 그의 作品에서 보기 드물다. 葉氏는 都市 小市民層의 生活을 描寫함에 長技를 보였으며 「潘先生在難中」 一篇은 都市 知識層이 社會에 대한 아무런 意識도 없이 卑劣한 利己主義에서 虛榮을 꿈꾸는 面을 諷刺한 作으로 퍽이나 好評을 받았다. 都市에만 局限한 것이 아니라 農村에도 通할 수 있는 實際的 時事를 取扱한 作品으로 볼 수 있다. 特히 그는 敎育小說과 心理小說에 남다른 筆致로 良心的인 人物을 主人公으로 해서 登場시켰다. 良心的인 人物이 自己 個體를 無視하고 大衆을 위하여 犧牲한다면 人間은 행결 好運에 處할 수 있으리라고 해서 悲運에 우는 人間의 慘狀을 가끔 同情的으로 도아준 것이다. 人間은 로버트와 같다는 見地에서 「隔膜」을 썼고 人間의 孤獨을 「孤獨」과 「歸宿」에서, 人間의 宿命的 煩悶을 「病夫」에서, 經濟에 支配받는 처참한 사람의 生活을 「小病」에서 각각 表現시켜 놓은 것이다. 그들의 이런 社會相의 不滿에서 懷疑하고 더 나아가서는 그 結論을 얻으려고 애썼다. 그 結果는 어떠한가? 哲學이 그들의 病症을 解決지어 주지 못했으며 그들은 依然히 무엇이 生命이며 무엇이 生命인지를 解決짓지 못하고 마는 것이다. 그리고 人間 生活의 非安協的, 不自然한 面을 또 다시 「寒曉의 琴歌」와 「雲翳」에서 表現해 놓았다. 非協調的인 人間 根性은 唯心的인데 있는 것이지 唯物的인데 있는 것이 아니라고 했다. 隔膜에 나타난 바와 같이 世界의 精靈은 사랑, 趣味, 愉快인 同時에 生命의 本質은 活動, 眞實, 戀愛에다 歸着點을 둔 것을 보아 알 수 있는 것이다. 人間은 반드시 信仰이 있어야 하며 信仰은 우리들의 一大 光明이며 끝없는 未來를 비춰준다고 했다. 아무튼 葉氏의 作品에 나타난 人物은 現代的 懷疑派의 靑年이거나 或은 懷疑的 思想에 날뛰는 靑年을 代身해서 表現해 주었다고 볼 수 있다.

葉氏는 敎育小說과 童話로써 많은 讀者를 가졌다. 그가 쓴 小說로 말하면

一九二七年까지 六十八篇 中에서 敎育小說이 二十餘篇이다. 그의 學歷은
겨우 中學 程度였었고 中學을 나온 뒤로는 十餘年 間 學校先生으로 있었기
때문에 兒童 敎育에 남다른 知識을 가졌으며 文筆生活을 하는 중에 政府 囑
託으로 敎科書를 編纂한 일까지 있다. 長篇 敎育小說로는 「倪煥之」이다. 그
의 創作的 態度는 敎育 各 方面에 걸쳐 敎育界 人物의 心理를 細密히 解剖
하고 同時에 學生의 心理狀態와 生理 環境과를 온전히 敎育者의 立場에서
實際的인 面에 置重해서 쓴 것이다. 그가 敎育小說의 取材에 있어서 세 가지
로 나누었으니 첫째는 敎育界 暗黑面의 暴露, 둘째로는 선생의 생활, 세째로
는 學生의 生活 等이다.

敎師들 가운데는 敎育을 밥버리의 機關으로 보는 이가 있다고 해서 「飯」
과 「校長」 같은 小說이 나온 것이며 個中에는 敎育을 神聖하게 보았으나 經
濟的 事情에 不安한 生活을 하는 良心的인 敎育者도 있는 것이니 「樂園」과
「母」와 「前途」 三篇 中에는 敎師가 經濟的 不安에 견디다 못하여 副業하는
대목도 나오는 데가 있었다. 敎師도 生活 安全 못되면 敎育事業을 바루 할
수 없다는 것이다. 事實上 더 참을 나위 없는 窮地에 이르러서는 反抗까지도
일어나는 법이니 이에 「抗爭」 같은 作이 나오지 않았는가 싶다. 「城中」을 발
표한 후에 葉氏의 創作은 現代 中國 敎育의 破産을 力說했다. 敎師의 大部分
과 經營主가 經濟에 눈을 돌리면 그 經濟가 敎育的 生命을 破壞시켜놓고 마
는 것이다. 經濟制度가 嚴然히 存在한 今日 經濟에 重點을 두면서 敎育을 革
新하겠다고 떠드는 것은 헛 宣傳에 不過한 것이다.

葉氏의 童話는 大部分이 人間의 不幸을 暴露한 것들이다. 童話로는 中國
에 있어서 第一人者이다. 그의 童話的 思想은 安價의 暗黑面을 暴露한 데 끄
친 듯하며 兒童 信心의 啓發은 너무나 적은 感을 준다. 童話 外에도 十二篇
의 散文이 있으며 兪平伯과 合作한 「劍鞘」도 있다. 「詩의 源泉」을 보면 「忠

實」한 生活은 곧 詩라고 했으며 그의 創作 內容은 非常히 充實했다. 그의 詩 도 散文과 같이 實感的이며 어데까지나 東洋的 情緒였었다.

그의 技巧는 篤[08]實主義 手法에 依한 冷靜한 筆致로 一貫했다고 볼 수 있다.

(二)

「郁達夫」의 作品[09]

張資平은 安價의 戀愛小說을 主로 썼다하면 郭沫若은 熱情的, 革新的인 을 썼다고 볼 수 있고 郁氏는 貧困하며 苦悶, 彷徨하는 靑年의 心理를 主로 描寫했다고 볼 수 있다. 五四運動 以後, 一部分의 靑年은 頹廢, 幻滅의 生活 感情과 彷徨, 躊躇하는 狀態를 表現해 주었으면 하는 企待에 郁氏가 그들의 尊敬을 받는 信仰作家로 出世한 것이다. 一九一一年에 日本 東京第一高等 學校에 入學하여 공부하는 중에 틈 있는 대로 文學 書籍과 親했고 東京帝大 經濟學部에 있을 때 處女作 「沈淪」을 發表하고 一九二二年에 郭沫若, 成彷 吾, 王獨淸 等과 創造社를 創設했다. 北京大學, 武昌大學, 廣州大學 等의 文 學 敎授를 歷任했었다.

아무튼 그가 頹廢的 作家라는 別名을 받게 된 裡面에는 그가 處한 時代 性과 環境을 생각하지 않을 수 없다. 그가 早失父母하고 生活의 苦에 남다 른 辛酸味를 겪은 關係로 幼時부터의 憂鬱性을 대략 짐작할 수 있으나 長成

08　'寫'의 오식이다.

09　이 부분의 내용은 대부분 錢杏邨, 「郁達夫」, 『現代中國文學作家』(제1권), 上海泰東書局, 1928.7을 축약하여 초역한 것이다.

하여 結婚의 不滿과 生活의 不安과 經濟的, 社會的 苦悶과 國家에 대한 憂慮 等에서 어느새 커저만 가는 憂鬱性을 忘却할 사이조차 없었을 것이다. 그의 著「南遷」에서도 보는 바와 같이「가련하게도 그는 어렷을 때부터 사회의 학대를 받으며 금일에 왔으나 아직 풍진 세상에 착한 사람이 있다는 것을 믿을 수 없었다. 때문에 그가 사람과 접촉할 쩍마다 경계를 요하였으니 이는 그가 세상 사람에게 너무나 속힘을 당했기 때문이었다.」했다. 그는 自身을 말함이었다. 家庭이 그에게 滿足을 주지 못했고 社會가 亦是 그에게 滿足을 주지 못했을 때는 그의 性格은 無限한 打擊을 받는 同時에 더 한층 心的 衝突과 失望을 느끼게 된 것이다. 여기에서 그의 內的生活을 如實히 그린 「孤獨」이 나온 것이다. 그리하여 그는 「자기 집에는 자기 밖에 형제가 없으며 이웃이 없으며 동무가 없으며 사회가 없으며 자기 집은 세상에서 이처럼 벌써 한 고독자가 되어진 것이다.」[10]라고.

> 「아아! 인류의 운명이여……세상 만물은 밤의 灰色을 가진 것
> 같이 생각된다.……[11]그는 지긋지긋 참어 가는 인생의 상태에
> 서 느껴진 인생이란 이처럼 암담하며 느껴진 사업이란 이처럼
> 공허하여 그에게는 자살(自殺)의 용기조차 없으니 어떻게 할
> 까요. 현대인의 생활관례(生活慣例)에 의하여 자극(刺戟)을 찾을
> 수 밖에——술과 계집에게 심취하는 생활밖에——」

---

10 郁達夫,「一個人在途上」,『達夫代表作』, 春野書店, 1928.3.15.

11 여기까지는 郁達夫,「孤獨」,『達夫全集(第三卷過去集)』, 上海: 開明書店, 1928, 125쪽의 내용이며 그 아래는 錢杏邨,「郁達夫」,『現代中國文學作家』(제1권), 上海泰東書局, 1928.7, 105쪽의 錢杏邨의 분석 글로서 郁達夫의 작품 내용이 아니다.

이는 그의 初創期의 生活 背景이었었다. 아무튼 그의 初期의 文藝的 思想은 데카단的 自然主義 色彩가 濃厚한 것만은 事實이다. 好評를 받은 「沈淪」의 主人公은 作家 自身의 苦悶相을 彷彿시킨 듯하다. 主人公은 性的 煩悶에서 經濟的 壓迫에서 社會 上下의 좋지 못한 刺戟에서 드디어 病的 心理狀態에 타락되는 面을 그린 그야말로 大多數 靑年의 生活을 代身 表現한 感을 주는 大作이었다. 「蔦蘿行」一篇도 舊禮敎下에서 結合한 妻와의 不滿에서 可憐한 妻의 立場을 변호해주며 同情해주는 말하자면 數千年來 遺傳되어 내려온 舊禮敎의 悲劇을 그린 作으로 볼 수 있다. 勿論 沈淪이나 蔦蘿行은 初期의 作品이었으니만치 當時 그의 東京에 있어서의 생활은 茶房과 日本 女子들과의 戀愛에서 每日의 日課를 삼다싶이 하던 때였든 것이다. 그리하여 實生活과 아울러 그의 慾望을 구태어 여기서 言及한다고 하면 돈과 사랑과 名譽였을 것이다. 그러나 그는 이 세 가지를 얻지 못했다. 이 事實은 「沈淪」에서 찾어볼 수 있거니와 그밖에도 初創期에 屬한 「南遷」, 「銀灰色의 죽엄」, 「胃病」, 「風鈴」, 「中途」, 「懷鄕病者」 等에서도 찾어 볼 수 있는 것이다. 이 몇 篇은 거의 一律的으로 靑年의 苦悶相을 그렸으니 時代病의 代言的 作家라 해도 過言이 아닐 것이다. 單純히 時代的 病狀만이 아니라 男女 生理的 苦悶과 그로 因하여 發生하는 罪惡面을 如實히 表現한 것이다. 經濟의 힘으로 性的 滿足을 채웠으나 그로 因하여 苦悶과 悲哀가 自己의 前途를 망치는 동시에 學業의 中斷과 自身을 포기하는 等의 暗黑面이 初期 여러 作品속에 一貫的으로 흘렀으며 社會的 苦悶과 經濟的 苦悶은 無時로 交流되고 있었다. 杜甫 詩에 「飢鷹未飽肉, 側翅隨人飛」라고 했거니와 郁氏의 環境이 好運이었었든들 좀더 雄大한 作品이 나오지 않았을가 싶다. 「寒灰集」의 「秋柳篇」中에 質夫와 기생 海棠의 情實 關係에 있어서 安慰를 求하는 場面 같은 것은 完全히 道德的 觀念을 打破한 것으로 볼 수 있다. 「過去集」 가운데는 過去, 落日, 離散 等이 들어있었는데 技巧로나 構想으로나 다른 作品보다 優位에 놓여야 할 것이다. 「過去」一篇에 나타난 靑年은 조곰의 잘못을 三年 後에 깨닫고 過去의 黃金 時節을 回顧하며 後悔하는 퍽이나 內省的인 作으로 볼 수 있다. 「마지막에 나는 생에 대한 애착을 잃었으며 일체의 애착을 잃었다. 선생 자리도 마땅히 잃어질 것어오, 아내도 돌볼 수 없고 옛 책(舊書)도 잃어지고 왼 마지막에는 생명까지도 잃어질 것이다.」云云했다.

그의 創作的 第二期에 와서 政治와 軍閥에 퍽이나 關心을 가졌다. 即 廣州事件을 契期로 하여 日本 勞働階級 文藝界에다가 呼訴한 글을 보면 在來의 灰心的인 것이 아니라, 帝國主義에 대한 反抗的 思想이 濃厚한 것이었었다. 殘暴한 帝國의 軍閥的 鐵槌를 때려 부셔야만 中國의 革命的 力量이 十分 發揮될 것을 알았기 때문이다. 따라서 그 思想은 轉換을 이르켜 在來의 個人的이던 것에서 國家的, 集團的인 데도 옴겨가고 頹廢的이던 것에서 革命的, 前進的인 데로 集中되고 말었다. 對內的으로 中國 民衆의 眞正한 解放을 외쳤으며 封建制度가 남겨놓은 英雄主義를 버리라고 한 것이다.

그 論文을 빌어 말하면 「中國의 國民革命이 만약 成功을 못하면 世界 革命은 發動되지 못한다. 革命文藝의 戰士들은 國境的 觀念을 가져서는 안될 것이다. 目下 日本의 革命 文藝家들은 軍人과 資本家의 遺夢을 喚醒시키고 張作霖을 돕는 行動을 阻止시켜야 할 것이다.」했다. 뒤이어 그는 農民文藝를 提唱했으니 그의 農民文藝에 提唱한 論調를 말하면

「中國 田園 詩人들의 錯誤를 指摘하는 同時에 農民文藝를 創設해야만 하며 生氣勃勃한 진흙 내가 나는 創作을 내어야 할 것이다. 農民文藝는 農民의 苦痛을 吐露하는 것이며 農民의 感情을 直接 吐露함이니 이는 客觀的 方面에서 描寫하는 것이

다. 그 다음으로 農民 自身들이 自我 生活을 記述하여 對外的
으로 呼訴함이니 이는 主觀的 方面에서 描寫하는 것이다. 그
다음으로는 地方 色彩를 가진 農民文藝를 主唱함이니 卽 資本
階級的 都會 文藝의 對立된 作品으로써 都市 生活하는 知識
層으로 하여금 農民 生活에 同情을 갖도록 할 것이며 그 다음
으로는 農民文藝는 農民을 指導하고 農民의 知識을 啓發하여
야 할 것이다.」

(奇零集)

그리고 그는 技巧에 있어서 「우리들은 한 時代에 處하여 要求하는 것은
烈風 雷雨的인 偉大한 힘으로 사람을 感動시킬 수 있는 다시 말하면 躍動的
이오, 新生命이 있는 文學을 要求하는 것[12]이라 했다. 그는 小說뿐만 아니라
文藝理論과 評論에도 많은 好評을 받았으며 譯著도 적지 않았다.

「徐摩志[13]」의 詩

中國 詩壇에 있어서 新詩다운 詩를 쓴 분은 志摩일 것이다. 三十六歲를
一期로 南京서 濟南으로 飛行하는 途中 飛行機에서 慘死되었으나 그의 詩
와 散文은 後世에 오래 남을 것이다. 일즉 滬江大學을 거쳐 北京大學을 卒
業한 후에 美國 가서 銀行學을 공부한 후 英國 컴부릿지大學에서 政治 經
濟를 專攻했으나 原來 文學的 才分이 있는지라 餘暇있는 대로 詩와 接近하

---

12 '」'가 누락되었다. 이 글은 郁達夫의 「鴨綠江上讀後感」에서 인용된 것이다.

13 '徐志摩'의 오식이다.

게 되면서부터 中國 新詩에 音韻과 節奏에 남다를 功을 세운 것이다. 特히 一九二四年에 타고르가 中國에 왔을 때 徐氏는 王統照와 謝氷心과 함께 飜譯의 重任을 맡았으며 타고르와 함께 歐洲에서도 特히 伊太利 다포리의 羅馬 古物을 觀賞한 일까지 있다. 여러 大學과 雜誌에 關係하면서 胡適, 聞一多, 沈從文 等과 新月이라는 月刊誌를 發行 이후로는 世稱 新月派 詩人이라는 別名을 얻게 된 것이다. 氏의 詩는 大別하여 散文詩, 平民的인 詩와 哲理詩, 抒情詩 等으로 볼 수 있다. 現代 中國 文人 中에서 家庭的 環境으로 보아 가장 好運의 詩人이였었고 天性이 溫柔하며 唯美的인 바이론의 抒情詩와 一脉相通하는 點을 찾을 수 있다. 그의 大部分의 作品은 五四運動 當時에 産出되었다. 同時에 描寫한 背景도 五四運動 當時의 一部分 인테리層의 心理意識을 如實히 暴露했다고 볼 수 있다. 氏의 多量의 詩歌 中에서 唯美主義와 印象主義의 色彩를 包含한 것이 많으나 決코 頹廢的은 아니고 積極的이다. 天寧寺聞禮懺聲 一首를 보면

> 月夜의 沙漠 가운데 있는 듯 月光은 부드러운 손가락으로 가
> 볍게 뜨건 모래알을 어르만저 주며 鶯絨처럼 軟滑한 熱帶 공
> 기 속에서 駱駝의 방울 소리를 듣노라. 가날 프게 가날프게
> 멀리서 울리다가 가까워 가까워졌다 또 멀어지었다.

이처럼 그의 詩는 自然的인 音韻과 沈痛한 實景을 곧장 읊었다. 自然과 親했으니 만치 이 詩人은 現實에 대해서는 너무 지나치게 等閑했었다.[14] 『나

---

14 이하 내용은 대부분이 錢杏邨, 「徐志摩先生的自畵像」, 『現代中國文學作家』(제2권), 上海 泰東書局, 1930.3을 축약하여 초역한 것이다.

는 이 神奇한 宇宙를 찬미하고 싶으며 人間의 憂愁를 忘却하고 싶다. 마치 시름없는 한 마리 梅花雀처럼[15]……만약 한 떨기 雪花가 된다면 공중에 홀홀 나붓겨 다니며 그이가 몸에 벗꽃 향기를 가지고 꽃동산에서 나를 찾을 때 나는 가벼운 몸으로 포근히 그의 가슴에 놓아 들리라.[16]」이것은 勿論 文學的 想像에서 나온 것이라 하겠으나 그는 現實에 不滿이 없으며 每日같이 過去와 未來의 幻想을 追求하는 것이며 어떻게 하면 하늘에 날아올을 수 있을가를 꿈꾸는 것이다. 自然에 도라가라는 룻소의 哲理를 뒤푸리하며 享樂的 生活을 꿈꾸었음은 오르지 人間 社會의 煩惱를 잊어버리려는 하나의 方便이었을런지도 모른다. 「힌 구름이 푸른 하늘 가으로 날아가니 괴론 사람의 年歲와 괴론 사람의 愛情을 끝없는 하늘 神께 의탁하여 없애고 순박하고도 아름다운 童心을 회복하고 싶노라.[17]」이것이 그의 꿈이언만 그 꿈이 實現되지 못한다고 해서 反抗的인 態度로 나올 때는 없었다. 그가 離脫하려는 現實이 그를 따라와서 그의 꿈을 깨뜨려 놓을 때──시끄러운 人間이 그를 괴롭힐 때 「가라」는 詩를 읊어

> 「가라, 人間이여 가라!
> 나홀로 높은 뫼 우에 섰노라.
> 가라, 人間이여 가라. 나는 끝없는 창공과 맞대였노라.
> 가라, 모든 것이여 가라.
> 앞에는 하늘을 푹 찔은 높은 뫼 있을 뿐, 가라, 일체의 것이여

---

15   徐志摩, 「呻吟語」, 『晨報副刊』 제1264호, 1925.9.3.

16   徐志摩, 「雪花的快樂」, 『現代評論』 제1권 제6기, 1925.1.17.

17   徐志摩, 「鄕村裏的音籟」, 『志摩的詩』, 中華書局, 1925.8.

가라…

앞에는 무궁한 무궁이 있을 뿐이노라.」[18]

　그는 現實과 離脫하려면서도 現實을 노래했다. 이것은 「落葉」 그 自體가 明證이 될 것이다. 「自剖」에 있는 바와 같이 自身을 動的이라고 말하여

　　「매양 내 몸이 행동할 때에는 나의 思想도 따라서 춤추는 듯하
　　다. 동하는 것이란 어떠한 性質이건 간에 곧 나의 興趣이며 나
　　의 靈感인 것이다. 동하는 것이란 나의 呼吸을 재촉하는 것이
　　며 나의 생명을 더해주는 것이라.」

고 그는 「自剖」에서 말했고

　　「나는 人事의 경험과 지식에도 똑 같이 有限하여 나는 일즉
　　공업을 해본 일 없으며 일즉 생활의 곤난을 맛본 일 없으며 싸
　　움해본 일도 없었고 감옥에 들어가본 일 없고 장사해본 일도
　　없고 큰 벌이를 해본 일도 없었다.」

(迎上前去)

　　「나는 感情을 믿는 사람으로 나 自身이 나면서부터 感情的인
　　사람이었을 런지도 몰은다.」

(落葉)

18　徐志摩, 「去罷」, 『志摩的詩』, 中華書局, 1925.8.

「말하자면 나의 思想과 經驗上에 일즉이 어떤 過激한 쇼크를 받아본 일은 결코 없었노라. 나의 환경은 본래부터 순경이었었고 현재로서 같지 않는 것이 있다하면 더욱 순경으로 되어질 뿐이리라.」

(自剖)

이처럼 詩人 徐氏는 順境에서 個人主義者로 餘裕있는 生活을 하면서도 不滿을 느낄 적이 있었으니 그것은 個人主義的 自由思想의 哲學的 陶薰과 個人主義的 絶對的 自由 擁護가 完成되지 못한 데서였다. 그렇다고 해서 그는 深刻한 苦悶을 해본 일 없으며 現實에 대한 多小의 不滿이 있다 해도 그것은 個人에 限한 것에 不過하였다. 그러나 그는 後期에 와서 그의 人生觀을 多小 變更되었다. 迎上前去에서 그는

「나는 이번에 南쪽에서 돌아와서 나의 人生에 대한 태도를 고쳤다. 나는 일즉이 인생에 대하여 不調和와 不承認的 態度였었고 그로해서 나와 이 세계는 아무런 連帶的 關係가 없는 것으로만 알었기 때문이다. 나는 나요, 그는 그며 그가 나를 責할 수 없으며 나도 그를 비평할 수 없는 것으로만 알었다. 그러나 요지음 와서는 사람 되는 宣言으로 나를 開放하여 相互 關係에 있으며 責任질 地位에 있으며 다시는 멀정히 눈 뜨고 꿈꿀 수 없으며 이제부터 現實은 現實로 보고 살펴보고 檢査하고 淸掃해야 할 것을 決心했노라.」

그리하여 그는 習慣과 良心의 衝突과, 責任과 個性의 衝突과, 敎育과 本能

의 衝突과, 肉體의 靈魂의 衝突과, 現實과 理想의 衝突을 깨닫게 된 것이다.

그리하여 그는 「衝」의 哲學에서 生命의 첫 번 消息은 活動이오, 두 번째 消息은 擊鬪요, 세 번째 消息은 決定이라고 했다. 그는 어데까지나 「生命의 信仰者」로서 自處하면서 이 黑暗의 冥凶을 衝破하고 恐怖와 苦痛을 衝破하라고 한 것이다. 그러면 結局 그가 외친 衝의 目的은 무엇을 意味했는가? 첫째는 自然의 품속에 돌아갈 것과, 둘째로는 아름다운 여자의 품속에 들어감을 意味한 것이다. 사람은 自然과 등진 데서 忘本하여 苦痛이 생긴 것이라고 했다. 고기가 물을 떠날 수 없듯이 사람은 自然을 떠날 수 없는 것이라고 했다. 自然의 품속에 들어야만 人間은 幸福을 얻을 수 있다고 했다. 두 번째 目的으로는 나에게 달콤한 陶醉를 주는 것은 杜鵑花의 幽芳만이 아니라 아릿다운 杜鵑보다 더 몇 곱이나 애틋하게 잊을 수 없는 아릿다운 계집——(翡翠冷의 一夜)

그의 散文도 許多하나 詩의 延長에 가까우며 西洋 律體詩를 中國 新詩에 바루 移植시킨 분으로 볼 수 있다. 다시 말하면 다른 詩人이 따를 수 없는 새로운 形式을 創始한 분이며 震動的이며 節奏에 成功한 분이며 詩에다가 地方語도 成功的으로 使用했으며 疊句와 排句에도 남다른 솜씨를 뵈였으니 만치 이 분의 詩는 中國 詩壇에 오래 살어있을 것으로 믿는다.

詩人 「王獨淸」

王氏는 創造社 詩人으로 一八九八年에 陝西 長安에서 出生, 父親은 官吏였었고 母親은 家庭婦人이었었다. 이 詩人은 母親을 記念하기 위하여 聖母像前이라는 詩를 지었다. 上海에 와있으면서 文學을 研究했었고 그 後 佛國에 留學하여 本格的으로 藝術에 專攻하며 當時 鄭伯奇와 親해졌다. 歸國 後에 創造社에서 郭沫若, 郁達夫, 張資平, 成彷吾 等과 創作에 注力했고 그 후

에는(一九二五年 以後) 廣東 中山大學 文科長으로 있었다. 創造社에 있을 때부터 郭沫若 等과는 主見 對立에서 分裂된 셈이다.

王獨淸의 詩는 豪放하면서도 熱情이 豊富하며 前期의 作은 頹廢的, 感傷的인 色彩가 濃厚했다. 「吊羅馬」, 「聖母像前」 等은 리즘에 置重했다. 「死前」, 「베니스」, 「埃及人」 等은 모두 詩集이오, 「楊貴妃의 死」와 「貂蟬」은 劇本이며 短篇小說로는 暗雲과 長篇小說로는 「나의 歐洲에 있어서의 生活」 等이 있다. 前期의 詩는 퍽이나 데카탄的, 哀傷的에 가까운 대신에 後期의 詩는 데카단的인 氣分을 떠난 퍽이나 寫實主義的에 가까운 鄭重한 情緖的인 것이 많았다.

하나의 景物을 읊은다 해도 이 詩人은 거기에 戀愛的 抒情味를 加味시켜 在來 詩人들처럼 自然 그대로를 吟味하는 것이 아니라 自然과 人間愛를 渾然 一體化시키는 長技를 가졌다. 美酒와 佳人은 그의 希求하는 享樂의 하나이었었고 그 希求가 成事되면 기뻐하고 失敗되면 憂鬱해지고 말았다. 이런 抒情에서 流露된 그의 詩는 퍽이나 自由 奔放한 듯했다. 아무튼 이 분의 詩가 歷代 舊詩人들이 美貌의 女子만을 吟味하는 것을 하나의 자랑처럼 생각하는 이들과 무엇이 다름 있으며 現代 大衆과는 너무 동떠러진 데카단的인 詩를 쓰지 않느냐고 非難하는 이도 없지 않는 상 싶으나 데카단的이라고 해서 덮어놓고 좋은 詩가 있을 수 없다는 速斷도 삼가야 할 일인 줄 안다.

特히 이 詩人에게 있어서 外國文物을 대할 때도 本國의 낯익은 文物을 대하듯 欣然 陶醉해 버림은 大詩客의 風貌를 뵈여줌이 아닐까? 그의 名詩 中의 하나인 「吊羅馬」 一節을 보자.

왼 하늘에 잔비 뿌리는 봄날
地中海上의 第二 長安을 나는 찾어왔노라. 여기는 한 옛쩍 많

은 天才의 옛 집이라 하고 여기는 人類의 文化를 키우고 날리
었다 하며 여기는 英雄이 偉業을 세운 名都라 하고 여기는 光
榮의 歷史가 永遠 不朽한다 하느니

아아, 비는 이 모양으로 흐날리며
안 끊지고 나의 맘도 비에 저저 눈물 잠겨 드네.
──사람 괴롭히는 비, 사람 슬프게 하는 비여!
너는 나를 씨쳐주고 또 이 거츤 古城을 찾는 데 무삼 도움 되
려나?

나는 울고 싶다. 기껏 소리 놓아 울고 싶다!
나는 내 心臟을 함께 밖으로 뿜어내고 싶다!
여기는 長安과도 같으나 벌서 衰頹, 敗傾.
여기는 長安과도 같으나 벌서 한 옛쩍 文明은 잠기어 나는 어
쩌면 나의 熱淚로 나의 노스탈쟈의 熱淚로 이를 씨쳐 이를 빛
내게 못하려나? 비는 이 모양으로 흐날리며 안 끊지는데, 나는
벌서 비에 잠긴 羅馬와 接近했고나.
아아, 偉大한 羅馬, 威嚴한 羅馬, 雄壯한 羅馬여……
……略……

베니스에서 읊은 詩도 이 같은 氣脈에서 퍼우나 雄大한 詩想을 뵈여 주었다.
氏의 技巧는 自然物을 利用하되 人間 情緖를 表現하기 위한 하나의 方便
으로 한 것과 多少의 不統一이 있는 듯하나 全體의 雄大한 詩想이 少部分의
屈曲과 未備를 얼싸안고 넘어갔기 때문에 缺陷으로 되어 뵈이지 않으며 아

까도 말했거니와 音節과 旋律과 字數의 制限은 徐志摩에 못지 않게 適用되어 있었다.

歷史劇에 있어서도 好評을 받았다. 「楊貴妃」의 죽엄은 一幕 四場. 第一場은 唐玄宗이 楊貴妃와 臣民을 다리고 馬坡嵬으로 出奔하자 侍者와 民衆의 怨聲이 높아간다. 二幕은 軍民이 楊國忠을 殺害하는 光景, 三幕 楊貴妃가 軍民에게 붓잡혀 國家 安全을 위하여 죽엄을 許諾, 四幕은 그가 죽기 전에 따라온 人民을 돌보며 죽는 光景이다.

詩人으로 劇을 쓴 분은(中國文壇) 적으나 王氏의 「楊貴妃의 죽엄」 一篇은 意外의 好評을 받았다. 詩의 世界와는 달라 頹廢的, 哀傷的인 氣分은 조곰도 안 뵈이고 時代的 背景과 民衆의 所願과 革命的인 要素를 많이 뵈여주어 時代 反映을 如實히 시켰다는 點에서 好評을 받지 않았나 생각되며 「貂蟬」도 佳作의 하나였다.

「沈從文」과 英文壇에서 好評받는 그의 作品

多産作家 沈從文은 湖南 鳳凰人이다. 일즉 軍隊生活을 經過하고 後에 北京에 와서 散文을 發表한 후로는 郁達夫, 徐志摩 等을 알게 되어 晨報와 現代評論을 通하여 그의 作品이 多量으로 發表되었다. 한때는 胡世[19]頻 等과 같이 紅黑社를 組織한 일이 있었고 上海 中國公學에서 敎鞭을 잡은 일이 있다.

氏의 創作은 靑年의 苦悶과 軍人 生活과 農民 生活을 그린 것이 많으나 그 中에서도 苗族의 風俗 習慣과 軍人 生活을 그린 作品이 第一 特色으로 알려저 있다.

---

19 '世'는 '也'의 오식이다.

「入伍後」는 一九二八年에 出版한 短篇集이며 八篇이 들어 있었다. 그 八篇을 大分하여 軍人 生活과 兒童 生活과 片斷的인 印象들을 取扱한 作品들이다. 軍隊 自[20]活을 素材로 한 것이라 하면 「入伍後」일 것이며 그 內容은 自己 故鄕 湘西 地方에서 烏合된 軍隊 情形을 描寫한 것이다. 돈을 가지고 買官하며 農民들이 담배를 심으면 重稅를 하게 하고 幸運券이나 或은 福票같은 形式으로 돈을 거두어 軍需에 充當케 함으로 中産層은 沒落해 가는 結末을 지어놓았다.

「十四夜間」은 妓生의 生活을 그린 것인데 妓生도 다른 家庭婦人과 별로 다름이 없으나 기생은 男子들에게서 돈을 要求하는가 하면 한편에는서(男子便) 娛樂이라는 意味에서 돈을 주는 것이 家庭婦人과 다른 點이라고 했다.

「鴨」[21]은 戲曲, 小說, 散文, 詩 等으로 된 單行本이다. 그의 寸劇과 喜劇은 日本 古代 喜劇과 類似한 點이 많았다. 입센의 劇이나, 버나드 쏘의 社會劇이나 와일드의 唯美劇 같은 技巧로나 思想的으로나 雕琢 唯美하다고는 할 수 없으나 어데까지나 誠實 一貫하여 迫力을 준다.

「세 男子와 한 女人」은 퍽이나 人氣를 集中한 作이었다. 나이 젊은 十長과 발을 저는 喇叭手와 豆腐집 젊은 主人, 이 세 사람은 商會長의 딸을 戀慕하게 되어 女子 하나를 가지고 서로 바라보며 벙어리 가슴을 앓으며 幻想을 그리던 중에 不意에 그 女子가 죽어버리자 그들 셋 가운데서 더러는 몰래 墓에 가서 하소연도 하고 더러는 墓를 파기까지 하는 것이었다. 이 세 사람은 異性의 安慰를 全혀 받지 못했으며 다만 이 女子만이 그들에게 視覺의 安慰를 주었던 것이다.

---

20 '生'의 오식이다.

21 확인되지 않는 단행본이다.

「神巫의 愛」, 一九二九年에 出版한 作品으로 題材에 있어서 神巫는 苗族에 있어서 얼마나 權威와 尊嚴을 가졌는가를 表現한 것이다. 神巫(神의 종이라는 뜻)가 花帕族의 刑場으로 갈 때 貞男 美女들은 그에게 熱烈한 愛情을 품게 되며 집집마다 딸을 그에게 시집보내고 싶어하나 그는 이 모든 젊은이들의 사랑과 熱情을 拒否하는 것이다. 그러나 얼마 후에 美少女 하나에게 心醉되어 아닌 밤중에 그 美少女의 房에 들어간 뒤로는 神의 종(僕)이던 그가 사람의 종이 되어버리고 말았다는 것이 이야기 줄거리다. 아무튼 이 作家는 苗族의 生活相을 細密히 그리는 솜씨를 가졌다. 다른 作品에도 가끔 苗族의 生活風俗이 나타나기도 했다.

「蜜柑」과 「閑事에 잘 참견하는 사람」과 「沈從文子集」과 「아리스 中國遊記」 一二卷 等 外에도 許多한 作을 내었다. 蜜柑은 一九二七年 作으로 中篇 短篇 等으로 된 책이다. 文章과 技巧도 아담하며 結構는 平面的이고 스토리는 언제나 複雜한 것을 避한 듯하다. 蜜柑의 內容은 敎授와 學生들이 茶菓會를 開催하고 歡談하는 場面을 그린 극히 簡單한 것이다.

「아리스 中國遊記」는 長篇 童話다. 中國 各地의 奇怪한 風俗을 表現한 것들로 外國 사람이 읽기 좋은 책이 아닐까? 沈氏의 作品은 林語堂과 마찬가지로 國內보다 國外에서 더 好評을 받는다. 英國文壇의 好評이란 大端하며 沈氏의 許多한 作이 英文으로도 많이 紹介되어 나갔다. 氏의 作이 册으로 되어 나온 것만도 數十種이 되며 文藝批評도 優秀한 것이 많다. 「中國創作小說論」과 「汪靜之의 蕙의 風 論」과 「朱湘의 詩를 論함」과 「焦菊隱의 詩를 論함」 等은 다 力量있는 論文들이다. 그의 事物에 對한 銳利한 觀察과 描寫는 앞날을 크게 빛나게 할 것이다.

(次號 完)

(筆者 國學大學 敎授)

母性愛의 詩人 謝氷心

中國 女流 文壇의 第一者인 氷心女史는 福建人이다. 本名은 婉瑩이며 어렸을 때 海軍 要職에 있는 父親을 따라 山東 芝罘島의 海邊生活을 했으며 五六歲 때부터 어머니에게서 여러 가지 옛이야기를 들었고 七八歲 때는 벌서 中國 古典小說을 通讀했다는 것이다.

辛亥革命 當時에 故鄕인 福建 福州에 가서 中學 공부를 하고 五四運動 當時에는 燕京大學에서 공부했다. 在學 中 外國文豪의 作品을 읽고 많은 感銘을 받는 同時에 詩作에 熱重하여 가끔 晨報 副刊에 發表하여 名聲을 날리기 시작했다. 一九二一年에는 小說月刊에 「笑」, 「超人」, 「寂寞」 等을 發表하여 絕讚을 받았고 燕大를 卒業한 후에 落華生 等과 같이 美國 留學을 하고 歸國하여 吳文藻 博士와 結婚한 후 많은 아이를 가진 家庭主婦로 繼續하여 佳作을 내어놓았다. 吳와 結婚한 후의 단락한 家庭生活은 그가 쓴 「第一次宴會」를 보아도 알 수 있다. 그의 著로는 「繁星」, 「春水」, 「超人」, 「寄小讀者」, 「往事」 等이다.

그는 家庭的으로 順境에 처했으며 學閥로 말하더라도 當代 女流文人치고는 最高 學府를 나왔다고 할 것이오, 作品에 나오는 人物들은 家庭과 母性愛을 土臺로 한 經驗에서 우러나온 산 記錄的 文學으로 볼 수 있다. 詩人 自身도 말했거니와 印度 타고르의 影響을 많이 받다하며 中國 新文藝運動史에서 가장 처음으로 有能한 典型的 女性 詩人이였음을 누가 否定할 수 있으랴?

橫溢하는 天才라는 評까지 받았다. 그의 全 作品을 通하여 自然에 대한 찬미, 母性愛의 찬미, 人生의 懷疑, 가버린 靑春에의 感傷, 藝街의 찬미 等이 一貫的으로 흘러나려 갔다 하겠으나 母性愛를 通하여 社會 萬惡을 없이하며 苦生하는 衆生을 救해볼까 하는 念과 基督愛와 同情으로 社會問題를 解決해 보려는 信念은 없지 않았다.

　　고향의 파도여!
　　너의 그날리는 물꽃이
　　이전에는 한 방울 한 방울 내 盤石을 따리더니
　　오늘은 한 울 한 방울 내 맘을 따려주네.[22]

　그의 詩의 形式은 解放的, 自由的, 無韻的이였었다. 詩情의 選擇이나 風景詩의 優美한 點은 讀者에게 많은 魅力을 준다. 「最後의 使者」를 보면

　　神이여! 당신이 내게 준 絶特의 天才는 나의 詩思를 橫溢케 하고 나의 붓이 千萬의 讀者를 놀내게 합니다. 나의 細細한 觀察, 나의 詩 中에 들어간 것은 憂愁와 煩悶과 悲傷에 지나지 않는다. 人類와 世界에는 灰心, 絶望的인 影響에 끄치고 만다. 神이여! 이것이 나의 唯一한 使命일까요? 만약 이것이 당신의 뜻이였다면 나는 또 무엇을 求할까요! 무수한 靑年들을 위하여 構想하고 將來의 世界를 위하여 構想하도록 당신께 求해야만 할 것뿐입니다.[23]

22　氷心, 『繁星・二八』, 上海商務印書館, 1923.11.

23　氷心, 「最後的使者」, 『小說月報』 제12권 제11호, 1921.11.

이같은 希求는 神과의 對話 形式에 끄치었으나 當時 社會가 어떠한 形²⁴
響을 이 詩人에게 주었다는 것을 알 수 있다. 無數한 靑年들을 위하여 着想
하고 將來의 世界를 위하여 着想하도록 해 달라 했으니 一種의 不正確한 感
傷主義를 克服한 傾向으로 보지 않을 수 없다.

> 失望 가운데 흐느적이는 絃音이 낮어지고 줄에서는 人生의 虛
> 無가 흘러나온다. 줄을 켜면, 켤사록 소리는 거쉬여 가고 노래
> 불으면 불을사록 목쉬여 가네.
>
> (往事 自序)

人生의 虛無를 克服하려 해도 克服하지 못한 상싶으며 內心의 長期 衝突
에서 矛盾을 克服하려 하는 데서 不斷의 悲哀와 空虛를 느끼게 되였다.
이런 데서 「超人」을 쓴 모양이나 亦是 悲觀的인 情緖는 그를 떠나지 않았다.

> 「나의 맘이여……깨여나
> 허무한 물구비에 휘감기지 말려마……」

그는 이 宇宙의 神秘的 存在를 認識하는 同時에 超自然的 世界를 追求하
는 데 勞力했다. 그러나 唯心的 神秘的인 것을 求하면서도 宇宙와 生命의 探
求에서 아무런 結果를 얻지 못했으며 正確한 信仰 世界의 末路는 어데라는
것을 깨닫지 못했다. 「우리들은 바다 가운데 아이입니다. 어데서 오며 어데
로 가는지를 몰읍니다.」―繁星에서―

---

24 '影'의 오식이다.

「詩人은,

世界 幻想에의 最大의 快樂——

역시 사실 가운데의 最深의 失望.」[25]

　　그러나 그는 이 모든 社會의 失望과 矛盾을 母性愛, 宇宙愛로서 抑壓했
다. 니체의 厭世 哲學을 한때 좋아하지 않은 바도 아니로되 타고르의 唯心
哲學을 더 사랑한 原因이 거기 있지 않는가 한다. 氷心의 愛의 哲學의 原理
란 무엇인가?

　　「어릴쩍 母愛의 經驗을 비추어보면 너도 나와 똑같다. 이렇게
　　미루어 보면 世界란 어떤 것인지를 알 수 있다. 망망한 大地에
　　人類는 어머니가? 있다는 것만으로 足할 것인가? 一切의 것은
　　知情이 있는지라 어미가 없을 수 없다. 어머니 있는지라 세상
　　에는 이 愛의 種子가 곳곳이 심겨저 있다.」[26]

　　「超人」에 있어서 人物과 事件은 實際와는 距離가 멀다고 할런지 몰으나
「悟」에 가보면 私利的인 制度와 階級은 벌서 人類에서 훨신 뒤떨어진 보잘
것 없는 것이 되였다고 했다. 어머니의 사랑과 偉大한 바다와 童時의 回憶으
로 人類는 서로 사랑할 수 있고 差別 없는 和平한 世界를 이룰 수 있으리라
고 했다.

25　氷心, 『繁星·二七』, 上海商務印書館, 1923.11.

26　氷心, 「悟」, 『小說月報』 제15권 제3호, 1924.3.10.

「종이배」

나는 한 장의 종이를 버리기를 싫여 엇째던 지녀두고──지녀
두고 접어서는 한 척의 작으만한 배를 만들어 놓아 바다에 띄
워 보냅니다. 어떤 것은 바람에 날리어 뱃창(船窓)에 가고 어떤
것은 물결에 젖은 채 뱃머리에 가 붙고. 나는 그냥 灰心치 않
고 매일같이 접어 접어 한 척의 배가 제 갈 곳에 가지기를 나
는 바랄뿐이다.

어머니, 만약 당신이 꿈속에 한 적은 흰 배를 보거들랑, 무단히
꿈속에 들어왔다 나무래지 말어요. 이는 당신이 지극히 사랑
하는 딸이 눈물 먹음고 접어서는, 萬水 千山에 그의 사랑과 悲
哀를 실어가지고 돌아가게 하려는 것입니다.

偉大한 바다를 親하기는 어렸을 때부터였었다. 바다는 나의
어머니, 호수는 나의 동무와도 같습니다. 바다의 사랑은 神秘
러우면서도 偉大하기 때문에 나는 그의 사랑에 歸心的으로 머
리 숙입니다.

─寄小讀者─

古詩에는 「南山塞天地, 日月石上生」이라 했거니와 그의 思想을 바다가
支配하는 듯하다. 「아버지여! 나오셔서 달 밝은 데 앉으소서. 나는 당신의 바
다 이야기를 듣고 싶어 합니다.」

그는 山中雜記에서도 말했거니와 바다가 산보다 좋다 했다. 만약 天理에
어그러진 罪를 짓고 自殺하는 경우가 있다하면 投海할지언정 墮崖하지는
않으리라고 했다. 小說 「往事」에도 이 같은 一節이 있다.

「매양 나는 붓을 들 때는 처음 머리에 떠오르는 것은 바다이
다. 나는 너무 單調로운 것을 싫어하기 때문에 이로 인하여 붓
을 놓기도 한다. 매양 벗들과 이야기하는 중에 風景을 말하면
波濤는 또 談話의 海岸線을 侵入한다. 나는 單調로운 것을 너
무 싫여하기 때문에 이로 인하여 잠잠히 끝끝내 말이 없어지
고 만다.……」

이 詩人은 短詩 盛行期에 가장 많이 活躍하였고 小說 「超人」이나 「往事」
의 內容은 脆弱한 靑年의 生活을 描寫한 데 不過하며 그 範圍도 學校나 家
庭을 벗어나지 못했으며 魯迅처럼 廣大한 社會相을 그린 作은 되지 못했다.
아무리 時代가 變遷된다 해도 그의 作은 오래 남을 것이다.

丁玲의 作品[27]

氏의 姓은 蔣, 名은 氷之이다. 胡也頻과 戀愛 結婚했다가 胡氏가 逝去 이
후로는 그냥 文藝 生活에 精進하며 思想은 左傾되고 말았다. 湖南 臨澧縣 出
生으로 常德, 長沙, 北京 等地에서 공부했다. 長沙 嶽雲中學 二學年 在學 時
에 그와 다른 女學生 세 사람과 함께 學校 當局에 男女 共學의 要請을 한 바
드디어 許諾되어 男子와 同等의 敎育을 받게 된 것이다. 얼굴도 美貌였었다.
胡也頻, 沈從文과 紅黑 雜誌를 같이 編輯한 일도 있었고 男便이 暗殺된 후로
는 上海와 고향인 湖南으로 오고가며 創作에 熱重했으니 一世의 文名을 날

---

27 이 부분 내용은 黃英(錢杏邨), 「丁玲」, 『現代中國女作家』, 上海北新書局, 1931.8을 참고한
것이다.

린 그의 作「在黑暗中」인 一九二八年에 出版한 바「夢珂」,「莎菲女史의 日記」,「夏休中」,「阿毛姑娘」等의 四篇으로 이루어진 책이다. 夢珂는 崩潰되어 가는 封建家庭의 女性이 環境에 억눌림을 당하여 고생하는 것을 素材로 한 作品이다. 單行本으로 남은 册은 이밖에도「自殺日記」,「한 女性」,「韋護」等이 있으나 一律的으로 新女性의 새로운 스타일을 보여준 作들이며, 그도 대개는 世紀末的 氣分을 가진 모던 女性의 스타일일 것이다. 그가 表現한 世紀末的 變態的인 特色은 自我 觀念이 强하며 一時的일 衝動에 容易하게 動搖를 일으키며 일단 情緒를 發動시키면 남의 일에도 곳 잘 干涉하며 잘 웃고 잘 울기도 한다. 周圍 環境과 厭世的 悲觀에서 宇宙 人生에 대하여 恐怖와 困憊와 倦怠와 煩悶을 느끼며, 憂鬱해지기를 잘하며, 끝없는 夢想에 잠기기를 잘하며, 懷疑的인 傾向이 많아서 事物을 바루 判斷할 줄 몰은다. 丁玲의 創作에 나오는 女性의 스타일은 이러한 것들로 肉的 享樂과 人生을 暗黑面을 通해서 본 이들과 感受性이 强하며 感情 動搖에서 卽時 行樂하려는 意念을 가진 女性들인 것이다. 보담도 經濟에 依據한 社會的 階級에 反撥한 것이다. 다시 말하면「在黑暗中」에서 作者는 벌서 社會를 알고, 經濟가 낳어 놓은 現代人의 中心的인 苦悶을 굵은 線으로 그려놓은 것이다. 感傷的인 色彩와 生의 厭倦은 全體 文章으로 通하여 없을 수 없었으나 그 感傷이란 在來의 女性처럼「固定的 感傷的인 型」은 아니였든 것이다. 社會는 어두우며 삶이란 無味하여 죽엄과도 같다고 했다.「在黑暗中」의 人物들은 消極的이며 社會는 어찌하여 이처럼 어두우며 삶이란 죽엄과 같다는 그 裏面의 具體的 矛盾된 要素를 讀者에 보여 주지 못했다. 感情과 理智의 衝突은 不絶히 일어났으나 感情이 理智를 이기고, 事實이 理想을 이기며, 運命이 創造를 打敗하는 境遇가 많음을 作者는 讀者에게 본을 보여주었으나「莎菲女史日記」에 있어서는 無政府主義的 傾向을 보여주었다.

「한 女性」에 있어서는 肉的 氣脉이 濃厚히 흘렀다. 女主人公 미저(薇底)도 肉의 慾을 追求했었고 「他走後」의 女主人公 麗婀도 그러했고 「野草」의 女主人公도 그러했고 「少年孟德의 失眠」의 男女 主人公이 다 그러하였다. 「自殺日記」는 思想上으로 正面的 說明을 加했다고 볼 수 있는 作으로 主人公은 生의 無味에서 自殺이란 아무 잘못된 일이 아니라는 判斷에서 고요히 就死한 것이다.

「韋護」는 革命과 戀愛와의 衝突을 그리였으나 作者는 戀愛에 置重한 듯하다. 革命的 領導者 韋護와 近代化한 女性 여가(麗嘉)와의 戀愛 關係를 描寫했다. 麗嘉의 스타일은 활발하면서도 動的이며 그의 血管 속에는 詩人의 苦悶이 겻들어 있었다. 그의 生活에서 求하는 刺戟, 聰明, 豪邁, 放任 等은 도리혀 人間을 一場 劇으로 보아오게 했다. 性格上으로도 많은 魅力을 갖게 했다. 그 대신 韋護는 퍽이나 로맨틱한 靑年으로 「流浪과 極端의 感傷으로써 그의 靑春을 보냈다.」「새로운 커다란 波濤에 밀리워」……「그는 社會主義를 硏究할 趣味를 가졌다.」「그는 북방의 한 곳을 다니며 그의 의지를 튼튼케 했다. 그는 온전히 한 인간으로 바꾸어졌다. 그는 참으며 안심하고 삼년동안이나 일을 하였다. 그는 다시 나라에 돌아왔다. 그는 명석한 머리와 간결한 언어와 영원히 기계와 같은 힘으로 영구히 정신적인 일을 했다.」

氏의 作品에는 늘 새로운 結構와 大擔한 描寫로 되여지지 않은 것이 없었다. 氏의 性格은 女性的이라기보다 차라리 男性的에 가깝다. 取材는 氷心과 같은 家庭的인 데가 아니고 現 社會 事業을 把握했고 把握한 바의 社會 問題를 어떻게 料理 解決할까 하는 데 남다른 苦悶을 가졌던 것이다. 中日事變 前에는 行方 不明과 한 때는 死亡說까지 流布되어 新聞에 굉장히 떠들었으나 至今 生存해서 文筆 생활을 하고 있다 한다.

白薇女史의 戲劇

一九二六年 四月에 現代評論에 西瀅氏의 紹介에 依하여 一般的으로 알려졌다. 即 그가 쓴 詩劇 「琳麗」가 文壇에 커다란 問題를 이르켜 놓았기 때문이다. 그는 戱劇 作家로만 널리 알리여졌을 뿐 아니라 小說로서도 新進作家로 많은 囑望을 받는 분이다. 詩劇 琳麗 外에도 三幕의 社會 悲劇 「打出幽靈塔」과 그 밖에도 「紅樓夢의 訪雯」과 「革命神의 受難」과 「薔薇酒」와 「姨娘」과 長詩 「琴聲淚影」과 「春笋의 歌」劇 等이 있다.

琳麗는 三幕으로 된 詩劇이며 主人公인 琳麗와 璃麗 두 姉妹와 靑年 音樂家 琴瀾 이 세사람의 戀愛를 表現한 悲劇이다. 第一幕은 임려(琳麗)가 금난(琴瀾)을 想思할 때 이려(璃麗)는 너무 골똘히 생각지 말라고 할 때 금란이와 이려를 만나는 장면, 第二幕은 임려의 꿈에 애인 금난이 준 舞衣를 입고 입 맞추며 좋와할 때 자장미선(紫薔薇仙)이 와서 꽃다발을 그에게 주며 神秘的인 現象을 보여 주었다. 후에 死神이 와서 연애할 때에 죽을 생각이 있나 없나를 시험했다. 第三幕은 임려와 이려와 금난이 사이에 三角戀愛가 버러졌다. 이려와 금난이 옥신각신 하는 장소에 임려가 와서 보고는 자장미선을 따라 멀리 가버리고 말었다. 금난이도 그 뒤를 따르려고 했으나 그때는 벌서 琳麗가 임신하였기 때문에 떠나지 못하고 말었다. 그후 임려는 投井自殺했고 금란은 원숭이에게 죽고 말었다. 이려는 다른 美男子와 연애를 했다.」[28] 꿈같은 이야기다.

이 三幕을 通하여 흐르는 愛慾이란 참으로 사랑하는 사람들은 거짓 사랑하는 사람에게 없수임을 당하며 진정한 사랑은 종시 잘 結合되지 못하고 마

---

28 ‘」’가 잘못 기입되었다.

는 運命의 作亂을 비웃은 作이다.

> 「나는 이번에 사랑 대문에 낫습니다.
> 나 자신이 사랑일 뿐만 아니라,
> 내 죽은 후에라도
> 저 어름 같이 싸늘한 푸른 碑石까지도
> 한 무더기 아롱진 사랑일 터이지요.
> 사랑을 떠나서 무슨 生命 있으리오?
> 사랑을 떠나서 피와 눈물의 藝術을 창조할 수 있읍니까?」

이 같은 琳麗의 사랑 告白을 보아 戀愛와 人生은 混然 一體된 것을 象徵한 것인 줄 안다. 琳麗보다 好評을 받은 「愛網」은 亦是 藝術至上主義, 戀愛至上主義의 作으로 볼 수 있다. 矛盾[29]은 革命이 失敗한 후에 幻滅과 悲哀에서 씨여진 作이 「蝕」, 「虹」이라 하며 丁玲女史는 革命에 投身한 사람들이 情慾에 끌리어 들어가는 事件을 取材로 해서 韋護를 作成했다 하면 白薇女史는 「愛網」 속에다가 矛盾과 丁玲 두 作家의 氣脉을 함께 注入시켜 놓은 感을 주는 것이다. 琳麗는 思想이 確定되지 못하고 亂雜한 戀愛를 通하여 矛盾된 人間 心理를 措寫한 것이라 하면 後者는 主義 主張이 確定된 후에 산 經驗에서 作成된 作品으로 볼 수 있다.

革命에서 시작한 젊은 사람들이 연애로 心亂해 하다가 다시 革命으로 나서는 모습을 그린 것이 愛網이다. 革命에 投身하면 男女가 서로 同志가 되어 革命路上에서 줄다름칠 수 있다. 폭탄과 총칼이 날려 오는 곳으로 달릴 수

---

29 '茅盾'의 잘못이다. 아래도 마찬가지다.

있는 것이다. 그러나 이와 反對로 「革命神의 受難」에는 거짓 革命家는 謀略과 虛僞에서 自滅한다 했다. 中國 女流 作者들의 文壇的 地位는 男性 作家보다 數도 적으려니와 보다도 그 力量이 男性 作家에 未及이라 해도 過言이 아닐 것이다. 그러나 그들은 戀愛 問題보다 社會 問題와 女權 運動을 더 重視하고 作品에도 그렇게 表現되지 않았는가 생각된다.

「참담한 옛 생활, 나는 너와 訣別한다. 나는 너에게 미련을 두지 않으려 하며 다시 너를 恨하려고도 하지 않는다. 너는 나에게 있어서 犯人의 몸에 걸린 鐵絲와도 방불하다. 철사! 나는 너를 하늘가에 내어 버린다. 나는 나의 情熱을 나의 幻想에 빙쟈하여 雨絲虹跡을 따라 한 거름 한 거름 하늘가에 밟어 올라가 曙光이 燦爛한 朝雲을 向하여 한 겹 한 겹 헤염쳐 가련다」

——琳麗

(完)

(筆者 國學大學 教授)

1950년

『매미는 껍질을 벗다』
-「女·小·劇」六回 公演을 앞두고 劇本「蛻變」의 譯者로서[01]

金光洲

女人小劇場 第六回 公演「레퍼토리」로 中國 曹禺 作「蛻變」을 擇하여 譯
出했다.

一九四六年度에 亦是 拙譯으로 그의「雷雨」를 上演한 以來「原野」와「日
出」을 지나 이번이 우리 舞臺에 있어서 그의 作品이 네 번째나 上演되느니
만치 曹禺는 우리 劇壇에도 決코 生疎한 作家는 아니다.

몇 번째 그의 戱曲을 譯出할 때마다 언제나 劇作家로서의 曹禺의 偉大함
을 느끼지 않은 적이 없었지만「雷雨」나「原野」나「日出」의 境遇와는 다른
意味에서 이번「蛻變」을 譯하면서도 無窮無盡한 그의 劇作家로서의 믿음직
한 力量에 놀라지 않을 수 없었다. 亦是 曹禺는 現代 中國이 世界에 자랑하
여 遜色이 없는 劇作家라는 것을 나는 여기 敢히 서슴치 않고 말해 두고자
한다.

中國 唯一의 希臘劇 硏究家로서 恒時 自然 法則의 結果로 中國의 歷史가

<hr>

01 『京鄕新聞』1950.1.30, 2면.

中國의 社會가 빚어내는 運命劇的인 要素를 土臺로「極端」과「矛盾」속에서 빚어내진 深刻한 痴情的인 運命을 描寫함으로써「雷雨」와「原野」와 같이 人間의 本能的이요 原始的인 戰慄할만한 殘忍性에 肉薄하여 沈痛하고 嚴肅하고 緻密한 劇的 構成을 보여주었고「日出」에 있어서는 各各 運命을 달리하는 群像들이 한 군데 모여서 빚어내는 深刻한 社會面을 描破하여 中國의 典型的인 墮落된 新女性의 運命을 巧妙한 劇的 構成을 通하여 表現함으로써 中國 社會의 沒落해가는 腐敗面을 暴露하기에 成功하였던 것이다.

그러나 이번「蛻變」이 이들 그의 過去의 作品에 比하여 完全히 다르고 嶄新한 特色이 있다는 것은 첫째로 過去의 作品과는 全혀 다른 創作 意圖에서 씨워졌고 또 全혀 다른 歷史的, 民族的 環境과 立場에서 씨워졌다는 것이다. 다시 말하면「抗戰八年」이라는 이 巨大한 中國 民族의 受難과 鬪爭의 環境 속에서 民族의 앞날, 國家의 올바른 運命을 凝視하는 한 百姓으로서의 한 藝術家로서의 피 끓는 情熱로써 이 作品을 엮어낸 것이다. 한 女性의 몸으로서 國家와 民族의 歷史的 大受難期를 굳세게 깨끗하게 마지막까지 싸워나가는 이 作品의 女主人公「丁醫師」의 모습이야말로 作者 曹禺의 理想과 情熱과 苦鬪의 化身이라고 나는 생각하고 싶다.

抗戰 八年 동안에 中國의 新劇은 必然的 運命으로 移動 宣戰隊의 任務를 어느 藝術 部門보다도 活潑하게 또 效果的으로 遂行하였으나 그 反面 低俗한 民族意識 亂用의 公式化에 빠졌던 것도 事實이다. 그러나 이런 環境에 處해서도 曹禺는 嚴然히 劇作家의 矜持와 良心을 버리지 않고 八年이란 長久한 歲月을 昆明으로, 重慶으로 流離하며 오직 한 個의 劇本「蛻變」을 完成하여 當時의 全 中國 民族의 抗戰 情熱 위에 深刻하고 값있는 눈물을 뿌려주었던 것이다.

이런 意味는 除外한다고 하더라도 이 作品이 民族的 處境을 같이하는 우리에게 敎訓되는 바도 클 것을 疑心치 않으며 지금 曹禺가 어디서 悲慘한 祖國의 運命을 凝視하고 있는지 그의 近訊을 알길 없으나 中共 鐵蹄下에 짓밟히는 中國이 다시 올바른 길을 찾고 일어서는 날 曹禺에게는 보다 더 偉大한 作品이 나오리라는 것을 믿고 期待하며 우리의 舞臺나마 그에게 보여주고 싶은 衝動조차 느낀다.

促迫한 時日에 全譯을 마치느라고 내 自身 不滿足한 拙譯도 있으나 이는 演出者 朴魯慶女士의 技能으로 救出될 수 있으리라고 믿으며 더 좋은 題名도 많은 것이나 原題目의 뜻을 萬分之一이라도 傳해보자는 생각에서 『매미는 껍질을 벗다』라는 題目을 擇했음을 附記해 둔다.

(끝)

魯迅과 曹禺 - 放浪의 回憶에서[01]

(上)[02]

지금 똑똑한 年代가 생각나지 않는다. 어쨋든 一九三〇年代 三四年이 아니면 三五年쯤 될 것 같다.

그 時代의 上海 文壇에서는 郭沫若, 郁達夫, 魯迅, 張資平, 巴金, 沈從文 그리고 女流로는 廬隱, 冰心, 丁玲 지금 생각나는 대로 大槪 이런 作家들의 이름이 한창 들날리고 있을 때였다.

그러나 말이 中國文學이지 그 땅덩어리처럼 廣汎하기 짝이 없고 읽어도 읽어도 끝날 줄 모를 만큼 山땜이처럼 쌓인 것을 그 때 겨우 스무 살을 몇 해 넘지 못한 새파란 애송이 文學靑年인 내가 무엇을 어떻게 읽어야 中國文學의 냄새만이라도 맡을 수 있을는지 그런 것을 알 까닭이 없었다.

勿論 이런 것을 가르쳐 주는 이도 指導해 주는 이도 없었고 그렇다고 무슨 特別히 私淑한다거나 따라다니는 사람이 있는 것도 아니고 나는 그저 내 멋대로 하루도 몇 차례씩 저『四馬路』商務印書館, 中華書局, 開明書店… 그

01　『國都新聞』1950.2.2~2.3, 2.5, 2면.

02　매회 연재분 표기로서 3회에 걸쳐 연재되었다.

498　'한국근대문학과 중국' 자료총서 ⑭

러고 또 무슨 무슨 書店들이 죽 들어박힌 거리를 기웃거리며 돌아다니는 것이 日課가 되다싶이 하였다.

書店엘 들어서면 눈이 부실만큼 벌려져 있는 여러 冊 가운데서 정말 어떤 것을 먼저 집어 들어야 좋을지 알 수가 없었다. 그저 손에 닥치는 대로 함부로 주어 읽던 그 時代——지금까지도 印象깊은 郭沫若의 『三個叛逆的女性』, 張資平의 그 無數한 愛情小說들, 巴金의 『滅亡』, 氷心女士의 詩集…이런 것들을 耽讀하던 것도 이 時代였을 것이다.

그러나 이 時代에 있어서 함부로 닥치는 대로 읽은 冊 가운데서 亦是 二十代의 文學靑年인 나에게 가장 깊은 感□을 준 것은 魯迅의 『狂人日記』라고 생각된다. 『阿Q正傳』의 그 複雜하고 陰沈스런 雰圍氣보다는 『狂人日記』의 單刀直入的인 表現이 젊은 時代의 마음에 들었던 모양이다.

그러나 이때까지도 나는 정말 魯迅이란 作家를 똑똑이는 모르고 있었다. 單只 그의 『狂人日記』에 나타난 中國 社會의 暗黑面을 暴露한 作家的 手□, 中國의 낡은 習慣에 對한 불같은 憎惡感을 表現한 獨特한 諷刺性에 心醉했었을 뿐.

이때 나는 上海에서 第一 큰 新聞 『申報』를 每日 보고 있었는데 거기 『自由談』이라는 조그만 欄이 있었고 모두 해야 二百字 原稿紙 三四枚 程度의 글인데 筆者가 匿名으로 쓰는 듯 每日 『펜넴』이 갈리기는 하나 그 銳利한 筆鋒이라든지 獨特한 諷刺는 始終 한 사람의 글임을 알 수 있었다.

偶然한 機會에 어떤 中國 親舊보고 이것이 누가 쓰는 것이냐고 물어봤더니 그 글이야말로 『狂人日記』의 作者 魯迅이 每日 匿名으로 쓰는 것이며 그의 中國文壇에 있어서의 地位라든가 作品이라든가 그런 것들을 仔細히 說明□ 주(이하 반 행 결락 - 엮은이)

(中)

이때부터 나는 魯迅에 關하여 特別한 興味를 느끼고 그의 短篇集『彷徨』, 『吶喊』을 求해서 讀破했고 隨筆에까지 口味가 댕겨서 耽讀하기 始作했다. 이때 魯迅에 興味를 가지고 그의 作品을 같이 읽고 같이 論하고 한 이로는 오랫동안 生死를 모르다가 最近에야 泰國에 가 있다고 알려진 映畵監督 李慶孫 兄, 또 偶然한 일이지만 우리들과 때를 똑 같이 해서 [이하 5행 결손]

其後 몇 해를 지나서 바로 魯迅이 世上을 떠나던 一九三六年이라고 記憶된다. 늦은 여름 어느 날 그 當時 東亞日報 南京 特派員으로 와 있던 申彦俊 兄(지금 그의 消息을 알 길이 없다)을 通해서 魯迅에 關한 기꺼운 消息을 듣게 되었다. 申兄의 말에 依하면 그는 二三日 前에 內山書店 二層에 隱居하고 있는 魯迅을 만났는데 그의 말이 朝鮮 靑年들과 連絡해서 上海에서 中文으로 朝 (이하 5자 정도 결락) 小說集 같은 것을 (이하 2행 결락 - 엮은이) 는 것이었다.

나는 魯迅을 만날 機會가 있겠거니 하고 기뻐서 期待되고만 있던 차에 한 달이나 지났을까 그 해 十月 魯迅은 그냥 永眠해 버리고 말았다. 魯迅이 一年이고 二年이고 더 살아 있었더면 그래도 우리 作家들의 小說集 한 卷쯤은 中文으로 飜譯되어서 刊行되었을 것을——나는 요즘도 이런 부질없는 생각을 하면서 上海 萬國殯儀館 一隅에 고요히 눈 감고 누었던 그의 蒼白한 얼굴을 눈앞에 그려볼 때가 있다.

어쨌든 魯迅은 中國 新文學의 第一人者요, 或은『中國의 꼴키―』라고 부르는 사람도 있다. 또 내가 中國 文學作品을 耽讀함에 第一 먼저 좋아진 作家도 魯迅이다.

그러나 나는 이런 機會에 魯迅에 對한 우리의 認識을 새로이 하자는 것을 敢히 말하고 싶다.

魯迅은 中國의 封建勢力과 싸우기에 果敢하였고 中國 民族의 偽善과 卑屈과 墮落과 싸워서 손톱만한 妥協도 敗北도 갖기를 싫어하면서 一生을 마쳤고 人類의 進化라는 深遠한 見地에서 新興勢力과 進步를 讚美한 文學者였지만 흔이들 말하는 所謂 小兒病的인 그런 進步的 作家도 左翼 作家도 아니었다는 것이다.

그는 祖國의 自由를 爲한 타오르는 熱情으로써 壓迫當한 個性의 解放과 健全한 人間性의 創造를 爲하여 絶叫하며 쓸어진 鬪士였지만 그가 永遠이 渴求하여 마지않은 것은 亦是 祖國이요, 民族이요, 自由요 平和이었고 決코 蘇聯의 傀儡化한 어느 獨裁主義나 强權主義의 讚揚이 아니었다는 것을 우리는 똑바로 알어야 할 것이다.

그가 죽는 날까지 바라마지 않던 것은 지금과 같이 中共 鐵蹄下에 짓밟히어 이즈러진 中國은 決코 아니었을 것이다.

지금의 祖國의 運命을 그가 地下에서라도 듣고 보고 할 수 있다면 그에게도 또한 두 줄기 悲憤의 눈물이 없지 못할 것이다. 魯迅을 생각할 때마다 나는 그가 그의 隨筆 가운데서 남기고 간 다음과 같은 몇 줄의 글을 잊을 수가 없다.

『現在의 社會는 理想과 妄想조차 區別하지 못한다. 마당을 쓰는 일과 地球를 開拓한다는 것이 똑같은 일처럼 이야기 될지도 모른다.』[03]

다음 曹禺에 關하여 몇 마디 써야겠는데 制限받은 枚數가 거의 다 된 듯

---

03 魯迅, 「隨感錄三十九」, 『熱風』, 北京北新書局, 1925.11.

하다. 어쨌든 所定의 枚數가 다 차는 데까지 簡單히 써보기로 하자.

現代 中國作家 가운데서 魯迅만 못지않게 印象 깊고 잊기 어려운 사람이 曹禺다. 이 亦 무슨 내가 그를 私淑했다거나 崇拜했다거나 그런 意味가 아니라 첫째로는 내가 그의 戱曲 몇 篇을 飜譯했다는 關係도 있겠지만 어쨌든 내가 읽어 온 中國 作品을 通하여 中國作家를 생각할 때 누구보다도 먼저 머리에 떠오르는 것은 亦是 劇作家 曹禺다.(계속)

(下)

우리 劇場의 某 著名 女優께서 『내가 萬一 中語를 잘 할 줄 안다면 한 번 中國에 가서 曹禺와 戀愛를 해볼 것을……』하시면서 嘆息을 하였다는 滋味 있는 이야기까지 있는 만큼 지금 와서 曹禺는 朝鮮뿐만 아니라 世界的으로 널리 알려진 劇作家가 되었지만 그때——盧溝橋事變이 일어나던 바루 그 前 해라고 記憶한다——까지는 中國에 있어서도 曹禺란 全혀 듣지도 마하던 이름이었다.

정말 曹禺야말로 慧星같이 中國文壇에 나타난 劇作家이었다. 그때 나는 亦是 偶然히 上海에서 어느 書店에 갔다가 『文學季刊』이라는(分明히 北平 立達書店版이었다.』[04] 이라는 四六倍版 五六頁이나 되는 文學雜誌를 한 卷 샀다. 거기에는 單只 한 篇 戱曲, 二百字 原稿紙로 우리말로 고치면 千餘枚나 될 分量의 四幕 戱曲이 한번에 全載되어 있는 것이었다.

그때 『雷雨』를 밤을 세워가며 읽으면서 혼자서 興奮해서 어쩔 줄 모르면

---

04 겹낫표는 소괄호 ')'의 잘못이다.

서 꼭 우리말로 옮겨놔 보고 싶은 衝動을 참지 못하던 그 時節의 나의 모습이 지금도 눈앞에 선할 때가 있다.

그때 中國文壇에도 劇作家가 드물지는 않았다. 甲[05]漢을 爲始하여 洪深, 歐陽予青[06], 丁西林, 王獨淸 等等 많이 있었지만 曹禺의 處女作『雷雨』는 斷然 旣成 劇作家에게 뿐만 아니라 中國 劇壇 全體에 던진 驚異的인 巨彈이 아닐 수 없었다.

上海 寧波 同鄕會館이라고 記憶된다. 그 그리 크지도 못한 조그만 舞臺에서『雷雨』가 처음으로 脚光을 받게 될 때 作者 曹禺도 北京에서 興奮해서 달려와서 直接 指揮를 擔當했고 한번 幕이 열리자 實로 세 時間이 넘는 지루한 上演 時間이것만 손에 땀을 쥐고 찍소리 없이 고요한 中國 觀衆들의 態度에 나는 다시 놀라지 않을 수 없었다.

그때 그리 잘하는 中語는 아니지만 그래도 意思 疏通이라도 될 것이니 꼭 한번 曹禺를 만나 보랴고 어떤 中國 親舊를 通해서 舞臺 뒤로 뛰어 들어 갔으나 自己 作品이 처음으로 舞臺에 올으니 만치 興奮해서 갈팡질팡 精神 없는 그를 부뜰어 낼 수도 없고 해서 멀리서 默默히 처다 보다가 나온 記憶이 있을 뿐이다. 그러나 나는 曹禺와는 무슨 아지 못할 因緣이 있는 것이나 아닌가 하고 요즈음도 생각할 때가 있다. 上海가 戰火에 쌓이자 나는 定處없이 떠돌아다니며 때로는 몸에 지녔던 冊書까지 바다물 속에 집어 던지고 保身을 꾀한 일도 있지만 單只 曹禺의『雷雨』만은 참아 못 버리고 解放 後 朝鮮에까지 끼고 나와서 拙譯으로나마 上演까지 보게 된 것을 생각하면 感慨

---

05 '田'의 오식이다.

06 '青'는 '倩'의 오식이다.

無量한 바가 있으며 이번 女人 小劇場의 『脫變』⁰⁷도 그랬지만 그의 作品 『日出』, 『原野』 모두 原書를 求하지 못해서 쩔쩔 매다가 어찌어찌해서 結局은 얻게 되어 모두 舞臺에까지 올려놓게 된 것을 생각하면 그의 作品과 나와는 무슨 알 수 없는 因緣이 있는 것도 같다. 벌써 再昨年 일인가! 中國서 돌아온 親舊의 消息에 依하면 나의 『雷雨』 譯本이 어찌어찌 굴러서 上海까지 나가서 曹禺가 가지고 있으며 그의 作品이 朝鮮서 上演된 것도 잘 알고 있다는 것이어서 남몰래 기뻐한 일도 있었다.

어쨌든 曹禺는 中國作家 가운데 내가 가장 잊기 어려운 作家다. 더욱이 이번 네 번째 그의 작품 『脫變』을 女人 小劇場에서 上演하면서 懇切히 바라 마지 않는 것은 하로 바삐 曹禺도 맘대로 朝鮮에 나와서 自己 作品의 上演을 求景할 수 있고 나도 맘대로 그를 찾아서 다시 한 번 中國으로 왔다 갔다 할 수 있는 時節이 한時 바삐 實現되어 韓中文化의 조그마한 親近이나마 이루어졌으면 하는 생각뿐이다.

(筆者는 中國文學家, 小說家)

中國文學과 翻譯[01]

金裕卿

(上)[02]

中國文 翻譯에 暴譯이 많다고는 들었으나 아직 中國 것에 對한 翻譯評을 쓸 必要는 없으리라고 생각하고 있었다.

그러나 最近 읽을 機會를 가진 어떤 甚한 作品를 볼 때 『이 用紙難에 이게 무슨 짓이냐』하고 적지 않은 義憤을 느끼게 되었다.

漢字, 漢文化를 外國 것으로 생각하지 않고 도로혀 自己 文化財의 하나로 習熟, 同化하여 온 탓인지 文字의 大部分이 같은 데서 오는 理由인지 모르나 初步的인 會話도 滿足히 할 줄 모르는 사람들이 大膽스럿게도 中國册을 翻譯, 出版하는 데서 이런 暴譯, 誤譯이 생기게 되는 것이 아닐까 생각한다.

江 하나를 끼고 隣接해 있는 우리나라에서는 일찌기 古代에 屬하는 時節부터 學者, 僧侶들은 勿論이요, 民間 商人들의 往來가 頻繁하였으니 漢文만이 아니라 日常生活語로서의 中國語도 相當히 學習되었을 것은 想像하기

01　『자유신문』 1950.4.1~4.2, 4.4, 2면.

02　매회 연재분 표기로서 3회에 걸쳐 연재되었다.

어려운 일은 아닐 것이다. 中國文物의 普及이 語文에 끄치지 않을 것이다마는 言語學에 關해서만 보드라도 일찌기 明代 初年(世宗 五年)에 『老乞大』니 『朴通事』니 하는 優秀한 中國語 敎科書가 單行本으로 出版되어 있으니 寫本 時代를 考慮하면 적어도 明나라 時代에서부터 이런 册이 普及된 것이라 보아야겠다. 이런 敎科書야말로 外國人이 中國語 習得을 爲하여 刊行한 世界 最初의 出版物이요, 近世 中國語의 語彙나 語法의 變遷을 그대로 보여주는 他의 例가 드문 貴重한 資料의 하나이다.

이런 榮譽를 우리가 차지하였다고 하드라도 歷史上으로나 地理的으로 보아 그리 자랑될 것은 못된다고 하겠다마는 日人 朝鮮語 學者 小倉進平 博士의 『朝鮮語學史』에 依하면 우리나라의 近世 中國語 學者로 知名한 사람이 約 五十餘人이요, 그들이 著述한 中國語學 關係 文獻만 하여도 운書──十二種, 畵引字書── 十二種, 類別辭書── 一種, 近世 中國語(白話) 辭書──九種, 中國語 讀本── 十七種을 헤일 수 있다. 그리고 其中에서도 『直解小學』, 『五倫全備記』, 『訓世評語』, 『經書正音』, 『華音啓蒙』 等의 力作은 後進에 적지 않은 道標가 될 것이다. 이와 같이 往時에는 相當한 盛觀을 이루어 中國語 普及은 어느 나라에도 뒤떨어진 일이 없었다고 하여도 過言이 아니었던 것이다.

그럼에도 不拘하고 現在 우리나라 中國語學界 中國文學界에는 筆者의 寡聞한 탓인지 모르나 지난날의 先배들의 業績을 繼承할만한 아무런 자랑꺼리도 가지지 못하고 있는 것이다.

그뿐만이 아니라 中國文 飜譯이 다른 外國文 飜譯보다 低劣하고 量으로 質로 低下되어만 간다는 것에는 여러 가지 理由도 있을 것이지마는 우리 民族의 文化界의 앞날을 爲하여 슬퍼하지 않을 수 없다.

이제 筆者는 最近 우리 文壇에서 中國文學 紹介를 하고 있는 몇 분의 業績을 찾아보며 나의 所感을 적어 보기로 한다.

中國文學하면 먼저 丁來東, 李相殷, 柳樹人 諸氏의 생각이 난다. 그러나 이 세 분 다 解放 以後에는 무슨 까닭인지 별로 나타나게 손을 대지 않는 模樣이고 다음 宋志英, 金光洲 兩氏가 몇 개 譯業을 남기었는데 이 두 분 다 지난날보다는 앞날에 더 期待해야 할 것이 아닌가 생각된다. 宋志英氏는 歸國後 中國文學이라기보다 中國問題 研究에 더 바쁜 模樣이다. 蔣介石氏의『中國의 運命』을 譯出하였지만 그것은 原文「中國之運命」의 全譯이라기보다 抄譯한 것이라고 불르고 싶은 것이오. 李範奭 將軍의『放浪의 情熱』은 우리 사람 손으로 된 中國文을 우리말로 옮기었다는 데 不過하니 그것은 中國文學 飜譯이라고 불르고 싶지는 않다. 그 外에도 數篇 小品 飜譯이 있으나 아직 本格的으로 中國文學 飜譯에는 着手하지 않은 中國文學家라 해야겟다. 金光洲氏 역시『放浪의 情熱』과 마찬가지로 靑山里 大戰을 中心으로 한 記錄文(韓國의 憤怒)을 飜譯하고는 曹禺의 大作을 비롯하여 여러 作家의 文章을 譯出하였지만 隨時로 그 評이 우리 文壇에 紹介되었으니 여기서는 重複을 避하기로 한다.

그리고는 新進으로 尹永春, 朴志賢氏 等 몇 분이 있지만 여기 特히 尹永春氏의 눈부신 活動을 除外하면 별로 보잘 것 없다. 그러나 尹氏의 飜譯 活動에는 좀 常識 以下의 것이 많고 語學的인 能力으로 보아도 아직 未熟한 點이 不少한 듯하다.

氏의 앞날을 爲하여서는 筆者가 云謂할 아무 條件도 가지지 못하였으나 氏가 譯出한 作品에는 讀者와 原作者를 爲해서 그리고 이제부터 始作되려는 中國文學 紹介를 爲하여 몇 마디 없을 수 없다.

氏의 譯인 中國의 作家 郭沫若의 蘇聯紀行을 읽어가려니까 作者가『모스

코바』에 들어갓을 때 『密司胡』라는 사람이 出迎하얏다는 句節에 부디처 筆者는 웃음을 禁할 수가 없었다. 이 密司胡라는 것은 原文을 찾아볼 必要도 없이 中國 現代人들이 흔이 부르는 『미쓰』胡라는 뜻일 것이다. 勿論 外來語라든가 漢字 使用國 以外의 固有名稱(主로 地名, 人名)이 漢字로 音譯 때로는 意譯되어 甚한 難字가 使用된 것에는 本國사람들에게도 적지 않은 不便을 느끼게 한다. 그러나 『미쓰』니 『미쓰터』니 하는 常用語를 氏가 몰랏다는 것은 창피한 노릇이다.

이런 飜譯으로 말미암아 原作者가 讀者에게 傳하려던 먼 異國에서 自己나라 處女가 뛰어나와 自己를 맞이하여 주었다는 그 感激도 누구러운 雰圍氣도 全혀 傳해지지 못하고 있지 않은가……. 出迎 나온 胡라는 사람이 未婚女子이었으니 말이지 그가 남자이었다면 그 사람의 이름이 『密司塔胡』라는 넉자 이름이 되어 버렸을 것이 아닌가.

(筆者는 中國文學 研究家)

(中)

漢字 以外에 正式 文字를 가지지 못한 中國에서는 外國語의 音譯을 흔히 意味도 없는 表意文字를 使用하여 往往 誤解를 일으키게 한다. 東洋史上의 몇 개 나라 이름을 例로 들면 『大夏』(도가라)라는 것은 季節의 이름이 아니고 中央 亞細亞에 있던 國名이고 『安息』(아르삭)이란 主日날인가 하면 『빼루샤』의 古名이요, 『大食人』(다―지)이란 아라비야人이라는 뜻이다.

이런 例만 들면 무슨 수수꺼끼를 하는 것 같으니 그만두기로 하고 最近 中國에서 흔히 使用되는 固有 名稱의 音譯을 몇 개 例로 들어보자. 美

國 大統領『트르만』는『杜魯門』으로『힛트러』는『希特勒』,『스타린』은『史太林』,『맥아더』將軍은『麥克阿瑟』로 쓴다. 그리고『아리소―도톨』은『亞里斯多德』,『미께란·제로』는『米開蘭基羅』等 人名이 다섯 여섯자로 씨워지면 初步的인 飜譯者에게는 좀 困難할지 모르겠다. 그러나 東西의 交涉이 頻繁함에 따라 이런 固有 名稱의 漢字 音譯은 나날이 늘어갈 것이다. 樂器『만도린』을『曼獨林』, 英國 新聞『타임쓰』는『泰오土』,『우이스키』는『威士忌』――等等 우리들 눈에는 좀 新奇한 音譯語가 있으나 中國 本土에서는 이런 音譯語에도 一種 慣用性이 생겨 多少 不便한 占이 있어도 서로 그것을 固定化시키는 데 努力하여 有名한 地名, 人名 等은 大槪 一定한 規準이 서있다. 商務印書舘 發行『標準漢譯外國人名地名表』(民國 十三年 初版, 二十二年 改版)이라든가 中華書局 發行의『中外地名辭典』等는 그들의 努力을 보여주는 좋은 例라 할 것이다.

會談이 좀 길어졌다. 文學 作品을 飜譯하는 사람이 上紀한 常識的인 知識도 없이 普通 辭典에 없는 글字는 그대로 넘겨가며 安易한 飜譯을 하려다가는 큰 誤謬를 일으킬 것이다. 그 實例로『他笑着喫可可』(그 사람은 웃으며 可可(코코아)를 마신다.)라는 것을『그 사람은 껄껄 웃으면서 먹었다』라고 飜譯한 사람이 있다. 可可는 껄껄이라는 形容詞가 아니라『코코아』라는 名詞이다.

이런 誤譯은 原文을 完全히 죽여 버린다. 尹永春 著인 現代中國詩選에서도 이런 例에 가까운 誤譯이 수두룩하다. 爲先 名詞와 形容詞의 混同을 몇 개 指摘해 보자. 郭沫若의 詩 "黃海中的哀歌" 속에『我便流落在大渡河裏』라는 句節을『나는 큰 강물에 이끌리어』라고 飜譯하고 있으나 大渡河라는 것은 큰 江이 아니고 中國 四川省에 있는 江 이름이다. 그리고『앞에는 大勝利가 있다』라는 徐遲의 詩 첫 句節을

『앞에는 空前의 大勝利 있고

『뒤에는 慰勞團이 파견되어 왔다.』

로 되어 있으나 原文을 보면

『前方有了一個空前的大勝利,

後方有了一個慰勞團派出來了.』

이다. 그러면 前方이라는 것은 抗戰 當時만이 아니고 그 以前부터 前線 即 第一線을 意味하는 名詞로 使用되어 왔다.

그와 마찬가지로 後方이라는 것도 뒤에서라는 形容詞가 아니요 말하자면 銃後라는 뜻이다.

그리고 名詞와 形容詞 或은 副詞와의 混同만이 아니라 그 外에도 甚한 誤譯을 到處에서 볼 수 있다.

勿論 詩의 飜譯이란 그리 容易한 것은 아닐 것이다. 그리고 譯品은 文法的으로만 따질 것은 아닐 것이지마는 그 나라 常用의 熟語, 慣用語 等 基礎的인 語學的 知識도 具備치 못하고 大膽한 譯筆을 든다는 것은 常識的으로 생각하기 어려운 일이다. 同 詩選 中 八篇으로 되어 있는 所謂 戰爭 詩歌는 譯者의 紹介에도 있는 것이지만 抗戰 中國의 자랑스러운 藝術 活動의 하나로 詩로서 從來보다 넓히 大衆에게 普及된 것이므로 用語가 極히 便宜하여 兵士, 職工, 農夫들도 외울 수 있도록 되어 있는 것이다. 筆者는 지난날 抗戰 中國의 젊은 鬪士들과 같이 이런 詩歌를 읊으며 悲憤 강개[03]한 時節이 있어

---

03 '慨'의 오식이다.

이 詩에 對한 愛着은 누구보다도 많다고 自負하고 싶다. 그런 關係일까, 이 譯詩에 對한 不平도 남보다 적지 않은 것이다. 그러나 이 譯詩에 對한 나의 所見은 後日 다른 機會에 미루고 語學的인 面에서 飜譯된 곳을 몇 개 더 들어보기로 한다.

앞에서 例를 들은 『前方有了一個空前的大勝利』 中에서도

『同志, 我們給係係[04]帶來了書, 還有許多畵報和報紙, 還有許多
麵包和罐頭, 還有……』

의 還有를 譯者는 모조리 『아직도』라고 飜譯하였지만 『還有』는 『아직도』 가 아니고 『그리고』라든가 『또』라는 뜻이다. 또 同 詩 中에 『他們跳出最後勝利的大舞踏』를 『인제는 그들은 마지막 춤을 춥니다.』라 하였다. 最後的 勝利 大舞踏는 마지막 춤이 아니다. 『最後勝利』이 넉字는 中國 全土에서 불러진 口號로 한 個의 熟語이다. 그러므로 이 句節은 그들이 『最後勝利의 大舞踏을 출 제……』라는 意味다.

(下)

그리고 같은 詩 中에 『언제 그날이 와서 四萬 四千은 다 함께 熱狂的으로 이처럼 춤 출 수 있을가요』라는 譯語도 이상하지만 譯者는 四萬萬 五千萬 (四億 五千萬)이란 中國 數字 세염도 몰라 中國 人口 四億 五千萬을 四萬 五千

---

04 '係係'는 '你們'의 오식이다.

으로 만들어 버렸다.

이 한 篇만에서도 아직 數個 所 모호한 点이 또 있다. 그 外에는『王大娘』이라는 詩 中에『王大娘은 鬼神 한 놈을 때려 죽이고 돈을 거두어선 軍隊에 보내 주었다.』라는 句節이 있다. 이 鬼神은 中國 사람이 暴惡한 日本兵을 『東洋鬼子』또는 簡單이『鬼子』라 부른 것이지 우리들이 이야기하는 鬼神은 아니다.

同 詩 中 또 하나는『王大娘廷起腰幹』이란『王大娘은 허리를 쭉 뻗히고』라는 말인데『王大娘은 허리를 굽실거리며』라고 正反對로 飜譯?하고 있다. 알기 쉽고 읽기 쉬운 戰爭 詩歌가 이 모양이라면 其外는 不問 不知할 일일 것이다.

하여든 이 四十餘篇의 中國 詩를 通讀한 사람은 그 作者들의 高名함과 反對로 그 作品의 拙劣한 것을 恨嘆할 것이다. 筆者는 現代中國詩選 한 卷을 原文과 對照하여 보고 이 譯者의 語學的 能力과 文學的 感覺을 疑心하지 않을 수 없다.

文學 作品의 飜譯에 있어서 語學的 能力과 文學的 感覺이 同時에 要求된다는 것은 一般이 다 肯定하는 現實이요, 또 常識일 것이다. 飜譯者의 語學的 能力과 文學的 感覺——이 兩者의 主從 前後는 論할 必要도 없이 密接한 關係일 것이다. 語學을 專攻한 사람이 文學의 센쓰를 길렀다든가 或은 文學的 訓練을 거쳐 語學的 關心을 깊이 한 사람이든 結局에는 同一 地點에서 會合한 兩쪽 길을 가는 것이니 決코 그 어느 一方을 偏執할 問題는 아닐 것이다. 그러므로 完成될 飜譯 作品의 批判에 있어서도 兩者의 一便을 便重하여서는 正當한 結果를 가져올 수 없으리라는 것도 생각하나 尹永春氏의 譯品을 웨람된 말로 이 두 點이 모다 不足하다고 斷定하고 싶다. 이런 點에 있어서 中國文 飜譯은 다른 外國文 飜譯보다 數倍 注意하여야 할 것이다. 中國

文에는 文章이 非論理的인 것이 많다. 그리고 論理의 飛躍이 到處에 나오고 接續詞가 드물고 必要없는 글字가 있고 對語, 對句가 수두룩하고 形容詞, 副詞의 使用이 白髮三千丈式인 것이 많고 難字, 難句가 亂用되어 있고……『方塊字』의 行列과 正面으로 부드처 싸워 보지 못한 사람들은 좀 諒解하기 困難한 것이 적지 않다.

文學 作品에서도 極히 少數의 사람을 除外한 것 大部分은 散漫하고 지루한 것이 많다. 그래서 原作대로 移植해 놓으면 우리말로 低調하다구들 하나 原文이 文法에 맞지 않는다든가 前後의 連絡이 잘 맞지 않거나 하다면 譯者가 添削을 加할 必要도 있으려니와 그렇지 않고 原文의 精彩가 不足하다고 譯者가 修辭學的 添削의 責任까지 질 義務는 없을 것이다. 그것을 재간을 부려 譯文만 보라는 듯이 語學的인 方面은 考慮하지 않고 맨들어 낸 作品이 아무리 整頓되고 洗鍊된 우리글이라 하드래도 그것은 現實의 中國文學 飜譯이라고는 할 수 없는 것이다. 흔히 巷間에서 評하는 『原作 以上』이라는 讚辭도 있거니와 그것이 飜譯의 理想이라고 생각할 수는 없을 것이다. 原作者와 그 나라 사람이 느끼는 같은 量의 感情을 原文에서 感得하여 그것을 自己 나라 말의 무었에 該當하는가를 感知하여 原文이 그 나라 讀者에게 준 것과 같은 量의 것을 自己 나라 讀者에게 줄 수 있게 再整理한다는 것이 飜譯의 根本 問題라면 中國의 惡文家의 小說을 우리나라 名筆家와 같은 程度의 名文으로 改良하여야 한다는 것이 譯者의 義務는 아닐 것이겠다. 하여튼 隣邦 中國 나라 作品 飜譯이 먼 다른 나라 文學 作品 飜譯보다 數倍 힘든 것이라는 것은 서글픈 이야기다. 그러므로 中國文 飜譯에 從事하는 사람처럼 힘들고 보람 없는 일을 하고 있를 사람들도 드물 것이다.

勿論 尹永春氏 譯業에만 이런 酷評을 하게 된 것에도 他意 있어서가 아니라 이제부터 中國文壇 紹介를 하려는 新進들에게 決心과 覺悟를 새로히 할

것을 希求하며 앞날에 빛나는 中國文學 飜譯作品이 續出할 것을 期待하는 나머지 이런 苦言을 敢行하게 되는 것이다.

『中國文學과 飜譯』 – 金裕卿君의 論評을 駁함[01]

尹永春

日前에 金裕卿君이 發表한 以上가 같은 題目의 글 중에서 나의 譯著에 대하여 言及한 몇 군데를 읽었다. 그래도 二年 前에 낸 내 册에 대해서 二年 동안이나 研究하여 겨우 얻은 이 徒勞의 論文일망정 그 誠意까지는 아주 無視할 수 없다는 見地에서 이 붓을 들게 된 것이다. 君은 처음부터 끝까지 내게 對한 態度란 마치 日帝 時代에 젓내 나는 刑事가 나를 思想不穩으로 모라 너코 무시무시한 取調를 할 때 털끝만한 罪를 發見하고는 무슨 泰山이나 發見한 듯이 눈 흘을리던 그때 그 모습을 君에게 彷彿시켜가며 끝까지 읽어내려 간 것이다.

대체 君은 좀 생각해 보라. 文學을 爲하는 態度에서 나왔나를——

中國의 四億 五千萬 人口라는 數字는 非但 中國詩選 한 책에만 들어 있는 것이 아니라 다른 나의 著에도 얼마던지 있었음예도 不拘하고 君은 그것을 보지 못하고 誤植된 四萬 五千이라는 數字 하나만을 끄집어내 가지고 많은 紙面을 虛費하여 中國 人口의 數字도 몰으거니 常識 以下의 것이니 무었이

---

01 『자유신문』 1950.5.6, 2면.

어떠니 하여 辱說 비슷이 퍼부었은즉 君은 좀 고요히 良心에 물어보아 苛責
되는 點이 있는가 없는가?

나의 譯文만을 보고 原文 誤植된 四萬 五十萬人은 왜 發見하지 못했는
가? 君이 萬若 이 四萬萬 五十萬人을 發見했다고 한다면 당장 原作 詩人 徐
遲를 아片 中毒者라고까지 辱說을 퍼부었을 런지도 모를 것이다. 그만치 남
을 나무래는 君 自身을 나는 도리혀 疑心할 지경이다.

그러니 校정에 끄치고 말만한 程度의 것에도 그 하나하나가 바른 校정조
로차 하지 못했으니 君이야말로 校정에도 三等級에 갈까 말까한다.

대체 君이 指摘한 것은 現代中國詩選인 모양인데 그 가운데서도 특히 戰
爭 詩歌에 誤譯이 있다고 指摘□ 모양이다. 딴말이나 詩選은 出版할 때 戰
爭 詩歌의 原文은 훨신 늦게 내 손에 들어오게 되여 막상 넣기로 되었을 때
는 印刷가 거의 끝날 무렵이였다. 이 것은 戰爭 詩歌가 실린은 데가 色 다른
紙質로 되어있는 것을 보아 알 수 있는 것이다. 그 때 몸 탈로 校정에 未備된
點이 있어 후에 學生들에게는 未備된 點을 指摘해 가며 가르친 것이였다.

君은 이 詩選을 읽은 讀者들은 그 作者들이 高名함과 反對로 그 作品이
拙劣했음에 慨嘆했으리라 念慮했으나 君對로 賢明한 우리 讀者層은 이 册
의 評價를 바로 알았던지 或은 바로 몰렀던지 간에 不遠한 將來에 該 詩選
은 再版으로 세상에 나오게 되었다는 것은 기쁜 일이 아닐 수 없다. 때문에
나는 그 再版의 序文에 初版에 未備된 事由를 일일히 말해 둔 것이다.『還
有』의 還을 그러고 또로만 해석하라 한 모양인데 胡適의 一笑에『只是他那
一笑還在…』를 君의 유로 한다면『다만 그 한번 우슴만은 그러고 또 있을
뿐……』으로 해야 할까. 나는 이것을『 직그 한번 우슴만은 남어 있을 뿐…』
으로 했으니 君은 이것을 誤譯이라고 한 것인가? 이와 비슷한 例로『荒山不

可以允⁰²留, 還是歸來好⁰³』를 『險山에 오래 머므는 것 좋지 않다. 역시 돌아옴이 좋으리라』로 했다가 이를 산에 읊□ 詩이니만치 人間 社會에로 돌아감이 좋으리라 해서 돌아감으로 고치는 同時 『어서 어서 돌아감이 좋으리라』로 했음은 『건快歸來好』, 『건緊歸來好』를 몰라서 한 것이 아니라 前後 文脉을 보아 語勢를 높며 實感的이 되도록 하려는 意圖에서였으니 詩譯에는 이만한 伸縮性도 있을 수 있는 것이다.

『前方』을 처음에는 『前陣』, 『前線』으로 햇다가 戰場이였으니만치 앞이라고 해도 무방할 상 싶어 『앞에는 空前의 大勝利가 있다』로 했다. 만약 君의 말대로 第一線으로 한다면 『最前線』으로 해야 할 것이다. 『前方軍隊』라고 하면 第三線 部隊가 第二線 部隊를 가르쳐 말할 수도 있는 것이다. 『王大娘』으로 『王마나님』이라던가 原文에 『胞平』을 『跪篇』으로 한다던가 『最後勝利』를 『마지막 勝利』라고 해서 안 될 리는 없을 것 아닌가? 아무튼 이 같은 것을 指摘해 말하려고 하면 紙面이 아까워 더 길게 쓰고 싶지 않다마는 君은 字典을 끄내 가지고 本文과는 何等의 關連이 없는 人名과 新聞名 等을 장황히 羅列했으니 이것이 君의 語學力으로 表示하는 手段인가?

君은 詩에 대한 識見이 있는 듯이 □ 했으나 나 보기에는 詩에 對한 理解란 全혀 없다. 詩 한 줄이라도 쓸 줄 알고 詩를 조곰이라도 鑑賞할 줄 안다면 字典을 끄내놓고 人名을 길게 羅列키보다 『凍樂⁰⁴』이나 『竹耳배⁰⁵, 破費老人

---

02 '允'는 '久'의 오식이다.

03 鄭振鐸의 詩 「雁蕩山之頂」에 나오는 시구이다.

04 徐志摩 시 「五老峰」에 나오는 생소한 단어이다.

05 중국어 원문은 '扒'이다.

家一個板, 只當空手要的』[06]의 眞味를 바로 把握하여 이를 詩的으로 吟味하여 詩의 三昧境에 들어가려고 했을 것이다. 君은 中國文學을 아끼고 理解한다면 두 줄이면 될 것을 計劃的으로 三面에 걸처 썻을 리 만무하며 眞情한 學徒라면 아끼운 紙面보다 當事者인 나에게 한 번이라도 있었다면 이런 空論에는 떠러지지 않었을 것이다. 끝으로 君에게 말하고 싶은 君이나 或은 君의 크럽 사람들 路線에 맞지 않는 理念의 글을 내가 紹介햇다고 해서 不快하다고 생각하면 그도 내게 率直히 말하라. 君들이 깍고헌다.

---

06 朱自淸의 시 「小艙中的現代」에 나오는 시구이다.

엮은이
소 개

최창록(崔昌祿)

남경대학교 한국어문학과 교수로서 연변대학교 조선언어문학학부 및 동 대
학원 석·박사과정을 졸업했으며, 한국 근현대문학 및 한중비교문학 전공자
이다. 연구 저서로는 『리얼리즘과 한국근대문학』(남경대학출판사, 2011), 역서
로는 『중국 문학 속의 한국』(소명출판, 2017), 논문으로는 「부나이푸 한국인 서
사의 의미-『황야의 사나이』에서 보이는 극지상상과 문화융합을 중심으로」
(2017) 등이 있다.

조영추(趙穎秋)

중국 남경대학교 한국어문학과 및 동 대학원 석사과정을 마치고 연세대학교
국어국문학과에서 박사학위를 받았다. 현재 해방기 문학과 한·중 근대문학
의 비교연구에 관심을 가지고 공부하고 있다. 주요 논문으로 「언어의 미달과
사회주의 친선 감정의 자기 증식: 한설야의 소련 기행문과 소련인물 관련 소
설을 중심으로」(2021), 「집단 언어와 실어 상태: 중국 문인들의 한국전쟁 참전
일기를 중심으로」(2018) 등이 있으며, 공동 역서로 『集體情感的譜系: 東亞的
集體情感和文化政治』(2018)가 있다.

'한국근대문학과 중국' 자료총서 ⓴

비평V(1940.6~1950)

초판 1쇄 인쇄 2021년 9월 17일
초판 1쇄 발행 2021년 9월 27일

지은이 이명선 외
엮은이 최창록 · 조영추
기 획 『한국근대문학과 중국』 자료총서 편찬위원회
펴낸이 이대현
편 집 이태곤 문선희 권분옥 임애정 강윤경
디자인 안혜진 최선주 이경진
마케팅 박태훈 안현진
펴낸곳 도서출판 역락
주 소 서울시 서초구 동광로 46길 6-6 문창빌딩 2층
전 화 02-3409-2060(편집), 2058(마케팅)
팩 스 02-3409-2059
등 록 1999년 4월 19일 제303-2002-000014호
전자우편 youkrack@hanmail.net
홈페이지 www.youkrackbooks.com
字 數 315,846字

ISBN 979-11-6742-029-9 04810
        979-11-6742-015-2 04810(전16권)